Jean d'Ormesson
de l'Académie française

Histoire
du
Juif errant

Gallimard

Jean d'Ormesson, de l'Académie française, ancien élève de l'École normale supérieure, agrégé de philosophie, a écrit des ouvrages où la fiction se mêle souvent à l'autobiographie : *Du côté de chez Jean, Au revoir et merci, Le vagabond qui passe sous une ombrelle trouée* ; une biographie de Chateaubriand : *Mon dernier rêve sera pour vous* ; et des romans : *L'amour est un plaisir, Un amour pour rien, La Gloire de l'Empire,* et *Au plaisir de Dieu* qui a inspiré un film en six épisodes qui est un des succès les plus mémorables de la télévision.

Tenter de donner conscience aux hommes de la grandeur qu'ils ignorent en eux.

ANDRÉ MALRAUX

Est-il rien de plus vrai que la vérité? Oui : la légende. C'est elle qui donne un sens immortel à l'éphémère vérité.

NIKOS KAZANTZAKIS

Juif errant de moi-même...

ARAGON

I

La Douane de mer

Je suis le seul homme sur la Terre et peut-être
n'y a-t-il ni Terre ni homme.
Peut-être qu'un dieu me trompe.
Peut-être qu'un dieu m'a condamné au temps,
cette longue illusion.
Je rêve la lune et je rêve mes yeux
qui la perçoivent.
J'ai rêvé le soir et le matin du premier jour.
J'ai rêvé Carthage et les légions
qui dévastèrent Carthage.
J'ai rêvé Lucain.
J'ai rêvé la colline du Golgotha
et les croix de Rome.
J'ai rêvé la géométrie.
J'ai rêvé le point, la ligne, le plan
et le volume.
J'ai rêvé le jaune, le rouge et le bleu.
J'ai rêvé les mappemondes et les royaumes
et le deuil à l'aube.
J'ai rêvé la douleur inconcevable.
J'ai rêvé le doute et la certitude.
J'ai rêvé la journée d'hier.
Mais peut-être n'ai-je pas eu d'hier,
peut-être ne suis-je pas né.
Je rêve, qui sait, d'avoir rêvé.

JORGE LUIS BORGES

C'était un jour comme les autres. Il faisait beau. Le printemps était de retour sur la mer intérieure qui était, en ce temps-là, le centre du monde connu.

Les chevaux. Il en avait tué deux sous lui. Le rêve, la hantise de l'eau. Les déserts de pierres. Les grands fleuves à sec, aux noms étranges et douteux. Les hautes montagnes au loin. La neige sur les sommets. La caravane ondulait. Il était presque heureux. Le soleil se levait devant eux.

La mer, la mer, toujours la mer. Depuis plus de deux mois maintenant, ils n'avaient vu que la mer. La plupart, autour de lui, murmuraient à voix basse qu'ils allaient tous périr. Lui, le Juif de Séville, accablé de fatigue, savait qu'il ne mourrait pas.

Le Grand Canal débouchait sur le bassin de Saint-Marc. Une fois encore, une fois de plus, Simon eut un coup au cœur : à peine changée depuis tant de siècles, rêve d'éternité dans la fragilité, la ville d'orgueil et d'eau s'étendait sous ses yeux.

Il n'y avait pas d'Afrique profonde, il n'y avait pas d'Amérique, il n'y avait pas d'Australie, ni de Nouvelle-Zélande, ni de Fidji, ni de Tonga, ni de Tibet, ni de Mongolie. Il n'y avait pas de Japon. Il y avait tout autour de la mer intérieure un Empire très puissant où se croisaient beaucoup de peuples et se parlaient beaucoup de langues. Le monde était déjà vieux. Il tournait déjà comme il tourne aujourd'hui. Il avait perdu la mémoire de ces époques reculées qui, pendant des siècles de siècles, avaient accumulé du silence. Personne ne se souvenait plus des catastrophes formidables, perdues dans la nuit des temps, qui avaient accompagné sa naissance et ses premiers soubresauts. Des lambeaux de souvenirs traînaient encore dans les esprits et enflammaient des imaginations cultivées par les poètes et par les voyageurs. Ils racontaient des choses terribles sur des continents effondrés et sur des villes englouties. Des rumeurs couraient, à travers le temps, sur des royaumes de la mer intérieure qui auraient été détruits par le feu et par l'eau. Des rumeurs couraient, à travers l'espace, sur des ambassades venues de très loin, des profondeurs d'une Asie dont personne ne savait rien, et qui seraient parvenues jusqu'à la Ville de marbre et d'or, établie sur sept collines au centre de l'Empire. L'ignorance, l'incertitude, la contradiction, la fable régnaient partout en maîtresses. Il fallait des esprits d'une puissance hors du commun pour mettre un peu d'ordre, le plus souvent illusoire, dans la diversité et le désordre de l'univers. Personne, naturellement, n'avait la moindre idée de la grande muraille que venait de construire, là-bas, dans un monde inconcevable, le premier empereur de Chine, qui s'appelait Ts'in Che Houang-ti. Personne ne connaissait le nom de Confucius ou de Lao-tseu, ni même celui du Bouddha, qui avait pourtant soulevé et transformé, quelques centaines d'années plus tôt, des millions d'êtres humains. Personne ne pouvait savoir que dans un continent inconnu, au-delà d'un océan dont on n'avait jamais vu qu'un seul rivage, une civilisation du jade et de pyramides colossales était en train de naître dans la splendeur et le sang. L'espace n'était pas vaincu. Au même titre que le temps, il constituait un obstacle impossible à franchir. La plupart des hommes vivaient et mouraient dans des horizons clos. Il faudra attendre que le temps passe pour que l'espace s'abolisse.

Des successions de guerres dont le vague souvenir hantait encore les esprits avaient bouleversé l'univers. Un héros, un demi-dieu, qui parlait la même langue que ces commerçants et ces marins qu'on rencontrait dans les ports, avait conquis au moins la moitié de la terre. Des traces subsistaient encore du passage de ses troupes qui étaient allées très loin vers l'est et qui avaient poussé, vers l'ouest, jusqu'aux déserts au-delà du Nil. Ceux qui savaient, les prêtres, les gens de la ville, les sages assuraient que sur les bords du grand fleuve de légende, dont les sources étaient inconnues et où reposaient des dieux aux visages de chacal, de crocodile et d'oiseau, vivait encore, il y avait à peine cinquante ou soixante ans, une reine très belle dont les ancêtres, jadis, avaient été les compagnons et les lieutenants du héros. Des foules d'histoires couraient sur les batailles du héros, sur ses triomphes, sur sa mort. Il avait tranché le nœud qui scellait l'avenir du monde et que personne, jamais, n'avait réussi à défaire. Il avait fondé beaucoup de villes dont plusieurs portaient son nom. Il avait épousé une princesse dans un pays mystérieux. Il avait fait boire son cheval dans des fleuves qui marquaient le terme de l'univers. Au-delà s'ouvraient des abîmes où s'agitaient des monstres.

Dans un recoin de l'Empire qui avait succédé au demi-dieu et qui avait conquis toutes les terres autour de la mer intérieure, vivait un petit peuple très singulier. Beaucoup de villes et de nations avaient brillé dans le souvenir des hommes par la beauté de leurs monuments, de leurs statues, de leurs vases ou par la grandeur de leurs philosophes et de leurs tragédiens. D'autres, comme le héros disparu ou comme l'Empire invaincu, avaient dominé le monde par la puissance de leurs armes et de leurs légions. D'autres encore étaient très riches et envoyaient à travers le monde des navires chargés de bijoux, de pierres précieuses ou de vêtements de pourpre et d'or. Le petit peuple orgueilleux qui avait dû céder à la force de l'Empire avait une seule puissance, une seule beauté, une seule richesse : c'était sa foi. À la différence des impies dont il était entouré de toutes parts et qui se partageaient l'univers sous l'autorité de l'Empire, il adorait un dieu unique qui lui avait promis de le sauver et de punir ses ennemis.

La fatigue l'accablait. Les autres — Francisco, et Diego, et Fernando, le matelot coq, et Rodrigo, le géant, qui n'en finissait pas de raconter ses campagnes contre les Maures de Boabdil — étaient venus, tour à tour, à l'avant du navire lui dire qu'ils n'en pouvaient plus et qu'ils voulaient revenir en arrière avant de tomber dans les gouffres qui allaient s'ouvrir devant eux, avant d'être dévorés par les animaux gigantesques qui crachaient des torrents d'eau et que les vigies, du haut des mâts, signalaient depuis plusieurs jours. Lui n'avait même pas ce recours de la peur. Il savait qu'il ne lui arriverait rien et que sa seule présence sur la *Santa Maria* était la preuve, d'avance, d'un salut inutile et encore inconnu qui lui pesait plus que tout. Quand le jeune mousse de Triana, pris d'un accès de folie, s'était jeté dans la mer par-dessus le bastingage, comme il l'avait compris et envié ! La lassitude, l'épuisement, la hantise de l'à quoi bon, le désir d'en finir le tenaient depuis toujours. Il passait à bord pour un original, pour un drôle de pistolet. Aussi loin qu'il remontât dans ses souvenirs sans nombre, c'était la même chose, déjà, quand il se battait sur le Danube ou du côté de Sarmizegethusa contre les Daces du Décébale, quand il coltinait sur son dos, au fin fond de l'Irlande, les manuscrits sans prix du monastère de Glendaloc'h, quand il guettait les Turcs sur les galères de Bragadin, quand il se baladait avec frère Jean dans les déserts brûlants et glacials de l'Asie. Personne ne craignait la mort moins que lui qui n'attendait rien du ciel, ni du monde, ni des hommes.

En ce jour de printemps, les paysages, les plantes, les animaux, les hommes n'étaient pas très différents de ce qu'ils sont aujourd'hui. Il n'y avait guère de livres. Il y avait peu de machines. Et de grandes forêts s'étendaient un peu partout, sur la Gaule lointaine, dans les plaines au nord des Alpes, sur les îles radieuses de la mer intérieure où, quelques siècles plus tôt, avait erré Ulysse, dans la Galilée toute proche et sur les bords du lac de Tibériade où fleurissait, en ce temps-là, un pays vert, ombragé, souriant, le vrai pays du *Cantique des Cantiques* et des chansons du bien-aimé. Pendant les deux mois de mars et d'avril, la campagne y était un tapis de fleurs de toutes les couleurs. Des tourterelles rapides, des merles si légers qu'ils se posaient sur les herbes sans les faire plier, des alouettes huppées, des tortues de ruisseau, des cigognes encore sans crainte et sans timidité se laissaient volontiers approcher d'assez près. Partout, de petites villes et de gros villages se bousculaient sur une terre très peuplée, indifférente au luxe, à l'art, aux beautés de la forme que chérissaient les Grecs, mais cultivée avec soin par des agriculteurs étonnamment doués pour la spéculation intellectuelle et pour les choses de l'esprit. La campagne, en Galilée et du côté de Tibériade comme aux environs de Tyr, plus au nord, abondait en eaux fraîches et en puits. Les fermes étaient ombragées de figuiers et de vignes. Les jardins étaient des massifs de pommiers, de noyers, de grenadiers. Le vin était excellent, et tous en buvaient beaucoup.

Plus au sud, au-delà des collines et des vallées, non loin de la mer Morte dont les eaux laissaient aux lèvres un goût de sel prononcé, s'élevait, dans un pays plus triste et presque désolé, la grande ville sainte des Juifs. Là, dans la vallée du Cédron, s'étaient installés, depuis des siècles et des siècles, les enfants d'Abraham qui était venu de très loin avec sa famille et sa foi. Le roi David, dont le nom et la gloire et les amours et jusqu'aux crimes étaient encore chantés par le peuple tout entier, s'était emparé de la ville et son fils Salomon y avait édifié, avec l'aide d'Hiram, roi de Tyr, qui avait fourni des bois de cèdre et des charpentiers, le Temple du Tout-Puissant où, gardées par deux chérubins ailés en bois recouvert d'or, l'arche d'alliance et les tables de la Loi jadis inspirées à Moïse sur les hauteurs du Sinaï allaient être déposées. Plus tard, mais près de six cents ans avant notre journée de printemps, le Temple avait été détruit par Nabuchodonosor, qui était roi de Babylone. Il avait été reconstruit, pillé de nouveau, restauré encore une fois. Et puis, il y avait quatre-vingts ans, ou quelque chose comme ça — et les très grands vieillards se souvenaient encore de ces sinistres événements —, les légions de Pompée avaient conquis la ville sainte et tué les prêtres qui officiaient dans le Temple. Jérusalem, la Judée, la Palestine entière avaient été soumises à l'Empire.

Des travaux immenses avaient été entrepris par Hérode qui était monté grâce aux Romains sur le trône de Jérusalem et que beaucoup de Juifs n'aimaient pas parce qu'il collaborait avec l'Empire. Il professait, bien sûr, la religion de Moïse, mais c'était un Iduméen et, aux yeux de la plupart, un opportuniste et un traître. Il avait été un ami de Marc Antoine à qui il devait tout et, tout de suite après la bataille d'Actium, où Antoine et Cléopâtre avaient été écrasés par Octave, il s'était rallié au vainqueur en train de devenir l'empereur Auguste. Pour se maintenir au pouvoir, il avait fait périr son beau-père, son beau-frère et, en fin de compte, sa femme elle-même. Il s'était marié dix fois. C'était un prince sans foi ni loi et sa cruauté, sa tyrannie, sa servilité envers l'occupant l'avaient fait haïr et mépriser. Comme beaucoup de tyrans, il avait construit des théâtres, des gymnases, des monuments innombrables qui l'avaient fait passer auprès des prêtres et des Juifs pieux pour un païen hellénisé. Sur l'emplacement d'une cité grecque, il avait fondé une ville sur la mer qu'il avait baptisée Césarée pour se faire bien voir des Romains. Mais ce collaborateur détesté venait de reconstruire aussi, en plus grand et en plus beau, le Temple de Salomon.

Tout à coup, sous ses yeux, s'avançant en forme d'étrave entre la riva degli Schiavoni et l'isola San Giorgio qui brillaient au soleil d'une lumière ocre et rose, au-delà de la Salute, devant l'auberge de l'Europe où était descendu Chateaubriand, en face de la Piazzetta avec ses deux colonnes et du palais des Doges, si massif, si léger, Simon aperçut la Douane de mer, couronnée d'un globe terrestre où tourne une girouette qui représente la Fortune. Tirés de leur sommeil par la beauté et l'émotion, les souvenirs des autres, et les siens, lui revenaient en foule à l'esprit. Siècle après siècle, le spectacle de ces églises, de ces palais, de ces tours, de ces coupoles avait nourri les rêves des voyageurs, des amants, des fêtards, des mystiques. L'Orient et l'Occident se rencontraient ici. Un des centres de l'univers devait se trouver quelque part dans le triangle enchanté que formaient les deux lions derrière la place Saint-Marc, le campanile de San Giorgio et la pointe de la Salute. Il n'y avait pas d'endroit au monde plus chargé de passé et de sens. La lumière était si pure, l'air était si léger que les pierres de Venise semblaient danser sur l'eau. Un mystère, presque une douleur naissaient de cet éblouissement. Tant de splendeur, distribuée avec tant de profusion et d'apparente négligence, enthousiasmait et décourageait en même temps. Il s'entendit dire à haute voix :

— Tout est bien.

Un homme dans un chandail rayé sous un chapeau de paille bordé de rouge se retourna et le regarda. Simon leva la main et l'agita, comme pour effacer ses paroles. Un bonheur venu de loin se mêlait à cette angoisse qui ne le lâchait plus.

En ce jour de printemps où tant de choses devaient commencer, un homme dans la force de l'âge, aux cheveux longs, à la barbe taillée avec soin, était assis sur un siège devant le palais où il travaillait.

— Alors, Ahasvérus, lui criaient les gamins et les ménagères en train de faire leur marché, on prend le frais ?

Il prenait le frais. Il regardait autour de lui le spectacle de la rue où passaient, dans un désordre familier, dans une débauche de couleurs, dans une odeur pestilentielle, dans un vacarme de jurons et de cris, des ânes, des chameaux, des prêtres, des zélotes, des gens de la campagne, des dames de la haute société, des marins en goguette, des pharisiens et des publicains qui se rendaient au sanhédrin ou qui en revenaient avec le front soucieux des importants en train de rouler des pensées dans leur tête, des Grecs, des Syriens, des Égyptiens, qu'on reconnaissait à leur langage et à leurs vêtements, et, de temps en temps, deux ou trois soldats romains, affublés de leur casque et de leur épée, et parfois de leur pilum, et qui marchaient de conserve en jetant autour d'eux les regards soupçonneux des troupes d'occupation. Il levait les yeux au ciel : de minuscules nuages couraient au-dessus de sa tête.

Il se sentait assez bien. Son corps fonctionnait en silence. Il pensait le moins possible. Des bribes d'images éparses lui traversaient l'esprit. L'histoire, la politique, la philosophie, la religion l'occupaient assez peu. Il lui arrivait de rêver tout à coup à sa Galilée natale, à une femme qui lui avait plu et qui lui plaisait peut-être encore, à sa mère qui était morte quand il avait sept ou huit ans, à des plaisirs évanouis. Alors, il fermait les yeux et toutes ces visions fugitives faisaient une sorte de théâtre à l'intérieur de sa tête et le remplissaient d'un bonheur qui ne se distinguait guère de la tristesse. Il n'était ni un saint, ni un sage, ni un héros. Il était un homme comme les autres. Il dormait beaucoup. Il essayait d'oublier.

Entre trente et quarante ans plus tôt, il était né en Galilée, à Magdala. Son père s'appelait Ahasvérus. Et lui aussi : Ahasvérus. Tout le monde, dans la famille, s'appelait Ahasvérus. Ce drôle de nom lui avait valu quolibets et bourrades. Mais aussi l'intérêt et parfois presque l'estime de savants et de prêtres : il leur arrivait de se demander si ce nom bizarre d'Ahasvérus n'était pas une déformation du nom d'Assuérus qui était, dans le *Livre d'Esther*, celui du roi des Perses. Chacun sait, depuis Racine, et savait de tout temps en Judée et en Galilée, que la nièce de Mardochée, la belle Esther, avait remplacé auprès d'Assuérus — ou Xerxès — la reine Vasthi, répudiée par son époux impérial et royal. De là à supposer que la famille des Ahasvérus entretenait, d'une façon ou d'une autre, des liens au moins indirects avec Assuérus et Esther, il n'y avait qu'un pas à franchir. Le clan l'avait sauté avec d'autant plus d'allégresse que tous les Ahasvérus étaient cordonniers de père en fils : le métier, comme le nom, était héréditaire. Une reine, quelque part là-haut, il faut bien les comprendre, ça les flattait, ces gens-là.

Ahasvérus le père était cordonnier en Galilée. Ahasvérus le fils fut cordonnier à Jérusalem. De Galilée à Jérusalem et de Jérusalem en Galilée, des caravanes nombreuses circulaient dans les deux sens. Dès son enfance, notre Ahasvérus à nous fit, presque chaque année, pour les fêtes, le voyage de Jérusalem. Le pèlerinage était pour les Juifs provinciaux une solennité pleine de douceur. Des séries entières de psaumes étaient consacrées à chanter le bonheur de cheminer ainsi en famille durant plusieurs jours, au printemps, à travers les collines et les vallées, avec devant les yeux les splendeurs de Jérusalem, les terreurs des parvis sacrés, la joie pour des frères de demeurer ensemble. La route empruntée d'ordinaire par Ahasvérus dans ces voyages était à peu près celle que suivit encore, bien des siècles plus tard, dans les pas de Jésus, par Ginaea et Sichem, un Renan éperdu. Au terme d'un de ces voyages, au lieu de rentrer avec les siens dans sa Galilée natale, Ahasvérus s'installa dans une échoppe de Jérusalem.

Il y avait à cette décision beaucoup de motifs différents et parfois opposés : l'ambition, l'impatience, le goût de l'indépendance poussaient Ahasvérus ; et aussi une amertume et une déception qui pouvaient être mises sur le compte d'un amour contrarié. À Magdala, où Ahasvérus avait passé sa jeunesse, vivait une jeune femme, de quelques années sa cadette. Elle s'appelait Myriam — ou Marie. Avec sa taille haute et souple, avec ses longs cheveux blonds qui lui tombaient sur les épaules, avec son caractère exalté et fantasque, elle plaisait beaucoup aux hommes. Elle avait longtemps nourri pour Ahasvérus une de ces passions d'enfance, violentes et absurdes, qui se développent en silence. Ils jouaient tous les deux dans les jardins, autour des puits. Ils firent ensemble et en famille le pèlerinage de Jérusalem. Ils grandirent l'un près de l'autre sans se douter des légendes qui, plus tard, bien plus tard, s'attacheraient séparément à chacun de leurs noms.

La beauté de Myriam et peut-être l'indifférence de son compagnon de jeux jetèrent assez vite la jeune fille dans l'égarement, puis dans les désordres. À huit ans, à dix ans, elle regardait avec admiration un adolescent déchaîné et ingrat qui ne rêvait que plaies et bosses et ne comprenait rien. À quatorze ou quinze ans, elle fut remarquée successivement par un marchand de Tyr, par un prince syrien, par un lieutenant de cet Hérode Antipas qui était le fils du grand Hérode et qui, en nom au moins, car les Romains étaient là, régnait sur la Galilée avec le titre de tétrarque. On raconte — mais allez savoir ! les gens sont si méchants — que le procurateur de Judée, qui s'appelait Poncius Pilatus, et le sénateur Publius Sulpicius Quirinius, personnage consulaire fort connu et légat impérial de Syrie, dont dépendaient la Samarie, l'Idumée, la Galilée, la Judée tout entière, eurent des bontés pour elle. Ce qui est sûr, c'est que Myriam glissa peu à peu dans une vie de plaisirs et bientôt de débauche qui fit d'elle, à la fois, une femme riche et une courtisane.

Ahasvérus, dans ses jeunes années, au cours des voyages vers Jérusalem ou des longues soirées d'été au bord du lac de Tibériade où les jeunes gens souvent accompagnaient les pêcheurs, avait fini par tomber amoureux de cette amie de toujours que l'habitude l'empêchait de voir et qui était devenue une jeune fille d'une beauté éclatante. Plus d'une fois, dans de grands rires d'abord, et pour plaisanter, puis de plus en plus sérieusement, quand ils se croisaient près du puits, quand ils allaient chercher le poisson pêché dans les eaux du grand lac parfois agité de tempêtes et qui ressemblait à une mer, quand ils cueillaient ensemble le raisin qui allait être foulé dans les grandes cuves, il levait les yeux vers elle et il lui murmurait des passages du *Cantique des Cantiques* : « Tu as ravi mon cœur, ma sœur, mon épouse. Tu as ravi mon cœur avec un seul de tes yeux, avec un seul des colliers de ton cou. Que ton amour est beau, ma sœur, mon épouse, et combien meilleur que le vin ! » Leurs familles étaient proches et liées, leur condition était semblable, elle lui témoignait de l'amitié, rien ne s'opposait à leurs relations. Il la vit pourtant avec stupeur s'éloigner de lui assez vite. Et plus elle s'éloignait, plus il avait envie de vivre avec elle et de l'épouser. En quelques années, en quelques mois, elle fut bien au-dessus et au-dessous de lui, qui était un pauvre et honnête cordonnier : au-dessus, parce que, couverte de bijoux, traînant de banquet en banquet, elle menait une vie brillante, aisée, presque somptueuse ; au-dessous, parce qu'elle se livrait à la prostitution.

Tout au long de cette chevauchée interminable aux côtés de frère Jean, il avait été presque heureux. On avançait, on avançait. Les autres avançaient comme lui. Il pensait enfin à autre chose. Il faisait partie d'un projet auquel il ne croyait pas, mais où il avait sa place et son rôle. Il avait cessé de ne s'occuper que de lui. Il lui arrivait de s'imaginer qu'il avait une vie devant lui avec une tâche à accomplir et qu'il était utile aux autres. Ils avaient traversé des pays inconnus où personne, jamais, n'était venu avant eux, de grandes villes mystérieuses qui ne figuraient sur aucune carte. De temps en temps, avec crainte, ils tombaient sur des hommes qui parlaient des langues bizarres dont les autres n'entendaient rien. Ils avaient vu des cavaliers formidables qui jouaient à la balle avec des têtes de mouton. Ils mirent du temps à comprendre que la terreur qu'ils éprouvaient était moindre peut-être que celle qu'ils répandaient. Le matin, quand le prêtre disait la messe entre les tentes, Giovanni Buttadeo, debout parmi les autres, rêvait à un passé qui n'avait pas de fin.

Ce qui se passa alors était un peu triste. Comme pour rattraper à tout prix, et contre toute évidence, un passé évanoui, Ahasvérus s'efforça de conquérir ou de reconquérir la jeune femme. Trop tard. L'heure éclatante était tombée dans l'ombre. Le temps s'était écoulé. Il n'était plus de taille. Il renonça avec fureur à partager une vie qui le dépassait de partout et il se contenta de lui offrir tout ce qu'il possédait pour passer une nuit, une seule nuit, avec elle. Elle refusa en riant.

— Nous sommes amis depuis si longtemps... Pourquoi changer ?

— Nous avons joué ensemble, couru ensemble, voyagé ensemble. Nous nous sommes promenés ensemble dans les sables et sous les palmiers. Nous avons ri et pleuré ensemble. Maintenant, j'ai envie de dormir avec toi.

— Comme c'est drôle ! Moi pas... Ou moi plus.

— Mais tu couches avec tout le monde ! Pourquoi pas avec moi ?

— Parce qu'il est trop tard. Parce que tu n'es pas assez riche pour que je te traite comme tout le monde. Et parce que je ne t'aime plus assez pour te traiter autrement.

Elle avait les yeux violets. Il s'accrocha à elle. Elle le

repoussa. Il s'obstina dans sa passion. Elle s'obstina dans son dédain. C'était une courtisane un peu particulière : elle mettait à ses débordements, et aussi à ses refus, une exaltation qui faisait douter de son bon sens les hommes que rendaient fous sa beauté et son allure de reine triomphante et déchue. Elle était à la fois intraitable et changeante.

C'est en partie pour l'oublier qu'Ahasvérus quitta sa Galilée natale et s'installa à Jérusalem. Pendant quelques années, il exerça son métier dans une échoppe de cordonnier. Les gens le connaissaient, le saluaient, échangeaient avec lui quelques plaisanteries éculées. C'était une figure de la vieille ville. Il gagnait sa vie à grand-peine. Le soir, de temps en temps, il allait jouer aux dés ou aux osselets avec un boulanger, son voisin, avec le serviteur du grand prêtre, avec le portier du procurateur romain. Il lui arrivait de s'interroger sur l'étroitesse d'une vie où, en l'absence de fortune, d'aventure, d'amour, d'ambition, de savoir, de sagesse, ne survenait plus grand-chose. Il se souvenait des élans qui avaient soulevé sa jeunesse. Le désespoir s'emparait de lui. Et il se rendormait dans sa médiocrité.

Le portier du procurateur s'appelait Cartaphilus. Il était le fils d'une Juive et d'un légionnaire de Marc Antoine, et il vieillissait. Un soir qu'il avait joué aux dés avec Ahasvérus et qu'il avait été lessivé, il misa sa place dans un dernier quitte ou double : il perdit encore. De ce jour, Ahasvérus, qui ne voulait pas la mort du pécheur, lui servit d'assistant dans le palais du procurateur, avec promesse de le remplacer quand il quitterait ses fonctions pour de bon. Cartaphilus n'était pas le seul portier du procurateur de César. Ils étaient trois ou quatre à se relayer jour et nuit, à recevoir les messages, à écarter les solliciteurs, à apporter du pain et du vin aux légionnaires romains en train de monter la garde devant le palais.

Ahasvérus n'avait pas abandonné sa boutique. Penché sur son établi, il y travaillait jusqu'à la tombée de la nuit. Au coucher du soleil, un jour sur trois ou sur quatre, il allait au palais rejoindre Cartaphilus qui lui apprenait le métier. Il dormait sur place, installé plutôt mieux dans un coin de l'édifice, sur un amoncellement de vieux sacs, que dans sa masure de tous les jours, sur sa paillasse défoncée qui, par grande chaleur surtout, se mettait à puer. Et, le matin, il lui arrivait de remplacer Cartaphilus qui commençait à prendre du champ et à lâcher la rampe. Pour plus de simplicité, puisqu'il n'était qu'une doublure, les gens du quartier l'appelaient aussi Cartaphilus. Il y avait deux Cartaphilus : l'un décati et âgé, édenté, à moitié borgne, aux portes déjà de la mort ; l'autre encore plein de force malgré sa nonchalance et qui paraissait le fils ou le petit-fils du premier. Et ce Cartaphilus bis, portier adjoint de Ponce Pilate, ne faisait qu'une seule et même personne — voilà le point qui allait égarer, des commentateurs byzantins et de Matthieu Pâris, moine de Saint-Albans dans l'Angleterre du Moyen Âge, jusqu'à Goethe, à Byron, à Jorge Luis Borges, tant de savants et de poètes dans les siècles à venir — avec le cordonnier Ahasvérus.

C'est ici que j'interviens. Si le hasard, un beau jour, ne m'avait mis sur son chemin, je ne sais pas trop ce que je serais devenu. Un clochard, peut-être. Une épave. Ou peut-être — mais comment ? — un industriel, un banquier, un homme avec de la fortune, qui se serait promené d'île en île et de palace en palace. Ou un de ces personnages importants qui connaissent beaucoup de monde et dont dépend le cours de l'histoire. Ou peut-être un fonctionnaire, un retraité, un rentier parmi d'autres. J'aurais acheté des billets de la Loterie nationale. J'aurais traîné sur les champs de courses. J'aurais regardé les feuilletons à la télévision. Je me serais occupé de femmes, ou d'affaires, ou d'élections, ou de sport. Ou peut-être de rien du tout. Ou peut-être de ma voiture que j'aurais longuement astiquée, le dimanche matin, au bois de Boulogne. J'ai eu de la chance. Un matin de printemps, à Venise, au pied de la Douane de mer, je suis tombé sur lui.

LETTRE DE PONCIUS PILATUS
PROCURATEUR DE JUDÉE
AU SÉNATEUR
PUBLIUS SULPICIUS QUIRINIUS
LÉGAT IMPÉRIAL DE SYRIE

« Poncius Pilatus, procurateur de Judée, au sénateur Publius Sulpicius Quirinius, légat impérial de Syrie, salut. Tu trouveras ci-joint le rapport que tu m'as demandé sur les impôts de l'année et sur quelques-uns des personnages qui comptent dans la région. J'ai établi des fiches sur toute la dynastie des Hérodes. Elles concernent surtout des faits de notoriété publique. Voici quelques commentaires confidentiels et destinés à toi seul.

Le grand Hérode, le bâtisseur, l'Iduméen, est mort, comme tu le sais, il y a un peu plus de trente ans, laissant aux Juifs qui le détestaient des monuments qui ne sont indignes ni de Rome ni de leur roi Salomon. C'était un ambitieux passé à notre service. Il n'était pas bien vu par les prêtres dont l'influence reste très puissante sur la population de Jérusalem. Il a eu beaucoup de femmes et beaucoup d'enfants. En plus d'une petite-fille d'une grande beauté et dont je te dirai quelques mots, il lui restait trois fils. Archelaüs, ethnarque de Jérusalem, est mort il y a plus de vingt ans, après avoir été déposé par Auguste. C'est ce qui me vaut la chance de ne dépendre que de toi, sans prince local à mes côtés. Je n'ai pas besoin de te dire combien je m'en réjouis. Les deux autres fils sont tout acquis à Rome et entièrement à notre botte. Philippe, tétrarque de la Gaubonitide et de la Batanée, est un souverain sans histoire. Il a été marié. Et à qui, je te prie? À Hérodiade, sa nièce, la petite-fille du grand Hérode. Hérode Antipas, tétrarque de la Galilée et de la Pérée, le seul qui compte des trois fils, est un prince nonchalant et, au regard surtout de la plupart des Juifs qui l'entourent, étonnamment peu porté aux activités de l'esprit. Il était marié à une princesse d'Arabie. Et puis... et puis il est tombé follement amoureux de la belle Hérodiade, sa nièce et sa belle-sœur, la femme de son frère Philippe. Son frère la lui a refilée et il l'a épousée, à la fureur du roi d'Arabie. Hérodiade est la nièce des deux frères — tu me suis? — et la femme de l'un, puis de l'autre. Tu imagines la tête des Juifs, très chatouilleux dans ce domaine, très à cheval sur leurs principes, devant ce double inceste triplé d'un adultère! Un de leurs saints hommes, dont j'ai oublié le nom, a eu un culot infernal: il est venu à la cour faire des reproches au couple royal sidéré et à la fille d'Héro-diade, Salomé, qui est charmante, elle aussi, et qui danse à ravir, et qui plaît beaucoup, murmure-t-on, à son sacripant de beau-père. On a coupé la tête du saint homme et on l'a apportée sur un plateau à la belle Hérodiade.

Tu sais mieux que moi combien Hérode Antipas est en faveur auprès de Tibère. Il est de ceux qui défendent les confins de l'Empire contre la pression des Arabes. C'est en l'honneur de l'empereur qu'a été fondée la ville de Tibériade et que le lac de Génésareth est devenu le lac de Tibériade. Ces liens nous obligent naturellement à beaucoup de prudence et de ménagements. Tu as pu constater plus d'une fois que je ne manque jamais d'en faire preuve dans mes relations, heureusement assez lointaines, avec le tétrarque de Galilée. C'est un homme difficile, parfois franchement odieux, trop souvent égaré par l'influence d'Hérodiade. Je m'efforce, autant que je peux, et parfois à contrecœur, de lui faire bonne figure.

Je t'ai mis aussi quelques renseignements sur une vingtaine de notables et sur le grand prêtre des Juifs, leur sacrificateur en chef et leur souverain pontife — *pontifex maximus.* Il joue un rôle important parce qu'il préside le sanhédrin et ses soixante-dix membres — tous pharisiens ou sadducéens et qui se détestent entre eux : quand ils n'ont pas d'ennemi qui les oblige à s'unir, les Juifs, comme les Arabes d'ailleurs, se détestent souvent entre eux. Son nom est Joseph, mais tout le monde l'appelle Caïphe. Il est le gendre d'Anne, qui a été déposé, il y a quinze ans, par Valerius Gratus. Avec ses yeux de fou et sa grande barbe noire, il ne prête pas à rire et je n'en fais pas mes choux gras. Mais, dans ce pays de dingues, il faut compter avec lui. Tu trouveras enfin dans le rapport un certain nombre d'informations militaires et économiques qui te seront peut-être utiles. Permets-moi de passer maintenant à des considérations plus personnelles.

Voilà déjà quatre ans que j'ai succédé ici à Valerius Gratus. J'accomplis le mieux possible la tâche que m'a confiée l'empereur sous ton autorité. Mais qu'ai-je donc fait en quatre ans ? Que fais-je, jour après jour, et du matin au soir ? Presque rien. Je me dispute avec Antipas et je me réconcilie avec lui. Je recouvre des impôts. Je prononce quelques jugements, surtout en matière fiscale. Que ferai-je dans les années qui viennent ? À coup sûr, pas beaucoup plus. Et sans cesse la même chose.

En ce moment au moins, le pays est assez calme. Je m'en félicite, naturellement. Mais il m'arrive de rêver de grandes aventures qui transmettraient mon nom aux rivages du futur. Ne ris pas, Quirinius ! C'est une grande joie pour moi d'être soumis ici à tes ordres. Mais toi, sénateur, légat impérial, *praeses,* familier de l'empereur, tu es déjà assuré de l'immortalité. Mon pauvre nom, inconnu, est voué à l'oubli.

Les Juifs ne sont pas des guerriers. Ils sont d'abord des hommes de croyance et de foi. Ils se battent pour ce qu'ils croient. La religion tient ici une place invraisemblable. À Rome, et même en Syrie, il est impossible, je crois, de s'en faire une idée : je vis, à Jérusalem, au milieu de fanatiques. Les Juifs adorent un seul dieu, dont le nom ne peut être prononcé, et qui décide de tout en ce monde. Imagine un Jupiter dont il n'y aurait pas de statue, sans Apollon et sans Mars, sans Vénus, sans Junon, qui serait tout seul à régner sur son Olympe d'où il foudroierait les mortels et réglerait toutes choses : voilà à peu près comment les Juifs voient leur dieu. Ils sont très pieux. Ils prient souvent, et avec beaucoup de ferveur. Ils sont surtout fiévreux. D'après leurs livres saints, qui tiennent une grande place dans leur existence, la totalité de leur peuple a été emmenée, il y a de longues années, dans un passé lointain, en captivité à Babylone. Depuis ce temps-là, ils vivent dans un état de tension permanente et parfois insoutenable. Ils sont hypernerveux et hypersensibles. La spéculation intellectuelle les occupe tout entiers. Et ce qu'il y a de plus étrange, c'est qu'ils ne séparent pas le sort de l'humanité de celui de leur petite race. Ils sont modestes jusqu'à l'humilité et orgueilleux jusqu'au délire. Les Grecs ont eu tous les grands hommes que tu sais. Notre Ville a des soldats, des juristes, des poètes, des architectes. Les Juifs ont une foule de prophètes. Pour leur avenir comme pour leur passé, ils ont une imagination prodigieuse. Nous faisons des ponts ; ils font des rêves. Nous faisons des lois ; ils font des songes. Et ils sont le centre et le but de ces rêves et de ces songes qui embrassent pourtant toute la terre et toute l'histoire, l'ensemble de l'espace et du temps. Je les crois assez durs, assez moqueurs, assez égoïstes, assez étroits. Ils sont très intelligents et capables d'enthousiasme.

Ce n'est pas moi qui t'apprendrai quel est le poids de l'Asie et de ces mondes inconnus qui s'agitent à tes frontières. Il y a tout l'Orient chez mes Juifs — et déjà un peu de la Perse. Cléopâtre était très loin de Rome. Que dire de Jérusalem ! C'est le bout de l'univers : je suis exilé au milieu des visions d'un petit peuple exalté. Ces visions, de temps en temps, mènent à des révoltes religieuses. Les Galiléens surtout se soulèvent régulièrement. Il y a quelques mois, j'ai dû réprimer une sédition qui avait éclaté en Galilée. Une fois de plus, naturellement, elle concernait ce dieu qui émeut tant les Juifs. Et en même temps l'argent qui émeut tant tout le monde. L'argent et la religion sont souvent mêlés chez mes Juifs. C'est à cause de cette imbrication que nos recensements y sont si impopulaires. Déjà sous leur roi David, il y a des siècles et des siècles, un fameux recensement avait provoqué des fureurs et des grincements de dents et les menaces des prophètes. C'est que le cens est la base de l'impôt. Or l'impôt, chez eux, est presque une impiété. Dieu, leur dieu unique, étant le seul maître que les hommes doivent reconnaître, payer la dîme à un souverain profane, c'est, en quelque sorte, le mettre à la place de Dieu. L'argent des caisses publiques passe, aux yeux de mes Juifs, pour de l'argent volé. Un recensement ordonné par toi, Quirinius, il y a quelques années, a réveillé ces idées et provoqué des troubles du côté de la Galilée. Te rappelles-tu un certain Juda, de la ville de Gamela, sur la rive orientale du lac de Tibériade, et un pharisien nommé Sadok qui se firent, en niant la légitimité de l'impôt, une école nombreuse qui aboutit bientôt à une révolte ouverte ? Les maximes fondamentales de ces hurluberlus étaient que la liberté vaut beaucoup mieux que la vie et qu'on ne devait appeler personne « Maître », parce que ce titre est à Dieu seul. Ils ont donné du fil à retordre à nos légions. Mon prédécesseur Coponius écrasa la sédition.

Mais l'école a subsisté et conservé des chefs. Sous la conduite de Menahem, le fils du fondateur, et d'un certain Éléazar, son parent, c'est elle qui a embrasé la Galilée. J'ai dû prendre sur place des mesures de rigueur. L'opération, au moins, m'a donné, pendant un mois ou deux, l'impression de faire quelque chose.

Le fond de l'affaire est que je m'ennuie à périr dans ce trou de province. Quand les Galiléens ne se soulèvent pas au nom conjoint de leurs sous et de leur dieu unique, que peut-il bien se passer autour du Temple de Jérusalem ? À Rome, à Athènes, à Alexandrie, qui se soucie des événements, si minces, si quotidiens, qui se déroulent ici ? Qui connaît même le nom de Jérusalem ? L'empereur sait-il que j'existe ? Si tu n'obtiens pas pour moi mon transfert en Pannonie, à Byzance, ou, mieux encore, en Sicile, dans un de ces endroits où l'histoire est en train de se faire, je crois que je mourrai inconnu.

Je t'entretiens de mes rêves de gloire et d'immortalité — et voilà que je dois te quitter. Et pour quoi, je te prie ? On dirait une illustration de ce que je viens de t'écrire : pour juger un pauvre bougre, tout à fait inoffensif, que m'envoient cet imbécile de Caïphe et son sacré sanhédrin et ses prêtres fanatiques. Tu m'avoueras que ce n'est pas de chance : ce gaillard-là est le seul, parmi tant d'illuminés et de thaumaturges de tout acabit, à ne pas refuser l'impôt. Des agents d'Hérode Antipas lui ont demandé, il y a quelque temps, s'il fallait le payer ou non. C'était un piège, naturellement. Il l'a très bien déjoué, dans le langage imagé des gens de la Galilée, en montrant une de nos monnaies à l'effigie de l'empereur : « Rendez à César ce qui est à César et à Dieu ce qui est à Dieu. » Des rebelles comme celui-là, j'en voudrais tous les jours. Pour une fois qu'il y en a un qui ne pousse pas au soulèvement, qui ne rosse pas les percepteurs, qui ne réclame pas de massacres... C'est un peu contrariant : les prêtres sont montés contre lui. Il leur fait concurrence, je crois. Ils l'accusent de faux miracles et de leur faucher leurs clients. Il rassemble des disciples en plus grand nombre qu'eux-mêmes. Ils sont bizarres, ces Juifs. Je te l'ai déjà dit, je ne le dirai jamais assez, car c'est un point essentiel pour notre politique : quand ils ne se battent pas contre nous, ils se battent entre eux. Tu vois où j'en suis réduit : à servir de garde champêtre dans leurs querelles intérieures. Une idée me vient... je suis sûr que tu m'approuveras : s'il est galiléen — et il est sûrement galiléen, tous les emmerdeurs, je suis payé pour le savoir, sont toujours galiléens —, je le renvoie à Hérode Antipas. Le tétrarque de Galilée est de passage à Jérusalem. Il est un ami de Tibère. Il est — oui ou non ? et je te défends de rire — le souverain de tous les Galiléens. Mon bonhomme l'occupera. Ça leur fera les pieds à tous les deux. Rien de plus sage que de laisser à Rome — à toi d'abord, à moi ensuite — le soin de prononcer les condamnations capitales. Si ce droit était reconnu aux Juifs, tous nos partisans y passeraient. Mais l'exercice de ce privilège est souvent bien lassant. J'ai envie, ce coup-ci, pour cette affaire mineure qui ne regarde que les Juifs, de renvoyer la balle dans le camp du tétrarque.

Ne m'oublie pas, Quirinius ! Je n'en peux plus de vieillir dans l'ombre à traiter de questions subalternes. L'idée que l'histoire du monde se fait sans moi, que je reste à l'écart de tout ce qui se passe d'important m'est insupportable. Si tu en as l'occasion, si tu le veux, si tu le peux, parle de moi à Tibère. Qu'il m'envoie n'importe où. Mais surtout loin d'ici, Quirinius, où je crève d'ennui parce que rien n'y arrive et parce que rien n'en part. *Vale.* »

L'aventure — cette aventure-là — avait commencé dans une de ces petites villes d'Italie perchées sur une colline où Giovanni Buttadeo aimait à s'arrêter. La ville s'appelait Assise. C'était plutôt un bourg dont l'extrême modestie était compensée par l'activité, le talent, le charme de ses habitants. Les femmes y étaient belles et pieuses, les hommes y étaient subtils : ils aimaient la musique, la poésie, la peinture, les voyages. Beaucoup étaient allés au loin, jusqu'à Florence ou à Sienne. Quelques-uns, plus hardis encore, avaient poussé jusqu'à Venise, jusqu'à Rome, jusqu'à Bologne ou Milan. Il leur arrivait aussi de se battre contre leurs voisins, dont les plus remuants étaient les gens de Pérouse. Comment Isaac le Juif était arrivé jusqu'à Assise, pourquoi il avait pris le nom de Giovanni Buttadeo, il ne le savait plus guère : il avait trop de souvenirs pour les conserver tous.

Son bâton à la main, sa besace au côté, les pieds chaussés de sandales sans couleur et sans âge, il se promenait sur les marchés, à travers les étals, et discutait avec les commerçants à qui il donnait des coups de main en échange d'un morceau de pain accompagné d'olives et arrosé d'un peu de vin. L'un des plus riches de ces marchands était un homme de bonne allure, à la taille assez haute, au visage large et avenant : il s'appelait Pietro di Bernardone. Bernardone vendait des toiles, des habits, des étoffes. Il était en relation avec Bruges, avec Lyon, avec Milan bien entendu et il comptait parmi ses clients des personnages considérables, hommes d'épée ou de robe, et même un cardinal. Pour des raisons imprécises, peut-être parce qu'il arrivait au Juif de raconter de belles histoires de batailles et d'amour, Pietro di Bernardone s'était pris d'amitié pour Giovanni Buttadeo.

Il l'emmenait souvent avec lui quand il traitait de minces affaires et visitait de petites gens. La dégaine d'Isaac ne plaidait pas en faveur de rencontres avec des notables, avec les grands seigneurs de l'Église ou des châteaux.

— Quel est donc ce mendiant qui vous suit comme votre ombre ? avait demandé à Bernardone le cardinal Hugolin d'Ostie.

— Un pauvre hère, Monseigneur, que j'ai recueilli par charité. Sous des dehors un peu frustes...

— Un peu frustes, en effet, avait dit le cardinal en souriant avec bonté.

— ... il cache beaucoup d'esprit et un savoir surprenant. Il parle plusieurs langues — et même le grec et le latin...

— Le latin et le grec ?

— Il les bredouille. Il a des notions d'arabe...

— D'arabe ?...

Une ombre d'inquiétude mêlée à la surprise était passée en un éclair sur le visage massif de l'Éminence qui avait levé un sourcil.

— Oh ! Des bribes. Des rudiments. Il a beaucoup voyagé. Il rend de menus services. Il me sert de commis.

Ensemble ou séparément, Buttadeo et Pietro étaient allés à Montepulciano et à Todi, à Orvieto et à Cortone. C'étaient des voyages qui prenaient plusieurs jours sur des chemins difficiles, dans des paysages de vignes, de cyprès et d'oliviers. Souvent, quand il était seul, Isaac descendait de cheval dans les passages périlleux et poursuivait sa route à pied. À plusieurs reprises, il avait été attaqué par les bandes de brigands qui infestaient le pays : ils l'avaient roué de coups et abandonné pour mort au pied d'un arbre ou au fond d'un ravin. Il s'en était tiré à chaque fois et, bien avant un poète argentin et aveugle qui, sept ou huit siècles plus tard, allait reprendre le même mot — car la vie de l'esprit est une spirale qui emprunte les mêmes trajets et s'arrête aux mêmes haltes à des niveaux différents —, Pietro di Bernardone l'avait appelé « l'Immortel ».

La scène se déroule à Jérusalem, dans le palais du procurateur de Judée, sous le règne de Tibère. D'après tout ce que nous savons, il semble qu'un empereur ait bien régné à Rome, il y a quelque deux mille ans, après César et Auguste, avant Néron et Titus, sous le nom de Tibère. Du procurateur de Judée, de sa vie, de son palais, de son emploi du temps, de son allure et de ses idées, nous ignorons presque tout. Le décor représente, un peu dans le genre de Piero della Francesca ou des peintres vénitiens, une grande salle avec des colonnes. Des personnages vont et viennent : sénateurs en trabée, bordée de l'augusticlave, un anneau d'or au doigt, magistrats en toge, chevaliers et soldats romains, serviteurs juifs. Au fond de la salle s'ouvre une porte, gardée par un centurion : elle mène au bureau de Poncius Pilatus, procurateur de Judée.

AHASVÉRUS : Il y a là une dame…

PREMIER SOLDAT ROMAIN : Une Romaine ?

AHASVÉRUS : Non, une Juive.

PREMIER SOLDAT ROMAIN : Qu'est-ce qu'elle veut ?

AHASVÉRUS : Elle veut voir le procurateur.

PREMIER SOLDAT ROMAIN : Rien que ça !

AHASVÉRUS : Elle insiste beaucoup…

PREMIER SOLDAT ROMAIN : Qu'est-ce que tu veux que ça me fasse ?

AHASVÉRUS : Elle dit qu'elle le connaît...

PREMIER SOLDAT ROMAIN : Elles disent toutes ça.

AHASVÉRUS : Elle est très belle.

PREMIER SOLDAT ROMAIN : Fallait le dire tout de suite ! Cornelius Agrippa m'a bien recommandé de lui envoyer toutes les bonnes femmes qui ne seraient pas trop moches... Attends un instant.

> *Le soldat romain s'éloigne. Ahasvérus va vers le fond de la salle où le guette, derrière une colonne, une jeune femme d'une grande beauté.*

MYRIAM : Alors ?

AHASVÉRUS : Tu te rends compte de ce que tu me demandes ? Il y a de quoi me faire foutre à la porte.

MYRIAM : Arrête de ne penser qu'à toi. Tu sais très bien qu'il ne t'arrivera rien.

AHASVÉRUS : Je te trouve tout de même gonflée ! Voilà des années que tu m'as laissé tomber. Et puis, tu rappliques sans crier gare et tu veux voir le procurateur.

MYRIAM : Il faut que je le voie.

AHASVÉRUS : Tu as couché avec lui, n'est-ce pas ?

MYRIAM, *lui passant la main sur les cheveux :* Ça n'a plus aucune importance, mon pauvre chéri. Ou plutôt, si : ça peut servir à sauver mon seigneur et mon maître.

AHASVÉRUS : En somme, tu te sers d'un ancien amant pour en sauver un nouveau ? Et tu passes par moi pour arranger le tout ?

MYRIAM : Tu ne peux pas comprendre. Il n'est pas mon amant.

AHASVÉRUS : Qui ? Poncius Pilatus ?

MYRIAM : Non, l'Autre.

AHASVÉRUS : Qui c'est, l'Autre ?

MYRIAM : C'est mon seigneur et mon maître. C'est

votre seigneur à tous et votre maître à tous. C'est ton seigneur et ton maître.

AHASVÉRUS : Ça m'étonnerait. Je n'ai rien à en foutre.

MYRIAM : Ne blasphème pas. Tu ne sais pas de qui tu parles.

AHASVÉRUS : Arrête ces mystères, veux-tu ? C'est très agaçant. Je te préférais encore quand tu étais cynique et que tu enlevais les hommes les uns après les autres comme un jardinier en train de cueillir sur un arbre des oranges ou des citrons.

MYRIAM : Ces temps-là sont passés.

AHASVÉRUS : Je vais finir par les regretter. Tu es très belle, tu sais. Si tu voulais…

MYRIAM : Je ne veux qu'une chose : sauver mon seigneur et maître.

AHASVÉRUS : Qu'est-ce qu'il lui arrive, à ton seigneur et maître ?

MYRIAM : Ils l'ont arrêté de l'autre côté du Cédron, au pied du mont des Oliviers, dans le jardin de Gethsémani. Et ils veulent l'exécuter.

AHASVÉRUS : C'est drôlement bien fait. Je n'ai aucune sympathie pour ce type-là.

MYRIAM : Ne dis pas de bêtises. C'est le plus juste, le meilleur, le plus saint de tous les hommes.

AHASVÉRUS : Qu'il aille se faire…

MYRIAM : Tais-toi !

PREMIER SOLDAT ROMAIN, *de retour :* J'en étais sûr : Cornélius Agrippa veut te voir. Tu as de la chance, ma poulette. C'est grâce à moi, ne l'oublie pas.

MYRIAM : Je n'ai rien à lui dire, à ton Cornélius Agrippa…

PREMIER SOLDAT ROMAIN : Tu es folle ! C'est un centurion !

MYRIAM : C'est le procurateur que je veux voir.

PREMIER SOLDAT ROMAIN : Allons, viens, maintenant ! Que tu le veuilles ou non, je te mène jusqu'au centurion. D'ailleurs, tiens ! Le voilà !

LE CENTURION : Alors, ma belle, quel bon vent...

MYRIAM, *criant :* Je veux voir le procurateur !

LE CENTURION : Tu vas te taire, oui, petite peste !

> *Un mouvement se produit dans la grande salle du palais. Une petite troupe d'hommes en armes y pénètre.*

PONCIUS PILATUS : Cornélius Agrippa !

LE CENTURION : A vos ordres !

PONCIUS PILATUS : Qu'est-ce qui se passe ici ? Qu'est-ce que c'est que ce bordel ?

LE CENTURION : C'est une jeune femme qui demande à être reçue par Votre Excellence.

PONCIUS PILATUS : Qu'est-ce qu'elle me veut ?

LE CENTURION : Je ne sais pas. Elle crie très fort.

PONCIUS PILATUS : Je ne suis pas sourd. J'ai entendu.

LE CENTURION, *bas, au soldat :* Qu'est-ce qu'elle veut, l'idiote ?

PREMIER SOLDAT ROMAIN, *bas, à Ahasvérus :* Qu'est-ce qu'elle veut, cette conne ?

AHASVÉRUS, *bas, au soldat :* C'est une ancienne poule du procurateur.

PREMIER SOLDAT ROMAIN, *bas, au centurion :* Elle dit qu'elle connaît le procurateur.

LE CENTURION : Cette jeune femme assure qu'elle est une amie de Votre Excellence.

PONCIUS PILATUS : Eh bien, voyons voir...

> *Il s'avance à grands pas vers Myriam, immobile, la tête baissée. Elle lève brusquement son visage dans la lumière.*

PONCIUS PILATUS : Myriam ! Myriam de Magdala !

MYRIAM : Me reconnaissez-vous encore ?

PONCIUS PILATUS, *allant vers elle* : Si je vous reconnais !... Croyez-vous qu'on vous oublie ?

PREMIER SOLDAT ROMAIN, *entre ses dents* : Ça alors. Je ne l'aurais jamais cru.

AHASVÉRUS, *au soldat* : Moi, si... hélas !

PONCIUS PILATUS : Centurion, laissez-nous !

> *Le procurateur entre avec Myriam dans son bureau, au fond de la grande salle.*

PONCIUS PILATUS : Myriam ! Depuis si longtemps !...

MYRIAM : Vous n'avez pas changé. Et moi, je suis une autre.

PONCIUS PILATUS : Une autre ? Je ne le crois pas. Ce serait un grand malheur.

MYRIAM : Un grand malheur ? Vraiment ? La honte me monte au front à la seule pensée de tout ce que j'ai été.

PONCIUS PILATUS : Tu étais délicieuse. Tu es toujours ravissante. Est-ce que tu aimes quelqu'un, maintenant ?

MYRIAM : J'aime celui que les Juifs veulent te voir condamner. C'est pour ça que je suis venue.

PONCIUS PILATUS : Barrabas ? Est-ce possible ? Barrabas !... C'est un monstre de cruauté, et il est affreux.

MYRIAM : Non. Pas Barrabas. L'Autre, que les Juifs t'ont amené.

PONCIUS PILATUS : L'Autre ?... Ah ! oui. Je sais. Celui qu'Hérode Antipas et moi, nous nous renvoyons comme une balle dont aucun ne voudrait... Tu l'aimes ?...

MYRIAM : Je ne l'aime pas comme tu penses.

PONCIUS PILATUS : Tu ne l'aimes pas comme... Ah ! Je crois que je comprends : tu as cessé de l'aimer, tu l'aimes et tu le hais, tu le détestes, tu voudrais le voir mourir...

MYRIAM : Non ! Non ! Je ne l'aime pas comme les femmes aiment les hommes, je ne l'aime pas comme je t'ai aimé. Lui, de l'épaisseur d'un monde, je l'aime plus que tout, je l'aime plus que la vie, je l'aime plus que moi-même. Je viens me traîner à tes pieds pour que tu m'aides et que tu le sauves.

PONCIUS PILATUS : Mon Dieu ! Quelle passion ! Je viens de voir cet homme. Je l'ai refilé à Hérode. Il est galiléen comme toi, n'est-ce pas ?

MYRIAM : Oui, nous sommes galiléens. Je suis de Magdala. Il est de Nazareth.

PONCIUS PILATUS : Magdala ! Nazareth ! De sacrés ports de pêche... On se demande ce qui peut bien se passer dans des trous comme ceux-là. Et pourquoi en surgit tout à coup une beauté comme la tienne.

MYRIAM : Ce n'est pas moi qui compte. C'est lui.

PONCIUS PILATUS : Pour moi, ce qui compte, c'est toi. Je ne t'ai jamais oubliée. Tu es plus belle que jamais. On dirait qu'il y a une lumière qui t'éclaire du dedans. Dis-moi un peu, mon cœur : si je te sauve ton bonhomme, est-ce que tu...

MYRIAM : Ne me demande pas ce que je ne peux plus te donner.

PONCIUS PILATUS : Ah ! vous voilà bien, vous autres, Juifs, vous autres, Galiléens. À vous entendre, il faudrait tout vous accorder — et vous, vous ne lâchez pas ça en échange ! Et pourquoi, je te prie, pourquoi est-ce que je me casserais le cul à te rendre service sans que tu lèves le petit doigt pour moi ?

MYRIAM : Tu étais ambitieux, je crois ? Si tu le sauves le Rabbi, tu t'assures une gloire éternelle.

PONCIUS PILATUS : Tu parles ! Que je le sauve ou que je le condamne, pour moi c'est du pareil au même : dans un mois, dans un an, personne n'en parlera plus. Mais il faut que je t'explique quelque chose, petite fille. Quand j'ai vu ton amant...

54

MYRIAM : Il n'est pas mon amant ! Il est le seigneur et je suis sa servante.

PONCIUS PILATUS : Bon ! Si tu veux… Quand j'ai vu ton… ton Nazaréen, je lui ai demandé si, vraiment, comme on le murmure, il se prenait pour le roi des Juifs. Sais-tu ce qu'il m'a répondu ?

MYRIAM : Oui, je le sais.

PONCIUS PILATUS : Il m'a répondu qu'il l'était. Il faut tout de même de l'audace ! Est-ce qu'il est tout à fait normal, à ton avis ?

MYRIAM : Si tu veux dire qu'il est comme les autres, non, il n'est pas comme les autres. Mais si tu crois qu'il est fou, non, il n'est pas fou. Et je me demande parfois si ce n'est pas nous qui sommes fous.

PONCIUS PILATUS : Il a ajouté que son royaume n'était pas de ce monde. Qu'est-ce que ce charabia ? Je lui ai demandé, bien clairement, une seconde fois : « Donc, tu es roi ? » Et il m'a répondu : « Tu l'as dit. »

MYRIAM : Il est roi. Il est mon roi, et le tien. Il est roi de tous les hommes. Il est roi de ce monde et de l'autre.

PONCIUS PILATUS : Je crois surtout, s'il s'obstine, qu'il sera roi de ses douleurs. Tu me dis qu'il n'est pas fou. Je veux bien te croire. Mais est-ce qu'il se rend compte de ce qu'il fait ? À l'égard des Juifs, d'abord : tu imagines Hérode Antipas et Caïphe avec un roi des Juifs sur le dos ? Et encore, tes Juifs, je m'en fous. Mais mes Romains ? Ils existent, les Romains. Et quand des copains iront dire à Rome que j'ai fait relâcher un gaillard qui se prétendait roi des Juifs, j'ai bien peur que ça ne fasse du bruit et peut-être du vilain. J'entends d'ici le grand prêtre et tout son train gueuler devant mes fenêtres : « Nous n'avons pas d'autre roi que César ! » J'aurai bonne mine.

MYRIAM : Je ne comprends rien à toute cette politique.

PONCIUS PILATUS : Tu n'es pas faite pour ça.

MYRIAM : Est-ce que tu vas le relâcher ?

PONCIUS PILATUS : Écoute. À cause de toi, pour toi, je ferai tout ce que je pourrai. Mais je ne te promets rien. Il faut bien que je pense à mon avenir, à l'image que je donne. Est-ce que tu peux comprendre ça ?

MYRIAM : Relâche-le. Le monde en sera changé.

PONCIUS PILATUS : Que je l'acquitte ou que je le condamne, rien ne sera changé dans le monde, mon cœur. Ton cœur, peut-être, oui. Mais c'est tout. Nous autres, politiques, nous avons fini par savoir que nos décisions n'ont pas grande importance et que la mort d'un homme n'en a aucune. Ce n'est pas le sort de ton Nazaréen qui va changer le monde et son histoire.

MYRIAM : Relâche-le !

PONCIUS PILATUS : Et lui, es-tu si sûre qu'il veuille être relâché ?

MYRIAM, *très bas :* Je ne sais pas.

PONCIUS PILATUS, *doucement :* Reviens me voir.

MYRIAM : Je ne reviendrai pas. C'est comme si je n'étais jamais venue.

PONCIUS PILATUS : Gardes ! Ramenez ma visiteuse jusqu'aux portes du palais.

DEUXIÈME SOLDAT ROMAIN, *à voix basse :* Allons, ma petite dame, faut pas pleurer comme ça. Le procurateur, je ne sais pas comment il se débrouille, mais il arrange toujours tout pour le mieux : on le croit en train de se gourer et, à la fin des fins, on se dit qu'il a eu raison de faire ce qu'il a fait.

Souvent, quand le soir tombait, il s'installait à l'avant, près du guindeau, et il rêvait à ce passé qui n'en finissait pas. Quand l'horizon devenait sombre, quand le ciel et la mer ne se distinguaient plus dans la nuit en train de descendre sur la *Pinta,* sur la *Niña,* sur la *Santa Maria,* des images venues de partout surgissaient en désordre devant le Juif de Séville. Il se revoyait en marchand, en cordonnier, en soldat, en marin. Il se revoyait à Jérusalem avec l'empereur excommunié qui avait plongé le monde dans la stupéfaction, dans les plaines des Pouilles ou dans les collines de l'Ombrie avec Pietro di Bernardone, à Rome avec le Saint-Père, à Kiev avec des lépreux, sous la tente du Grand Khan aux portes de Karakorum dans la chaleur du plein été. Il se revoyait en train d'entrer à Séville avec les troupes du saint roi. C'était la première fois dans sa vie, c'est-à-dire dans l'histoire du monde, qu'il arrivait en Espagne. Pour chasser les Almohades, qui avaient chassé les Almoravides, qui avaient chassé les Abbadides, qui avaient chassé les Omeyyades qui avaient chassé les chrétiens, le roi de Castille, Ferdinand III, avait fait venir des gens de partout : non seulement des Castillans, des Catalans, des chevaliers de la Galice, des Asturiés, du Léon, mais des Francs et des Génois dont les bateaux, déjà, poussaient jusqu'à l'Atlantique. C'était avec ceux de Gênes qu'il avait débarqué. Il revenait tout juste d'Asie centrale et de Rome.

Sur le coude du Guadalquivir, au confluent des sierras et des plaines à oliviers, à céréales, à taureaux, Séville, avec son faubourg de Triana, était, depuis toujours, une ville prospère et belle. Après la victoire de Ferdinand III et la conquête sur les Maures, la totalité de la population musulmane avait été expulsée. Avec plusieurs autres Juifs, Isaac le Génois s'était installé dans le quartier dit de la mer qui se développait le long du fleuve, à cheval sur la muraille édifiée par les Maures. Il n'avait mis qu'un an ou deux à bâtir un commerce qui fonctionnait assez bien : il exportait vers le Nord des olives et de l'huile, il importait les produits de la pêche portugaise, les draps et les toiles des Flandres, de Venise ou de Lyon, car il avait l'expérience du commerce des étoffes, quelques années plus tard les épices venues d'Orient. C'était trop beau pour durer. Les pieds lui démangeaient. Il avait tout plaqué. Il avait repris la route. Le moment était bien choisi : les choses tournaient mal pour les Juifs espagnols. Il était reparti pour la France et pour une Italie où les batailles et la religion servaient de prétextes aux peintres. Il s'était arrangé pour arriver à Constantinople quelques mois à peine avant la chute de la ville devant les Turcs de Mahomet II. Il avait vécu tout le siège. Il avait pris part à la bataille. Il avait assisté à l'entrée du vainqueur dans la ville de Constantin, de Justinien et de Théodora. Il s'était remis à marcher. Après des aventures innombrables, impossible de les rapporter toutes, à Rhodes, à Chypre, à Raguse, à Venise, où il avait noué une intrigue avec une courtisane qui servait de modèle à Carpaccio, il était rentré en Espagne. Non plus en Juif, cette fois, mais en héros malheureux de la lutte contre l'islam. Il avait pris le nom de Juan de Espera en Dios ou de Juan Esperendios. Et il avait retrouvé Séville juste à temps pour se faire cueillir par un compatriote, par un autre Génois qui nourrissait en secret un dessein plein de mystère dont il parlait avec passion et pourtant à mi-voix. Il s'appelait Cristóbal Colón, ou, si vous préférez, Cristoforo Colombo. C'était un aventurier.

RÉCIT DE SIMON DE CYRÈNE

Eh ben v'là le plus beau de quoi y se mêlent ces connards ils pensent à rien du tout qu'à faire chier le pauvre monde c'est tout de même inouï des histoires comme celle-là on peut plus sortir de chez soi ils vous tombent sur le paletot ils vous disent de faire ci ils vous disent de faire ça et le moyen je vous prie de ne pas faire ce qu'ils vous disent c'est qu'y cogneraient vite fait ces cons-là et qu'y vous fileraient un sale coup alors parce qu'on a l'air costaud ils vous sifflent dans la rue et ils vous emmerdent quand vous êtes pressé de rentrer chez vous boire un coup et casser la croûte et baiser et dormir remarquez l' pauvre type j'avais rien contre lui ce qu'il avait fait j'en sais rien j' suis pas ennemi de penser que ce sont des histoires de curé et tutti quanti il était tout pâle et crevé avec du sang sur le front il avait les doigts longs et fins comme j'en avais jamais vu et qui n'avaient pas dû beaucoup travailler j'aurais sûrement pas refusé de lui donner un coup de main mais il fallait demander poliment et pas se jeter sur moi comme la vérole sur le pauvre monde non mais ils se croient où ces connards nous ne sommes pas des nègres ni des bougnoules et ils nous racontent qu'ils apportent la sécurité et la paix avec eux je t'en foutrai moi de la paix comme ça les types dont ils se débarrassent ils ont qu'à s'en occuper eux-mêmes je rentrais des champs tranquillement où j'avais été avec rufus et avec jérémie ce sont mes fils vous savez et je les emmène déjà travailler avec moi ils sont encore petits mais ils commencent à bien faire et puis voilà qu'eux sortent pendant que nous nous rentrons c'était une petite troupe comme on en voit souvent avec des soldats romains et des prêtres et pas mal de bonnes femmes et toute une foule de curieux excités par le sang et puis trois types en guenilles mal rasés dégueulasses avec leur croix sur le dos tenez je dis à jérémie et à rufus qui me tirent par la manche en voilà encore trois qui vont se faire arranger qu'est-ce qu'y ont fait me demande rufus j'en sais rien évidemment c'est pas écrit sur leur front je réponds en riant ils ont dû tuer ou voler ou faire des conneries comme ça ou bien simplement agacer une de ces grosses légumes qui siègent au prétoire ou au sanhédrin et qui se les roulent toute la journée pendant que les autres se crèvent j'avise un grand flandrin de soldat en train de porter comme le saint sacrement une banderole une espèce d'écriteau où je lis quelque chose comme roi des juifs moi ça me fait rire évidemment mais les enfants vous pensez bien ah papa papa par-ci ah papa papa par-là et ce sont des questions et des questions à n'en plus finir j'aurais mieux fait de me tailler et de faire vinaigre pour rentrer chez moi ce sont les enfants qui voulaient voir et qui me poussaient en avant on était au premier rang de la foule qui grossissait à vue d'œil et on distinguait très bien les traits du centurion et du prêtre en chef et des bonnes femmes qui pleuraient et qui agitaient des gobelets qu'elles avaient apportés pour leur donner à boire et le plus mince se tournait vers elles et leur disait des choses que j' comprenais pas bien il les traitait de filles de Jérusalem et il leur demandait de ne pas pleurer sur lui mais plutôt sur leurs enfants alors rufus s'est mis à crier et j'y ai flanqué une taloche et l'autre parlait des montagnes qui allaient tomber sur nous et des collines qui allaient nous couvrir c'est alors passez-moi un peu de vin voulez-vous merci beaucoup que j'ai aperçu la myriam je lui avais passé sur le corps comme tout le monde parce qu'y a qu' les chameaux et encore qu'elle s'était pas tapés elle n'avait pas l'air gai gai et elle pleurait plus fort encore que les autres qu'est-ce qui se passe que je lui dis et elle se tord les mains et sanglote et me raconte très vite mais j' comprends presque rien qu'elle est allée voir le procurateur parce que lui aussi elle se l'était envoyé quand elle était plus jeune pour lui demander de libérer un des types qui n'avait rien fait et qui était meilleur que tout le monde et qui était la crème des hommes et patati et patata arrête ton baratin j' lui dis t'es dingue de lui c'est tout et elle me regarde comme si j'avais tué père et mère et j'ai eu l'impression tout à coup encore un peu voulez-vous ça me donne soif de parler comme ça que j'étais un pauvre con et que je pigeais rien à rien elle était belle vous comprenez mais j' sais pas moi comment dire c'était une autre beauté qui te faisait pas bander tu n'avais plus envie de la sauter tu te serais plutôt assis à ses pieds et tu l'aurais écoutée parler de l'autre là qu'elle avait dans la peau et ça t'agaçait plus du tout et je lui ai demandé ce qu'avait répondu le procurateur et le procurateur lui avait promis de faire tout son possible pour libérer le type qu'elle avait à la bonne mais ça n'avait pas marché à cause des juifs et des prêtres qui lui avaient fait peur en le menaçant de se plaindre à césar oh là là césar de quoi qu' tu me parles que je lui dis c'est juste à ce moment-là à mi-chemin à peu près du lieu dit ah je ne connais que ça aidez-moi plutôt vous autres au lieu de rigoler ah du lieu dit du crâne que le centurion s'est approché de moi et m'a dit et j'ai trouvé ça gonflé hé toi là aide-le donc un peu à trimbaler sa croix il faut dire que l'autre venait de tomber pour la énième fois et qu'il avait l'air tout à fait hors d'usage hé connard je lui dis de quoi qu'y me dit et y me file un gnon sur la gueule alors je ne sais pas ce qui s'est passé mais j'étais à la fois ivre de rage contre ces salauds et drôlement content d'être là et je n'ai même pas eu l'impression d'être forcé par ces sales cons mais plutôt d'agir de moi-même et de me jeter en avant comme quand on sort de chez le barbier et qu'il fait frais et beau j'ai planté là rufus et son frère jérémie j'ai mis ma main sur le bras du type qui avait un genou à terre et qui saignait de partout il m'a regardé vous savez ça je ne peux pas l'oublier il avait les yeux les yeux les yeux mais si clairs si profonds et puis tout à coup j'ai senti je ne sais pas comment dire que c'était lui qui m'aidait plutôt que moi qui l'aidais et il m'a dit quelque chose où il y avait des siècles de siècles et j'ai fait han et puis han et j'ai mis la croix sur mon épaule et c'était un peu moi j' vous le dis comme si j' marchais dans le ciel au milieu des étoiles.

J'écris des livres. Souvent, pour les écrire, ou pour me consoler d'en avoir écrit un de plus, je pars pour l'Italie. J'aime beaucoup l'Italie. Quand vous la regardez sur une carte, les yeux déjà pleins de songes, elle a, tous les enfants le savent dès leur âge le plus tendre, l'allure d'une botte dans la mer. Quand vous allez vous y promener, ce sont des villes sans trottoirs au milieu des tours et des églises et pas mal de cyprès parmi beaucoup d'oliviers. L'ensemble est plutôt vieillot et tout à fait épatant. Ah ! très bien ! Bravo, bravo. Encore bravo. Vous pouvez aller sur les lacs, en Toscane, en Ombrie, dans les Pouilles, en Sicile, du côté d'Amalfi et de Positano. Vous pouvez aussi partir pour Venise en compagnie des vieilles filles de la Nouvelle-Angleterre ou du Connecticut et des amoureux d'un peu partout. C'est un bel endroit pour vivre dans le passé et rêver le présent.

J'étais encore bien jeune et je n'avais, grâce à Dieu, encore rien publié quand, à Venise, un soir d'automne, il y a déjà de longues années, je suis tombé sur lui. La vie et le monde, en ce temps-là, je ne savais pas trop quoi en faire. Le passé et l'avenir me restaient très obscurs. Pour tout dire, je m'en fichais. Le présent me suffisait. Je n'étais pas venu tout seul sur les bords de l'Adriatique. Nous habitions, je me souviens, tout au bout de la riva degli Schiavoni, du côté de l'Arsenal, une maison ocre et charmante, qui existe toujours, je crois : la pensione Bucintoro. Nous avions un peu moins de quarante ans à nous deux. Vous savez bien à quoi, dans Venise la rouge, entre doges et gondoles, nous passions notre temps. Ah ! jeunesse, jeunesse !...

Nous trouvions encore le moyen, le matin, de partir vers Chioggia, vers Malamocco, vers Burano bariolé, vers Torcello aux deux églises, plantées au milieu des champs. Nous évitions Murano et l'avachissement des benêts devant le verre filé. À notre retour des îles, la nuit tombait sur la ville. La Merceria et Saint-Moïse, outrageusement baroque, et le pont des Soupirs, qui regrettait ses prisonniers en contemplant ses touristes, nous paraissaient bruyants, surpeuplés, un peu vulgaires dans leur charme et dans leur animation. La place Saint-Marc elle-même, la Piazzetta, si belle avec ses deux colonnes qui s'ouvrent sur la mer en un opéra de silence, de splendeur et de rêve, les deux lions de marbre de l'autre côté de la basilique, des grappes d'enfants sur leur dos, abusaient d'un éclat qui nous laissait sans voix et n'en finissaient pas de composer l'apothéose d'un spectacle tonitruant aux bords du paroxysme et des derniers transports. Nous préférions les Zattere, le sestiere Dorsoduro, entre la Salute et San Trovaso où nous regardions les charpentiers de marine en train de construire leurs gondoles, la Giudecca, l'Abbazia. Nous nous tenions par la main et nous marchions tous les deux dans la solitude et la paix. Un passé dont nous ne savions rien, une histoire dont nous nous moquions sortaient des grands puits de pierre entre les palais rouges, nous montaient à la tête, se mêlaient à nos amours. Nous nous aimions dans les souvenirs, dans les folles espérances. Je n'avais encore rien fait. J'attendais tout de l'avenir. Tant de beauté m'étouffait. J'avais le vertige du monde.

Le retour de Myriam avait bouleversé Ahasvérus. C'était pour la fuir, pour fuir ses longs cheveux blonds et ses yeux violets, son parfum, son image, qu'il avait quitté Magdala pour Jérusalem. Sa réapparition soudaine, dans le soleil du printemps, devant le palais de Ponce Pilate l'avait rempli de bonheur avant de le plonger dans l'angoisse.

Il était assis sur un siège devant le palais du procurateur, prenant le frais et un peu de repos après son labeur de l'aube et du petit matin, échangeant quelques paroles avec les gens du quartier.

— Alors, Ahasvérus, lui lançaient les gamins et les ménagères en train de faire leur marché, on prend le frais ?

Soudain, il l'avait vue. Les autres, d'un seul coup, le décor familier, les passants, les incidents de la rue, tout le reste était tombé dans le néant. Le monde n'est fait que de rencontres. Pendant des mois et des mois, la lune croissant et décroissant tour à tour, l'hiver succédant à l'été et le printemps à l'hiver, il avait vécu avec un souvenir qui s'effaçait peu à peu. Voilà que ce visage et ce corps qui l'avaient tant occupé avant de commencer à se dissoudre dans l'oubli étaient à nouveau devant lui.

Il crut d'abord à une illusion, due peut-être à la

fatigue, à l'absence de sommeil. Tous ces temps-ci, il avait travaillé dur. Le vieux Cartaphilus était tombé malade. Depuis plus de quatre jours, sa doublure l'avait remplacé à plein temps avant de retrouver, quelques heures à peine avant la nuit, son établi de cordonnier où s'entassait la besogne. Il passa la main devant les yeux. Il secoua la tête. Immobile, l'air égaré, le regard fixe, statue de la souffrance et de l'accablement, Marie de Magdala se tenait devant lui. Elle lui fit peur.

Ahasvérus avait gardé le souvenir d'une Marie-Madeleine éblouissante de jeunesse. L'âge et les chagrins avaient passé sur cette image. Vers la fin de leur amitié, il l'avait encore aperçue en train de se rendre à des fêtes ou à des banquets, où il n'était pas convié, dans des vêtements de grand prix qu'elle portait avec allégresse et avec une sobre magnificence. Il ne restait rien de ces splendeurs, pas grand-chose de cette jeunesse. Mais elle était toujours belle. Et peut-être plus belle que du temps où elle était si belle. Plus tard, beaucoup plus tard, Masaccio, Lucas de Leyde, Rubens, le Tintoret, Véronèse, Georges de la Tour, toute une foule de peintres, de graveurs, de sculpteurs de toutes les écoles et de tous les temps allaient la représenter dans des habits somptueux où ruisselleraient les dentelles, les perles, les diamants, les émeraudes, où le satin et le velours rivaliseraient avec l'or. Aucune femme, peut-être, à l'exception de la Vierge, ne figurerait aussi souvent — avec un vase de parfum, devant un crâne ou une croix, assise à une table couverte de vins et de mets, effondrée au pied d'un gibet — dans les œuvres du génie de l'homme. Entre le Christ et la Madone, aux côtés de saint Jean, elle constituerait, à elle seule, tout un pan immense de cette vague nébuleuse, incertaine et fragile, qui charrie à la fois tant de sottises et tant de grandeur et que nous appelons la culture. Elle ferait rêver par millions ceux qui la ressusciteraient dans le talent et la fièvre, ceux qui la contempleraient avec piété, avec amour, avec admiration. Autour de cette jeune femme qui se présente, immobile, en ce jour de printemps, devant le palais de Ponce Pilate où elle frappe de stupeur le cordonnier Ahasvérus, portier du procurateur et natif comme elle de Magdala en Galilée, va se développer une des plus prodigieuses légendes de tous les temps. De la fin de sa vie, on ne saura presque rien. Peut-être aura-t-elle débarqué en Provence, du côté de Massilia, qui deviendra Marseille, avec sa sœur Marthe et son frère Lazare, ressuscité d'entre les morts ? Peut-être aura-t-elle vécu dans la grotte de la Sainte-Baume ? N'importe. On retrouve son souvenir et son culte à Saint-Maximin et à Vézelay, à Autun et à Münster, en Italie et en Angleterre, un peu partout à travers ce monde où elle ne cesse d'incarner, à la fois par sa beauté et par son repentir, la révélation du bien et son triomphe sur le mal. On la verra peinte et sculptée et chantée sous mille formes, dans les conditions les plus diverses, à toutes les époques de sa vie, avant et après sa conversion : image toujours vivante des plaisirs de ce monde en train de s'inverser dans le sacrifice et le dépouillement ; sur le point de quitter ses habits de lumière pour les guenilles de la pénitence ; au moment, le jour de Pâques, sur le chemin du tombeau, où sa foi va bouleverser le monde en donnant à l'histoire un dieu ressuscité ; à l'instant de son ravissement par des anges venus d'en haut. Bien avant toutes ces gloires, quand Ahasvérus l'aperçoit tout à coup devant le palais du procurateur, c'est revêtue des lambeaux dont la couvre Donatello pour sa statue de bois du Baptistère de Florence qu'il faut l'imaginer. Et avec ce même visage dramatique et creusé par l'angoisse. Quelques instants encore, Ahasvérus s'interroge. Il cligne des yeux, il plisse le front. Qu'est-ce qui se passe ? Qui est là ? L'incrédulité se dissipe. Une vague de fond l'emporte. C'est le bonheur.

Vous le savez, n'est-ce pas ? vous le savez comme tout le monde : sur l'amour, sur la passion règne la contradiction. Rien de plus méfiant que l'amour. Rien aussi de plus crédule. Dès qu'Ahasvérus eut cessé de douter de la présence de Myriam, son imagination s'enflamma. Il se persuada aussitôt que, fatiguée d'une vie de plaisirs et de déceptions, elle venait se jeter dans ses bras. Il lui prit les deux mains, il l'entraîna dans le palais, il lui baisa les genoux, il laissa enfin éclater tous ces rêves et toute cette passion que, depuis si longtemps, il s'efforçait d'étouffer.

Il se produisit alors quelque chose qu'il ne comprit pas tout de suite. Elle l'écartait avec douceur, elle évitait son regard, elle détournait la tête. Ahasvérus venait de passer de la stupeur à l'exaltation. Il ne mit pas longtemps à passer de l'exaltation à l'inquiétude, puis au désarroi. C'était bien Marie de Magdala qui se tenait devant lui, et elle avait beaucoup changé — mais ce n'était pas pour se donner à lui qu'elle était de retour. Comme le doute, comme le chagrin, le bonheur cherche tous les prétextes possibles pour se perpétuer. Ahasvérus réussit à se convaincre encore quelques instants qu'il finirait par venir à bout d'un cœur que les plaisirs et la vie avaient tant éprouvé. Et puis, soudain, il vit clair : tout, en Marie-Madeleine, avait changé de fond en comble — sauf son obstination à se refuser à lui. C'était sur ce seul point qu'elle restait pareille à elle-même. Le bonheur aussitôt fit place à une douleur d'autant plus déchirante que l'espérance avait réveillé tout ce qui, depuis des mois et des mois, avait fini par s'assoupir. Et ce deuxième choc fut, pour Ahasvérus, plus rude encore que le premier.

Elle ne le ménageait pas. Elle lui parlait sans détours, avec toute la brutalité de la passion qui s'est portée ailleurs. Il comprenait vaguement, dans une brume de souffrance, qu'elle s'était attachée à un autre homme, un Galiléen comme elle et lui. C'était pour lui, pour le sauver, pour se jeter aux pieds du procurateur de Judée et obtenir sa grâce qu'elle était venue au palais.

Dans le bonheur de la retrouver, Ahasvérus s'était laissé aller à des transports si vifs qu'il ne pouvait plus sans reniement et sans honte refuser de l'introduire, sinon auprès du procurateur lui-même qu'il n'approchait jamais, du moins auprès de la garde qu'il côtoyait tous les jours. Marie de Magdala le manœuvrait comme elle voulait parce qu'elle ne l'aimait pas et qu'il l'aimait toujours. Perdu, hagard, déchiré par une jalousie qu'elle s'efforçait d'apaiser en situant dans un autre monde sa passion dévorante pour le Nazaréen, Ahasvérus s'était résigné à faire ce qu'elle désirait. Quand, partagée entre le désespoir et une espérance obstinée, elle était sortie de son entrevue avec Poncius Pilatus, des sentiments violents et contradictoires se disputaient le cordonnier.

La beauté de Venise n'était pas seule à me griser. Elle avait des cheveux blonds, les yeux très bleus, qui viraient au violet quand une émotion l'agitait, les plus belles mains de la terre, des genoux inoubliables : ils étaient lisses et ronds. Je les entourais de mes bras et je les serrais contre moi. Elle ressemblait beaucoup à je ne sais quelle sainte de Masaccio écroulée au pied de la croix et dont les traits nous avaient frappés sur une carte postale aperçue un matin au pied du Rialto. Je l'appelais ma puce, ma colombe, mon île au loin, ma désirade, ma rose, mon giroflier. Mais elle s'appelait Marie. Quelquefois, pour rire ou dans les moments d'impertinence, à cause, je ne sais plus bien, de la chanson de Jacques Brel ou de notre culte pour la vieille odalisque aux yeux de biche, ravagée par le snobisme et par le rhume des foins, qui nous avait tant appris sur le souvenir et le temps et les détours du cœur, je la traitais de Madeleine.

Un soir, après une promenade au Lido, condamné pour laideur, et un débarquement dans la petite île des Arméniens où Byron, avec fureur, en dépit de son pied bot, ou plutôt à cause de lui, se rendait à la nage pendant que sa maîtresse s'impatientait sur le quai, nous nous étions assis, Marie et moi, au pied de la Douane de mer. Vous connaissez la Douane de mer : c'est ce beau bâtiment — surmonté d'un globe terrestre manié par la Fortune — qui prolonge la Salute au cœur même de Venise et qui s'avance en pointe entre le Grand Canal et le canal de la Giudecca, en face de la place Saint-Marc. Le soleil se couchait. Nous nous taisions. Nous regardions la lagune, la petite île San Giorgio, avec son haut campanile, le palais des Doges, aérien et massif, la riva degli Schiavoni, la splendeur combinée de la mer et du ciel et du génie des hommes. Quelque chose, au fond de nous, explosait en silence. Nous nous regardions l'un l'autre. Je me penchais sur Marie.

C'est en m'écartant d'elle après quelques secondes d'éternité que je le vis pour la première fois. Une canne de bois entre les jambes, il était assis comme nous sur le quai de la Douane de mer, et il regardait comme nous la mer mêlée au soleil. Il se tourna vers Marie et il lui sourit.

C'était un homme sans âge. Il pouvait avoir trente ans, et même moins. Il pouvait en avoir cinquante ou cinquante-cinq, et même plus. Il avait une belle tête de pêcheur, ou peut-être de violoniste, avec des cheveux assez longs et des sillons profonds qui lui barraient le visage comme autant de cicatrices. C'était, si vous voulez, une espèce d'André Gide, mâtiné d'un peu d'Hemingway et de clochard levantin. En dépit du soleil qui était encore chaud à l'instant de disparaître, il portait un vieil imperméable de la couleur de ses yeux. Tout était chez lui à la fois vague et très présent, à la fois fuyant et frappant. Je remarquai ses souliers : ils étaient vieux et solides, ils paraissaient éculés. Il émanait de sa personne quelque chose de repoussant et pourtant d'attirant. Il fit un signe de la tête. Je répondis avec désinvolture, sans excès de chaleur. Je savais que Marie, qui était la réserve même, n'aurait aucune envie d'entrer en relation avec un inconnu d'aussi étrange allure. Comme pour me donner raison, elle se serra contre moi.

— Allons-nous-en, me souffla-t-elle.

Je me levai, je lui tendis la main pour l'aider à se relever, je saluai l'homme d'un geste bref.

— Salut à la beauté ! me lança-t-il en français, d'une voix basse et rugueuse. Salut à la jeunesse !

Et il agitait son chapeau.

Marie ne tourna pas la tête. Mais quelques heures plus tard, dans la trattoria derrière San Zaccaria où nous avions nos habitudes, elle me parla à deux reprises de l'homme de la Douane de mer.

— Qu'est-ce qu'il voulait ? me dit-elle.

— Il te trouvait belle, lui répondis-je. Et il n'est pas le seul.

Parce que je la trouvais belle moi aussi et que nous avions vingt ans, nous oubliâmes assez vite l'homme à l'imperméable. Et nous ne pensâmes plus qu'à nous-mêmes. Notre nuit fut comme les autres, aussi délicieuse, aussi calme et aussi agitée.

Il était rentré chez lui en dévorant ses larmes. Il s'était assis le cœur en feu devant son établi où s'entassaient des peaux, des cordelettes, des grattoirs, des couteaux. Il avait tout balayé d'un revers de la main. Pourquoi était-elle revenue ? Comment avait-elle eu la cruauté de s'adresser à lui pour obtenir du procurateur la grâce de son amant ? Car à qui allait-elle faire croire que le Nazaréen n'était pas son amant ? Dans son échoppe de Jérusalem, un cordonnier ulcéré, emporté par la passion, échafaudait déjà les hypothèses que la critique historique, au bord du sacrilège, mettrait des siècles et des siècles à oser formuler. Plus d'un a supposé qu'un amour trop humain avait uni, dans ce monde, celui qui se disait le Messie à Jean, l'évangéliste, son disciple bien-aimé. Que de suspicions souterraines, que de pensées non exprimées, ou à moitié exprimées, allait susciter la passion de Marie de Magdala pour le Galiléen ! Elles se forgent, ces hypothèses, elles naissent, ces suspicions, en ce soir de printemps, dans la boutique misérable où le cordonnier abandonné pleure silencieusement sur son amour perdu et pour la deuxième fois dédaigné. Le drame le plus décisif de l'aventure des hommes ne s'est pas encore joué. L'histoire n'a pas encore basculé autour de ce pivot en forme de croix qui la divise et l'inverse. C'est seulement dans le cœur de quelques-uns — Marie, Marie-Madeleine, la petite bande des pêcheurs, des va-nu-pieds, des disciples, deux ou trois témoins éberlués comme Simon de Cyrène, un nombre dérisoire de saints hommes et de saintes femmes dans ce petit coin au sud-est de la mer intérieure, le procurateur de Judée, le cordonnier Ahasvérus — que se répand, de proche en proche, le bruit du Christ en train de mourir.

C'est d'une accumulation d'événements minuscules que surgit l'événement le plus considérable depuis l'origine de l'univers. Après avoir tant espéré l'oublier, le cordonnier de Jérusalem ne sait plus s'il aime ou s'il déteste Marie-Madeleine. Il lui a suffi de la revoir pour retomber sous son joug. Qu'elle se débrouille maintenant entre tous ses amants ! Qu'elle ne lui demande surtout plus rien, qu'elle ne lui parle plus de ces hommes qu'elle a aimés ou qu'elle aime : lui les hait avec force — et surtout le dernier.

Le soleil de printemps brille encore sur Jérusalem. Combien de temps le cordonnier est-il resté, immobile, accablé de chagrin, la tête entre les mains, devant son établi ? Voilà que quelques nuages se mettent à rouler dans le ciel. Une rumeur monte de la rue. Ahasvérus lève les yeux. Une troupe d'hommes et de femmes passe devant sa boutique : c'est un cortège de condamnés. Le portier du procurateur de Judée pense aussitôt à l'homme dont le nom redouté est dans tous les esprits et dont il connaît le visage : le chef de bande Barrabas. Il se penche, il regarde. Il ne reconnaît pas Barrabas. Il voit un homme encore jeune, plutôt beau, ruisselant de sang, au bord de l'évanouissement, écrasé sous la croix qu'il vient tout juste de reprendre des bras de Simon de Cyrène. Un mouvement de pitié l'emporte — lorsqu'il découvre soudain, derrière l'homme à la croix, dans la foule des femmes qui l'accompagnent au supplice, égarée par la souffrance et par la passion, Marie de Magdala. Alors, il ne voit plus qu'elle. Au moment même où il comprend qui est l'homme en train de tituber sous le poids de sa croix, un centurion se détache de la troupe et se dirige vers l'échoppe. Sous une espèce de voile rouge qui lui tombe sur les yeux et lui fait bourdonner les oreilles, Ahasvérus entend le soldat — dont le visage pourtant n'est pas celui d'une âme tendre — lui demander si le condamné, déjà très faible, peut s'arrêter un instant, pour prendre un peu de repos et pour boire un verre d'eau mêlée d'un doigt de vinaigre, dans le calme et la fraîcheur de la boutique du cordonnier. Ce serait, comme qui dirait, sa dernière cigarette et son dernier verre de rhum. Le temps d'un éclair, les yeux pâles du condamné en train d'attendre la décision, immobile devant la boutique, courbé sous la croix qu'il appuie contre la terre, rencontrent ceux d'Ahasvérus. Il y a, dans ces yeux, malgré l'horreur du moment, tant de douceur et de paix que le portier du procurateur en est bouleversé. Est-ce qu'il va céder, une fois de plus ? Il y a quelque chose en lui qui hésite et balance. Mais, déjà, il regarde ailleurs et, là-bas, dans la foule, il distingue à nouveau, masse sombre de passion et de douleur mêlées, Marie de Magdala : elle a ramené son voile sur ses yeux et des sanglots la secouent. Une vague de fureur emporte le cordonnier. Il se tourne vers le Galiléen qui le regarde en silence et, avec une haine qu'il force un peu pour ne pas céder à la pitié, si tentante et si proche, il lui crie :

— Marche ! Mais marche donc !

L'homme à la croix se tourne vers lui et, d'une voix presque inaudible, il dit :

— Je marche parce que je dois mourir, Toi, jusqu'à mon retour, tu marcheras sans mourir.

Le centurion hausse les épaules et grommelle quelques mots. Le soir s'avance sur la Judée. Le groupe autour de Jésus s'éloigne déjà de l'échoppe. Il approche du Calvaire où s'élèvera la croix qui dominera le monde. Ce qui se passe alors dans la boutique où est rentré Ahasvérus est un miracle moins surprenant que l'Immaculée Conception, ou la multiplication des pains, ou la résurrection de la chair, ou les voix de Jeanne d'Arc, ou tout ce qui nous arrive à chacun tous les jours et que nous appelons la vie. Le cordonnier, éperdu, tombe la face contre terre. Et la pitié de Dieu, qui ne se mesure jamais à la pitié des hommes, lui fait perdre connaissance.

Pietro di Bernardone aimait beaucoup l'argent. Il aimait aussi beaucoup les Français. À Lyon, à Tours, à Paris, le long du Rhône et de la Loire, en Bourgogne et en Auvergne, en faisant teindre ses toiles et en vendant ses draps, il avait appris leur langue. Sous ses formes diverses et parfois encore flottantes, elle lui paraissait aussi belle que l'italien d'Assise. Il avait lu les poèmes des trouvères et des troubadours, la *Cantilène de sainte Eulalie* et la *Vie de saint Léger*, la *Chanson de Roland*, le *Roman d'Alexandre* et les œuvres de Chrétien de Troyes, les traités de chevalerie et la matière de Bretagne. Il récitait souvent à Giovanni Buttadeo des passages de ses œuvres favorites — le dernier vers de la *Chanson de Roland* :

Ci falt la geste que Turoldus declinet

ou le cri d'angoisse de l'auteur de Tristan et Yseult devant le philtre d'amour absorbé par ses héros :

Non, ce n'était pas du vin ; c'était la passion,
c'était l'âpre joie, et l'angoisse sans fin, et la mort.

— Ah ! disait-il à Buttadeo, tu sais combien je travaille pour gagner ma vie et celle de ma famille. Et tu sais tout le prix que j'attache à l'argent. Mais il n'y a que l'amour qui compte, et les mots pour le dire. Les Français aiment l'amour et ils en parlent mieux que personne. Comment ne pas les aimer ?

Pietro di Bernardone avait été reçu avec bienveillance à la cour de Louis VII. Comme tous les gens de son époque, il avait suivi le cœur battant les aventures sentimentales et conjugales d'Aliénor d'Aquitaine. L'avènement du fils de Louis, un géant plein de promesses, qui serait Philippe Auguste, l'avait enthousiasmé. La splendeur des courtisans et le charme de leurs femmes l'impressionnaient et l'enchantaient. Il pensait que la France était un pays délicieux qui avait un grand avenir et où il faisait bon vivre. Ses amis, à Assise, se moquaient souvent de lui et de son penchant pour les Français. Il se bornait à sourire et à lever les mains en l'air : il n'y avait qu'à attendre et chacun verrait bien de quoi étaient capables ces diables de Français.

Le marchand de tissus avait encore un autre amour que l'argent et la France : c'était son fils. Le fils de Pietro di Bernardone et de donna Pica, qui venait de Provence, s'appelait Giovanni. C'était un garçon exalté, d'une nervosité extrême, d'une prodigalité qui épouvantait son père, plus attaché que qui que ce fût à son épargne et à ses sous. Le jeune Giovanni aimait le vin et les fêtes et les femmes et les plaisirs. Pour assouvir ses caprices, il dépensait sans compter. Son père avait bien essayé, selon des traditions immémoriales, de le faire entrer dans les affaires de la famille et de lui assurer une succession sans problèmes. Le jeune Giovanni préférait les filles qu'il comblait de présents et le vin des collines de Toscane qu'il buvait sans retenue.

Sur un seul point, le fils donnait satisfaction à son père : il aimait, lui aussi, la France et les Français. Il parlait et lisait la langue des trouvères et des chevaliers. Il partageait l'engouement de Pietro di Bernardone pour tout ce qui venait d'au-delà des Alpes, de la Provence de sa mère, des pays de la Loire et du Rhône. Au point que personne ne lui donnait plus son prénom de Giovanni : tout le monde l'appelait Francesco — François, ou le Français. Pour échapper au commerce dont le menaçait son père, Francesco, l'esprit tout plein des chansons de geste et des romans de chevalerie, s'engagea comme soldat et partit pour la guerre qui, autant que le plaisir, sert de refuge aux rêveurs et aux mauvais garçons.

L'Italie, en ce temps-là, était dominée par une grande affaire qui traînait depuis des siècles et qui allait encore durer : la bagarre entre deux principes incarnés en deux hommes, entre deux pouvoirs formidables, entre deux moitiés du monde et de Dieu — le pape, descendant de saint Pierre, qui avait quitté la Terre sainte pour le centre de l'univers, et l'empereur, maître de l'Allemagne et des pays germaniques, mais fasciné par Rome et par le soleil d'Italie. Cette rivalité, qui se confondait avec l'histoire de l'Europe, recouvrait une foule de conflits régionaux ou locaux qui opposaient des princes, des villes, des seigneurs, des chefs de guerre. Sortis tout armés de leur château de Waibligen, en Allemagne, les formidables Hohenstaufen étaient sur le point d'évincer la puissante famille des Welfs. La haine entre les Welfs et ceux de Waibligen allait donner naissance en Italie à l'illustre querelle des guelfes et des gibelins qui marque de son sceau, depuis les croisades jusqu'à *La Divine Comédie,* une bonne partie de notre histoire. Les pauvres n'aimaient pas les riches, les riches se méfiaient des pauvres. Gênes détestait Venise, Crémone haïssait Milan. Assise avait un ennemi : c'était Pérouse. Comme dans une de ces fresques emportées et naïves que nous regardons d'un œil distrait sur les murs du Duomo ou du

Palazzo communale, le fils de Pietro di Bernardone se battit avec les gens d'Assise contre les gens de Pérouse. Pérouse était plus puissante. Les troupes d'Assise furent vaincues sur le Tibre, à Ponte San Giovanni, et ce bon à rien de Francesco se retrouva prisonnier dans une tour de Pérouse.

Le lendemain ou le surlendemain, je ne pourrais pas en jurer, le soleil avait disparu. Le ciel était couvert sur la lagune et sur la ville. Nous avions marché pendant des heures et traversé Venise dans toute sa longueur. Nous étions parvenus jusqu'à ce palais Labia où je ne suis jamais entré et qui contient, m'assure-t-on, de belles fresques de Tiepolo. Nous avions poursuivi au hasard et nous nous étions un peu perdus. Nous étions passés devant un vieux bâtiment qui avait sans doute appartenu à des commerçants musulmans ou à des Vénitiens en relation avec l'Orient islamique et que gardaient trois Maures de pierre. La maison natale du Tintoretto — son père, *il tintore,* vivait dans les couleurs puisqu'il était teinturier — s'élevait non loin de là. Nous nous retrouvâmes tout à coup sur une grande place déserte, d'allure austère et rude : c'était le quartier où la Sérénissime avait parqué les Juifs expulsés de la Giudecca — il Ghetto Nuovo.

Après la foule des grandes artères, il régnait sur la place, entourée de hautes maisons, un silence et un calme assez rares à Venise.

— Quel délice ! dit Marie.

Je la pris dans mes bras.

Il était là.

À la Douane de mer, je l'avais aperçu au moment où Marie se dégageait de mes bras et s'éloignait un peu de moi. Sur la place du ghetto, je le vis à l'instant même de la serrer contre moi. Sa canne de bois à la main, il passait comme une ombre juste derrière la tête de Marie et il se confondait avec les murs le long desquels il se glissait. J'eus un mouvement d'impatience et presque d'agacement.

— Qu'est-ce qu'il y a ? demanda Marie.

— Il est là, répondis-je.

— Eh bien, dit Marie, autant le prendre avec nous et vivre tout de suite à trois.

C'était très exagéré. Mais peut-être pas tout à fait faux : il traversait la place et se dirigeait vers nous.

— Pour une surprise…, nous dit-il.

Et il souleva son chapeau.

Il se tenait debout devant nous, immobile, sans la moindre menace, à mi-chemin plutôt entre l'humilité et l'ironie. Je l'examinai avec un peu plus d'attention qu'à la Douane de mer. Il ressemblait à tout le monde. Et il avait un grand charme.

— Vous vous connaissez déjà, murmurai-je à Marie d'une voix un peu molle et du ton le plus conciliant, pour éviter tout éclat.

— Si on peut dire, grommela Marie.

Je sentis que son humeur était en train de virer à l'instable.

— Assez pour que je vous admire, déclara l'homme à l'imperméable.

Je le regardai avec des yeux écarquillés : le clochard de Venise tournait le madrigal. Vous connaissez les femmes : fragiles, changeantes, et tout le tremblement. Il suffit de quelques mots pour que Marie, tout à coup, se mît à le contempler avec des yeux nouveaux. Il s'exprimait avec élégance, presque avec recherche, dans un français excellent qui jurait avec sa voix et son accoutrement. Comme s'il m'avait deviné, il mit sa main devant sa bouche et murmura en un souffle :

Elle hésite, elle flotte, en un mot, elle est femme.

D'où venait donc ce type qui récitait des vers et qui semblait sorti, avec son nez bosselé sous son chapeau usé et rond, d'un film de série B ?
— Vous êtes français ? lui demandai-je.
— Ah ! me dit-il, un peu de tout.
— Vous parlez bien le français.
— J'ai des dons, dit-il.
Et il partit d'un grand rire, la tête renversée en arrière.
Il était doué, c'était sûr. Et d'abord pour la comédie. Je regardais son visage qui changeait à chaque mot. En quelques instants, et surtout, j'imagine, pour plaire à Marie dont il devinait l'hostilité sur le point d'être vaincue, il avait ri et pleuré, il s'était mis en colère, il avait mimé un Américain en train de demander son chemin à une marchande de poissons, il s'était levé pour marcher d'une allure saccadée et il était retombé sur un banc en se passant sur le front un immense mouchoir de batiste.
— Il me fait penser…, murmurai-je à Marie.
— À quoi donc ? dit en se retournant notre homme qui avait l'oreille plus fine que je l'aurais cru.
— À un personnage assez populaire chez nous et que nous connaissons sous le nom du neveu de Rameau.
— Quel type c'était !
— Vous le connaissez ? lui demandai-je.
— Bien sûr. Et même assez bien. J'ai un peu fréquenté Diderot. Alors, de fil en aiguille…
Il m'étonnait de plus en plus. Si on m'avait assuré à la Douane de mer qu'il parlait le français mieux que moi et que notre littérature n'avait pas de secret pour lui, j'en

serais resté comme deux ronds de flan. Voilà qu'il citait Racine, qu'il était familier de Diderot et qu'il semblait tout savoir du neveu de Rameau. Ses yeux, entre le gris et le vert, entre le marron et le jaune, un peu semblables à ceux d'un chat, pétillaient d'amusement. Il riait, il chantait, il faisait semblant de discuter avec un interlocuteur invisible ou de jouer aux échecs, il imitait Diderot en train d'imiter le neveu de Rameau. Et puis, soudain, comme si un souvenir sinistre lui revenait à l'esprit, il se recroquevillait sur lui-même et, au moment même où il commençait à l'intriguer et peut-être à la séduire, il ne répondait plus que par monosyllabes aux questions de Marie.

L'abattement ne durait pas. Au terme d'un enchaînement d'idées plein de cahots et d'ellipses, il racontait à Marie des épisodes de l'histoire de Venise. Il dépeignait le doge, le *Bucentaure*, le Conseil des Dix, le Grand Amiral et le Grand Provéditeur, il nous entraînait sur les mers, au large de Raguse ou de Spalato, de Malvoisie, de Famagouste, il nous faisait assister, avec des détails atroces, au supplice de Bragadin, écorché vif par les Turcs après le siège de Chypre, et il critiquait les tableaux de Bellini et de Carpaccio qui ne donnaient pas, d'après lui, une idée assez juste ni assez forte des cérémonies de la Sérénissime à l'apogée de sa puissance.

Il commençait à m'agacer.

— Peut-être peignez-vous vous-même ? lui demandai-je avec un peu d'ironie.

— Ah ! mon Dieu ! non, me dit-il, je ne peins pas. Je fais un peu de musique... Mais j'en ai vu des peintures, j'en ai vu !... Des christs en croix, des Cènes, des Dormitions de la Vierge et des Annonciations, des Jugements derniers, des Ascensions, des Marie-Madeleine effondrées, des Résurrections en pagaille, des jardins des Oliviers, des pèlerins d'Emmaüs, des fresques avec des agneaux et avec des oriflammes, des icônes aussi et des mosaïques... vous voyez ce que je veux dire : tout ce poids sur les épaules depuis des siècles et des siècles... — et puis, sans crier gare, des pommes dans un saladier et des taches de couleur avec des traits et des ronds pour figurer l'angoisse du monde... Tout ça fait une bouillie terrible. Une espèce de brouillard, avec un peu de lumière derrière qui a du mal à percer.

— Vous en connaissez un bout..., lui dis-je.

— Vous trouvez que je parle beaucoup, n'est-ce pas ? C'est que je suis un homme de culture...

Il riait silencieusement.

— ... ou peut-être un bouillon, oui, ou un brouillon de culture. Je ne vis que de ça, et pour ça. Je suis...

Il baissa la tête et la voix.

— ... je suis au cœur des mythes et des rêves de l'homme. Et puis, j'ai des loisirs...

— Des loisirs ?... demandai-je, avec un peu de stupéfaction, en regardant sa dégaine.

— J'ai le temps, me dit-il.

Et il se remit à rire.

Je crois bien que ce fut Marie qui lui demanda tout à trac s'il voulait dîner avec nous.

— Ah ! je ne demande pas mieux, mais...

— Peut-être, lui dis-je pour lui fournir une sortie, avez-vous autre chose d'urgent à faire ?

— Je n'ai jamais rien d'urgent à faire. Mais je n'ai que ceci sur moi...

Et il exhiba un billet de mille lires qu'il me fourra dans la poche.

— Gardez-le, lui dis-je. Si vous n'avez rien d'autre...

— Vous ne savez pas, me dit-il, à quel point il est mieux dans votre poche que dans la mienne.

— Dépensier ? lui demandai-je en riant.

Il leva les yeux au ciel.

— Et qu'est-ce que vous faites, dans la vie ? lui demanda Marie avec une indiscrétion coupable qu'il était trop tard pour réprimer, mais que j'accueillis, derrière le dos de l'intéressé, avec une moue de réprobation.

— Dans la vie ?

Il hésita un instant. Et puis il dit très vite, en inclinant la tête devant Marie à la fin de sa phrase :

— Je vais, je viens. Je me promène à travers le monde. Je n'ai pas de domicile fixe. J'ai plusieurs fois changé de nom. Je suis juif, vous savez. Je m'appelle Simon Fussgänger.

Tout au long de l'histoire, dans tous les sens du mot, être juif est une passion. Un orgueil qui coûte cher. Un honneur et des bassesses. Une souffrance. Un délire. Les Juifs n'en finissent pas d'être crucifiés par un monde qu'ils comprennent et transforment et dominent mieux que personne. L'aventurier était juif — ou peut-être à moitié juif. Il ne faisait pas bon être juif en Espagne, vers la fin du Moyen Âge, vers le début des Temps modernes, marqué par la chute, en sens inverse, de Constantinople et de Grenade, par la découverte de l'Amérique, par l'invention de l'imprimerie. Les Colón avaient fui l'Espagne. Ils s'étaient réfugiés dans une de ces républiques maritimes, plus ouvertes par nécessité, plus accueillantes par principe : ils étaient devenus génois, ils s'étaient appelés Colombo. La protection d'un futur pape qui n'était encore que cardinal et qui portait le nom de Borgia, des aventures mystérieuses et médiocres dans les îles du grand Nord, un projet insensé de navigation d'un côté pour retrouver les Indes, le Japon et la Chine qui se situaient de l'autre, des rebuffades portugaises, le soutien enfin d'Isabelle la Catholique et du roi Ferdinand : nouvel Ulysse sur une mer moins familière que l'Égée, nouveau Jason à la recherche de bien d'autres toisons d'or, le demi-Juif

Colomb se préparait à entrer dans la plus fabuleuse aventure de l'histoire et à donner au monde cette autre moitié de lui-même qui lui manquait encore.

Colomb, naturellement, s'appuyait sur des livres. Pendant quelques millénaires, entre le feu et l'ordinateur, entre la découverte de l'agriculture et le règne de l'informatique, le livre, sous ses différentes formes, a été au cœur de l'histoire : rien de grand ne s'est fait sans lui. Livres sacrés et profanes, épopées et poèmes, dialogues et préceptes, recueils de lois et récits de voyages, tragédies, comédies, livres de comptes et de piété et, bien plus tard, romans, nouvelles, vaudevilles, journaux — le monde avance parce qu'il s'écrit. Quand Christophe Colomb tomba sur un ouvrage qui s'appelait *Imago Mundi* et dont l'auteur était Pierre d'Ailly, archevêque et cardinal, héritier de Ptolémée et précurseur de Copernic, quand il mit la main sur l'*Historia rerum ubique gestarum*, toute pleine de récits sur l'empereur de Chine, sur les anthropophages et sur les Amazones, d'Aeneas Sylvius Piccolomini qui n'était autre que le pape Pie II, fondateur de la merveilleuse petite ville de Pienza, en Toscane, et modèle du Pinturicchio dans la *Libreria* de la cathédrale de Sienne, quand il découvrit surtout le *Livre des merveilles,* appelé aussi *Le Million,* dicté en français, au fond de sa prison de Gênes, par le Vénitien Marco Polo, hâbleur de génie qui avait passé quelque vingt ans auprès du Grand Khân Kûbilaï, le Kubla Khan de Coleridge — *In Xanadu did Kubla Khan a stately pleasure dome decree...* —, il crut que le ciel s'ouvrait devant lui. Il y avait encore autre chose, aussi bien que les livres, peut-être mieux que les livres. Avant le compas et la boussole, avant les voiles latines ou carrées, avant même la mer et le bateau, et avant les livres, le truc de Colomb, c'était les cartes. Le monde tenait dans la main.

Longtemps, la Terre avait été plate. L'habitude,

l'expérience, un mélange de savoir et de crainte, la tradition chrétienne illustrée par Orose ou par Isidore de Séville, et surtout le bon sens, maître de tant d'erreurs, voyaient dans la planète une espèce de plate-forme, peut-être arrondie sur les bords, à la façon d'une roue ou d'un disque. L'idée que la Terre pouvait être ronde comme une pomme, comme un œuf, comme un melon, n'avait pas germé d'un seul coup, deux mille ans après Platon, un millénaire et demi après le Christ, dans le crâne du seul Colomb. Peut-être, tout simplement, en regardant d'un port d'Égypte ou de Grèce, ou du haut d'une falaise, la coque d'un navire dont on apercevait encore les mâts disparaître à l'horizon, beaucoup de géographes, de philosophes, de mathématiciens avaient-ils eu l'intuition de la forme de notre boule. Ce qui arrêtait l'opinion, c'était des évidences impossibles à mettre en doute : pouvait-on imaginer que, de l'autre côté du melon, des hommes se promènent la tête en bas ? Il était trop clair qu'ils seraient tombés dans le vide comme nous risquons de le faire en marchant sur les murs ou les pieds au plafond. « Qui serait assez insensé, écrit le chrétien Lactance, choisi par l'empereur Constantin comme précepteur de son fils, pour croire qu'il puisse exister des hommes dont les pieds seraient au-dessus de la tête ou des lieux où les choses puissent être suspendues de bas en haut, les arbres pousser à l'envers ou la pluie tomber en remontant ? » L'idée la plus simple — c'est-à-dire la plus fausse — était aussi la plus forte.

Près de mille ans avant Colomb, un marchand de Byzance et d'Alexandrie dont nous ignorons jusqu'au nom, mais qui avait été surnommé Cosmas Indico-pleustes — Cosmas, en hommage à ses talents de cosmologue et de géographe ; Indicopleustes, parce qu'il était allé jusqu'aux Indes —, avait parcouru la mer Rouge et l'océan Indien. Bien au-delà de l'Abyssinie, des côtes orientales de l'Afrique et de son cap encore inconnu qui s'appellera plus tard des Tempêtes, plus tard encore de Bonne-Espérance, il avait piqué vers les Indes, vers Ceylan et vers l'est, vers ce soleil levant qui ne se levait de nulle part, pour prouver, sinon aux autres qui n'en sauraient rien, jamais rien, du moins à lui-même et à ses marins qui n'en demandaient pas tant, qu'au bout de semaines et de mois et peut-être d'années de navigation il finirait par tomber dans quelque chose d'indicible. Il ne tomba pas. Il revint. Aucun des abîmes attendus, espérés, redoutés n'était au bout du chemin. Écœuré, dégoûté, ou peut-être enchanté, Cosmas Indicopleustes se fit moine et rédigea au mont Sinaï sa *Topographie chrétienne* dont la fortune allait durer des siècles. Elle repoussait l'hérésie de la sphéricité de la Terre. Elle dépeignait notre monde comme une grande boîte rectangulaire, semblable à une cage ou à un coffre surmonté d'un couvercle bombé — la voûte céleste — d'où le créateur surveille son œuvre. Car l'échec — ou le succès, comme on voudra — de son expédition ne signifiait rien pour Cosmas Indicopleustes : on pouvait toujours soutenir que le bout, dans l'espace, du monde logique et plat était un peu plus loin.

À l'extrême fin du Moyen Âge, dans ces débuts des Temps modernes, à l'époque de Christophe Colomb, Léonard de Vinci et Érasme et beaucoup d'autres génies sans qui nous ne serions pas ce que nous sommes étaient déjà de ce monde. La Renaissance s'annonçait. Elle était là. Elle brillait de tous ses feux. Deux grands hommes surtout allaient frayer leur chemin aux caravelles de Colomb. C'étaient des mathématiciens, des géographes, des astronomes, des cartographes. L'un était Johann Müller, de Königsberg, qui se faisait appeler Regiomontanus. L'autre était un Italien de Florence : Ser Paolo del Pozzo Toscanelli. Avant de mourir très jeune de la peste à Rome, où le pape Sixte IV l'avait fait venir pour réformer le calendrier, Regio-montanus avait eu le temps de renouveler de fond en comble la trigonométrie plane et sphérique avec sa dégelée de tangentes et ces sacrés sinus qui ont fait souffrir tant d'écoliers et qui ont permis à l'univers d'être projeté sur papier. Le grand Toscanelli était l'auteur d'une carte du monde qui prétendait que la Terre n'était ni une roue, ni un disque, ni une boîte avec un couvercle et que Cipango — notre Japon d'aujourd'hui — et le Cathay du Grand Khân dont avait tant parlé Marco Polo et tous les trésors sans fin de ces Indes fabuleuses qui se situaient au loin dans le soleil levant pouvaient être rejoints aussi par le soleil couchant.

C'est de ces choses effrayantes, et pourtant exaltantes, que, tout un automne, et tout un hiver, et encore tout un printemps, dans les faubourgs de Séville, un Génois à moitié juif parlait, tard dans la nuit, accroupi devant le feu ou sur une terrasse sous les étoiles, à un Juif à moitié génois. Le Génois à moitié juif — haute taille, épaules larges, yeux bleus, nez aquilin, vaste barbe très rousse déjà striée de fils blancs —, c'était Christophe Colomb. L'autre, le Juif à moitié génois, c'était notre vieil, très vieil ami Juan de Espera en Dios. Ils ne disaient pas du bien de Cosmas Indicopleustes, ni même de saint Augustin. Ils les opposaient au génie des Anciens qui, de Platon à Ptolémée, avaient déjà deviné, avant toute vérification d'expérience, par la seule force de la raison et de l'imagination créatrice, que la Terre était ronde.

Toute la soirée, toute la nuit, pendant un jour entier et toute une autre nuit, immobile, insensible, prostré jusqu'à l'inconscience, Ahasvérus demeura étendu sur le sol de sa boutique. Le vieux Cartaphilus l'attendit en vain au palais du procurateur. Le troisième jour, le cordonnier sortit soudain du coma. Il se leva, alla jusqu'à la porte, aperçut la foule dans la rue. L'air était transparent. Le printemps triomphait. La vie était de retour. Le monde et son tourbillon l'emportaient à nouveau.

C'était le jour de la pâque juive. À Jérusalem comme dans toute la Palestine, les Hébreux célébraient leur sortie d'Égypte, quelque douze ou treize siècles plus tôt, leur libération sous les ordres de Moïse, la fin — tant espérée — de leurs tribulations et la naissance de leur peuple. Le mot *paskha* signifiait passage. C'était le passage de l'hiver au printemps, des ténèbres à la lumière, de la mort à la vie, de la servitude à la liberté. Ahasvérus assistait, avec des sentiments confus, qu'il avait du mal à comprendre et à maîtriser, à l'explosion d'une joie qui ne se souvenait déjà plus des menus incidents de l'avant-veille ni de la crucifixion du Galiléen qui se prenait pour un roi. Il avait envie de sortir, de se mêler aux autres, de marcher dans les rues et à travers la campagne. Il remit un peu d'ordre dans ses vêtements, peigna ses cheveux hirsutes, fit une toilette sommaire, choisit sa meilleure paire de chaussures, la plus solide, la plus commode, celle où il se sentait le mieux. Et puis il prit sa besace et son bâton, et il sortit dans la rue. Au moment de quitter l'échoppe où il avait vécu si longtemps, moitié comme cordonnier, moitié comme portier du procurateur romain, il passa la main sur son front et se retourna sur son passé. Il vit les peaux, les fils, les aiguilles, les alènes, l'établi où il travaillait, le siège où il s'asseyait, la paillasse sur laquelle il dormait quand il ne couchait pas au palais. Il sentit en lui comme une bête qui était en train de le ronger et de le pousser en avant. C'était une angoisse, c'était le temps qui passe, c'était une faute qui se confondait avec son existence. Il était la faute même. Sa seule présence dans le monde était un crime qui ne serait pas pardonné. Il voyait clair. Il comprenait. Il eut la conviction que sa vie était finie, que quelque chose d'autre commençait. Il ne savait pas encore qu'il ne reverrait plus jamais sa boutique de cordonnier, que Jérusalem, si souvent conquise et détruite, serait encore détruite et reconstruite à nouveau et encore conquise et détruite et toujours reconstruite avant qu'il y revînt. Il ne pouvait pas penser l'impensable. Il ne pouvait pas imaginer ce qui n'était pas encore imaginable. Il posa le pied dans la rue et commença de marcher.

Une demi-heure plus tard, nous étions installés dans un bistrot minuscule à deux pas de l'Abbazia. Juste avant de s'asseoir, il fouilla dans les poches de l'imperméable délavé qu'il semblait ne jamais quitter. Il en tira à nouveau un billet de mille lires.

— Tenez, me dit-il, j'ai encore trouvé ça.

Et il me tendit le billet.

— Mais non, lui dis-je, gardez-le. Vous en aurez besoin. Vous venez de m'en donner un.

— Prenez, prenez, me dit-il. J'aurai de l'argent demain... peut-être même tout à l'heure...

Il hésita un instant.

— ... J'ai un ami qui m'en doit.

Il se pencha vers moi et ajouta en baissant la voix :

— Il m'en doit énormément.

Et il appuya sur *énormément*. Il avait l'air de souffrir.

Nous prîmes une pasta fagioli et des spaghetti alle vongole. Nous étions en train de discuter sur un vin blanc ou rouge quand la porte de la trattoria s'ouvrit pour laisser passer trois Japonais. Les Japonais, évidemment, ne parlaient pas un mot d'italien et le patron de la trattoria s'en tenait, avec plus de fermeté encore, au dialecte vénitien illustré par Goldoni. Notre ami se leva et se dirigea vers les nouveaux venus. Il s'inclina devant eux qui s'inclinèrent devant lui. À ma stupeur, et le mot est faible, des sons gutturaux que je n'avais jamais entendus qu'au cinéma, accompagnés de scènes atroces et sublimes et de raffinements de violence ou de délicatesse, se mirent à sortir de sa gorge.

Marie se tourna vers moi, les yeux ronds. Ai-je suffisamment insisté sur sa grâce, plus meurtrière encore que sa beauté ?

— Je crois qu'il parle japonais, me dit-elle avec une perspicacité qui lui faisait honneur.

— Bravo, mon chéri, lui dis-je. Bien entendu, rien n'est jamais tout à fait sûr, mais l'hypothèse, dans le cas présent, est au moins très probable. Je ne peux pas m'imaginer que ces rugissements soient dépourvus de tout sens.

Les Japonais s'installaient. Il revenait s'asseoir avec nous.

— Alors, lui dis-je, vous parlez japonais ?

— Un peu, nous dit-il, un peu.

— D'autres langues encore ? demandai-je.

Il réussit à me surprendre une nouvelle fois.

— C'est comme l'argent, me dit-il. Ça vient quand on en a besoin.

Il était presque beau. Oui. Un peu usé et presque beau. J'ai toujours été lent. Je commençais à comprendre le charme qu'il répandait. Sur son visage sans âge se mêlaient la fatigue et l'ardeur, une lassitude qu'il ne cachait pas et une vie puissante qui semblait l'emporter malgré lui. Plus tard, beaucoup plus tard, après Marie, après Venise, après la Douane de mer, j'allais remarquer bien souvent que les femmes aiment chez les hommes ou leur faiblesse ou leur force. Il combinait l'une et l'autre. Il donnait l'impression d'avoir déjà vécu beaucoup trop, d'en avoir par-dessus le dos de ce monde ancien autour de lui, de chercher désespérément des êtres jeunes à qui parler, et de se confondre, dans le même temps, avec une source toujours jaillissante d'aventures et de vie. Il exerçait sur Marie, je le voyais bien, l'attrait, le prestige, presque la fascination des hommes déjà âgés sur des femmes beaucoup plus jeunes qui n'ont jamais connu que de très jeunes gens. Et moi aussi, il m'intriguait, avec son chapelet d'histoires qui prenaient forme peu à peu.

En ce temps-là, comme aujourd'hui, il se passait dans le monde beaucoup plus de choses que je n'en pourrais raconter. Elles découlent les unes des autres, elles s'infiltrent de partout, elles m'envahissent et m'étouffent. J'en choisis trois ou quatre, à titre d'exemples et de modèles. Je mets les autres au rancart et je m'avance comme je peux. Pendant que Pietro di Bernardone, sur les marchés de Toscane ou d'Ombrie, sur les chemins de Spello, de Foligno, de Todi, entre les vignes et les oliviers, parlait à Buttadeo de son fils enfin libéré des prisons de Pérouse, tout bougeait autour d'eux. Le monde restait toujours le même et il ne cessait de changer. Des hommes mouraient et naissaient. La passion, l'ambition, l'intérêt, la folie, le désir, le hasard les posaient et les déplaçaient sur les cases toujours semblables et toujours différentes d'un immense échiquier. Il était permis de penser que chacun était l'artisan de son propre destin. Il était aussi permis de penser que tous étaient manœuvrés par des forces qui leur échappaient.

Toute une partie de l'univers, celle qui se considérait depuis plusieurs millénaires et pour encore quelques siècles comme le centre de tout, était dominée par une puissance qui était au cœur même de la longue existence de Giovanni Buttadeo : c'était l'Église catholique, apostolique et romaine. À travers saint Pierre et saint Paul, elle se rattachait à la fois à un Juif très obscur, agitateur et mystique, qui se prétendait fils de Dieu et à l'immense empire qui l'avait laissé crucifier. On assure que, de la lune, le seul ouvrage des hommes qui se puisse deviner à la surface de la Terre est la muraille de Chine. Un génie très lointain qui nous examinerait dans le temps au lieu de nous observer dans l'espace ne distinguerait dans notre histoire que quelques masses assez vagues : la découverte du feu et de l'agriculture, la construction des villes, la naissance du Bouddha et, quelque mille ans plus tard, la naissance de l'islam, la découverte de l'Amérique et l'invention de l'imprimerie, les révolutions française et russe, l'explosion de la bombe atomique... Il apercevrait à coup sûr deux constructions formidables qui ne sont l'effet de l'histoire que pour mieux en être les causes : l'Empire romain et l'Église catholique. Les deux systèmes se recoupent à Rome, qui est leur centre commun.

À l'époque où Giovanni Buttadeo court les routes d'Italie en compagnie de Pietro di Bernardone, l'Église, toujours puissante et toujours menacée, est présente et active partout. Avec l'aide de l'empereur allemand qui est, en même temps, son adversaire et son instrument, son tourment et son glaive, elle se bat contre l'islam pour la possession de la Terre sainte dont vient de s'emparer, coup de tonnerre dans l'islam, coup de tonnerre dans la chrétienté, le grand sultan Salâh al-Dîn, que nous appelons Saladin. Pour reconquérir Jérusalem où était mort Jésus, il y avait plus de mille ans, l'Église et son chef, le pape, sous ses noms divers, lancent croisade après croisade. Sans parler des enfants, des pèlerins, des commerçants, des Vénitiens, de tant de seigneurs et de marins, des pirates et des mercenaires, Philippe Auguste, roi de France, et Richard

Cœur de Lion, roi d'Angleterre, partent pour le Saint-Sépulcre à l'ombre des mosquées aux côtés de l'empereur d'Allemagne, Frédéric Barberousse. Les obstacles s'accumulent. Chacun des protagonistes, le moindre des acteurs, des figurants, des témoins, renvoie à tout un cycle de relations et de circonstances, à des cercles concentriques de passions et de coups de théâtre. Frédéric Barberousse se noie dans un fleuve en Turquie. Roi de Sicile et de Jérusalem, empereur romain germanique, ami et ennemi du pape, ami et ennemi des musulmans, excommunié et croisé, son petit-fils sera un des personnages les plus fabuleux de l'histoire universelle, le dernier héritier des Alexandre et des César, l'ombre du Messie sur la Terre et l'image même de l'Antéchrist : c'est Frédéric II Hohenstaufen, « *stupor mundi* », la stupeur du monde.

L'écho de ces événements, si nombreux, si embrouillés, parvenait lentement jusqu'en Ombrie. Déjà vieux, toujours jeune, Giovanni Buttadeo le recueillait avec avidité des lèvres de Bernardone et de ses amis assisiates. En écoutant le soir, à la veillée, les récits des soldats et des pèlerins, l'envie le prenait de repartir sur les routes et de courir jusqu'en Terre sainte. Il était retenu à Assise par Pietro di Bernardone qui était devenu son ami, et déjà plus encore par le fils de Pietro, à peine libéré des prisons de Pérouse et auquel il s'était attaché.

Peut-être parce que tant de choses innombrables et confuses se déroulaient sous le soleil, le fils de Pietro di Bernardone aimait le monde à la folie. Tout le séduisait, tout l'attirait. Les fêtes, les femmes, le vin, la guerre, les romans de chevalerie, la renommée des conquérants qui se battaient, là-bas, en Orient, contre les musulmans, tout tissait autour de lui comme des rêves enchantés. La prison à Pérouse fut une épreuve brève, mais assez rude. Vous savez comment se construit une vie. Giovanni — ou Francesco — était un homme d'une taille médiocre, d'une extrême sensibilité, d'un charme irrésistible, d'une santé incertaine. Il passait assez vite d'un enthousiasme sans frein à des crises d'abattement dont il sortait brisé. Pour plaire à ses amis, il s'obstinait plus que jamais à jeter l'argent par les fenêtres.

— Mon fils m'inquiète, disait Pietro di Bernardone à Giovanni Buttadeo quand ils chevauchaient côte à côte.

— Tu as tort, répondait Isaac. C'est un être exquis. Tout le monde l'aime. Moi aussi. Il fera des choses aussi belles que les collines qui nous entourent. Peut-être laissera-t-il un nom dans l'histoire des hommes.

— J'en doute un peu, disait Pietro. Il est faible, il est instable, il est prodigue et changeant.

— Il est ardent, disait Isaac. Il est pur dans les plaisirs. Il n'est jamais mesquin.

— Je te le confie, disait Bernardone.

— Je ferai ce que je pourrai, répondait Buttadeo. Rien n'est plus digne d'efforts que d'aider les jeunes gens qui ont de grands troubles et de grandes espérances.

Le fils de Pietro di Bernardone avait caressé les plus grandes espérances. Il connut de grands troubles. Il se passa quelque chose de tout simple, de plus simple encore que la prison qui suppose une action, des adversaires, un échec, un jugement : le jeune Giovanni tomba gravement malade. Il est difficile de décider s'il tomba malade parce que ses relations avec le monde avaient fini par se modifier ou si ses relations avec le monde finirent par se modifier parce qu'il était tombé malade. Ce qui est sûr, c'est qu'il changea. Il vit les choses autrement, avec plus de gravité. Il ne perdit rien de son charme : il perdit de sa légèreté. Il essaya bien de se jeter à nouveau dans une de ces guerres d'opérette affreusement embrouillées qui faisaient beaucoup de dégâts et il tenta de rejoindre les troupes de Gauthier de

Brienne qui se battaient dans les Pouilles pour le pape contre l'empereur. Ce fut un nouvel échec. Il retomba malade. Il revint à Assise. Le Juif ami de son père le prit alors en main.

Giovanni Buttadeo et le jeune Francesco se promenèrent longuement, tantôt à cheval, tantôt à pied, dans les collines de Toscane et d'Ombrie, dans toute la beauté du monde, au pied de ces petites villes qui s'appelaient Assise ou Cortone, San Giminiano ou Todi. Ils admiraient les paysages, les églises, les palais, les oiseaux et les fleurs, l'œuvre du génie et de la nature. Ils croisèrent des prêtres et des soldats, des marchands et des filles, ils furent témoins ensemble de tout ce que peuvent les hommes.

— Ce qui m'étonne en toi, disait le jeune homme à son ami, c'est que tu ne tiens à rien. Possèdes-tu quoi que ce soit en dehors de ta robe, de ta canne, de ta besace ?

— Je n'ai besoin de rien, répondait Buttadeo. Je vis de l'air du temps. Et des bienfaits de mes amis.

— Es-tu heureux ? demandait Francesco.

— Je ne sais pas, disait Isaac. Je ne me pose pas de questions. Je marche à travers l'espace, je marche à travers le temps. Et je regarde le monde.

— Tu serais le plus grand des hommes, reprenait le jeune François, si tu étais heureux.

Un jour, en sortant d'Assise, ils rencontrèrent un lépreux dont le visage et les membres étaient rongés par le mal. Francesco descendit de cheval pour vider sa bourse dans la plaie qui s'avançait vers lui et qui était une main d'homme.

— Viens-tu ? lui cria Buttadeo en se retournant sur son cheval.

— Attends un instant, dit Francesco.

Et, pétrifié sur son cheval, Giovanni Buttadeo vit Francesco di Bernardone garder la plaie entre ses mains et la porter à ses lèvres.

— Es-tu fou ? lui dit Isaac quand le lépreux eut disparu avec l'argent de la bourse et le souvenir du baiser et qu'ils se retrouvèrent à cheval tous les deux.

— À quoi crois-tu ? demanda Francesco en réponse.

— Moi ? À presque rien. Au temps qui passe, peut-être, et au génie des hommes qui se succèdent les uns aux autres et qui n'en finissent pas d'inventer des choses nouvelles.

— Eh bien, dit Francesco, je crois qu'au fond du temps qui passe et de tous les rêves des hommes, il y a encore quelque chose de plus fort et de plus profond, quelque chose qui leur donne leur poids, quelque chose qui leur donne leur sens, et que tu ne connais pas.

— Et qu'est-ce que c'est, d'après toi ? demanda Isaac en riant et avec un peu d'impatience.

— C'est l'amour, dit Francesco.

Et il se mit à chanter.

Je n'ai pas beaucoup parlé de Marie, jusqu'à présent. Elle était fille de marin. Je l'aimais, c'était tout simple. Je l'avais rencontrée par hasard à la Faculté de droit de N..., où je m'ennuyais à périr. Elle aussi, naturellement : le droit, les études, la province sont des promesses de routine, de sommeil, d'abrutissement bourgeois. Nous ne vivions que dans nos rêves. Ils étaient souvent fous. Je n'avais aucune famille. Mon père et ma mère s'étaient tués en voiture un an après ma naissance. Un drame, bien sûr. Et une chance. J'étais orphelin comme on est célibataire : c'était un brevet d'audace, d'insouciance, d'indépendance d'esprit. À un peu moins de vingt ans, j'étais aussi libre que possible. Le dernier de mes oncles était aussi mon parrain : il venait de mourir en me laissant quelques sous — de quoi vivre sans excès, mais aussi sans tourments. Les tourments, grâce à Dieu, me venaient de l'amour et non pas de l'argent.

Elle était fiancée, par erreur, au fils d'un percepteur ou d'un contrôleur de je ne sais quoi, plus ennuyeux encore que les *Annales* et les *Digestes* dont j'étais censé m'occuper. Je me mis en tête assez vite que c'était une erreur et un crime. Il me semblait, je ne sais pourquoi, que ses yeux bleus, ses cheveux blonds s'opposaient

104

avec violence à cette aberration. Quand elle se rendit à Paris, chez une tante, pour poursuivre ses études et retrouver son fiancé qui préparait l'ENA, je la suivis, bien entendu. Je dénichai une chambre dans la rue Gay-Lussac. De temps en temps, sous un prétexte ou sous un autre, je la ramenais jusque chez elle. Elle me plaignait, je crois, parce que j'étais orphelin. Je profitais de ces bons sentiments pour lui dire, avec un tact exquis, avec subtilité, autant de mal que possible de son imbécile de fiancé. Dans le grand amphithéâtre, j'étais assis à côté d'elle.

— Quel gâchis! lui soufflais-je entre deux fines remarques sur le régime dotal ou les sociétés en commandite.

— C'est bien possible, me répondait-elle, les yeux fixés sur un avenir qui n'avait pas l'air de l'enchanter, c'est bien possible, mais c'est comme ça.

L'idée que c'était comme ça et qu'on ne pouvait rien y changer me rendait à peu près fou. J'étais très égoïste : je ne pensais plus qu'à Marie. J'étais très paresseux : je passais mes journées et une bonne partie de mes nuits à monter des combinaisons pour devenir très riche, très puissant, très connu et pour arracher Marie aux griffes déjà émoussées du fils de l'inspecteur. Le matin, après tant d'efforts, je me réveillais épuisé. Il me restait à peine assez de forces pour convaincre Marie de m'accompagner au Luxembourg, dans un restaurant chinois de la rue de Seine ou de la rue Monsieur-le-Prince ou, comble de l'exaltation, à l'un ou l'autre des cinémas du boulevard Saint-Michel ou de la rue Christine où passait un vieux Cukor, un vieil Hitchcock, un Lubitsch de derrière les fagots. J'accablais Marie de questions, de tendresse, de sarcasmes très cruels, d'objurgations pathétiques. Elle m'écoutait en silence. Elle secouait la tête avec un air buté. Elle ne disait rien, elle disait non. Mais elle m'écoutait. À la fin des repas, ou en se promenant, ou dans les fauteuils de cinéma, elle pensait avec intensité. Pour penser mieux encore, il lui arrivait de fermer les yeux et de poser sa tête sur mon épaule. J'étais très satisfait de dispositions si réfléchies et je l'entourais de mes bras.

Puisque depuis longtemps je l'appelais mon chéri, elle en était venue, elle aussi, par esprit d'imitation et par commodité, à m'appeler mon chéri. Marie, comme toutes les femmes, était rebelle et soumise. Je lui disais :

— Je t'aime.

Par politesse sans doute, car elle était très bien élevée, et sans forcer le moins du monde sa voix qui était très douce, elle me répondait :

— Je t'aime.

Elle m'embrassait, elle m'aimait, elle se jetait contre moi. Et elle s'obstinait, pour des motifs obscurs qui ne relevaient, apparemment, ni de la fidélité, ni de la religion, ni du devoir, ni même de l'intérêt, ni, bien entendu, de la passion, à épouser le fils d'un inspecteur ou d'un contrôleur général qu'elle retrouvait le soir en sortant de mes bras. Comme les femmes sont étranges, au regard des hommes si simples, si entiers dans leurs mensonges, si maîtres de leurs discours — même les plus embrouillés ! Je lui disais :

— Épouse-moi.

Elle me disait :

— Je ne peux pas.

Je lui demandais :

— Et pourquoi donc ?

Elle me répondait avec simplicité :

— Parce que j'épouse Charles.

Charles était son fiancé, le futur haut fonctionnaire. Je crois qu'il avait un avenir, une famille, des principes, des lunettes. Je les envoyais au diable tous les deux, je retirais le bras que j'avais passé autour d'elle, je ruminais dans mon coin. Elle me regardait de côté et me disait :

— Et alors ?...

C'était une jeune fille d'aujourd'hui qui avait des traits d'hier. Huit jours avant son mariage avec Charles, ou peut-être quinze ou vingt, elle me demanda, allez savoir pourquoi, si je voulais partir avec elle. Je l'emmenai avec moi, allez savoir pourquoi, à la pensione Bucintoro. Ah ! jeunesse, jeunesse...

Grenade tomba le 2 janvier 1492. Les Rois Catholiques l'emportaient sur Abû 'Abd Allâh, *el rey chico*, que nous appelons Boabdil et à qui sa mère, sur le chemin de l'exode, en un lieu qui porte encore aujourd'hui le nom de *Suspiro del Moro*, reprocha de pleurer comme une femme sur la ville qu'il n'avait pas su défendre comme un homme. À l'autre bout du continent, les Turcs, il y avait quarante ans, venaient de s'emparer de Constantinople au nom de l'islam et de son prophète. L'Europe chrétienne reculait à l'est, mais, à l'ouest, les Arabes musulmans étaient chassés d'Espagne. Colomb et Esperendios participaient au siège. Ils prirent leur part de la victoire. Quelques semaines plus tard, Isabelle et Ferdinand approuvaient le projet de la Grande Aventure que leur présentait Christophe Colomb et que le roi de Portugal avait naguère repoussé. Christophe Colomb recevait le titre d'Amiral de la mer Océane. Il était nommé d'avance vice-roi et gouverneur de toutes les îles et de toutes les terres qu'il risquait de cueillir, autour du grand Océan, sur le chemin de la Chine et des Indes. Le vendredi 3 août 1492, vers huit heures du matin, de Palos de Moguer, ou de la Frontera, près de l'embouchure du Rio Tinto, la *Pinta*, la *Niña*, la *Santa Maria*, avec quatre-vingt-neuf officiers et marins pour les trois caravelles, et un seul civil, un contrôleur de la Couronne chargé de veiller sur l'or et sur tous les trésors qu'on allait découvrir à Cipango et ailleurs, partaient, toutes voiles dehors, pour une destination inconnue et pour la plus folle entreprise de toute l'histoire des hommes. Juan de Espera en Dios était aux côtés de l'Amiral.

Tout le monde, naturellement, ignorait les liens secrets qui unissaient les deux Génois. La Grande Aventure était une affaire catholique et chrétienne. Un Juif n'y avait pas sa place. D'autant moins que le même jour, aux petites heures du matin, et surtout à Cadix, des milliers de Juifs s'entassaient dans des cales de navires : car le 2 août 1492 était la date limite fixée par leurs Majestés Très Catholiques pour l'expulsion de tous les Juifs espagnols qui ne s'étaient pas convertis. Juan Esperendios, pour plus de sûreté, avait changé de nom une fois de plus : il avait été enregistré sous le nom de Luis de Torres. Et il avait quitté ses frusques pour une tenue de marin qui pouvait prêter à rire. L'allure du matelot Torres faisait la joie de l'équipage qui ne lui épargnait pas ses lazzi. Aux plaisanteries, aux quolibets se mêlait pourtant un peu de respect et presque d'admiration. Isaac le Génois, sous le nom de Torres, tenait un rôle particulier et jouissait d'un statut différent de celui du commun des marins.

Dès leurs premières rencontres à Séville dans l'une ou l'autre des maisons où se retrouvaient en secret les Juifs et les demi-Juifs en train de fuir la persécution, Cristóbal Colón, passé dans la peau du Génois Cristoforo Colombo, dûment baptisé et fils très respectueux de la sainte Église catholique, avait été frappé par les dons de son compatriote.

— Est-ce que tu parles italien comme tu parles espagnol ?

— J'ai vécu à Gênes comme toi. Comment ne parlerais-je pas italien ?

— Et hébreu ?

— Je suis juif.

— Et arabe ?

— Et arabe.

— Tu sais pourquoi je te pose ces questions ?

— Parce que je t'intéresse.

— Et pourquoi m'intéresses-tu ?

— Parce que je suis juif. Et toi aussi.

Colomb leva la main comme s'il allait le frapper.

— Tais-toi donc, imbécile ! Tiens-tu tant que ça à perdre la vie au milieu des flammes ?

— Ça m'étonnerait, dit Isaac.

— Plus jamais un mot là-dessus si tu veux rester mon ami ! Moi, je ne veux pas mourir...

— ... avant d'être allé là-bas, murmura Isaac en souriant.

— Avant d'être allé là-bas, répéta lentement le Génois. Après non plus d'ailleurs... Mais en tout cas pas avant. C'est pour ça que tu m'intéresses. Qu'est-ce que nous trouverons de l'autre côté de la mer Océane ?

— Des terres, de l'or, des pierres précieuses, des trésors...

— Et encore ? demanda le Génois.

— Des hommes, dit Isaac.

— Des hommes ! Voilà : des hommes. Et comment leur parlerons-nous ?

— Je ne sais pas, dit Isaac. Par gestes, j'imagine.

Colomb haussa les épaules :

— Nous aurons bonne mine devant le Grand Khân si nous lui faisons des grimaces en remuant les mains, dit-il en riant. Comment faisait Marco Polo ?

— Il avait des interprètes, dit Isaac. Et frère Jean également.

— Frère Jean ? demanda Colomb.

— Il est allé là-bas cinquante ans avant Marco Polo. Il avait des interprètes.

— Et toi, demanda Colomb, est-ce que tu connais aussi la langue que parle le Grand Khân ?

— Je la comprends, dit Isaac.

— Quelle langue parle-t-on, demanda Colomb, dans le pays du Grand Khân ?

— On en parle plusieurs, dit Isaac. Le pays est très grand.

— Ah ! dit Colomb, voilà une nouvelle bien fâcheuse.

— Mais peut-être, reprit Isaac, arriverons-nous d'abord aux Indes ? Ou peut-être à Cipango ?

— Ah ! répéta Colomb d'un ton sombre, ils doivent parler encore d'autres langues.

— N'importe, répondit Isaac. N'importe. Toutes les langues se ressemblent. Avec le latin et l'arabe, qui sont les deux langues mères, on se débrouille partout. Je comprendrai.

— Eh bien, dit Colomb qui avait retrouvé son sourire, pour toutes les langues connues et inconnues, je te nomme interprète de la Grande Aventure.

Est-ce que, pour l'emporter sur Charles et sur les langueurs et les longueurs de la vie quotidienne, je lui avais promis des aventures ? Avec son allure d'intellectuel dans la débine qui aurait lu *L'Odyssée*, l'homme de la Douane de mer lui en apportait au moins l'annonce, le parfum, la rumeur. Après avoir voulu le fuir comme un intrus et un raseur, voilà qu'elle se mettait à l'écouter et à le regarder. Il venait de repartir sur de petits chevaux tatars et il galopait à travers les steppes et les déserts de la Mongolie dont il parlait comme du Lido ou des bords de la Marne.

— Quel âge avez-vous ? lui dit soudain Marie.

— Ah ! Ah ! dit-il en se jetant en arrière et en marquant le coup.

— Madeleine !... lui dis-je.

— Parce que vous vous appelez aussi Madeleine ?... demanda-t-il en se penchant à nouveau en avant.

— Pas vraiment, dit Marie. Je m'appelle Marie. Mais Pierre m'appelle Madeleine quand je vais faire une bêtise. En ai-je déjà fait une ?

— Évidemment, lui dis-je.

— Pas du tout, lui dit-il. Broutilles. Aucune importance. Ce qui m'intéresse surtout, c'est que vous vous appeliez Madeleine, et aussi Marie. J'ai connu jadis une autre Marie-Madeleine.

— Ah? dit Marie avec beaucoup de courtoisie et un semblant d'intérêt qui, à la réflexion, n'était peut-être pas feint.

— Il y a bien longtemps…, dit-il.

Et il se tut.

Le silence dura. Peut-être plusieurs minutes. Il devenait presque gênant. Les Japonais mangeaient, sans un mot. Un chat dormait. Sans un mouvement. Le patron avait posé ses coudes sur le comptoir et paraissait rêver. Quelque chose d'immobile était soudain entré dans ce bistrot minable, à deux pas de l'Abbazia et du Ghetto Nuovo, à Venise, au temps de la pilule, de la bombe atomique et de la télévision. J'eus encore le temps de me dire, Dieu sait pourquoi, que ma vie était légère sur les balances de l'histoire et que, malgré Marie, si fragile et si douce, elle n'avait presque aucun sens.

— Voulez-vous, dit-il enfin d'une voix qui me parut changée, que je vous parle encore un peu d'elle — et du reste?

— Quel reste? demanda Marie.

— Le reste…, dit-il. Les autres… Ce qui s'est passé… Ce qui se passe…

— Bien sûr, dit Marie.

J'hésitais un peu. Il me semblait que répondre oui nous entraînerait un peu loin.

— Oui, répondis-je.

— Eh bien, dit-il, demain, au coucher du soleil, à la Douane de mer.

Le patron, réveillé, nous apportait l'addition. Nous nous levions. J'eus la prémonition vague de ce qui allait se passer. C'est ce que les philosophes, je crois, appellent le sentiment du déjà vu.

— Tiens! dit-il, je viens encore de retrouver ça dans le fond de ma poche.

Et il tira de l'imperméable un billet de mille lires.

Il marcha. Égaré, poussé par une force inconnue, il marcha devant lui, sans savoir où il allait. Il se retrouva englouti dans la Jérusalem de Tibère et de Ponce Pilate. Il suivit des rues familières, traversa des places animées, se retrouva bientôt à une des portes de la ville. La foule joyeuse de la pâque s'écartait devant lui. Chacun, Romains ou Juifs, nomades éberlués, de passage dans la ville, accrochés à leur âne ou à leurs chameaux, teinturiers ou charpentiers, jeunes gens en proie aux délices et aux tourments de l'amour, ambitieux, fonctionnaires, femmes de mauvaise vie à la recherche d'un client, commerçants ou marins, vaquait à ses propres affaires, ruminait ses pensées, se confondait avec ses projets. Lui n'avait plus de métier, plus d'espérance, plus d'avenir. Il n'avait plus que les souvenirs dont il était accablé. Il flottait. Il marchait. De temps en temps, un ami, une connaissance l'arrêtait au passage, lui demandait où il allait, l'invitait à s'asseoir et à partager une poignée de dattes ou une jarre de vin de palme. Il passait quelques instants à échanger des politesses et des considérations insignifiantes sur le brutal orage qui avait obscurci la soirée de l'avant-veille ou sur les exactions des Romains. Il se levait. Il repartait. Comme si sa tâche, désormais, n'était plus que de marcher.

Il était déjà sorti de la ville quand il aperçut tout à coup, dans le sentier, là-bas, qui dégringolait de la colline, entre les oliviers, une femme qui venait vers lui en courant. De loin, elle lui parut ressembler à Marie de Magdala. Il chassa cette idée qui tournait à l'obsession. La femme courait, hors d'haleine. Elle faisait parfois des détours pour aller crier quelque chose à une fille qui puisait de l'eau, à un laboureur dans son champ. Elle se rapprochait peu à peu et les signes de son exaltation devenaient plus manifestes. « C'est une folle », se dit-il. Une brusque déclivité et quelques rares plantes grasses ou un buisson d'épineux la cachèrent soudain à sa vue. Lorsqu'elle reparut dans le soleil, Ahasvérus eut un choc : c'était Marie de Magdala. Rouge, les cheveux au vent, toujours belle avec ses yeux violets, visiblement hors d'elle, elle courait, courait toujours. Il s'arrêta. Elle passa près de lui sans ralentir, et peut-être sans le reconnaître. Elle criait :

— Il vit ! Il vit ! Il est ressuscité !

Ahasvérus se retourna et, appuyé sur son bâton, il la regarda disparaître en direction de la ville. Une fois encore, elle cria :

— Il est ressuscité !

Et l'écho de ses paroles flottait dans l'air du soir.

Troublé par ce qu'il avait vu et par ce qu'il avait entendu, Ahasvérus reprit sa marche. Qu'est-ce que c'était encore que cette histoire de résurrection ? Il s'en moquait pas mal. Il n'y croyait pas, bien entendu. Est-ce qu'on pouvait croire à de pareilles niaiseries ? Il fallait, pour les avaler, être fanatique ou débile, ou hystérique comme elle. Là-bas, au loin, il l'apercevait encore en train de courir vers Jérusalem. Il s'arrêta à nouveau, mit ses mains en porte-voix et cria de toutes ses forces :

— Quand on est mort, c'est pour longtemps. Ton imbécile d'amant n'avait qu'à ne pas mourir !

Il lui sembla que les collines et la muraille de

Jérusalem lui renvoyaient ses derniers mots. Il laissa retomber ses mains, les larmes lui vinrent aux yeux et il se mit à rire.

Il avait aimé cette femme à la folie. Il ne pensait à rien d'autre qu'à l'amour qu'elle lui avait inspiré. Pendant des mois et des mois, et il y avait encore quelques jours, il aurait tout donné pour un seul de ses sourires, pour un seul de ses regards. Les choses avaient basculé. Maintenant, l'idée, qu'il avait tant caressée, de vieillir et de mourir dans ses bras lui paraissait absurde. Il sentait qu'un monde les séparait. Dans l'exaltée qu'elle était devenue que restait-il de la jeune fille, de la femme libre et audacieuse, trop libre et trop audacieuse, qu'il avait tant aimée ? Elle s'était changée en quelqu'un d'autre. Lorsque les gens, plus tard, s'il leur arrivait de se souvenir encore d'elle, parleraient de Marie-Madeleine, personne ne penserait plus au feu qu'elle avait allumé dans le cœur d'Ahasvérus. Nous changeons tous. Nous passons notre temps à changer. La jeune femme auprès de nous en train de compulser un dossier ou de téléphoner, est-ce la même que celle qui a crié de bonheur, la nuit, dans les bras de son amant ? Un des plaisirs du séducteur est de faire apparaître la femme qui se cache derrière la femme qui se montre. Au-delà de ces changements circulaires et répétés, l'amour, la conversion, la maladie, le chagrin, l'âge parfois, tout simplement, imposent des modifications brutales et souvent radicales. Que reste-t-il en nous de l'enfant que nous étions ? Sommes-nous tout à fait sûrs d'être les mêmes qu'il y a vingt ans ? Bien au-delà de l'alternance de nos faces manifestes et de nos faces cachées, on finit par se demander si ce ne sont pas des existences successives et en vérité différentes qui constituent notre vie. Marie-Madeleine et Ahasvérus qui avaient été si proches l'un de l'autre dans leur Galilée natale n'avaient cessé de s'éloigner. En descendant vers la ville où elle

116

allait répandre la bonne nouvelle, Marie de Magdala pénétrait pour toujours dans une éternité d'espérance et de foi. Égaré dans sa passion, perdu dans de petites choses qui l'empêchaient de voir les grandes, Ahasvérus faisait ses premiers pas dans un monde de légende.

Il marchait. Il marcha jusqu'à la nuit. Il s'était déjà beaucoup éloigné de la ville lorsque la faim s'empara de lui. Et la soif. Les passions, les ambitions, les idées, les projets ne viennent qu'en seconde ligne. Il faut d'abord boire, et manger, et dormir, et tout le reste. Sans jamais en souffler mot dans les torrents de livres et de films qui nous tombent sur la tête, nous passons notre temps à mener notre corps au garage, à le ravitailler et à le vidanger. De *La Princesse de Clèves* au *Soulier de satin*, en passant par *Adolphe* et par *La Chartreuse de Parme*, on dirait que nos héros sont munis d'une dispense de trimbaler un corps. Ils n'ont le droit que de faire l'amour parce que l'amour est le lien entre le rêve et la machine. Nous sommes une machine avant d'être un esprit et une âme. Il peut y avoir des machines sans esprit et sans âme. Dans ce monde au moins, il n'y a pas d'esprit ni d'âme sans qu'il y ait une machine. Ahasvérus avait soif. Et il avait faim. La nuit tombait. Il aperçut une lumière qui brillait dans une maison. Il poussa la porte après l'avoir frappée de son bâton et il entra dans la maison.

La grande pièce était pleine d'hommes et de femmes qui faisaient un bruit d'enfer. Tout autour de la salle étaient rangées des amphores à col large où brillaient tantôt des objets qui ressemblaient à des diadèmes, à des colliers, à des bracelets, à des bagues, tantôt des pièces d'or et d'argent, tantôt, jetées pêle-mêle, des coupes d'onyx ou de porphyre, des figurines de marbre, des lanternes d'albâtre. Bleus, jaunes, pourpre, de toutes les formes et de toutes les couleurs, des manteaux de soie et des brocarts étaient disséminés sur le sol. Des poissons, de l'agneau, du pain, du miel, des fruits, des gâteaux étaient répandus sur la table, au milieu de récipients qui contenaient de l'huile et du vin. Plusieurs femmes étaient écroulées sur le sol et s'accrochaient aux jambes des hommes. Quelques-uns s'étaient pris par les épaules et chantaient des chansons de brigands ou de marins qui les faisaient onduler à la façon du sable ou des vagues quand le vent se met à souffler. Tous étaient ivres, et criaient, et jetaient du vin sur le sol. Au haut bout de la table, très droit, très impérieux, était assis un homme hirsute, à la barbe noire et dont les yeux lançaient des éclairs. Ahasvérus le reconnut aussitôt : c'était Barrabas, libéré par Ponce Pilate, à la demande de la foule, en échange du Galiléen.

— Qui es-tu ? demanda Barrabas d'une voix rude au nouveau venu qui s'était arrêté sur le seuil pour contempler le spectacle.

— Je suis cordonnier, dit Ahasvérus, et portier chez Ponce Pilate. Ou plutôt je l'étais.

— Chez Ponce Pilate ! dit Barrabas en riant. Assieds-toi ! Nous allons boire ensemble à la santé du procurateur de Judée !

C'est ainsi qu'Ahasvérus entra dans la troupe de Barrabas, agitateur politique et bandit de grands chemins. Il devint, lui aussi, pour quelque temps au moins, un voleur et un brigand. Plus tard — soldat, marin, commerçant, Premier ministre, banquier, voyageur, philosophe, diplomate, explorateur des deux mondes, séducteur professionnel, écrivain, et même prêtre —, il devait prendre bien d'autres visages et exercer bien d'autres métiers. Ils ne le changèrent pas beaucoup.

La journée passa assez vite. Et, comme toujours avec Marie, elle me parut trop courte. Peut-être parce que j'avais vingt ans, l'avarice, l'envie, l'ambition, l'amertume m'étaient tout à fait étrangères : je les avais échangées contre l'impatience et la curiosité. Je n'aimais ni les carrières, ni les collections, ni les économies : il y avait trop à attendre et à organiser. Je voulais tout, tout de suite. Je n'attendais de la vie qu'une succession de coups de théâtre et de révélations. J'étais parti du bon pied en m'attachant à Marie. L'un et l'autre, séparément, et plus encore ensemble, nous étions prêts à tout — sauf à nous ennuyer.

Le matin, sur le pont de l'Accademia, Marie avait rencontré des amis. Il y en avait toute une bande : deux petits blonds assez vifs qui étaient peut-être des frères ou peut-être des amants, ou peut-être à la fois des amants et des frères, un conseiller au cabinet d'un ministre de je ne sais quoi dont les nuits et les jours étaient encombrés de dossiers et de fantômes poussiéreux surgis de la Cour des comptes ou du Conseil d'État, une grande rousse assez belle qui occupait un poste dans une maison d'édition ou dans un hebdomadaire, où elle couchait, paraît-il, avec tout ce qui se présentait. Tout ce monde était mené par un avocat encore jeune et déjà presque célèbre dont le nom, à coup sûr, vous dirait quelque chose : il avait écrit deux ou trois livres et, prisée à l'égal d'un grand vin de bordeaux, d'une chasse en Alsace ou en Espagne, d'un récital de la Callas ou de Barychnikof, sa conversation faisait les beaux jours de plusieurs capitales. Nous nous étions assis, tous ensemble, à la terrasse du Florian où nous avions pris des glaces et des cappuccini en écoutant l'avocat. Il avait parlé tout le temps, il avait raconté plein d'histoires sur le Tintoret et sur Véronèse, sur Giorgione, si jeune, et sur le Titien, très vieux, il avait fait les délices de son gruppetto ébaubi. Et puis Marie et moi, honteux de ne rien savoir et vaincus par tant de culture qui nous y contraignait, nous étions partis tous les deux pour San Giorgio degli Schiavoni voir et applaudir les aventures de saint Georges et de son dragon, de saint Jérôme et de son lion, de saint Augustin et de son caniche, telles que les imaginait, il y a quatre ou cinq cents ans, très loin d'une réalité évanouie dans le passé, un peintre de génie qui inventait l'histoire et qui s'appelait Carpaccio. Le soleil se mettait à baisser. Ni Marie ni moi ne pensions plus au type dans son imperméable : nous parlions de Carpaccio, de Venise, de l'inspection des Finances d'où sortait l'homme aux dossiers et qui guettait déjà Charles, de la belle fille rousse dont nous ne savions pas grand-chose, de tout ce monde qui nous entourait et dont nous dépendions. Nous étions en train de rentrer à la pension Bucintoro lorsque le soleil couchant nous rappela tout à coup que nous étions attendus devant la Douane de mer.

— Nom d'un chien ! dit Marie.

Nous nous mîmes à rire tous les deux et à hâter le pas vers l'original qui était tombé dans notre vie.

Il était déjà là.

Dès qu'il nous aperçut, il souleva son chapeau et il nous accueillit avec beaucoup de chaleur.

— C'est gai de vous voir, nous dit-il. J'avais un peu besoin de vous. Tout est toujours si banal et si pareil à soi-même.

— C'est plutôt nous, dit Marie, qui profitons de vous.

— Erreur! dit-il. Erreur! Je suis un vieux bonhomme et vous êtes la jeunesse. C'est toujours la jeunesse qui réveille l'expérience. Après tout ce que j'ai vu, j'ai surtout envie de dormir.

— C'est vrai, dit Marie avec cette précision et cette justesse qui faisaient beaucoup de son charme, nous dormons assez peu.

— Voilà pourquoi vous me plaisez : parce que vos yeux sont ouverts. Le monde vous amuse, n'est-ce pas ?

— À la folie, dit Marie qui, depuis qu'elle était à Venise avec moi, jouissait d'une santé insolente.

— Eh bien, soupira-t-il, vous avez beaucoup de chance.

— Que se passe-t-il ? lui demandai-je. Un peu de vague à l'âme ?

— Un peu de fatigue, peut-être. J'en ai souvent assez.

— Allons! lui dit Marie qui avait très bon cœur. Vous êtes solide comme un roc, vous avez l'air indestructible.

— Justement, répondit-il. Comme c'est lassant d'être toujours là ! Regardez le soleil : il est en train de disparaître. Je voudrais bien faire comme lui.

— Ne disparaissez pas, lui dit Marie, avant d'avoir tenu votre promesse... Vous vous rappelez : Marie-Madeleine... et toutes ces sortes de choses.

— Ah !... c'est vrai... je vous ai parlé d'elle. Il y a si longtemps que je n'ai pas prononcé son nom...

Il se tut un instant. Toute la misère du monde, tout à coup, lui tombait sur les épaules. Il faisait penser à un chien qui, à force d'être frappé, redoute les coups de bâton.

— J'ai beaucoup de souvenirs, vous savez... Beaucoup trop... Je me demande pourquoi je vous ai parlé de Marie-Madeleine... Probablement parce que votre nom est Marie et que Pierre vous a appelée Madeleine. Probablement aussi parce que vous êtes blonde et belle... Elle l'était aussi. Oui, bien sûr... Tout le monde en a été fou. À quoi tiennent les choses ?... Qui a dit : ce qu'il y a de plus profond en l'homme, c'est la peau ? Je crois que c'est quelqu'un de chez vous.

J'ai su beaucoup plus tard que c'était Paul Valéry. Je n'aurais jamais cru que Valéry lui fût aussi familier que Racine ou Diderot. Ce diable d'homme connaissait tout, avait tout lu, savait tout. Marie s'agitait surtout à l'idée d'une histoire d'amour, d'une de ces bonnes vieilles romances qui la faisaient pleurer à chaudes larmes. Le soir tombait. Dès que le soleil s'était couché, la lune avait apparu sous la forme d'un mince croissant. Ici ou là, des lumières commençaient à s'allumer autour de la place Saint-Marc et du palais des Doges. On entendait sonner au loin les cloches d'un couvent ou d'un campanile. Avec son cortège de marins, de dogaresses, de peintres et de courtisanes, Venise entrait dans la nuit.

— Si nous allions dîner ? dit Marie.

— J'ai mille lires, dit-il.

— Je sais, dis-je en riant. C'est nerveux.

— Après le café, reprit Marie, nous reviendrions ici. Nous nous installerions au pied de la Douane de mer comme dans un salon de plein air et vous nous raconteriez des histoires dans le genre des *Mille et Une Nuits*.

— Nous n'aurons pas mille et un soirs.

— Nous en aurons quelques-uns, dit Marie avec élan. Allons, venez, Schéhérazade.

— Je n'ai pas son talent, gémit-il, en levant les bras au ciel.

— Vous avez tous les talents, lui dis-je. Et vous avez tout le temps.

— Ça, dit-il, pour le temps, franchement, j'en ai à revendre. C'est plutôt vous, veinards, qui me quitterez assez vite pour des aventures ineffables, pour des rêves indicibles. Allons-y.

Je connaissais un bistrot entre l'Angelo Raffaele et San Nicolò dei Mendicoli. Ce n'était pas à côté.

— Est-ce que ça vous ennuie de marcher un peu ?

Il se mit à rire aux éclats.

— Ah ! non, me dit-il, marcher ne m'a jamais fait peur. J'ai marché toute ma vie, et je marche encore beaucoup.

Nous marchâmes à l'aller. Nous marchâmes au retour. Marie commençait à donner des signes de lassitude. Lui paraissait infatigable, progressant d'un pas égal, sautant en l'air, chantant, mimant acteurs et hommes politiques, s'arrêtant encore pour parler de Byzance qui avait perpétué Rome, de Venise qui avait perpétué Byzance, de Carpaccio et du Tintoret qui avaient perpétué Venise, de Malraux et de Sartre qui avaient perpétué Carpaccio et le Tintoret. Je me demandai, un instant, s'il ne s'imaginait pas, dans sa folie, perpétuer Sartre et Malraux. Il était le centre de tous les espaces, l'axe et le pivot de la planète. L'histoire universelle semblait s'enrouler autour de lui. Nous étions de retour à la Douane de mer. Elle s'enfonçait comme un coin dans Venise et dans le monde, dans la lagune et dans le temps.

À quelques centaines de mètres d'Assise s'élève, parmi les oliviers, la petite église de Saint-Damien. Vous pouvez encore vous y rendre et admirer dans le chœur un crucifix byzantin. Il y a un peu plus de sept cent cinquante ans, un jeune homme tourmenté le contemplait déjà. Ce christ lui disait quelque chose. Il s'asseyait, il le regardait, il se levait, il tournait autour, il se rasseyait, il clignait les yeux, il les fermait, il les rouvrait tout à coup et il regardait autour de lui. L'église s'écroulait. La porte ne fonctionnait plus. Les vitraux étaient brisés. Il voyait le ciel à travers le toit. La pluie tombait sur le crucifix. Le fils de Pietro di Bernardone se leva tout à coup, sortit de l'église en coup de vent et se jeta sur son cheval qu'il avait attaché, avant d'entrer, à un olivier derrière l'abside.

Il galopa jusqu'à Assise et se précipita chez Giovanni Buttadeo. Le Juif était là. Il reprisait son vêtement, une espèce de robe de bure, d'une couleur incertaine, qu'il portait par tous les temps. Elle s'achevait par un capuce et il la serrait à la taille avec une corde de chanvre.

— Buttadeo, dit Francesco hors d'haleine, tu connais l'église de Saint-Damien ?

— Bien sûr, dit Buttadeo.

— Elle est ouverte à tous les vents, elle est sur le

point de s'effondrer, la porte ne ferme plus, il pleut sur le crucifix.

— Ah ? dit Buttadeo.

— C'est tout ce que ça te fait ? demanda Francesco.

— Je suis juif, dit Buttadeo.

— Je sais, dit Francesco. Mais je pensais que tu aimais les églises où les gens peuvent s'arrêter, après avoir marché, pour reprendre souffle et rêver. Une église qui meurt, c'est un peu du ciel qui disparaît sur la terre.

— Répare-la, dit le Juif.

— C'est ce que je vais faire, dit Francesco. J'espérais que tu m'aiderais.

— Eh bien, dit Isaac en posant son vêtement, il te faudra du temps.

— J'en ai, dit Francesco.

— Et du travail, dit Isaac.

— Ça ira, dit Francesco.

— Il te faudra aussi des pierres, des tuiles, des clous, des vitraux et du bois. Il te faudra des outils. Tout cela coûte cher.

— Je n'ai plus d'argent, dit Francesco.

— Ton père en a, dit le Juif.

— Il ne veut plus m'en donner. Il dit que je dépense celui qu'il me donne et qu'il m'en a déjà trop donné.

— Prends-le, dit Buttadeo.

— C'est une idée, dit Francesco.

— Je n'en ai pas d'autre, dit Buttadeo.

— J'y vais, dit Francesco.

— Réfléchis un peu, dit Buttadeo. C'est peut-être plus sérieux que tu ne penses. Tu connais ton père. Réfléchis.

— C'est tout réfléchi, dit Francesco. J'y vais.

— Alors, je viens avec toi, dit Isaac. Je ne vais pas te laisser tout seul quand tu vas devenir un voleur. Moi, je sais. J'ai l'habitude.

Ils se rendirent tous les deux à la boutique où Pietro di Bernardone entreposait ses marchandises. Pietro était en voyage. La boutique était vide. Francesco n'éprouva aucun mal à faire sauter le loquet de bois. Ils trouvèrent des draps et des étoffes de prix en grand nombre. Ils en choisirent quelques pièces, ils les chargèrent sur leurs chevaux et ils partirent pour Foligno qui n'était pas très loin, où ils étaient moins connus qu'à Assise et où il y avait un marché. Là, Francesco vendit les étoffes de son père. Il vendit aussi son cheval. Et il rentra à Assise en croupe sur le cheval de Buttadeo qui — Buttadeo, pas le cheval — se tordait de rire derrière sa barbe à l'idée du bon tour joué par le fils prodigue à son pingre de père.

La banlieue de Palos s'arrêtait aux Canaries. Il ne fallait que quelques jours, six ou huit, pour les atteindre. Peut-être dix, par vents contraires. Les cartes les mentionnaient et indiquaient le chemin. On était en pays de connaissance. C'était à l'ouest des Canaries que l'aventure commençait. Ils avaient beau faire les malins, quand ils virent disparaître les deux îles de Hierro et de La Gomera, qui sont les plus occidentales de l'archipel des Canaries, Colomb et Esperendios et leurs quatre-vingt-huit compagnons furent frappés de terreur et desséchés par l'angoisse. Il y avait eu, dans l'histoire du monde, des navigations périlleuses. Père des vignerons, ancêtre aussi des marins, Noé, dans sa vieille arche qui le mène, cahin-caha, des environs de l'Éden jusqu'au mont Ararat, avec ses trois fils et leurs femmes et tout son équipage d'animaux en détresse — à l'exception des poissons qui n'avaient besoin d'aucune aide —, Ulysse, trompeur toujours trompé, séducteur toujours séduit, qui saute d'île en île, en compagnie d'Elpénor, des côtes de la Turquie jusqu'à la Calabre et à la Sicile, les navigateurs phéniciens du pharaon Néchao, Hannon qui descend le long des côtes de l'Afrique pour le compte de Carthage, Sindbâd le Marin ou les navigateurs arabes qui poussent jusqu'aux Indes, jusqu'à Java, jusqu'à la

Chine, s'étaient confiés, eux aussi, en leurs temps et avec leurs moyens, à la fortune de la mer. Aucun ne se précipitait, comme Colomb et Esperendios, non seulement dans l'inconnu, mais peut-être dans l'absence et dans l'inexistence.

Rien ne prouvait, après tout, que la Terre fût vraiment ronde. Un millénaire et demi environ après Hipparque, Ératosthène ou Ptolémée, dont le génie soutenait déjà que notre planète était une sphère, Henri le Navigateur, fils du roi Jean de Portugal, reprenant une observation d'Aristote, avait bien remarqué, lors d'une éclipse de Lune, que l'ombre de la Terre sur la face de la pleine Lune dessinait un arc de cercle ; plusieurs ouvrages savants que des esprits audacieux se passaient sous le manteau, la carte de Toscanelli, les calculs de Colomb indiquaient bien que les Indes et la Chine devaient se trouver quelque part à l'ouest du Grand Océan : on peut toujours se tromper. Il était très différent de naviguer à vue, de caboter d'île en île, de suivre des côtes — même inconnues — et de se jeter sur une mer qui s'étendait à l'infini et dont on ignorait tout. Et si, de l'autre côté, il n'y avait rien — ou pire ? S'il y avait une chute dans le vide, des monstres de cauchemar, une éternité d'eau salée, des horreurs indicibles qui interdiraient le retour ? Car le tout n'était pas de partir : il fallait aussi revenir. Inutile de se réjouir du bon vent régulier qui soufflait dans les voiles si le même vent, dans l'autre sens, se transformait en obstacle. Deux siècles avant Colomb, les frères Vivaldi avaient quitté Gênes avec l'intention de contourner l'Afrique : ils avaient disparu. Et, montés par des Vikings ou des Carthaginois, beaucoup de navires fous étaient partis au loin pour ne jamais revenir. Il y eut des tempêtes et le calme plat, il y eut le piège des algues de la mer des Sargasses, il y eut les intrigues des frères Pinzon qui n'étaient pas très sûrs, il y eut un début de mutinerie, il y eut surtout les matins qui, semaine après semaine, se levaient sur la mer.

Ils avaient quitté l'Espagne dans les premiers jours du mois d'août. Octobre était déjà là. La mer n'en finissait pas. L'interprète Luis de Torres passait son temps à marcher de long en large sur le pont de la *Santa Maria*.

— Tu vas user tes souliers, lui disait Colomb en riant et avec un peu d'agacement. Immobile sur le bateau, tu as parcouru plus de chemin qu'il n'en faudrait en mer pour atteindre Cipango.

Plus d'une fois, dans les instants de découragement, l'envie vint à Isaac de se confier à Colomb et de lui dire la vérité. Il eut peur de lui causer des tourments inutiles et de l'effrayer au lieu de le rassurer. Il se contenta de lui avouer qu'il portait encore un autre nom qu'Esperendios et Torres et qu'il s'appelait aussi Cartaphilus.

— Cartaphilus ! dit Colomb. Quel drôle de nom !

— C'est le mien, dit Isaac avec un sourire modeste et presque un peu penaud.

— On dirait un nom de savant, remarqua l'Amiral.

— En tout cas, reprit Isaac, c'est un nom de bon augure. Il pourrait signifier, dans un latin de cuisine mâtiné d'un peu de grec : celui qui aime les cartes.

— Eh bien, dit Colomb, c'est ce qu'il nous faut. Viens donc voir.

Et, une fois encore, une fois de plus, ils se penchèrent sur la reproduction de la carte de Toscanelli que Colomb, depuis des mois, traînait partout avec lui, en même temps que le livre de Marco Polo. Le livre et la carte étaient ses bibles, son trésor, la prunelle de ses yeux. Il s'en séparait le moins possible et on le voyait souvent sur le pont avec la carte entre les mains ou le livre sous le bras. Dans les moments les plus durs, il se demandait avec angoisse si ses calculs étaient justes et s'il n'y avait pas un risque de déborder par le sud Cipango et les Indes et de s'engager à jamais dans une course sans espoir sur une mer ronde et infinie.

— Grâce à Dieu, j'ai vu large, disait-il, vers le début d'octobre, à Juan Esperendios. Nous avons de quoi tenir pendant un an. Mais si, d'ici trois mois, nous n'apercevons pas de terre, faudra-t-il faire demi-tour et revenir en arrière ?

— Ne t'inquiète pas, disait Torres, nous arriverons quelque part.

— Vivants ? demandait Colomb.

— Vivants, répondait Torres. J'en suis sûr. Je le sais.

La détermination de Luis de Torres redonnait confiance à Colomb. L'Amiral avait rangé dans son coffre une lettre sur vélin, magnifiquement enluminée, à destination du Grand Khân. Quand le découragement s'éloignait, il croyait dur comme fer qu'il allait tomber par l'est sur les territoires mêmes que Marco Polo avait atteints par l'ouest. De temps en temps, il s'imaginait qu'il débarquerait plutôt du côté des mines d'or de Cipango ou peut-être, plus au sud, sur les côtes des Indes, à portée de la main des trésors fabuleux de Golconde.

L'or fut moins fort que la peur. Les jours passaient. Un beau matin où, une fois de plus, aucune terre au loin ne s'annonçait sur la mer, l'Amiral eut à faire face à un mouvement encouragé en sous-main puis soutenu ouvertement par ces sacrés frères Pinzon : la Grande Aventure avait échoué, la mort était au bout d'un entêtement inutile, ils exigeaient le retour immédiat en Espagne. L'Amiral hésita. Est-ce qu'il avait le droit de faire prendre des risques certains et peut-être insensés à ces trois fois trente hommes dans la force de l'âge répartis sur les trois caravelles ? À Séville, à Malaga, à Cadix, à Palos de Moguer, des femmes et des enfants attendaient leur retour. Si les trois navires disparaissaient, s'ils ne parvenaient pas à rentrer en Espagne, tout serait perdu pour longtemps. Mieux valait céder cette fois-ci et sauver les chances de l'avenir. Déjà Christophe Colomb était sur le point de s'incliner et de donner l'ordre de faire demi-tour lorsque Luis de Torres vint le tirer par la manche de son pourpoint déchiré par les tempêtes et par les manœuvres auxquelles l'Amiral lui-même avait tenu à prendre part.

— Qu'est-ce qu'il y a encore ? grommela Colomb.

— Ne cède pas, souffla Isaac.

— Ils ont peur de mourir, dit Colomb.

— Ils ne mourront pas, dit Isaac.

— Qu'en sais-tu ? dit Colomb.

— Vous ne mourrez pas, dit Isaac très bas, parce que je suis avec vous.

— Et alors ? dit Colomb.

— Je ne peux pas mourir, dit Isaac en regardant Colomb.

L'Amiral baissa les yeux. Il retourna discuter avec les frères Pinzon et il obtint encore trois jours. Trois jours. Pas un de plus.

Le surlendemain, 12 octobre 1492, à deux heures du matin, l'interprète Luis de Torres, qui ne pouvait pas dormir et qui était monté sur la hune, aperçut soudain dans la nuit une ligne de falaises assez hautes qui brillaient sous la lune. Il fut le premier à crier :

— Terre !

Quelques secondes plus tard, sur la *Pinta*, la *Niña*, la *Santa Maria*, les bombardes se mirent à tonner. Les deux moitiés du monde étaient réunifiées.

Il s'asseyait. Marie aussi. Nous allumions trois petits cigares. Nous étions chez nous à la Douane de mer.

— Est-ce que vous imaginez, commençait-il en regardant la lagune éclairée par la lune, les navires et les guerriers, les découvreurs et les génies, les trésors et les songes qui, pendant des siècles et des siècles, sont passés ici, devant vous, avant que vos yeux se fussent ouverts à la lumière du jour, quand les pères de vos pères et les grands-pères de vos grands-pères n'étaient encore qu'une lueur au fond de l'œil de leur père ? On dirait qu'il reste quelque chose dans l'air de cette accumulation de projets, d'espérances et de drames. De comédies aussi. Et de passions, bien entendu. Une bonne partie de l'histoire du monde s'est jouée ici même. Oh ! une partie infime, une paille, une chiure de mouche, un copeau tombé de la lime au regard des millénaires qui vous ont précédés et de ceux qui vous succéderont. Mais qui pèse assez lourd dans ce que vous êtes devenus. Par les Juifs, par les Grecs, par Rome et son Église, vous êtes d'abord les enfants de cette mer intérieure qui, jusqu'à un certain matin d'une année très précise de la fin du XVe siècle, quand la vigie, du haut du mât, a crié : « Terre ! » tout à coup et que la planète a basculé, était le centre du monde. Et une des clés de cette mer, *mare nostrum,* notre mer, notre mère, la mer du milieu de nos terres, se situe ici, à nos pieds, sous nos yeux, à portée de la main. C'est par là que sont entrés la Chine et Byzance, et les pâtes que nous venons de manger, et la poudre à canon, et les flottes des croisés qui venaient de combattre en Terre sainte, et les chevaux de Saint-Marc arrachés de l'Hippodrome à deux pas de Sainte-Sophie, et tant de trésors sans prix, venus des quatre coins de la terre, et le corps de saint Marc lui-même, enlevé à Alexandrie par un commando de Vénitiens pour donner son nom à la basilique la plus célèbre du monde et pour inspirer quelques chefs-d'œuvre — vous connaissez le tableau du Titien où le saint désigne lui-même, pour éviter toute erreur, son tombeau et son corps aux gaillards de Venise — à des peintres de génie.

Le tableau du Titien ne me disait rien du tout. Marie regardait en l'air.

— Au fond, risquai-je à tout hasard, ce qui vous plaît, c'est le génie. Voilà votre champ et votre gibier. L'histoire vous amuse parce qu'elle est d'abord le récit des triomphes de l'esprit de l'homme.

— Les batailles, les empires, les tableaux, les monuments, les livres, les symphonies, j'entends les plus célèbres et les plus admirables, ne sont que poussière et babioles. Franchement, je m'en tape un peu. Ils ne font que traduire quelque chose qui se passe en dessous, par-derrière : la marche de l'âme du monde, de l'esprit universel. Il n'y a rien d'autre qui m'intéresse.

— Les femmes, peut-être aussi ?...

— C'est la même chose, naturellement. S'il y a une âme du monde, son moteur est l'amour.

Marie s'ennuyait ferme. Elle avait mis sa tête entre ses poings fermés. Je crois qu'elle commençait à s'endormir.

— J'ai fini mon cigare, me souffla-t-elle. Je voudrais mon histoire.

— Elle a fini son cigare, répétai-je à mon tour. Elle voudrait son histoire.

— Eh bien, dit-il, la voici.

Le père revint. Il trouva sa boutique forcée, la porte battant à tous les vents. Il compta ses marchandises, vérifia l'inventaire. Il découvrit sans peine qu'il lui manquait des étoffes. Par un mécanisme élémentaire, il lui sembla aussitôt que les pièces disparues comptaient parmi les plus belles, les plus précieuses, celles auxquelles, depuis toujours, il attachait le plus de prix. La fureur s'empara de lui. Les voisins, les employés n'avaient rien vu, rien entendu. Il alla trouver Giovanni Buttadeo en qui il avait confiance.

Le Juif lui dit tout à trac que c'était Francesco qui avait fait le coup et lui raconta toute l'histoire.

— Êtes-vous devenus fous, tous les deux ? demanda Pietro di Bernardone qui marchait de long en large en écumant de rage et en grinçant des dents.

— Ne te mets pas dans cet état-là, répondit Buttadeo. Ce n'est pas si grave.

— Pas si grave ! s'écria Pietro. Pas si grave ! On me vole, on me cambriole, et tout ce que tu trouves à dire, c'est que ce n'est pas si grave ! Je voudrais bien t'y voir si on t'avait fait le même coup.

— On aurait beaucoup de mal à me voler quoi que ce soit, dit Isaac en souriant.

— Je m'en fiche pas mal, cria le vieux Bernardone.

Ne parle pas toujours de toi! Ce qui compte ici, c'est moi.. Et ce qui m'occupe, ce sont mes étoffes. Et d'ailleurs, tu es complice puisque vous êtes venus tous les deux pendant que je n'étais pas là.

Isaac haussa les épaules.

— Il te remboursera. Si j'étais toi, je serais assez fier d'avoir un fils qui se sert des richesses d'iniquité pour réparer une église.

— D'abord, tu n'es pas moi. Et je ne suis pas toi. Ensuite, tu as bonne mine de t'intéresser aux églises : faut pas pousser. Enfin je t'interdis, tu entends? je t'interdis de parler de mes marchandises comme d'une richesse d'iniquité. Tout ce qui est à moi, je l'ai gagné honnêtement. Personne n'a le droit de me le prendre.

— Il n'a pas vendu tes draps pour aller faire la fête ni pour courir les filles. Il les a vendus pour faire du bien.

— Je ne veux pas qu'on fasse le bien avec mes biens! Qu'il fasse le bien avec ses biens! Où est l'argent?

— Je ne sais pas, dit Isaac. C'est lui qui l'a.

— Écoute, dit Bernardone, je te donne quarante-huit heures pour ramener mon fils et les draps volés — ou, si les draps ont disparu, l'argent qui leur correspond. Dans quarante-huit heures, si mon fils n'est pas là, je te dénonce aux consuls pour complicité de vol et je te fous les flics au cul.

Giovanni Buttadeo savait très bien où trouver le fils de Pietro di Bernardone : à Saint-Damien où le jeune homme passait ses jours et ses nuits dans un grand état d'exaltation. Isaac se rendit à l'église et trouva Francesco entre le rire et les larmes, une truelle à la main, une chanson à la bouche.

— Ça barde, lui dit-il. Ton père est ivre de rage.

— Je vais aller le voir, dit Francesco. Je lui expliquerai tout.

— Ça m'arrangera, dit Isaac. Je n'osais pas te le dire : il veut me faire mettre en prison.

— On part, dit Francesco.

Pour leur retour à Assise, Pietro di Bernardone avait ameuté tout ce qu'il pouvait. Parents, voisins, connaissances, qui n'avaient pas envie qu'il leur arrive la même chose qu'au marchand de draps, jetèrent des mottes de terre et des injures au fils de Bernardone.

— Eh bien, murmura Isaac à Francesco, c'est bien la première fois que je ne suis pas en première ligne et que pierres et huées ne me sont pas destinées.

Pietro di Bernardone s'enferma avec son fils. Il le traita de tous les noms et lui passa un savon terrible avant d'en venir aux questions sérieuses.

— Qui a monté toute l'affaire ? lui demanda-t-il.

— C'est moi, dit Francesco.

— Toi tout seul ?

— Moi tout seul.

— Et Buttadeo ?

— Il m'a seulement accompagné.

— Où sont les draps ?

— Vendus, dit Francesco.

— Où est l'argent ?

— Dépensé pour l'église.

— Tout ?

— Presque tout.

— Où est le reste ?

— Je crois que je l'ai jeté quelque part. Je ne me souviens pas très bien. Peut-être derrière l'église.

— Es-tu fou ? demanda Pietro hors de lui.

— Vous avez raison, mon père, répondit Francesco. J'aurais mieux fait de donner à un pauvre l'argent injuste des riches.

C'est l'insolence de cette dernière réponse qui décida Pietro di Bernardone à jeter son fils dans un cachot. La mère de Giovanni fit des pieds et des mains pour obtenir sa libération. Le père ne voulait rien savoir. Poussé par ses confrères, il finit par porter plainte contre son propre enfant. Parce qu'il y avait une histoire d'église qui n'était pas très claire, les consuls renvoyèrent père et fils au tribunal de l'évêque. Le Juif Isaac, dit Buttadeo, fut cité à comparaître en qualité de témoin, et peut-être de complice. Les distractions n'étaient pas si nombreuses à Assise vers la fin du XIIe siècle ou au début du XIIIe. Depuis la guerre avec Pérouse, les esprits s'endormaient. Une belle bagarre s'annonçait.

Barrabas était un héros et une crapule. Il était le successeur des Juda, des Sadok, des Menahem, des Éléazar qui s'étaient opposés de toute leur force à la présence des Romains. Fils d'un publicain de la région de Tibériade, il appartenait, par sa mère, à une famille de pharisiens, pointilleux et intransigeants. Élevé dans une piété rigoureuse, il rejoignit assez vite le clan des zélotes et se lia d'amitié avec un homme sombre et tourmenté qui devait laisser un nom dans l'histoire : il s'appelait Judas Iscariote.

Les zélotes étaient des Juifs nationalistes et pieux qui n'avaient d'autre espérance que la venue d'un Messie qui libérerait les Juifs. Judas avait cru trouver le Messie en la personne de Jésus. Il l'appelait Rabbi — c'est-à-dire Maître. L'action, l'enseignement, les miracles du Galiléen fournissaient aux deux amis des thèmes de discussions et de querelles sans fin : Barrabas se méfiait de Jésus que Judas aimait tant.

— Comment ne vois-tu pas, disait Judas, que le Rabbi est le Messie annoncé par les prophètes ? Il est l'oint du Seigneur, il est le Maître de Justice, il est le Fils de Dieu.

— On verra ça, répliquait Barrabas. S'il est tout ce que tu dis, il ne tardera pas à flanquer les Romains à la mer. Qu'il le fasse : je suis son homme.

Judas devenait mystique, comme son Maître. Barrabas, de plus en plus, inclinait à l'action directe. Il finit par réunir autour de lui une bande de balèzes que les scrupules n'étouffaient pas. Il fallait de l'argent pour les payer : il le prit où il était. Ce que firent, plus tard, et sous des cieux différents, un Cartouche ou un Mandrin, un Villa ou un Zapata, et les bandes de Rouges ou de Blancs qui s'affrontèrent en Russie sous des bannières opposées. Les hommes de Barrabas s'introduisaient, la nuit, dans les maisons des riches Romains, attaquaient les caravanes qui arrivaient de Syrie, taxaient les propriétaires de troupeaux et de terres. Tuer ne leur faisait pas peur. Et torturer non plus. Les légionnaires de Ponce Pilate finirent par le capturer. Il fut jeté en prison, moitié comme droit commun, moitié comme politique.

Les partisans de Barrabas déployèrent tous leurs efforts pour libérer leur chef. Ils montèrent coup sur coup trois tentatives d'évasion. Elles échouèrent. Ils essayèrent d'autres méthodes. Ils achetèrent plusieurs membres de l'entourage de Ponce Pilate. Ils placèrent des hommes à eux jusque dans le palais du procurateur. Plusieurs de ses adjoints finirent par être acquis au chef de bande emprisonné. Le jour de la venue au palais de Marie de Magdala, c'est à l'un d'eux que Cartaphilus le jeune souffla l'idée de génie, que devait reprendre Ponce Pilate, d'échanger Barrabas contre le Galiléen qu'il s'était mis à haïr et que Judas, déçu parce que le Royaume de cette Terre n'arrivait pas assez vite, venait de livrer à Caïphe.

La scène fut aussi dramatique qu'il était permis de l'espérer. C'était le 24 février, jour de la Saint-Matthias, le disciple choisi pour remplacer Judas. L'évêque était un bel homme, à la bouche un peu dédaigneuse. Il avait le sens de la justice et de la charité. Il écouta Pietro di Bernardone égrener le chapelet de ses griefs et de ses ressentiments : Francesco était rebelle, insoumis, prodigue, bon à rien, rêveur et insolent. Il s'était déshonoré de toutes les manières possibles. Il avait volé son père. Il devait restituer, d'une façon ou d'une autre, l'argent des draps dérobés avec l'aide de Buttadeo.

Le long plaidoyer de Pietro di Bernardone était en train de toucher à sa fin, l'évêque allait se tourner vers Francesco pour l'écouter à son tour, lorsque se produisit le coup de théâtre qui devait frapper de stupeur les témoins de la scène et les générations à venir : afin de ne rien conserver de l'héritage paternel et des richesses d'iniquité, Francesco, d'un tour de main, se dépouilla de tous ses vêtements, qui étaient déjà très modestes, et, nu comme un ver, sans un mot, il jeta le paquet de ses hardes aux pieds de Pietro di Bernardone. Puis il s'écria :

— Jusqu'à présent, j'ai appelé « mon père » Pietro di Bernardone. Maintenant, je peux dire : « Notre Père qui êtes aux cieux. »

Alors, Giovanni Buttadeo enleva sa propre robe de laine qui, à la façon des paysans de l'époque, était serrée à la taille par une corde de chanvre et il la lança à son ami. Francesco la revêtit et dit à haute voix :

— Voilà ce que je veux, car le Seigneur a dit : « Ne vous mettez pas en peine pour votre vie. Voyez les oiseaux du ciel : ils ne sèment, ni ne moissonnent, ni ne font de provisions dans des silos. Cependant, votre Père céleste les nourrit. Et vous, ne valez-vous pas mieux qu'eux ? N'ayez dans vos ceintures ni or, ni argent, ni monnaie, ni deux tuniques, ni de besace pour la route. »

Émerveillé par tant de piété, l'évêque, en signe d'adoption, posa ses mains sur saint François. L'ordre des frères mineurs était né, et leur habit aussi. Le mouvement franciscain n'était que l'aboutissement de toutes les sectes illuministes qui s'étaient révoltées contre le pouvoir temporel et la richesse de l'Église : Béghards ou Turlupins, Vaudois, Patarins, Illuminés, Bogomiles, Albigeois ou Cathares... Pour différents qu'ils fussent, tous prêchaient le dépouillement et l'austérité. Tanquelin, Arnaud de Brescia, Pierre de Bruys, Joachim de Flore avaient prophétisé la ruine de l'Église corrompue et l'avènement tout proche d'un Évangile des temps nouveaux. Le miracle était que la révolte de François, qui se situait dans le droit fil de tant de contestations et de fureur, se développât au sein de l'Église. Tout se joue dans cette rencontre, le jour de la Saint-Matthias, entre le père et le fils, l'évêque et Buttadeo : elle constitue un tournant non seulement dans l'histoire du christianisme, mais dans notre histoire à tous. Dans ses fresques de la basilique d'Assise, Giotto raconte la scène mieux que moi. Sous les grands escaliers qui mènent à de hautes tours, à des terrasses de rêve, à des loggias improbables, on aperçoit Buttadeo juste derrière saint François. Il se dissimule parce qu'il est nu. Il a l'air content de ce qu'il a fait. Il a foutu la merde et ça a bien tourné. Il a le visage un peu absent de ceux dont on ne sait pas bien s'ils font des farces ou de grandes choses et qui sont déjà ailleurs.

Quelques années plus tard, le pape Innocent III, dont le règne est lié au début des aventures de l'empereur Frédéric II, aperçut, dans un songe, l'église Saint-Jean-de-Latran, l'illustre basilique fondée par Constantin, qui était déjà, en ce temps-là, la cathédrale de Rome, en train de chanceler sur ses fondements. Au moment même où elle allait s'écrouler, survenait un petit homme de mine chétive, suivi par un grand gaillard. L'un et l'autre étaient vêtus d'une robe de bure munie d'un capuce et serrée à la taille avec une corde de chanvre. Ils s'arc-boutaient tous les deux et redressaient l'édifice. L'émotion passée, Innocent III reconnut le petit homme : c'était François d'Assise qui, quelques jours plus tôt, était venu se jeter à ses pieds. Rome entière, l'Italie, bientôt toute la chrétienté retentirent de la présence du fils de Pietro di Bernardone dans le rêve du Saint-Père. Benozzo Gozzoli, l'auteur pittoresque et brillant du *Cortège des Rois mages* dans la chapelle du palais Medici-Riccardi à Florence, a peint le songe du pape dans l'église de Montefalco, une espèce de nid d'aigle du côté de Foligno. On y voit le moine d'Assise en train de soutenir l'Église. Personne, en revanche, n'a jamais parlé du compagnon, plus robuste, qui accompagnait saint François dans le rêve d'Innocent III : c'était le Juif Isaac, dit Buttadeo. Peut-être valait-il mieux, en effet, pour différentes raisons, passer son nom sous silence.

Sur la découverte de l'Amérique en 1492 par Christophe Colomb et Isaac le Génois, tout a été dit — ou presque tout. Avant la tomate, la pomme de terre, le tango et Borges, ils allaient revenir dans l'Ancien Monde avec trois trésors formidables et divers : l'or, le tabac, la syphilis. L'or, on le connaissait déjà. Les Romains, les Scythes, les Grecs, les Hittites, les Égyptiens, les Phéniciens, les Sumériens, tout le monde connaissait l'or, et l'aimait. Et souvent l'adorait. Il était le symbole de la richesse, de la puissance, de la beauté. On se battait pour lui. On mourait pour lui. *Auri sacra fames :* depuis Midas, depuis Jason, depuis Hercule et les Hespérides, l'exécrable soif de l'or menait le monde à une perte et à une fin toujours imminentes et toujours repoussées.

— L'or ! L'or ! disait Simon Füssganger — et il montrait le palais des Doges et la place Saint-Marc au loin et toutes ces lumières qui brillaient dans la nuit, et Marie, je vous jure, n'avait pas envie de dormir —, l'or ! Vous pouvez vous imaginer ce qu'ont été, depuis si longtemps, mes relations avec l'or ! Est-ce que je serais ce que je suis — et vous aussi d'ailleurs, seriez-vous ce que vous êtes, mais c'est moins grave pour vous parce que vous l'êtes moins longtemps — s'il n'y avait pas eu d'or ? J'ai vécu sous le signe de l'or. On le détruisait, on le traquait, on le jetait aux flammes. Il renaissait de ses cendres. On le chassait par la porte, il rentrait par la fenêtre. Il est inséparable du pouvoir et de l'amour. Vous aimez une femme ? Dites-le avec de l'or. Et si vous n'en avez pas, je vous prédis des malheurs, parce que les autres en ont. Vous avez de grandes idées ? Où est l'or ? Vous faites un coup d'État ? Où est l'or ? Vous voulez aider les autres, les sauver, leur permettre de vivre ? L'or, où est l'or ? L'or a écrasé de son poids une Église qui avait été construite contre lui. Il a été le grand souci et le but final, après beaucoup de détours, de toutes les révolutions qui ont tué des millions d'hommes pour qu'il ne pèse plus sur eux et qu'on ne parle plus de lui. On m'a caressé pour de l'or, on m'a torturé pour de l'or, on m'a jeté aux flammes pour de l'or, on m'a porté pour de l'or jusqu'au pied des autels, jusque sur les marches des trônes et jusque dans les alcôves. Avec le sexe et la mort, l'or est l'un des trois dieux qui règnent sur vos destins. Quand Colomb est parti pour la Grande Aventure, Leurs Majestés Très Catholiques, Ferdinand et Isabelle, n'en attendaient qu'une chose : de l'or. À Leurs Altesses Colomb promet — outre des épices et du coton, de la gomme de lentisque, de l'aloès, de la rhubarbe, de la cannelle « et des esclaves autant qu'Elles en voudront » — « de l'or autant qu'Elles en auront besoin ». Cet or, ni Elles ni Colomb ne l'espéraient de l'Amérique, dont ils ignoraient tout, mais des Indes, de Cipango, de Cathay, du Grand Khân en train d'être pris à revers. Le plus fort de l'histoire, c'est qu'à travers tant d'erreurs ils n'ont pas été déçus : le siècle d'or s'ouvrait, l'or a dégringolé en flots sur la tête de l'Espagne. Que ç'ait été un bien ou un mal, c'est une autre affaire. Les prix se sont mis à grimper. L'or de Colomb et de Juan Esperendios a déclenché l'inflation. L'Eldorado est peut-être le palais de Dame Tartine.

C'est aussi et d'abord une terre de cauchemar et d'illusions.

Il se taisait, pensant à des choses lointaines, perdu dans ses souvenirs. Une rumeur montait de la Piazzetta. Un grand bateau passait entre la Douane de mer et l'isola San Giorgio, et des bribes de musique parvenaient jusqu'à nous.

Le tabac, à l'inverse de l'or, était une idée neuve en Europe. Quelques jours à peine après son débarquement sur les terres inconnues, Luis de Torres croisait un groupe d'Indiens Taïnos qui se rendaient à leur village avec des réserves d'herbes dont ils buvaient la fumée. Les herbes prenaient la forme d'un long cigare. Le cigare était rallumé à chaque arrêt par de jeunes garçons qui portaient à la main des brandons allumés. Et il circulait pour que chaque membre du groupe pût tirer quelques bouffées. Nous avons un peu de mal à nous convaincre que Socrate ne fumait pas la pipe, que Verrès ne fumait pas le cigare, que Louis XI ou Lucrèce Borgia ne fumaient pas, en travaillant ou après les festins pontificaux, ou encore après l'amour, des cigarettes à bout doré. Juan de Espera en Dios et Christophe Colomb ont enfumé le Vieux Monde. C'est grâce à eux que les Punch, les Montecristo, les Hoyo de Monterrey, les Gloria Cubana font la fortune de Fidel Castro et de Zino Davidoff, que Baudelaire, à l'égal du vin, chante les cigares enchantés, que George Sand scandalise la Restauration vacillante et la monarchie de Juillet, que l'ambassadeur Jean Nicot introduit le tabac à la cour de Catherine de Médicis. Par la cigarette, par la prise, par la chique, par l'inhalation du tabac, ils préparent la voie à la drogue, qui sera une des grandes affaires de la fin du millénaire. Ils traînent derrière eux toutes les variétés du cancer du fumeur qui finiront par accumuler, quelques siècles après la Grande Aventure, presque autant de victimes que les grands tueurs de

146

notre temps : le cœur ou l'automobile — en attendant le sida, successeur de la peste, la grande peste, la peste noire, qui emporta en Europe, aux temps de sa splendeur, près d'une personne sur deux et dont la fin est marquée à Venise par l'édification de l'église de la Salute — la santé, le salut — dont la masse imposante, prolongée par la Douane de mer, s'élevait juste derrière nous.

— La syphilis ! ah ! la syphilis ! me chuchotait Simon à voix basse, en mettant sa main devant sa bouche, à la façon de Mauriac quand il parlait du péché, et en profitant de l'absence de Marie qui était allée acheter un paquet de cigarettes, à deux pas de la Salute, dans un bar ouvert la nuit, la syphilis c'est beaucoup plus compliqué. Le gros mal, la grande vérole, *il morbo gallico,* le mal français, le mal de Naples, qui joueront un tel rôle dans notre histoire à tous, jusqu'à votre Flaubert dans les bordels du Nil — il prétendait, vous souvenez-vous ? qu'il y avait un aspect de la question d'Orient que *La Revue des Deux Mondes* avait trop négligé : c'était la chaude-pisse et ce qu'il appelait les rhumes de caleçon —, jusqu'à votre Maupassant, luttant contre le tabès et ses souffrances atroces dans la clinique du docteur Blanche, jusqu'aux romans américains où ils tiennent une place immense, souvent comique, parfois exorbitante, ils apparaissent en Europe autour de l'an 1500. Vous trouverez des gens pour soutenir que la maladie naît en France, vers la fin du Moyen Âge, du côté de la Bourgogne et de Paris, et que ce sont les armées françaises qui l'exportent vers Naples — d'où le double nom de mal français et de mal de Naples — et vers l'Italie. D'après les archives de Dijon, dès juillet 1463, une prostituée bourguignonne aurait été traînée en justice par un client auquel elle se serait refusée après avoir touché son cachet. Elle aurait déclaré pour sa défense avoir agi dans l'intérêt de son micheton évincé parce qu'elle était atteinte du gros mal. Quelques années avant la fin du siècle — mais nous tournons déjà, notez-le, autour de la date de la Grande Aventure —, l'entrée aux portes de Paris est refusée à tous ceux qui peuvent être soupçonnés d'être porteurs du gros mal. Je ne voudrais pas avoir l'air de réserver à la Grande Aventure le monopole de l'invention de la syphilis et de sa diffusion, mais je ne crois pas beaucoup à ces cas de grande vérole avant la grande vérole. Je veux bien accorder qu'il y a eu des maladies vénériennes avant la découverte de l'Amérique. Mais la syphilis, la grosse vérole, notre bonne vieille vérole avec ses baïonnettes et ses lames de rasoir, celle qui rend fou et qui tue, elle naît, je m'obstine, de la Grande Aventure. Les hommes de Luis de Torres et de Christophe Colomb rentrent en Espagne, déjà atteints, dès le début de 1493. Et les Français de Charles VIII ne s'emparent de Naples qu'en 1495 : le mal a eu largement tout le temps de courir.

Bon ! ne vous imaginez pas que je ne pense qu'à la syphilis, que la vérole me hante. Mais tout de même, jusqu'au sida qui est bien parti pour tâcher de faire mieux, elle nous a tous bien occupés. Et j'en veux un peu, quelquefois, à Juan de Espera en Dios qui a été le pourvoyeur à la fois du cancer à travers le tabac et de la syphilis. Pensez aux délices d'Athènes et de l'Antiquité classique, où l'homosexualité régnait sans la moindre contrainte, où l'idée de péché n'existait pas encore et où personne ne craignait ni sida ni syphilis, et à peine le cancer — peut-être parce qu'on mourait trop tôt. C'était le bon temps. Et c'est, je crois, pour cette raison-là, beaucoup plus que pour toutes les autres, vous savez, les colonnes, les tragédies, les statues de jeunes filles et de lanceurs de disque, les vases peinturlurés, que la Grèce et Rome sont des âges de légende.

— Bah ! Il ne faut pas trop en vouloir à Juan de

Espera en Dios : l'Amérique, de toute façon, aurait été découverte et la syphilis, de toute façon, serait parvenue jusqu'à nous. Autant que ce soit grâce à lui.

— Merci pour lui, grommelait-il.

— Et vous-même... comment dire ?... vous n'avez jamais...

— Attrapé la vérole ? Bien sûr que si ! Et j'en ai de fameux souvenirs !... Mais j'ai toujours guéri. C'est une espèce de malédiction : j'attrape toujours tout et je guéris toujours de tout. Un jour, en Hongrie, après une soirée chez la comtesse...

— Quelle comtesse ?

— Mais la comtesse, voyons ! La comtesse Bathory... Je me réveille tard le matin. Impossible de pisser. Alors je retourne chez la comtesse et... Mais chut ! voilà Marie.

Marie apparaissait, rayonnante dans la nuit, son paquet de blondes à la main.

— *Patuit dea !* s'écriait Fussgänger. *Procedit ut luna.* Non, non, je ne traduirai pas comme Toulet : « Le visage de cette jeune fille qui s'avance ne respire pas une vive intelligence. »

— De quoi parliez-vous ? demandait-elle avec négligence, ignorant tout de Toulet et de *Mon amie Nane*.

— De l'Amérique, répondais-je, de Colomb, des lamas.

— Ah ? disait-elle, les lamas... Est-ce que ce sont ces animaux qui nous ont flanqué la vérole comme on dit que les singes verts nous ont flanqué le sida ?

Deux hommes dominent la fin du XIIe siècle et le début du XIIIe : l'un est l'empereur Frédéric II, l'autre est saint François d'Assise. Giovanni Buttadeo fut lié à l'un et à l'autre. Les papes, les rois, les saintes, les théologiens, les philosophes, les chefs de guerre se bousculent au portillon de ces âges évanouis. De Frédéric Barberousse et d'Henri VI, empereurs romains germaniques, d'Henri II Plantagenêt, de Richard Cœur de Lion et de Jean sans Terre, rois d'Angleterre, de Philippe Auguste et de Saint Louis, rois de France, de Simon de Montfort aussi, et de Baudouin de Flandre à Joachim de Flore, à saint Dominique, à sainte Claire, à saint Antoine de Padoue, à sainte Élisabeth de Hongrie, à saint Bonaventure, à saint Albert le Grand, à saint Thomas d'Aquin, et à Roger Bacon, sans oublier l'Arabe Averroès et le Juif Maïmonide, en passant par les papes Innocent III et Grégoire IX, l'ancien cardinal Hugolin d'Ostie, c'est une sacrée galerie de portraits qui se présente à nous. En un peu plus de cent ans — mais à toutes les époques, c'est à peu près la même chose —, le talent, la sainteté, le génie coulent à flots. L'ambition aussi, et la cruauté. Chacun à sa façon, qui est parfois un peu rude, n'importe lequel de ces personnages est une leçon de courage, un modèle d'intelligence, un roman prodigieux. Aucun pourtant, je crois, n'atteint à la grandeur d'un saint François d'Assise et d'un Frédéric II. À eux deux, ils incarnent tout ce que l'homme peut rêver de mieux.

Fils de l'empereur Henri VI, petit-fils de Barberousse, Frédéric II est un de ces formidables Hohenstaufen qui ne prêtent pas à rire. Par sa mère, il descend de ces rois de légende qui, venus de Normandie, ont arraché la Sicile aux Arabes. L'Italie du Sud, l'Apulie, la Sicile sont ses terres de prédilection. Héritier, par son père, du Saint Empire romain de nationalité germanique, qui prend la suite de Charlemagne et qui tire des pays allemands sa puissance et ses hommes, il représente très vite — par sa chance, par son charme inouï, par les prestiges de l'esprit plus encore que par ses armées — la force dominante dans l'Europe du Moyen Âge. Il suffit de jeter un coup d'œil sur la carte pour comprendre le danger qu'il incarne pour le pape, cerné au nord par l'Allemagne, au sud par la Sicile. Le Saint Empire romain germanique est le bras séculier de Rome, son allié naturel, sa puissance temporelle. Il devient peu à peu son ennemi le plus redoutable. Par la Sicile arabe, Frédéric II Hohenstaufen est tout imprégné de la grande âme de l'islam. Il part pour la croisade excommunié par le pape. Le pape est son ami et devient son ennemi. L'islam est son ennemi et devient son ami. Il pose sur sa tête, sans la moindre bataille, la couronne sacrée de roi de Jérusalem. Successeur d'Alexandre le Grand, de Jules César, d'Auguste, il est l'ombre vivante du Messie sur cette Terre. Aux yeux surtout du pape, il devient quelque chose comme l'image même de l'Antéchrist. Avec son harem de jeunes filles musulmanes, avec ses cortèges d'astrologues, de Sarrasins, d'Éthiopiens, de fauconniers et de bêtes féroces, il fascine et il épouvante. Il accumule sur sa tête tous les prestiges de la symbolique et de la tradition, et il fonde l'État moderne.

Faible, chétif, irrésistible d'ardeur et de chaleur divine, héritier et modèle de tous ceux que révolte une Église qui croule sous la richesse et sous l'hypocrisie, saint François d'Assise est le contraire de l'empereur. Il ressuscite le Christ. Il s'élève contre la force. Il lutte contre la richesse. Il se dresse en face de l'État. La légende veut que l'empereur et le saint se soient rencontrés à Bari, dans les Pouilles. Frédéric II aurait compris aussitôt le danger que représentait pour toute puissance organisée, pour toute économie nationale ou privée, pour toute bureaucratie d'État l'époux de la pauvreté. Il aurait essayé de le vaincre et de le faire plier par la crainte, par l'éloquence, par le charme et, ayant échoué, il lui aurait envoyé pour le séduire une des plus belles créatures de l'époque, une de ces femmes pour qui princes et philosophes consentent à se damner. Saint François d'Assise l'avait convertie et enrôlée parmi ses Pauvres Dames.

Giovanni Buttadeo se promenait encore souvent avec François d'Assise parmi les oliviers et les cyprès de Toscane et d'Ombrie. François partait pour l'Espagne, pour la Syrie, pour l'Égypte. Il rencontrait au Latran Innocent III ou saint Dominique. Il recevait les stigmates sur le rocher de l'Alverne. Il fondait des couvents ou il les réformait. Il trouvait aussi toujours le temps de converser avec le Juif dont il avait pris le vêtement.

C'est en compagnie d'Isaac, parmi les vignes et les cyprès, entre Cortone et Todi, entre Orvieto et Assise, que saint François écrivit le *Cantique des Créatures* :

Loué sois-tu, Seigneur, avec toutes tes créatures,
Loué soit notre frère le Soleil qui fait le jour et qui nous
    éclaire...
Loué sois-tu, Seigneur, pour notre sœur la Lune et pour
    les étoiles...
Loué sois-tu, Seigneur, pour notre frère le Vent...

Loué sois-tu, Seigneur, pour notre sœur l'Eau...
Loué sois-tu, Seigneur, pour notre frère le Feu...

Frère Isaac lui-même composa une des strophes du *Cantique des Créatures* :

Loué sois-tu, Seigneur, pour notre sœur la Mort...

ESSAI DE
RECONSTITUTION STOCHASTIQUE
D'UN MONOLOGUE INTÉRIEUR
D'ISAAC LAQUEDEM

je marche je bois je baise je joue aux cartes aux dés je
bois je marche je joue aux dés je baise je joue aux cartes
je baise je marche je joue aux dés je baise je joue aux
dés je bois je baise je marche ich gehe ich wandere je
marche et ne meurs pas ando je hais les autres cojo je
joue aux dés je vis echo un polvo je vis et ne vis pas je
bois je marche je baise je pleure et ne pleure pas je ris et
je ne ris pas je baise je bois je marche je hais les autres
je crois à rien je joue aux dés je marche ich gehe ich
wandere je ne peux pas mourir et je peux que marcher
ich gehe ich wandere je baise et ne meurs pas je baise la
mort ando la mort me baise cammino je marche je joue
aux dés ando ando cammino I fuck I screw ich wandere
ich gehe I'm walking ich wandere je marche je n'ai pas
de nom je marche je n'ai pas de langue jeg skruer dove
vai jeg knalder I'm going je bois je baise ich bumse a
scopare je baise je joue aux dés je suis les autres jag går
et je les hais jag knullar je bois je hais les autres et ces
deux-là fucking them all j'aimerais mourir et aimer et
n'avoir qu' seul nom eu trepo eu como I screw in the
afternoon and ich bumse jag knullar I screw in the
morning je bois des éléphants je marche et des souris je
vis eu como eu trepo jeg knalder echo un polvo je vis et
je suis les autres je marche je hais les autres et je n'ai

154

pas de nom je bois I'm le temps wandering jeg knalder
je joue l'espace ando jag knullar camino jeg knalder je
ne peux I fuck I screw croire à rien fuck them all je les
hais je les hais tous I screw je bois je marche je joue le
temps le vide l'espace ich gehe ich wandere j'attends
cojo la fin du monde cojo echo un polvo le chaud always
eu trepo le froid la soif walking l'horreur une fatigue
infinie cojo j'attends je marche je joue aux dés I fuck ich
wandere et je ne peux pas mourir et je brille de mille
feux qui I screw ich wandere sont les feux de l'enfer je
bois envie de vomir je joue envie de partir I fuck envie
d'autre chose et fucking in the blue je marche et ne
meurs jamais et je n'ai ni nom ni langue et je baise * !!?
and I fuck and I screw je jou au dé je march I'm walking
and fuckin so tired in the blue je march la fatig roug ich
gehe jeg vandrer jeu boua la fatig oir und
je   jou   ej   mar   ascop   in   the
     dés inthe   screw   ejbmademouriwan-
derinthescopaftern   d'Isaac   in
      the   m   b   m
                          orn
                        scre
                                   b
               I   I
                                        m

                          m

Le concile du Latran fut, pour beaucoup de raisons, un événement considérable. Deux hommes s'y rencontrèrent qui devaient laisser une trace dans les siècles à venir : l'un était François, l'inspirateur des Pauvres Dames et des frères mineurs, l'autre était saint Dominique, qui venait de fonder l'ordre des frères prêcheurs, qu'on appellerait dominicains. Dominique proposa à François la fusion des deux ordres. François refusa, mais donna à Dominique la corde de chanvre qui lui venait d'Isaac. Dominique, désormais, en souvenir de la rencontre, la porta sous sa tunique.

Quelques mois plus tard se tint à la Portioncule, près d'Assise, le fameux chapitre des nattes. Le cardinal Hugolin d'Ostie, qui allait devenir pape et inscrire le petit pauvre au nombre des grands saints, vint le présider en personne. Installée sur des nattes jetées à même le sol, l'assemblée décida de créer des provinces franciscaines et d'envoyer des missionnaires pour convertir le monde. François demanda à Giovanni Buttadeo, qui avait tant de ressources, de partir au loin avec l'une ou l'autre des missions.

— Comment le pourrais-je ? répondit Isaac. Je suis juif. Et je ne crois à rien.

— Tu crois plus que tu ne crois, lui dit François d'Assise.

— Je crois à toi, dit Isaac.

— Ce n'est pas à moi qu'il faut croire. C'est à celui qui a fait toutes les merveilles qui nous entourent et qui ne sont rien d'autre qu'une image de sa sagesse, de sa puissance et de son amour.

— C'est toi que j'admire et c'est toi que j'aime, dit Isaac, parce que tu es le frère des pauvres et que tu as renoncé à tout.

— Je n'ai renoncé à rien, dit François. D'autres, peut-être, renoncent. On m'assure qu'il y a un sage, en Asie, qui a prêché le renoncement, l'abandon de ce monde et le néant. Moi, je crois au monde et je tiens à lui, parce que le monde est de Dieu.

— Il y a au moins une chose, dans ce monde, à laquelle tu as renoncé. Il y a quelque chose, dans ce monde, que tu as négligé, méprisé, maltraité.

— Tu vois que j'ai beaucoup à apprendre de l'incroyant que tu es et du Juif que tu es. Dis-moi, je te prie, quelle est cette créature de Dieu qui a tant à se plaindre de moi ?

— C'est ton corps, dit Isaac.

— Eh bien, dit François, que mon frère le Corps me pardonne. Et qu'il se réjouisse avec moi. Car tout est à nous. Mais nous sommes tous à Dieu.

Giovanni Buttadeo ne répondit pas tout de suite au vœu de son ami. L'année qui suivit la mort de François, le pape mourut à son tour et le cardinal Hugolin d'Ostie fut élu au pontificat suprême sous le nom de Grégoire IX. Comme les papes avant lui et après lui, il fut l'adversaire de l'empereur Frédéric II. Quelques mois à peine après l'élection de Grégoire IX, Frédéric II, excommunié, partait pour la croisade. Il venait de débarquer à Saint-Jean-d'Acre et de rassembler mille chevaliers et dix mille pèlerins lorsque deux franciscains arrivèrent à leur tour : ils étaient envoyés par le pape pour rappeler à tous l'excommunication de l'empereur et pour inviter les chrétiens à ne pas obéir à celui qui venait pourtant libérer les Lieux saints. Les deux franciscains étaient des disciples et des amis du saint d'Assise qui venait de mourir. Ils étaient accompagnés par Giovanni Buttadeo.

Il y avait bien des années déjà que le cardinal Hugolin d'Ostie avait eu vent, à Assise, du don des langues de Buttadeo. Le pape Grégoire IX n'avait pas oublié l'ami de Pietro di Bernardone et de son fils François. Il lui avait demandé d'accompagner les deux franciscains dépêchés en Syrie et en Terre sainte contre Frédéric II. Cette fois, par curiosité, en souvenir aussi de François, le Juif avait accepté.

Les choses ne tournèrent pas comme le pape l'espérait : Giovanni Buttadeo fut fasciné par l'empereur. Frédéric II, de son côté, qui aimait à la fois les discussions avec les savants et qui unissait la tolérance au goût de l'autorité, prit plaisir, peu à peu, à causer avec l'ami juif de ses ennemis franciscains. Ce qui avait surpris et émerveillé l'empereur, c'était la connaissance que semblait avoir Buttadeo de la Jérusalem ancienne. Quand il situait le chemin de croix ou le palais de Ponce Pilate, il l'emportait de beaucoup sur les chapelains et sur les chroniqueurs. Ils parlaient ensemble en latin, en allemand, dans ce dialecte sicilien et apulien d'où devait sortir l'italien populaire que saint François d'Assise, de son côté, en Ombrie, venait de contribuer à former dans ses chants séraphiques ou dans son *Cantique des Créatures* et que Dante, dès la fin du siècle et au début du siècle suivant, allait porter à sa perfection.

Beaucoup des problèmes dont discutaient l'empereur et le Juif nous paraîtraient aujourd'hui presque incompréhensibles. Ce qui occupait Frédéric II, en dehors de ses querelles avec le pape ou de ses négociations avec les musulmans à propos de Jérusalem, c'était de savoir comment la Terre était établie au-dessus de l'Enfer et si elle était supportée par autre chose que par l'air et par l'eau. Et encore combien il y avait de cieux et quelle était la distance entre un ciel et un autre. Ce souverain presque universel, qui avait créé une bureaucratie que personne n'aurait pu imaginer avant lui et qui est à l'origine de l'État moderne, vivait en même temps dans un monde médiéval dominé, sinon par la superstition, car il reconnaissait déjà une nécessité des choses qui annonçait le déterminisme, du moins par une providence toute pleine de symboles et de correspondances. Il montra en grand secret à Giovanni Buttadeo les présents de son collègue, le prêtre Jean : un vêtement d'abseste que le feu nettoyait et ne consumait pas parce qu'il avait été tissé par des vers qui vivaient dans le feu, un élixir de jouvence, un anneau qui rendait invisible, un fragment de pierre philosophale. Il parlait aussi avec lui d'Aristote et de Maïmonide qu'il avait en grande estime et dont il connaissait, au moins indirectement, le *Guide des égarés*. Ce qui provoquait entre l'empereur et le Juif des discussions sans fin, et parfois des disputes, c'était la distinction entre les séraphins et les chérubins. Dans la mythologie du Moyen Âge, les anges étaient répartis entre neuf catégories, inégales en dignité et qui se regroupaient trois par trois :

Première hiérarchie	chœur des Séraphins
	chœur des Chérubins
	chœur des Trônes
Deuxième hiérarchie	chœur des Dominations
	chœur des Vertus
	chœur des Puissances
Troisième hiérarchie	chœur des Principautés
	chœur des Archanges
	chœur des Anges

L'empereur Frédéric II prétendait incarner sur cette Terre l'ombre même du Messie et, à la fureur du pape, il entendait avoir accès direct à Dieu. Pour faciliter cet accès, il s'était rangé lui-même, avec une modestie louable, et tous le rangeaient communément, dans la catégorie des chérubins.

— Successeur de César et d'Auguste, lui disait Isaac, l'empereur romain est le chérubin de ce monde, François en est le séraphin.

— Le séraphin ! éclatait l'empereur. Et de quel droit cet homme, qui a une grande réputation, mais qui est bien au-dessous de moi, est-il mis si haut dans la céleste hiérarchie ?

— Parce qu'il ne possède rien et qu'en ne possédant rien il est plus près du tout.

— J'ai presque tout.

— Mais lui n'a rien. Et le rien est, de très loin, plus près du tout que le presque tout.

Ces discussions sur le tout et le rien, les séraphins, les chérubins et la place respective de l'empereur et du saint dans la hiérarchie universelle irritaient Frédéric II. Un jour, pour mettre à l'épreuve Giovanni Buttadeo, il lui demanda quelle était la distance entre son palais et le ciel. Il se trouvait que l'architecte de Frédéric II était un Juif de Salerne. Ce Juif avait raconté à Isaac que, quelque temps plus tôt, l'empereur avait fait abaisser de la largeur d'une main, pour des raisons d'adduction d'eau, le pavage de la grande salle et de la cour du palais. Isaac demanda à réfléchir quelques instants à la question de l'empereur, sortit quelques instruments, s'attarda sur l'astrolabe offert à Frédéric par le sultan d'Égypte, consulta quelques ouvrages, griffonna quelques chiffres, et déclara qu'il disposait de la distance exacte, mais qu'il était troublé parce qu'il lui semblait, d'après ses calculs, que le ciel s'était éloigné de la Terre de la largeur d'une main. La réponse impressionna l'empereur qui attacha à sa personne Giovanni Butta-deo en qualité de valet. Le Juif rentra en Sicile avec Frédéric II qui l'employa à des tâches diverses et l'envoya, par exemple, à Pise discuter avec Leonardo Fibonacci, le plus grand mathématicien du Moyen Âge, grâce à qui la numération arabe fut transmise à l'Occident. L'empereur le laissait aussi libre que possible et il partageait son temps entre de longs voyages au loin et des séjours à Palerme, à Foggia, où résidait la cour et où bassins, marais, étangs destinés aux oiseaux aquatiques, passion de l'empereur presque au même titre que les faucons, voisinaient avec les colonnes de porphyre et les statues de marbre, ou à Castel del Monte, dont la fière structure octogonale venait d'être élevée dans les Pouilles, non loin de Barletta.

Une vingtaine d'années plus tard, à l'occasion d'un passage à Rome, il retrouva par hasard un frère mineur qu'il avait connu jadis dans l'entourage de François d'Assise. Ils s'étaient souvent promenés ensemble tous les trois, s'occupant des fleurs, des oiseaux, du soleil, des malades. C'était un Ombrien, lui aussi. Il s'appelait Fra Giovanni dal Piano dei Carpini. Les Français le connaissent sous le nom de Jean du Plan Carpin. Le pape Innocent IV, le dernier ennemi et le vainqueur de l'empereur Frédéric II, était en train de l'envoyer comme légat pontifical auprès du Grand Khân des Mongols. Le franciscain pensa aussitôt au vieil ami de saint François qui parlait toutes les langues.

— Tu n'as pas changé, dit le franciscain à Giovanni Buttadeo. Tu es toujours le même. Tu es toujours vif et solide.

— Ce qui n'a pas changé, en tout cas, répondit Buttadeo, c'est ma fidélité à François, qui n'avait rien et aimait tout.

— C'est de cette fidélité que je viens te parler. Tu sais que François voulait t'envoyer au loin avec les frères mineurs. Je pars pour l'Asie. Il faudra marcher longtemps, à travers les déserts et dans les montagnes, sous le soleil et dans la neige, parmi beaucoup de dangers. Viens-tu ?

Giovanni Buttadeo hésita un instant. Et puis il dit :
— Je viens.

À son retour en Espagne, Christophe Colomb connut des jours de gloire et des heures de tristesse et de découragement qui ont fait couler beaucoup d'encre. Luis de Torres, qui avait joué un rôle décisif dans la découverte du Nouveau Monde en servant d'interprète auprès des Guanahanis, des Arawaks, des Caraïbes, fut écarté de toute célébrité et ne connut que l'angoisse. Son nom fut plongé dans l'oubli. Les frères Pinzon, qui, tout au long de l'expédition, avaient eu une attitude ambiguë à l'égard de Christophe Colomb, parlèrent dès le débarquement sur les côtes espagnoles. Ils avaient remarqué que Torres ne se confessait pas, ne communiait jamais, ne récitait pas de prières. Trop heureux de pouvoir nuire au compagnon le plus intime de l'Amiral de la mer Océane, ils le dénoncèrent comme nouveau chrétien. C'est-à-dire comme juif.

— Pas le moindre *Pater noster,* déclarèrent-ils sous serment. Et jamais un chapelet, une image pieuse. Le dimanche, quand on lisait l'Évangile, il allait s'asseoir à l'avant, près du guindeau, et il sifflait avec ostentation.

— Et que sifflait-il ? leur demandèrent les inquisiteurs.

— Des chansons de marin. Et jamais de cantiques.

L'Amiral fit ce qu'il put pour défendre son ami. Il

témoigna qu'il l'avait entendu à plusieurs reprises chanter le *Cantique des Créatures :*

Loué sois-tu, Seigneur, avec toutes tes créatures,
Loué soit notre frère le Soleil qui fait le jour et qui nous
éclaire...
Loué sois-tu, Seigneur, pour notre sœur la Lune et pour
les étoiles...
Loué sois-tu, Seigneur, pour notre frère le Vent...
Loué sois-tu, Seigneur, pour notre sœur l'Eau...

La référence franciscaine tomba un peu à plat. Le pape Innocent III avait créé l'Inquisition dans les dernières années du XIIᵉ siècle. Quelques années plus tard, Grégoire IX confiait l'Inquisition aux frères prêcheurs que venait de fonder saint Dominique. En raison de la notoriété de Luis de Torres, compagnon et ami de l'Amiral de la mer Océane, l'instruction de son affaire avait été prise en main par l'inquisiteur général pour toute la péninsule Ibérique. Il s'appelait Tomas de Torquemada. Il était dominicain. La dévotion à saint François ne suffisait pas à le convaincre ni à l'émouvoir. Luis de Torres pensa en silence, avec une amère jubilation, à la corde de chanvre que portait saint Dominique.

Le Grand Inquisiteur essaya d'arracher à Luis de Torres des révélations sur Christophe Colomb qui ne manquait pas d'ennemis à la cour et dans l'Église. L'Amiral était-il fidèle aux préceptes de la sainte Église ? Nourrissait-il de l'indulgence pour les nouveaux chrétiens mal convertis ? N'avait-il pas lui-même des marranes — c'est-à-dire des Juifs baptisés pour la frime et pour sauver leur vie — parmi ses relations ? Pour lui rafraîchir les souvenirs, on pendit Torres par les chevilles, on lui brûla les pieds, on le serra sur le chevalet dans des courroies munies de pointes, on lui fixa des poids au corps pour l'alourdir et on précipita le tout du haut de l'estrapade. Torres resta muet. Un médecin assistait à chaque interrogatoire et prenait gravement le pouls de son client. Quand il y avait péril de mort, il faisait suspendre la séance. Le choix du verbe *suspendre* était important. Les règles de l'Inquisition interdisaient de soumettre plus d'une fois un inculpé à la torture. Aussi les inquisiteurs ne mettaient-ils jamais fin à un interrogatoire un peu poussé. Ils le suspendaient seulement, pour mieux pouvoir le reprendre. Quand on soumit Torres à la question de l'eau, le Grand Inquisiteur était présent en personne. Torres fit signe qu'il voulait parler. Espérant une confession sincère, le médecin de service fit aussitôt suspendre l'opération. Luis de Torres se redressa et dit d'une voix assez forte :

— Loué sois-tu, Seigneur, pour notre sœur l'Eau.

Tomas de Torquemada décida aussitôt que le sujet était irrécupérable et qu'il devait être brûlé.

— Et vous veillerez, dit-il, à le faire bâillonner. Inutile qu'il se serve du bûcher pour chanter stupidement : « Loué sois-tu, Seigneur, pour notre frère le Feu. »

La cérémonie eut lieu à Séville, au pied de la Giralda, qui n'était pas tout à fait aussi haute qu'aujourd'hui et qui ressemblait encore au minaret construit par les Arabes. Au milieu d'une foule qui ne boudait pas son plaisir, on fixa d'abord à des poteaux élevés sur le bûcher les effigies des Juifs et des relaps qui avaient réussi à s'enfuir. On attacha ensuite à d'autres poteaux des cadavres d'hérétiques qui n'avaient pu être confondus et condamnés qu'après leur mort, dont on avait déterré le corps et dont la dépouille et le souvenir étaient livrés aux flammes. On se prépara enfin à brûler les vivants.

Les condamnés eurent à subir un sermon et le fouet. Le sermon était interminable. Il faisait l'apologie de la

sainte Église catholique. Il condamnait ses adversaires.
Il énumérait toutes les formes de l'hérésie, toutes les
manifestations, tous les symptômes quotidiens, ména-
gers, intimes qui pouvaient faire croire à sa présence. Il
appelait toutes les bonnes âmes à dénoncer les coupables et à pourchasser les suspects. Les hérétiques, en
même temps, étaient fouettés jusqu'au sang. Il était
difficile de savoir si les applaudissements et les cris de
bonheur du public allaient au talent de l'orateur ou au
sang qui giclait partout.

Sous l'effet du sermon, peut-être aussi du fouet,
plusieurs condamnés abjurèrent leurs erreurs passées.
Leur peine fut aussitôt commuée et ils eurent le
privilège d'être garrottés avant d'être brûlés. Les yeux
sortirent de leurs orbites et les langues de la bouche. Il
fallait en général trois ou quatre tours de garrot pour
venir à bout des plus récalcitrants. Des flottements se
produisirent après les deux premiers tours. Une enfant
de quatorze ou quinze ans qui avait abjuré cria quelque
chose qui devait être un blasphème. Un inquisiteur et
un médecin se précipitèrent sur le bourreau pour
l'empêcher de donner le troisième tour. Le prêtre et le
médecin s'occupèrent si bien de l'enfant que, soutenue
par deux inquisiteurs, elle put rejoindre le groupe de
ceux qui n'avaient pas abjuré et qui seraient brûlés
vivants. Ils montèrent tous sur le bûcher où étaient déjà
attachés les masques des fuyards, les cadavres décom-
posés des morts qu'on avait déterrés et les corps encore
palpitants des abjureurs garrottés. Tomas de Torquemada avait donné des ordres pour laisser de côté Luis de
Torres. Le compagnon de Christophe Colomb attendait, bâillonné, et contemplait le spectacle. Il avait été
fouetté comme les autres. Deux confesseurs à ses côtés
guettaient le moindre signe de contrition et la moindre
volonté d'en dire un peu plus sur l'Amiral.

Les mannequins, les mourants, les morts et les vivants

166

brûlèrent tout à fait bien. L'odeur seule était insoutenable. Un grand soleil brillait. La fête dura des heures. Vint le moment de l'exécution du dernier des condamnés, qui n'avait pas bougé le petit doigt. Toujours bâillonné, il monta sur le bûcher. La foule rugit de plaisir.

— Mais, ma parole, il rit ! murmura le bourreau à l'inquisiteur qui se tenait près de lui.

Il riait, en effet. Le bourreau mettait le feu aux fagots et aux bûches. Des nuages accourus soudain du fond de l'horizon plongeaient Séville dans l'obscurité. La foudre tombait sur la Giralda. Le tonnerre se mettait à gronder. Des trombes de pluie s'abattaient sur le bûcher et éteignaient les flammes. Une épaisse fumée envahissait la place, étouffait les bourreaux et les inquisiteurs, chassait les spectateurs. Juan de Espera en Dios se débarrassait de ses liens et de son bâillon, sautait de l'estrade aux morts autour de laquelle des ombres s'agitaient dans la nuit et s'évanouissait parmi la foule. Quelques heures plus tard, dépouillé de Luis de Torres, il partait pour le Nord, pour la France, pour cette Flandre qui allait lui donner son nom le plus célèbre : Isaac Laquedem.

À l'époque où, entouré de ses Allemands et de ses Sarrasins de Sicile, Frédéric II partait pour la croisade excommunié par le pape et quittait Brindisi à la tête d'une flotte de quarante galères, l'islam était attaqué à revers par des cavaliers surgis de l'Asie centrale. En ce temps-là, les nouvelles étaient rares. Elles mettaient du temps à parvenir. Elles étaient vagues et incertaines. Les Juifs croyaient que le roi d'Orient était le roi David qui, ressuscité sous les espèces du Messie, revenait pour les affranchir. En France, en Angleterre, en Allemagne, en Italie, beaucoup de clercs et de savants s'imaginaient que l'adversaire oriental des infidèles musulmans qui détenaient le Saint-Sépulcre n'était autre que le prêtre Jean. Descendant des Rois mages, héritier spirituel de saint Thomas dont les restes reposaient aux Indes, chef d'un État chrétien d'obédience nestorienne, c'est-à-dire schismatique et même hérétique mais à la guerre comme à la guerre, le prêtre Jean était un personnage fabuleux qui régnait avec un sceptre d'émeraude sur des terres de légende qu'on situait quelque part entre l'Afrique et l'Asie, entre l'Éthiopie de la reine de Saba et la Mongolie mystérieuse. D'après ceux qui savaient, ou prétendaient savoir, l'empereur avait échangé avec le prêtre Jean plusieurs ambassades fructueuses et naturellement secrètes. Elles permettaient de supposer qu'un accord avait été signé et que les troupes du prêtre Jean attaquaient par-derrière le sultan, les émirs et tout ce monde lui-même légendaire qui peuplait l'Égypte, la Syrie, la Terre sainte.

Malheureusement pour les chrétiens, le grondement lointain qui ébranlait l'Orient et dont l'écho assourdi parvenait jusqu'en Occident n'était pas celui des troupes de rêve du prêtre Jean. Il provenait d'escadrons lancés au grand galop à travers l'Asie centrale. Ces guerriers sans pitié, qui brûlaient les villes conquises, massacraient les prisonniers, édifiaient des pyramides avec les crânes de leurs victimes, étaient les héritiers des Jouan-Jouan, des Hiong-nou, des Huns, de tous ces nomades de petite taille, au nez écrasé, au visage large et farouche sous leur bonnet de fourrure et qui sem-blaient vissés sur leurs chevaux qu'ils nourrissaient d'écorce d'arbre, de racines et de feuilles. Ils portaient des peaux de bœuf, d'âne, de cheval non tannées où étaient cousues des plaques de fer et qui leur servaient de boucliers. Ils avaient des outres qu'ils gonflaient pour passer à la nage les rivières et les lacs. On les appelait les Tartares. C'étaient les cavaliers de Gengis Khân.

Plus qu'aucun autre, Gengis Khân ébranla l'Asie et terrifia l'Europe. Son pouvoir absolu était un phéno-mène inconcevable en Occident. Ni Alexandre, ni César, ni Auguste, ni Justinien, ni Charlemagne, ni Frédéric II ne concentrèrent entre leurs mains autant de puissance que le Khagân. Il conquit et organisa le plus grand empire jamais vu dans l'histoire.

De la Chine à la Hongrie et à la Syrie, des frontières de la Silésie jusqu'aux frontières des Indes, il rassembla sous sa domination les peuples les plus divers et leur imposa des lois et l'écriture des Ouïgours. Il déchaîna sur le Vieux Monde la plus terrible tourmente qu'un individu eût jamais suscitée. À l'un de ses quatre fils qui, pris d'aberration, voulait empêcher les hordes de piller la ville d'Hérat, en Afghanistan, il adressa d'urgence un ordre resté célèbre : « Un ennemi conquis n'est jamais vaincu : il continue à haïr son nouveau maître. Je t'interdis formellement d'agir avec bonté. On ne rencontre jamais la pitié que dans les âmes débiles et seule la sévérité maintient les hommes dans leur service. »

L'empereur Frédéric II finit par entendre parler de Gengis Khân. Et Gengis Khân de Frédéric II. Après des aventures innombrables, un messager arriva des contreforts de l'Altaï ou des bords de la Volga, de Samarkand ou de Karakorum. Le Khagân de tous les Mongols proposait au Saint Empereur romain de nationalité germanique de lui accorder une charge à la cour du Grand Khân en échange de sa soumission. L'empereur répondit du tac au tac qu'il n'envisageait, pour sa part, que la charge de fauconnier. Et il lui envoyait son bonjour.

Quand, vingt-cinq ans avant Marco Polo, Jean du Plan Carpin et Giovanni Buttadeo s'enfoncèrent dans l'Asie profonde, le conquérant de cauchemar était mort depuis un peu moins de vingt ans. Il avait été enterré à Karakorum et il avait partagé son empire entre ses quatre fils. Ils poursuivirent son œuvre de conquête et de destruction. Et ses petits-fils après eux. C'est sur les terres où il avait régné avec une violence sans pareille, où il avait fait passer le souffle de sa sauvagerie que le frère mineur et le Juif apportèrent au Grand Khân le message de charité et de paix du pape Innocent IV — qui se contentait de réclamer la conversion du pécheur.

Frère Jean du Plan Carpin eut du mérite, du talent, de la chance : personne ne le massacra et il put rentrer en Europe avec une lettre des Mongols — qui se contentaient de réclamer la reconnaissance par le pape de la suprématie du Grand Khân. Sous le titre d'*Histoire*

170

des Mongols appelés par nous Tartares, il écrivit surtout le plus ancien rapport dont nous disposions sur l'Asie centrale : une sorte de géographie approximative et d'histoire fragmentaire. Dans tous ces travaux qui n'étaient pas commodes — se frayer un chemin, survivre, traverser déserts et montagnes, approcher les Mongols, s'entretenir avec eux, naviguer entre les intrigues et les menaces de la cour du Grand Khân, rassembler des notes sur tout ce qu'on avait vu et entendu, affronter le chaud et le froid, les bêtes féroces, les maladies, les brigands, et refaire le chemin inverse jusqu'à la Rome des papes —, Giovanni Buttadeo fut d'un secours de tous les instants. De retour à Rome, Jean du Plan Carpin se mit en tête d'emmener son compagnon avec lui chez le pape.

— Je ne peux pas, disait Isaac.

— Mais si ! disait frère Jean.

— Je ne veux pas.

— Mais si ! mais si ! insistait frère Jean. En souvenir de François.

Isaac céda. Jean du Plan Carpin le traîna jusqu'aux pieds du Saint-Père.

— Sans lui, dit-il au pape, j'aurais péri mille fois.

Les deux envoyés parlèrent des mœurs, des lois, de la langue, des fêtes, de la cruauté des Mongols, de leurs ruses de guerre, de leur dédain des monuments et des établissements permanents, de leur religion, bien entendu. Le pape écoutait avec une attention passionnée. Quelques années plus tôt, la Horde d'or des Mongols, héritiers de Gengis Khân, après avoir conquis la Pologne, balayé la Hongrie, massacré jusqu'au dernier les hommes du roi de Bohême, avait poussé jusqu'à Vienne et terrifié la Germanie. Plus encore que Frédéric II, que le pape soupçonnait d'ailleurs d'avoir partie liée avec les Tartares, ce qui menaçait la chrétienté, à cette époque, c'était la puissance mongole. Elle passait de loin la puissance musulmane et, en Perse, en Irak, en Syrie, elle l'emportait sur l'islam et le faisait reculer. En Asie comme en Europe, aux dépens du calife comme aux dépens du pape, elle était l'adversaire de toute civilisation et elle aurait pu adopter la devise que le terrible duc Werner von Urslingen, appelé Guarneri par les Italiens, avait fait appliquer sur les plastrons d'argent de ses trois mille lanciers et mercenaires allemands : « Ennemi de Dieu, de la pitié et de la charité. »

Quand frère Jean du Plan Carpin et Giovanni Buttadeo en vinrent au récit des épreuves qu'ils avaient dû traverser, Innocent IV, très ému, les bénit tous les deux.

— Eh bien, dit en sortant de l'audience Giovanni Buttadeo à frère Jean du Plan Carpin, voilà le plus beau.

Deux jours s'étaient écoulés, et deux nuits, depuis cette journée de printemps qui avait divisé en deux parties inégales l'existence du portier de Ponce Pilate et, du même coup, l'histoire du monde. Pendant des siècles et des siècles, Ahasvérus en avait retourné dans sa tête toutes les circonstances et toutes les péripéties. Une question surtout l'obsédait : « Pourquoi moi ? » Pourquoi était-ce sur lui — sur Judas, sur Ponce Pilate et sur lui — qu'était retombé tout le poids de la faute ? Dans toutes les langues du monde, dans les contes de tous les pays, dans les légendes et dans les proverbes, ils avaient leur place, tous les trois. Il n'y avait guère d'enfant, dans les régions les plus reculées, qui n'eût entendu parler, au moins une fois dans sa vie, du lavement de mains de Ponce Pilate, du baiser de Judas — et de lui. D'autres, comme Barrabas, avaient commis des crimes plus énormes, des forfaits autrement monstrueux. D'autres avaient menti, volé, pillé, massacré, torturé. Ils n'étaient pas devenus, comme eux, comme lui, le symbole de la trahison, de l'indifférence mortelle, de la culpabilité. Judas était le traître. Ponce Pilate était l'injuste. Lui était le coupable. Personne autant que lui n'avait jamais été coupable. Il n'y avait dans l'histoire du monde que deux coupables à jamais. Le premier était Adam. Il était le second.

En désobéissant au Créateur, en découvrant cette force inouïe que représentait le mal, Adam avait donné le départ à quelque chose de plus fort que la Grande Aventure : c'était l'histoire. En maltraitant le Galiléen qui se disait fils de Dieu, Ahasvérus s'était condamné à la parcourir en entier. Il était le second Adam. Le premier avait légué au monde le péché originel. Lui portait sur ses épaules le poids écrasant du péché perpétuel.

Dès le surlendemain de cette journée de printemps qui était au centre de tout, Ahasvérus avait compris qu'il allait devoir à la fois incarner la faute et le mal et les fuir sans répit. Il s'était engagé dans la bande de Barrabas pour tâcher d'en finir. La vie la plus aventureuse était pour lui la meilleure : il n'avait plus d'espoir que dans la mort. Ce qu'il n'avait pas compris, c'est qu'il n'y aurait pas de mort. Par une inversion stupéfiante, ce qui était le but de tant d'hommes deviendrait sa punition : l'immortalité. Il avait nié l'ordre des choses. L'ordre des choses serait nié pour lui. Il était le nouvel Adam. Il serait le contraire de Faust qui ne voulait pas mourir. Lui voudrait mourir et il ne le pourrait pas.

Il parlerait toutes les langues. Il aurait toujours dans sa poche assez d'argent pour survivre. Et le cancer, les armes blanches, le pistolet, le poison, la tempête et le feu, la cruauté des hommes et leur justice, le hasard et le destin seraient contraints de l'épargner. L'âge, c'est-à-dire le temps, n'aurait pas prise sur lui. Il avait laissé marcher le Galiléen vers sa mort. Il marcherait lui-même sans fin à travers l'univers. Mais il ne le savait pas encore.

Après la soirée avec les hommes de Barrabas, Ahasvérus avait passé une nuit calme. Les choses étaient maintenant claires : il était devenu un bandit. Il n'y avait pas de quoi s'énerver. Les choses s'enchaînaient, voilà tout. Il pensa, en s'endormant, à Judas, à Ponce Pilate, à Marie de Magdala et à cet homme qu'elle aimait et qu'il n'avait fait qu'entrevoir en ce jour de printemps où tout avait basculé. Une douleur le traversa. Il ne devait apprendre que plus tard le suicide de Judas. Et, beaucoup plus tard, que le Galiléen avait changé le monde et bouleversé l'histoire.

— Bon, dit-il. Vous n'avez peut-être plus envie d'écouter mon histoire ?

— Plus que jamais, dit Marie en étendant ses jambes et en posant sa tête contre mes genoux.

— Ah ? bien, bien, dit-il.

Et, jouant avec la vieille canne, décolorée par le temps, entamée par la vie, qu'il faisait rouler entre ses mains noueuses, il se remit à parler. Et, soir après soir, dans le plus beau salon du monde, sous les étoiles de la nuit qui jetaient leur lueur sur le bassin de Saint-Marc et le palais des Doges, il nous raconta, à Marie et à moi, tout ce que je viens de vous raconter. Et tout ce que je vais encore, si vous avez un peu de temps pour écouter des fables qui ressemblent à des choses vraies, ou peut-être plutôt des choses vraies qui ressemblent à des fables, vous raconter maintenant.

II

La nuit des temps

For men may come and men may go,
But I go on for ever.

ALFRED TENNYSON

J'ai plus de souvenirs que si j'avais mille
ans.

CHARLES BAUDELAIRE

— Au fond, lui dis-je, vous êtes un saint. Il faudrait un saint nouveau au calendrier de l'histoire. Saint Ahasvérus. Saint Giovanni Buttadeo. Saint Juan de Espera en Dios.

L'idée l'amusa. Mais ne lui plut guère. Je crois qu'elle le choqua.

— Un saint ? Vous plaisantez, je pense ? J'essaie de m'en tirer, c'est tout. Si vous croyez que c'est drôle, ce qui m'est arrivé. Je suis comme tout le monde : j'ai été coincé par l'histoire. Elle nous coince tous, vous savez. L'histoire est une machine à enfermer les gens. Nous croyons lui échapper, elle nous rattrape à chaque tournant, elle nous emporte, elle nous prend. J'ai été pris plus mal que personne. Parce que je l'ai eu en face de moi — et que je lui ai refusé un verre d'eau. Vous connaissez la vérité : je m'étais mis à le haïr. Les autres l'aiment ou l'ignorent. Ils croient en lui ou ils n'y croient pas. Il m'est arrivé quelque chose de fâcheux : je suis un des rares êtres au monde à l'avoir détesté. À cause d'une femme, évidemment. Judas l'a beaucoup aimé avant de le trahir. Et il a eu tant de remords après l'avoir livré qu'il est allé se pendre à la branche d'un figuier. Ponce Pilate lui-même n'éprouvait à son égard que de l'indifférence. Il a fait tout ce qu'il a pu pour

181

essayer de le sauver. Mais le procurateur était un tiède, un faible, un médiocre. C'était un politique. Il l'a laissé périr sans même le détester. Moi, je l'ai haï. C'est une faute de génie. Elle fait que, dans l'histoire, et pour l'éternité, il y a lui — et il y a moi.

— Vous parlez beaucoup de lui...

— Je parle surtout de moi. Mais, en un sens, lui, c'est moi. Je suis, comme Judas, une sorte de Christ en creux. Quand je pense que j'aurais pu m'épargner tout un monde, une histoire tout entière, en lui offrant un verre d'eau... Vous ne vous imaginez pas, j'espère, que je raconte par plaisir ? J'aimerais mieux me promener avec vous, chanter, jouer, regarder en l'air, nager, courir, ne rien faire, oublier — et mourir un beau jour. Vivre, quoi ! Vous le savez bien : j'aimerais tout oublier, m'en aller pour de bon. Je raconte..., je raconte... parce que je ne peux pas faire autrement. Je raconte parce que j'étouffe. Je raconte pour rattraper. Je raconte pour qu'on me pardonne. Je raconte pour qu'on m'aime, moi, qui ai tant détesté. Un saint ! Laissez-moi rire. Je crois que j'ai fait à peu près tout ce qu'il est possible de faire. Et le pire, c'est que je ne regrette pas grand-chose. Je regrette peut-être le verre d'eau... En dehors du verre d'eau... Tout ce que j'ai fait, je ne pouvais que le faire, puisque je l'ai fait. Tout ce qui s'est passé était inévitable, puisque ça s'est passé. Est-ce que vous croyez que l'histoire aurait pu ne pas être ? Rien n'est plus fort que l'histoire. Rien n'est plus fort que le passé. Et je crois que Dieu lui-même — et je suis payé, figurez-vous, pour connaître sa toute-puissance — ne pourrait rien y changer.

— Ça me rappelle mon bachot, dit Marie.

— Qu'est-ce que vous avez eu, au bachot ? demanda Simon Fussgänger.

— Liberté et nécessité, dit Marie en pouffant.

— C'est très simple, dit Simon. Il n'y a de liberté que

devant, il n'y a de nécessité que derrière. Mais beaucoup de nécessité vient se mêler, par-devant, aux rêves, aux illusions, à la griserie de la liberté. Et un peu de liberté déborde encore, par-derrière, sur le règne de fer de la nécessité. Chacun se débrouille comme il peut. Moi, j'ai essayé de disparaître. Je me suis mêlé à l'histoire. Mon histoire est la plus belle du monde parce que c'est l'histoire des hommes. Je me suis caché parmi les hommes pour m'y faire oublier et qu'on ne me retrouve pas. Ça n'a pas marché tout à fait : il ne m'a jamais perdu de vue. Depuis les galaxies les plus lointaines, depuis ces univers qui tournent là-haut à des distances improbables jusqu'au grain de sable dans votre soulier, il ne perd jamais rien de vue. Ça a marché en partie : je suis le plus homme des hommes. Tout ce qu'ils ont fait, je l'ai fait. Vous vous rappelez Barrabas ?

— Oui, dit Marie. Celui qu'on échange contre l'autre. Le type aux yeux de fou et à la barbe noire.

— Il se fait tuer assez vite. Il n'a qu'une heure de gloire : quand Ponce Pilate le libère pour condamner le Galiléen. Tout de suite après, il disparaît. Tout le monde connaît son nom, personne ne sait rien de lui. C'est moi qui lui ai succédé à la tête de sa bande. J'ai massacré beaucoup de gens, j'en ai torturé beaucoup. Ce sont des souvenirs enchanteurs. Nous nous battions pour trois choses qui font tourner le monde : les femmes, l'argent, le pouvoir. Je me suis vengé de Marie-Madeleine, et peut-être aussi de la douceur et de la bonté du Galiléen — ah ! cette douceur à travers tant de siècles ! ah ! cette bonté dans l'éternité ! —, sur toutes les Juives et toutes les Romaines qui me sont tombées sous la main. Le saint a beaucoup violé. Le saint a beaucoup tué. Le saint a accumulé autant de trésors qu'en avait conquis Barrabas. Je n'ai jamais pu rien garder, vous le savez : l'or me filait entre les doigts, je le distribuais à mes hommes, j'achetais des armes et des consciences jusque dans la Rome impériale. C'est que notre but n'avait pas changé. Notre but était de chasser les Romains et de rendre au peuple juif son indépendance et, comment dites-vous, aujourd'hui?... ah! oui, je sais : sa dignité. Nous étions des bandits. Nous étions aussi des patriotes. C'est pour de l'argent, bien sûr, mais aussi par nationalisme, peut-être surtout par nationalisme, que Barrabas a mis à feu et à sang la Judée et la Palestine, que Judas a livré Jésus. Croyez-vous que trente deniers auraient suffi pour trahir à un homme que le Galiléen avait choisi pour disciple? Nous voulions encore autre chose que les femmes, le pouvoir et l'argent : nous voulions la gloire, la réputation, l'honneur. Nous voulions une place dans l'histoire.

— Judas l'a eue, dit Marie. Mais pour des raisons différentes de ce qu'il espérait.

— Personne ne sait jamais, dit Simon, le sens que prendront ses actions et sa vie ni ce que l'histoire fera de lui.

— Quand vous violiez les femmes, quand vous enleviez leurs enfants, quand vous coupiez les hommes en morceaux pour leur faire avouer où ils cachaient leur or, quand vous les enterriez vivants, ne pensiez-vous jamais à la souffrance des autres?

— Mon enfant, dit Simon, l'histoire n'a jamais été et ne sera jamais un dîner de gala.

Vous commencez à le savoir : ce qui brillait au loin, en ce temps-là, et pour encore beaucoup de siècles, c'était une reine, une déesse, la source de tout pouvoir, le réceptacle de tout savoir, de toute beauté, de toute richesse : c'était la ville de Rome. Il y avait Rome d'un côté, le reste du monde de l'autre. Et le reste du monde obéissait à Rome. Rome, qui devait, plus tard, après les grandes catastrophes, après les Sarrasins et après les Normands, après la peste et la malaria, devenir la coquille vide de ses triomphes passés et tomber, malgré sa gloire, à trente ou trente-cinq mille survivants, comptait, à l'époque d'Auguste ou de Tibère, à l'époque de Jésus, autour d'un million d'habitants. En Palestine comme ailleurs, tout ce qui avait un nom, de la fortune, des ambitions, tout ce qui avait un passé ou un avenir ne rêvait que de Rome. À la tête de sa bande de tueurs patriotes, le successeur de Barrabas en rêva comme les autres.

Tout au long de son ascension, la République romaine avait chéri la vertu et la simplicité. Il y avait, bien entendu, comme partout, comme toujours, des femmes de mauvaise vie et des hommes de peu de courage, des faisans et des arrivistes, des jouisseurs et des intrigantes. Mais la vertu régnait, elle était vénérée, elle restait le modèle, la référence, le ressort. C'est la vertu qui a fait Rome. L'Empire, très vite, va changer tout cela. À la paix, à la puissance souveraine, à la victoire des armes, dans une certaine mesure à la prospérité, il associe la terreur, l'intrigue, la débauche, le culte de tous les vices. L'ambition de chacun remplace la gloire de tous. Les puissants deviennent riches ; les riches, de plus en plus riches. La masse du peuple ne réclame plus que deux choses : du pain et des jeux. On lui en fourre jusque-là. La communauté de la cité cède la place, peu à peu, à la diversité des appétits et des intérêts. Les Agrippine, les Messaline, les Séjan, les Pallas, les Narcisse succèdent aux Camille, aux Cornélie, aux Caton, aux Regulus. Et la soif du plaisir à l'amour de la vertu. Quand il n'est pas conquis et conféré par les légions, le pouvoir se transmet d'empereur en empereur à travers les intrigues et les empoisonnements. Entre Auguste et Néron, en passant par Tibère, par Caligula, par Claude, c'est une bouillie pour les chats de parentés, d'adoptions, de divorces, de remariages, un salmigondis de débauches, un pastis d'assassinats. C'est une sorte de guignol pour adultes, dont le ressort serait le sang. Dans tous les sens du mot : la généalogie et le crime. Tout le monde couche avec tout le monde, et puis tout le monde tue tout le monde.

Du fond de sa Judée, Ahasvérus comprend très vite que tout se décide à Rome même. C'est là, au cœur de l'empire, que la guerre d'indépendance des Juifs contre les Romains doit être gagnée ou perdue. Puisque c'est là que tout se passe. Et puis, comme toujours, l'impatience le saisit, le besoin de bouger et de s'en aller. Il n'en peut plus de la Judée, de la Palestine, de l'Orient. Il n'en peut plus de piétiner. Il se défait de son commandement, il le partage entre ses lieutenants, il abandonne ses hommes, il leur distribue ses richesses et il part à pied, par la Phénicie, la Syrie, la Cilicie, la

Cappadoce, pour l'Hellespont, la Thrace, la Macédoine et l'Illyrie. Quand, sous le nom de Cartaphilus, il pénètre, pour la première fois, par la Salaria ou la Flaminia, dans la ville impériale, c'est un émerveillement, qui se mêle à la haine et à l'indignation contre le conquérant. Comparé aux monuments qui parsèment les sept collines, le Temple de Salomon et d'Hérode est un jouet pour barbares. Il court du Panthéon, construit par Agrippa sur un plan rectangulaire du côté du champ de Mars, au temple d'Apollon sur le Palatin et à l'autel de la Paix d'Auguste, du théâtre de Marcellus aux fontaines, aux thermes, à tous les portiques du Forum. Auguste avait trouvé une ville de pierre : il l'avait agrandie, embellie et reconstruite en marbre. Maintenant, grâce à sa mère Agrippine, qui a empoisonné pour lui, avec l'aide de Locuste, l'empereur Claude, son mari, et que, par respect pour la tradition et par un juste retour des choses, il ne va pas manquer de faire assassiner à son tour après avoir essayé de la noyer au cours d'une promenade en mer, c'est Néron qui règne sur tant de beauté et de richesse, sur la Méditerranée entière, sur les Juifs écrasés et toujours révoltés et sur Jérusalem.

Est-ce que le nom de Ponce Pilate, procurateur de Tibère il y a trente ou trente-cinq ans, lui dit encore quelque chose ? Les chrétiens l'irritent, en tout cas, avec leur manie de moraliser pour un oui ou pour un non et de donner des leçons à plus important qu'eux. Tout ce qui s'oppose à ses caprices commence à lui porter sur les nerfs. Des exemples s'imposent. Tout ce qui résiste si peu que ce soit est d'avance condamné. Bientôt débarrassé par une mort providentielle qui méritait un coup de pouce et par un suicide obligé de Burrus, grande âme obséquieuse qui l'avait aidé à monter sur le trône, et de Sénèque, philosophe stoïcien à la vie fastueuse dont les conseils l'exaspèrent après l'avoir tant servi, entouré de

Tigellin et d'un autre écrivain, épicurien celui-là, qui a bien du talent et qui s'appelle Pétrone, l'empereur, déguisé, fardé, pomponné, coiffé d'une couronne de laurier, sa flûte ou sa lyre à la main, se prépare à descendre dans le cirque pour réciter ses vers ou pour conduire son char. Car il n'aime rien tant que de se donner en spectacle. Il ignore tout, bien entendu, de Marie de Magdala, de Barrabas, de Judas Iscariote ou de Cartaphilus.

— Est-ce que vous n'êtes pas toujours, demanda Marie, là où il se passe quelque chose ? Ne seriez-vous pas... comment dire ?...

Je mettais la main sur son genou pour prévenir toute incartade. Elle m'écarta d'un geste vif.

— ... une sorte de snob de l'histoire ?

Simon éclata de rire.

— Évidemment, dit-il enfin, j'étais à Jérusalem quand Caïphe et Ponce Pilate ont fait crucifier Jésus de Nazareth. C'était, si vous voulez, les premières loges de l'histoire. C'était aussi, à l'époque, un fait divers sans importance. Sauf une poignée de fanatiques, personne n'aurait songé à ranger la crucifixion parmi les événements dont le monde se souviendrait. Je me serais bien passé du spectacle, j'aurais mieux fait d'être ailleurs. Et je suis ce soir avec vous, à Venise, au pied de la Douane de mer. Ne croyez pas que je ne sois pas sensible à l'honneur de m'entretenir avec vous deux. Mais enfin... avouez que le snobisme se logerait sans doute ailleurs.

— Tu ne l'as pas volé, dis-je à Marie.

Elle me foudroya du regard.

— Ce qui me frapperait plutôt, ce sont les foules d'événements auxquels, justement, je n'ai pas assisté. Je n'étais pas au Caire à la première d'*Aïda,* au moment

189

du percement du canal de Suez, je ne me tenais pas debout derrière Léonard quand il a peint Mona Lisa, je n'ai pas la moindre hypothèse sur l'assassin de Londres qui envoyait à la presse des lettres signées « Jack l'éventreur » — « Ça ne vous ennuie pas si j'emploie mon nom d'artiste ?... J'aime mon travail et j'en veux encore. Pour mon prochain boulot, je couperai l'oreille de la dame et je l'enverrai à la police. Rien que pour rire... » —, je n'ai assisté à aucune des batailles d'Andrinople, et il y en a eu plusieurs, et toujours décisives, je n'ai jamais rencontré Charlemagne qui a joué un certain rôle dans l'histoire de l'Occident et j'ai le regret de vous informer que je n'étais pas à Roncevaux le soir où Roland a sonné de la trompe, ou peut-être de l'olifant. Je sais seulement qu'un professeur italien a soutenu récemment que Roland, qui passait pour le neveu de Charlemagne, était le fils incestueux qu'il avait eu de sa sœur Gisèle. Ce qui expliquerait les larmes amères de l'empereur à la nouvelle du désastre.

Je ne veux pas vous laisser croire que j'ai passé mon temps dans l'entourage des puissants. Je suis un vagabond, un chemineau. J'ai traîné sur toutes les routes, sur les chemins de campagne quand il y en avait encore, dans les layons de forêt, dans les sentiers de montagne. C'est rarement là que vous tombez sur les princes de ce monde. D'autres font la guerre, gagnent de l'argent, administrent l'État, pêchent du poisson, vendent des vêtements ou du pain, chantent dans les lieux publics, soignent les malades, enterrent les morts, enseignent les enfants, cultivent la terre, fabriquent des orgues, des ponts, des voitures, des canons, écrivent de la musique ou des tragi-comédies. Je ne fais rien d'autre que de marcher. Je n'ai pas de famille, pas de patrie, pas de maison, pas de foyer. Je ne suis nulle part chez moi. Du coup, je n'ai ni terres, ni possessions, ni intérêts à défendre. N'ayant pas d'intérêts, je n'ai guère d'opinions. N'ayant guère d'opinions, je suis à part de ce monde que je parcours sans fin. Je marche devant moi, je regarde, je vois ce que les autres font et j'écoute ce qu'ils disent. Croyez-vous qu'à eux tous ils ne me fassent pas envie ? Ils ont tous beaucoup de chance de savoir pourquoi ils marchent et vers quoi ils s'avancent.

Moi, je marche sans fin et les yeux dans le vide. Je ne marche jamais vers rien, je m'éloigne plutôt de quelque chose. Et de quoi est-ce que je m'éloigne, toujours en vain, naturellement ? Je m'éloigne de moi-même et de ce que je n'ai pas fait. Mon domaine est l'espace, un espace sans frontières, mon domaine est le temps, et un temps sans limites. J'ignore tout de l'espoir. Je marche et je n'avance pas. J'ai remplacé la politique par la géométrie, les attachements de la tendresse ou de la fidélité par toutes les abstractions de la métaphysique, l'ambition et la crainte par la fatalité. Je crains que mes passions ne soient désincarnées. Le secret de la vie, c'est qu'elle se confond avec la mort et qu'il n'y a pas de vie dès qu'il n'y a pas de mort. Celui de vos écrivains que j'ai le mieux connu s'est écrié quelque part : « Notre espèce se divise en deux parts inégales : les hommes de la mort et aimés d'elle, troupeau choisi qui renaît, les hommes de la vie et oubliés d'elle, multitude de néant qui ne renaît plus. » Plus que personne, je suis un homme de la vie, et oublié par elle. Parce que la mort ne m'aime pas, je ne peux pas renaître. Je suis un homme du néant. Je meurs de ne pas mourir. C'est parce que je ne peux pas mourir que je ne peux pas non plus vivre.

Vous avez peur de la mort. Vous ne connaissez pas votre bonheur. La mort, ça vous soutient. Si vous n'y croyiez pas, est-ce que vous pourriez supporter votre vie ? Il y a pas mal de siècles, dans une petite ville de Pologne, j'étais médecin en ce temps-là, médecin ambulant, bien entendu, j'ai connu une femme qui rêvait toutes les nuits d'une infinité de vies se succédant l'une à l'autre. Chaque soir, elle redoutait le moment où elle allait s'endormir, elle souffrait comme un damné, elle souffrait comme moi, tenez, et, un beau matin, elle s'est réveillée folle. On a fini par la brûler parce qu'elle se croyait immortelle : ce fut le plus beau jour de sa vie. Tout le monde n'a pas cette chance. Ce n'est pas à moi qu'arriverait un si heureux dénouement. Croyez-vous que c'est par hasard, pour faire bien, pour faire joli que le plus grand de vos poètes a écrit ces vers qui semblent faits pour moi et que j'ai pris pour devise :

C'est la mort qui console, hélas ! et qui fait vivre ;
C'est le but de la vie, et c'est le seul espoir
Qui, comme un élixir, nous monte et nous enivre,
Et nous donne le cœur de marcher jusqu'au soir.

J'aime beaucoup les soirs, vous savez. J'aime aussi beaucoup les matins. Pour moi qui ne change jamais, rien n'est plus beau que ces instants où, à la différence du grand jour ou de la nuit déjà close, quelque chose enfin, quelque chose déjà, est en train de changer. Comme c'est plaisant, ces matins où la journée s'annonce, où elle est contenue tout entière ! Tous les plaisirs du jour sont dans les matinées. Le monde n'est fait que de matins. Comme la vie n'est faite que de jeunesse, comme les romans ne sont faits que de débuts, d'attaques, d'ouvertures, ce que les pédants appellent des *incipit*. Aimez-vous autant que moi les débuts de roman ? « Le 15 mai 1796, le général Bonaparte fit son entrée dans Milan à la tête de cette jeune armée qui venait de passer le pont de Lodi, et d'apprendre au monde qu'après tant de siècles César et Alexandre avaient un successeur... » Ou : « Le jour tombait depuis quelques instants dans les rues de la petite ville de... » Ou : « Le 15 septembre 1840, vers six heures du matin, la *Ville-de-Montereau* près de partir fumait à gros tourbillons devant le quai Saint-Bernard... » Ou : « Quand la caissière lui eut rendu la monnaie de sa pièce de cent sous, Georges Duroy sortit du restaurant... » Ou : « C'était à Mégara, faubourg de Carthage, dans les jardins d'Hamilcar... » Ou : « Je vais encourir bien des reproches. Mais qu'y puis-je ? Nous habitions à F..., au bord de la Marne... » Ou : « La première fois qu'Aurélien rencontra Bérénice, il la trouva franchement laide... » Ou : « J'aimais éperdument la comtesse de... ; j'avais vingt ans, et j'étais ingénu ; elle me trompa, je me fâchai, elle me quitta... » On peut presque fermer le livre : tout est dit. Tout le roman, toute la journée, toute la vie à venir est déjà dans son début. Et ce début n'a de sens que parce qu'il y aura une suite. Et parce qu'il y aura une fin. Le matin n'est si beau que parce qu'il y a un soir.

Il n'y a pas de soir dans ma vie. Comment y aurait-il un matin ? Les histoires que je vous raconte et que vous voulez bien écouter, même si, de temps en temps, vous y décelez un peu de snobisme...

— Encore bravo..., dis-je à Marie de la voix la plus basse, si basse que je me demandai si elle allait m'entendre.

Mais je crois qu'elle m'entendit parce qu'elle se tourna vers moi et qu'elle me regarda dans les yeux, l'air méchant, plus délicieuse que jamais.

— ... sont toujours des histoires de quelque chose qui arrive, de quelque chose qui se déploie, de quelque chose qui s'élève. Et de quelque chose qui s'effondre. Ce sont des histoires de matin. Ce seront des histoires du soir. Je ne sais plus qui a dit que tous les grands romans étaient d'abord l'histoire d'un individu qui commence ou d'une collectivité qui finit. Rien ne commence jamais en moi puisque rien n'y finit. Dieu n'a pas d'histoire. Moi non plus. Tout ce que je peux faire, c'est de raconter l'histoire des autres. Tant mieux si ça vous amuse.

Rome était à bout de souffle. L'Empire craquait de partout. Cette chose immense qui, depuis mille ans, ne faisait que croître et régner était en train de s'écrouler. Avec l'invasion des Gaulois et la lutte contre Carthage, avec les conquêtes et les guerres civiles, avec Auguste et Néron, avec Titus et Domitien, avec Trajan ou Hadrien et Caligula ou Commode, elle avait connu des hauts et des bas, des triomphes et des échecs, des malheurs provisoires et une puissance et une gloire qui ne faisaient que s'étendre. Confondu peu à peu avec le monde connu, l'Empire romain paraissait indestructible. Est-ce que l'idée traversait l'un ou l'autre de ses maîtres que la paix romaine et les légions romaines qui l'assuraient dans le sang auraient aussi une fin ? Les poètes et les hommes d'État avaient beau vanter l'éternité de la Ville qui avait conquis le monde, des failles se faisaient jour dans le formidable édifice. Le déclin venait de loin. Dans un livre célèbre — *Histoire de la décadence et de la chute de l'Empire romain* —, Gibbon le fait remonter à la mort de Marc Aurèle, un peu plus de cent ans après la mort de Néron. L'agonie de l'Empire durera plus de deux siècles. Sa chute ébranlera le monde. Il lui faudra dix siècles, ou quelque chose comme ça, pour s'en remettre et l'oublier — en s'en souvenant toujours.

La fin de l'Empire romain est confuse et superbe. La conquête mange le conquérant. Le poids du monde devient trop lourd. Les divisions s'installent. Les génies ne manquent pas : ils ne suffisent plus à la tâche. On dirait que le déclin se nourrit du déclin comme le succès se nourrit du succès. Le malheur, comme le bonheur, a quelque chose de cumulatif. Rome a changé de destin. Tout lui réussissait hier ; tout échoue aujourd'hui. Le centre du monde se déplace. La fortune délaisse la Ville qui se croyait éternelle. Elle va s'installer plus à l'est, à Byzance d'abord, qui est la deuxième Rome, puis du côté du Danube et des plaines de la Pannonie.

Il y a là des peuples nouveaux qui viennent du Nord et de l'Est et que le luxe et la luxure n'ont pas encore pervertis. Ils n'ont rien. Ils veulent tout. Ils sont dehors. Ils veulent entrer. La violence leur tient lieu de vices. Ils ont hâte de devenir riches et de devenir puissants. On les appelle les Barbares. Les Grecs traitaient de barbares tous ceux qui n'étaient pas grecs — y compris les Romains. Affolés d'hellénisme, les Romains de la décadence donnent le nom de barbares à toutes ces tribus germaniques descendues de la Scandinavie vers les rives du Danube et qui s'agitent aux frontières. Les choses ne sont pas simples. Il ne s'agit pas de deux empires qui s'opposent l'un à l'autre. Les Barbares sont des peuples épars, qui ne cessent de bouger. Quand, du fond de l'Asie, sur leurs petits chevaux sauvages qui terrifieront encore, au temps des Hohenstaufen et vers la fin du Moyen Âge, la Pologne, la Hongrie, la Bohême et même l'Allemagne, débouchent les Huns de Balamir, de Bleda et bientôt d'Attila, les Goths, épouvantés, refluent soudain vers l'Ouest. Ce sont des ébranlements de peuples, des télescopages successifs, des boules de billard qui se chassent les unes les autres. Les Goths se jetteront sur Rome pour fuir d'autres

Barbares que les Huns venus d'Asie repoussent en masse devant eux. C'est parce que l'Altaï, le Pamir, la haute Asie les délogent du Danube où elles viennent de s'installer que des tribus scandinaves vont déferler sur Vérone, sur Ravenne, sur les plaines de Lombardie et sur la Ville éternelle en train d'entrer dans les ténèbres dont, après mille ans de gloire, elle mettra mille ans à sortir.

Aux grands jours de l'Empire, au temps de Trajan et d'Hadrien, Cartaphilus s'est battu, du côté de Sarmizegethusa, sur les bords du Danube, contre les Daces du Décébale. À l'époque de la chute de Rome, il se retrouve à Byzance, devenue Constantinople, dans la peau d'une moitié ou d'un quart de savant qui enseigne le latin et le grec aux Barbares de passage. Il est sophiste et grammairien. Byzance qui, peu à peu, au sein même de l'Empire, l'a emporté sur Rome, est une ville immense, colorée, animée, tout occupée de commerce et de courses de chars, un bazar prodigieux, un caravansérail où se côtoient toutes les races. Prisonniers, otages, ambassadeurs, mercenaires, voyageurs, étudiants, le nombre des Barbares y est considérable. Il y a des Suèves, des Vandales, des Hérules, il y a surtout des représentants des deux rameaux des Goths venus du Nord et éparpillés par la pression des Huns : les Wisigoths et les Ostrogoths, dont le nom, un peu comique, devait finir en plaisanterie, et parfois en injure, comme celui des Vandales, qui ne brillaient pas non plus par la délicatesse du goût et le respect des monuments. Les uns et les autres viennent à Constantinople pour y trouver le savoir, la puissance, l'argent, les carrières, l'agrément de la vie. Ils y viennent parce que l'empereur byzantin les retient en garants de la paix et de la tranquillité de leurs tribus. Ils y viennent parce que leurs pères, leurs oncles, leurs fils ou eux-mêmes sont plus capables que les Grecs, les Romains, les Byzantins, qui ne pensent qu'à s'amuser, dans l'art de l'administration ou dans l'art de la guerre. Ils y viennent aussi parce qu'ils sont chrétiens.

Les Huns sont des païens. Ils sont animistes. Ils obéissent à des chamans. Tous les autres Barbares sont chrétiens, et ils ont des évêques. C'est un évêque, Wulfila, qui a converti les Goths. Non pas, il est vrai, au christianisme orthodoxe. Mais à l'arianisme. L'arianisme est une hérésie, mais une hérésie chrétienne. Elle soutient que le Fils ne se confond pas avec le Père, qu'il n'est pas son égal, qu'il lui est subordonné et que le Christ n'est pas Dieu. Rien ne passionne autant Cartaphilus — qui, chez les Byzantins, se fait appeler Démétrios — que ces débats sur la nature de Jésus. Est-il Dieu comme l'affirme le concile de Nicée ? N'est-il qu'un homme divin comme le soutiennent les ariens ? Après avoir enseigné à ses élèves barbares toutes les subtilités, qu'il connaît sur le bout des doigts, du latin et du grec, il continue souvent, jusque tard dans la nuit, pendant que les prostituées harponnent sous les portiques les soldats en goguette ou les spectateurs attardés des courses de chars dans l'Hippodrome entre les Verts et les Bleus, à discuter avec eux de la nature divine ou humaine du Galiléen si cher à Marie de Magdala.

Quand, arrivant de l'Orient, de l'Illyrie, du nord de l'Italie, Cartaphilus entre à Rome et court, émerveillé, d'un monument à l'autre, l'Empire est à son apogée. Il a déjà derrière lui pas mal de crimes et de bassesses qui se confondent avec sa puissance. Il a encore devant lui deux ou trois siècles de grandeur. Héritier de César et d'Auguste, un jeune empereur soumis et plutôt populaire — malgré déjà plusieurs meurtres — laisse le pouvoir à sa mère : elle s'appelle Agrippine, elle a succédé à Messaline dans le lit de l'empereur Claude et, pour elle d'abord mais aussi pour son fils, elle est dévorée d'ambition. Son fils s'appelle Néron.

Cartaphilus, bien entendu, ne sait presque rien des intrigues et des luttes au sommet de l'Empire. Ce qui l'occupe, ce sont ses souvenirs, qui sont encore tout frais — il y a une vingtaine d'années à peine que l'homme de Nazareth a été crucifié —, et le sort du peuple juif. Ce qui le rattache à une vie dont il redoute déjà d'être exclu à force d'y être enfermé, c'est l'avenir de cette poignée d'hommes élus par le Tout-Puissant et auxquels il appartient, menacés à la fois par les Romains conquérants qu'il a servis à Jérusalem en la personne de Ponce Pilate et par les chrétiens qu'il exècre et qu'il aime, peut-être jusqu'à la folie, à travers Marie-Madeleine et le Galiléen.

À Rome, il erre, il marche, il parcourt les sept collines, il s'engage sur la via Appia, sur la Salaria, sur la Flaminia, il traverse les monts Sabins et la sinistre Maremme, et il ressasse ses griefs. Un soir d'automne, près de l'*Ara Pacis,* l'autel de la Paix d'Auguste, il est pris dans une bagarre pour des motifs futiles. Il est seul contre trois gaillards qui ne sont pas des mauviettes : un colosse blond, venu de Gaule ou peut-être de Bretagne, et deux bruns, l'air mauvais, et qui empestent l'ail. À l'école de Barrabas, il a appris à se battre. Il se débarrasse l'un après l'autre de ses trois adversaires. Quand il relève la tête, encore sonné par le combat, hirsute, le souffle court, le visage et le corps en sang, il aperçoit une petite troupe de quelques hommes qui entourent une litière. La litière est arrêtée. Les hommes, qui sont des soldats, l'observent en rigolant. Il les regarde avec hargne : ce n'est pas pour se donner en spectacle à des imbéciles hilares qu'il vient de recevoir tous ces coups et d'en rendre encore plus. Sa mauvaise humeur s'atténue quand il voit les rideaux de la litière s'écarter légèrement et une main en surgir. La main est fine et blanche. Elle s'agite avec légèreté, elle éloigne les soldats, elle lui fait signe d'approcher. Il s'avance. Une voix de femme s'élève dans un murmure à peine perceptible.

— Monte auprès de moi.

Il ne se le fait pas dire deux fois, il oublie ses membres froissés et le sang qui coule sur son menton, il grimpe sans se faire prier dans la litière qui sent bon et, dans la nuit qui tombe, il distingue la femme la plus belle qu'il ait jamais aperçue depuis Marie de Magdala.

— Vous aimez les femmes ? dit Marie.

— Vous me plaisez beaucoup, dit Simon.

— Ah ! dit Marie, je veux dire les autres femmes, les femmes en général.

— Qu'est-ce que les hommes feraient sans elles ? dit Simon Fussgänger. Et que feraient les femmes sans les hommes ? Le monde avance et survit parce qu'il y a des hommes et des femmes et parce qu'ils font des enfants. Il n'y aurait plus de monde s'il n'y avait plus d'enfants. Pour vous, qui n'êtes pas immortels, l'amour remplace l'éternité.

— Un jour, peut-être, dit Marie, les femmes n'auront plus besoin des hommes pour fabriquer des enfants. Et, un jour, peut-être, les enfants se feront tout seuls.

— C'est bien possible, dit Simon. Tout est possible. Il est possible aussi que nous quittions la planète. Vous savez, n'est-ce pas ? que la Terre n'est pas éternelle et qu'elle finira.

— C'est l'histoire, dit Marie, du type, un peu comme vous, qui fait une conférence.

— Je ne fais jamais de conférence, dit Simon, très doucement.

— Enfin, bref, il en fait une et il explique que le

Soleil va s'user comme une pile à bout de course, comme une bougie, comme un foyer qui s'éteint peu à peu et que, dans quatre milliards d'années, il n'y aura plus aucune vie sur la Terre. À ce moment-là, un auditeur s'écroule, évanoui. Deux ou trois dames se précipitent, lui passent de l'eau sur le front, lui tapotent les joues, le raniment.

— Que s'est-il passé ? lui demandent-elles.

— Vous n'avez pas entendu ?

— Entendu quoi ?

— Ce qu'a dit l'orateur.

— Qu'a-t-il donc dit ?

— Que le monde allait disparaître dans quatre millions d'années.

— Mais non ! Il a parlé de quatre milliards d'années.

— Ah ! bon ! j'avais entendu quatre millions.

Et il se relève, rassuré.

— Oui, c'est ça, dit Simon. Un peu plus tôt, un peu plus tard, un peu plus tôt peut-être par la faute des hommes, quatre milliards, quatre millions, personne n'en sait trop rien. Mais tout ça finira.

— Tant mieux pour vous, dit Marie.

— Oui, bien sûr..., tant mieux pour moi... Mais les hommes sont si malins, si fous et si malins, ils sont devenus si fort qu'ils inventeront autre chose. Ils partiront pour une autre planète, pour une autre galaxie. Ou ils construiront un autre soleil.

— Et vous, alors ?... dit Marie.

— Je ne sais pas..., dit Simon. Je ne sais pas. J'espère que je n'irai pas marcher sur une autre planète, dans une autre galaxie. J'espère que je ne suis lié qu'à la Terre comme elle est, à cette vieille histoire, aussi usée que moi, où le seul moyen pour une femme de fabriquer des enfants est de les faire avec un homme. Les vieilles gens, vous savez, sont toujours un peu conservateurs. Pendant des millénaires, il n'y a rien eu de plus fort que l'attraction universelle et pourtant toujours singulière entre un homme et une femme, ce que, plus tard, pour faire bien, et pour souligner un peu plus sa fatalité irrésistible, et pourtant passagère, on a appelé la passion. Vous connaissez naturellement le dernier vers, et le plus beau, de *La Divine Comédie* :

> *L'amor che move il sole e l'altre stelle.*

— Naturellement, dis-je très vite.

— Menteur ! dit Marie.

— Il n'y a jamais rien eu, chez les hommes, de plus fort que cette faiblesse, de plus impitoyable que cette tendresse, de plus égoïste que cette soumission à un autre, de plus durable à travers l'histoire et de plus puissant à jamais que cet élan passager. C'est pour cette raison, j'imagine, que l'amour tient tant de place dans la musique, dans la poésie, dans la peinture, dans le théâtre. Jusqu'au siècle dernier, si vous faisiez disparaître d'un coup de baguette magique tout ce qui a trait à la religion, un pan immense de notre peinture, de notre sculpture, de notre architecture s'écroulait aussitôt. De quoi aurait eu l'air la peinture occidentale jusqu'au XVIIIe siècle sans la crucifixion et sans la sainte Famille ? De la masse immense de nos livres, et surtout de nos romans, supprimez tout ce qui relève des passions de l'amour, je ne dis pas qu'il ne reste rien — il resterait la foi et le savoir, des contes, des fables, des Mémoires, les aventures des hommes, les récits de Conrad, la *Critique de la raison pure*, la *Phénoménologie de l'esprit*, des vaudevilles militaires, Alphonse Allais et Kafka, un bout de *Polyeucte*, le rêve d'*Athalie*, la *Bhagavad-Gîtâ* et le *Popol Vuh*, des fragments de *Don Quichotte* et de *Gargantua*, des passages de *L'Iliade* et, à la rigueur, de *L'Odyssée*, les voyages d'Ibn Battûta, ce qui n'est déjà pas si mal —, mais un typhon peut-être salvateur passerait sur les rayons de nos bibliothèques. Car tout le monde sait que l'amour qui a fait tourner les étoiles est devenu, avec le temps, le ramassis et la source des pires stupidités.

— Des stupidités ? dit Marie.

— J'ai toujours eu un faible pour les stupidités. Et pour les histoires d'amour. L'ineffable concert ne se tait jamais dans le monde. « Un oiseau bleu sous les étoiles, c'est impossible ? Pourtant mes yeux l'ont vu... Eh bien ! tâche que ce soit un beau conte à conter dans les jardins de l'Oronte. » C'est de Maurice Barrès, qui ne m'aimait pas beaucoup, je crois, dans un bien joli livre : *Un jardin sur l'Oronte*. L'avez-vous lu ?

— Non, dit Marie.

— Vous devriez, dit Simon.

D'une beauté légendaire, Poppée était la femme de Rufus Crispinus. Rufus Crispinus était préfet du prétoire.

Pendant plus de quatre siècles, depuis Auguste qui l'avait créée jusqu'à l'invasion des Barbares, la charge de préfet du prétoire fut l'une des premières de l'Empire. Le prétoire était à l'origine le nom donné à la tente du préteur ou du général en chef dans un camp romain, plus tard, à la demeure du préteur dans sa province. Au temps des consuls et de la République, on donna le nom de prétoriens ou de garde prétorienne aux cohortes d'élite chargées de la protection d'un général en chef romain, préteur, consul ou dictateur. Après la fin de la République, le nom passa tout naturellement aux cohortes, au nombre de dix ou quinze, qui formaient, à Rome, la garde de l'empereur. Leur camp était fortifié. Leur puissance était redoutable. À plusieurs reprises, au cours de l'Empire, des prétoriens donnèrent et ôtèrent le pouvoir impérial. Une fois même, ils le vendirent à l'encan. Le chef des prétoriens était le préfet du prétoire. Rufus Crispinus, le mari de Poppée, était préfet du prétoire.

La mère de Poppée était déjà très belle. Elle avait eu le malheur de plaire à la folie à l'un des innombrables amants de Messaline, la première femme de l'empereur Claude. L'impératrice avait fait coup double : après avoir accusé sa rivale d'être la maîtresse du propriétaire des fabuleux jardins de Lucullus, qu'elle convoitait depuis longtemps, et de comploter en secret avec lui contre l'empereur, elle avait fait tuer l'une et s'était emparé de tous les biens de l'autre. La fille avait pris sa revanche : femme du commandant de la garde préto- rienne, l'équivalent, si vous voulez, d'un chef du K.G.B. ou de la C.I.A., ou alors d'un Fouché un peu plus militaire, ou, si vous préférez, d'un lieutenant d'Al Capone ou d'un Lucky Luciano installé à la Maison- Blanche, Poppée appartenait au petit cercle d'intimes que supportait l'empereur. C'étaient les prétoriens qui, à la mort de Claude, assassiné par sa deuxième femme Agrippine, avaient porté Néron au pouvoir. Néron, du coup, était payé pour savoir que les prétoriens devaient être entourés de méfiance et de soins. Et le préfet du prétoire, en retour, n'ignorait rien de sa puissance et des risques qu'il courait : les prétoriens faisaient et défai- saient les empereurs, mais l'empereur, de son côté, avait droit de vie et de mort sur ses soldats et sur leurs chefs, et le moindre de ses caprices pouvait les contrain- dre au suicide. Tout ce petit monde se flatte, se craint, s'épie, vit ensemble, soupe ensemble, va au théâtre ensemble, assiste ensemble aux jeux sanglants du cirque et ne cesse de se soupçonner et de se surveiller. Poppée s'ennuie un peu. Elle n'aime plus son mari, si elle l'a jamais aimé. Elle aspire à autre chose, mais à quoi ? et, en attendant mieux, elle ramasse Cartaphilus près de l'Ara Pacis.

La nuit déjà tombe sur Rome. Dans la litière étroite- ment close par des rideaux de cuir, entourée des soldats de la garde prétorienne, elle éprouve un plaisir encore accru par le danger. Elle découvre quelque chose qu'elle ne connaissait pas.

La fin commence avec Alaric. Jusqu'à lui, les Romains pouvaient encore s'imaginer que les troubles, les Barbares, les chrétiens, les guerres perdues, l'imbécillité ou l'ignominie des empereurs n'étaient qu'un mauvais moment à passer et que la Ville éternelle allait retrouver sa grandeur et durer à jamais comme elle durait depuis toujours. Pour les sociétés comme pour les hommes, rien n'est plus difficile que de deviner si le déclin et la mort sont déjà pour demain ou s'ils attendront encore quelques heures, quelques jours, quelques années, quelques siècles. Les chrétiens ne doutaient pas de la chute inéluctable de la Rome des païens — mais la plupart d'entre eux croyaient aussi dur comme fer que le monde, lui non plus, ne durerait plus très longtemps, que le Jugement dernier était proche et que le Christ, dans sa gloire et dans sa toute-puissance, était sur le point de revenir dans la vallée de Josaphat. Beaucoup de poètes et d'hommes d'État épris de tradition n'avaient que mépris pour ces visions hystériques et pour ces billevesées tirées de l'*Apocalypse :* les légions étaient encore puissantes et la Ville était éternelle.

Alaric appartenait à la famille des Balthes qui avait fourni beaucoup de rois au peuple des Wisigoths. Il était né quelque part dans le delta du Danube. L'empereur Théodose le Grand, qui avait réunifié l'Orient et l'Occident et donné, avant la chute, un dernier éclat à l'Empire, avait dû compter avec lui et l'avait couvert d'honneurs. Alaric en avait profité pour attaquer la Thrace, menacer Constantinople, ravager la Grèce, envahir l'Italie et s'emparer de Rome. Il y avait huit cents ans, presque jour pour jour — depuis l'attaque des Gaulois en 390 —, que la Ville éternelle n'avait plus connu d'invasion.

La chute de Rome ébranla non seulement l'Empire, mais le monde. Elle fit un bruit énorme. Tous sentaient que quelque chose, qui avait été assez grand, était en train de s'achever et que l'histoire partait sur des bases nouvelles. Les esprits conservateurs et chagrins accusèrent le christianisme d'avoir affaibli l'Empire et précipité son déclin. Si Rome, disaient-ils, était restée fidèle à ses dieux de toujours et à ses traditions, elle eût été sauvée. C'est pour répondre à ces plaintes et à cette amertume des païens effondrés que saint Augustin écrit, en Afrique du Nord, à Hippone, près de Bône, l'un des plus grands livres de tous les temps, l'un de ceux dont l'influence s'est fait sentir le plus longtemps : *La Cité de Dieu*. Avant d'aborder le problème du bien et du mal et de la création de l'univers, il y explique non seulement que le christianisme est innocent des malheurs qui accablent Rome, mais encore que c'est une chance pour la Ville de puissance et d'orgueil d'être vaincue par des chrétiens qui ne massacrent pas tout sur leur passage et qui respectent la vie, les églises, les souvenirs de la gloire, la religion. C'est la victoire d'Alaric, Barbare chrétien et arien, destructeur du passé, annonciateur de l'avenir, sur la Rome traditionnelle qui est à la source de l'ouvrage capital qui va marquer, tout au long des siècles, l'histoire du christianisme : le premier livre à être imprimé en Italie, à Subiaco, en 1467, est *La Cité de Dieu*.

Le fossoyeur de Rome était un Barbare illettré que la culture fascinait. Il rêvait moins de détruire tous les trésors de la tradition que de se les approprier. Il avait fait venir auprès de lui des Romains, des Gaulois, des Grecs, des Byzantins qui l'éblouissaient par leur savoir, par leur goût, par leur aisance dans la beauté. Parmi eux, Démétrios, ce grammairien et rhéteur byzantin dont les mieux informés — qui se trompaient, comme toujours — murmuraient qu'il était romain, qu'il avait servi dans les légions impériales et qu'il s'appelait Cartaphilus.

— Es-tu romain ? lui demandait Alaric.

— Bien sûr que non, répondait Démétrios.

— Je te crois, disait Alaric.

— Tu as raison, disait Démétrios. Je suis juif.

Alaric le regardait. Un Juif pour un Wisigoth, c'était un être venu d'ailleurs, une créature improbable, une sorte de monstre de légende.

La veille de son entrée dans Rome, après avoir reçu des émissaires de la Ville assiégée à qui il avait promis de faire preuve de miséricorde, Alaric fit venir Démétrios sous sa tente. Un événement formidable était en train de se préparer. Le Barbare voulait s'entretenir avec un homme dont la sagesse était reconnue par beaucoup.

— Je sens en moi, dit le Barbare, quelque chose qui m'incite à ne pas laisser pierre sur pierre de la Ville éternelle.

— Que laisseras-tu donc à ces Romains qui ont dominé le monde ? demanda le rhéteur.

— La vie, répondit Alaric.

L'esprit de Démétrios était hanté de grandes cités ravagées. Il se souvenait de Néron et de l'incendie de Rome, il se souvenait de la destruction par Titus du Temple de Jérusalem. Peut-être était-il fatigué de brûler et d'abattre. Peut-être aussi, en secret, peut-être à l'insu de lui-même, était-il pris de pitié pour cette grandeur qui s'écroulait, qu'il avait tant haïe et qu'il avait tant admirée et dont il avait fini de se venger. Il tenta de détourner Alaric de son projet de raser Rome.

— Si je laisse la Ville debout, demanda Alaric, comment marquerai-je mon passage, comment marquerai-je ma victoire ?

— Par un de ces gestes minuscules et immenses qui se gravent à jamais dans les mémoires avec plus de force que les pillages et que les incendies, répondit Démétrios.

— Que proposes-tu ? dit Alaric, avec un peu de méfiance.

— De mettre fin à quelque chose qui dure depuis toujours. Au lieu de détruire comme tout le monde, tu feras quelque chose de neuf qui traversera les siècles : tu éteindras le feu au lieu de l'allumer.

C'est ainsi qu'Alaric, dans l'été 410, renonçant, sur les conseils d'Ahasvérus, à réduire Rome en cendres, et donnant naissance, du même coup, à *La Cité de Dieu* d'Augustin, éteignit le feu sacré que les vestales entretenaient à Rome depuis plus de mille ans.

Marie voulut retourner à San Giorgio degli Schiavoni, avec Simon Fussgänger, voir le portrait de saint Augustin par Vittore Carpaccio. Elle resta longtemps silencieuse à regarder le tableau où, la première fois, avec moi, elle n'avait remarqué, dans les rires, que le petit chien frisé assis à gauche, sur son derrière, aux pieds du Père de l'Église saisi par le peintre dans l'instant même où une lumière divine, qui fige les choses et les êtres — et jusqu'au caniche blanc lui-même, médusé par tant d'honneur —, tombe du ciel par la fenêtre de droite pour annoncer à saint Augustin la mort de saint Jérôme, le traducteur de la Bible, son collègue et rival dans les sciences de l'homme et de Dieu.

— Alors, c'est lui ? dit-elle enfin.

— C'est lui, dit Simon Fussgänger. C'est lui et ce n'est pas lui. Il ne ressemblait en rien à l'image que vous avez devant vous et je peux vous assurer que le décor n'est pas celui de l'époque. Ni la robe, ni la chaise, ni la table, ni la barbe, ni la bibliothèque ne sont celles d'Augustin.

— Et d'où viennent-elles, demanda Marie, si elles ne viennent pas d'Augustin ?

— De Carpaccio, bien sûr. Ou du moins de son temps. Il est aussi impossible de sortir de son temps que

211

de sortir de son corps. Nous sommes prisonniers de beaucoup de choses, mais d'abord de ce temps où notre liberté se déploie, ou croit se déployer. Le génie de Carpaccio ne consiste pas à ressusciter un passé que personne ne ressuscite. Il consiste à témoigner pour l'avenir sur son propre présent. Vous avez devant vous le cabinet de travail d'un humaniste de la Renaissance. Un homme du XVIe siècle qui dépeint un homme du IVe siècle ne peut le représenter que dans les termes du XVIe siècle. Regardez le plafond : c'est un plafond à caissons. Regardez les livres : ce sont des livres de la Renaissance. Carpaccio pousse même le bouchon un peu loin : non seulement il reproduit une statue et des bibelots qui ne peuvent être ciselés que par un Donatello ou par un Benvenuto Cellini, mais il colle dans le décor, à deux pas de saint Augustin, une superbe sphère armillaire, suspendue au plafond et déjà très savante. Naturellement, la mémoire et l'imagination sont appelées à la rescousse et elles font de leur mieux : ce sont toujours la mémoire et l'imagination d'un homme de son époque. Il y a souvent chez Carpaccio une espèce de lumière et d'immobilité orientales. Elles ont pu faire croire que le peintre avait visité Constantinople et la Terre sainte. Ici, vous avez plutôt un intérieur qui a quelque chose de clos, de confortable, de soigné, d'un peu flamand peut-être. Tout est bien rangé à sa place, avec des niches bien astiquées et des meubles où il doit faire bon s'installer. C'est que la peinture hollandaise avait frappé Carpaccio. Venise, Constantinople, les Flandres, Jérusalem peuvent bien agir sur lui. Ce qui lui est interdit, comme à vous, comme à nous tous, c'est de remonter le temps et de ressusciter saint Augustin tel qu'il était vraiment. L'espace est la forme de la puissance des hommes, le temps est la forme de leur impuissance.

— D'une époque à une autre, il y a pourtant des

212

liens. Vous n'êtes pas le seul à nous relier au passé. Nous en apprenons même de plus en plus sur une histoire de plus en plus lointaine. Par les fouilles, par les livres, par la télévision et les films, nous commençons à deviner comment les hommes sont devenus des hommes. Même moi, je sais à peu près comment vivaient Néron, Alaric, Frédéric II, Christophe Colomb, comment ils s'habillaient et de quoi ils avaient l'air. Même moi, qui ignore tout, je ne vois pas Chateaubriand sous les traits de Pétrone, ni Ponce Pilate en inquisiteur de la Renaissance espagnole. Même sans vous, nous les distinguons et nous nous faisons une idée de leur image et de leur allure.

— Nous les rêvons. Nous nous appuyons, bien entendu, sur des témoignages et des documents. Mais nous ne pouvons rien faire d'autre que de les imaginer, à peu près de la même façon que nous imaginons des héros de légende ou de roman et des personnages de fiction qui n'ont jamais existé.

— D'un conquérant à l'autre, d'un peintre à un historien, d'un philosophe de l'Antiquité à un romancier d'aujourd'hui, il y a des chaînes qui se nouent. Augustin parle d'Alaric qui rêve peut-être de César ou d'Auguste, Carpaccio peint Augustin, et Sartre — vous voyez : je m'en souviens — explique Carpaccio et le compare à Tintoret. Il n'y a pas de muraille de Chine entre un siècle et un autre. Les hommes meurent, et ils se souviennent.

— Ils se souviennent, oui, oui, ils se souviennent... Mais le souvenir n'est rien d'autre qu'une espèce d'imagination, appuyée sur du réel et bloquée par l'histoire. Chacun crée sa propre histoire, chacun invente son réel. Vous savez bien qu'il y a autant de César ou d'Auguste qu'il y a d'historiens, que la Révolution française n'est pas la même vue d'un côté ou de l'autre, et que Charlemagne n'avait pas de barbe.

Rien n'est plus difficile que de retrouver le passé, son parfum inimitable, son allure, ses mystères. Nous avons déjà du mal à nous souvenir de ce que nous avons vu et connu. Comment nous souviendrions-nous de ce que nous racontent les livres, les fouilles, la tradition, les chroniques et les Mémoires de témoins qui sont autant de partisans ? Nous inventons nos passés. C'est ce que fait Carpaccio quand il représente Augustin en moine de la Renaissance, mâtiné de cardinal, dans un cabinet flamand, vu par un Vénitien.

— Mais vous..., dit Marie.

Je la regardai. Elle s'arrêta brusquement.

— Mais moi ?... dit Simon.

— Mais vous, reprit Marie, quand vous vous souvenez de Néron, d'Alaric, de la Venise d'autrefois...

— Je fais comme tout le monde, dit Simon, j'invente, mais avec des souvenirs.

Il hésita un instant.

— Je crois que c'est la première fois que je m'exprime aussi librement. Il faut que ce soit vous et que ce soit Venise — c'est-à-dire une île plus enchantée que les îles de Circé, de Prospero, des fêtes galantes, le seul endroit de la Terre qui soit si peu terrestre. Ici, avec vous, l'idée que je me fais d'Alaric, de Néron, de Ponce Pilate, de Simon de Cyrène n'est pas très différente, j'imagine, de l'idée que vous vous faites de Staline, de Pétain, de Mao, du général de Gaulle, de tous ces personnages que vous avez côtoyés de très près — de bien plus près que moi avec tous mes grands hommes — puisqu'il vous arrive, j'imagine, de jeter un coup d'œil sur les journaux et sur la télévision. Jamais le monde n'a été aussi proche de chacun d'entre nous.

— Vous savez, dit Marie, Pétain, pour moi, c'est bien loin. Ce que je me demande, c'est comment vous pouvez, vous, vous souvenir de tant de choses et de tant de visages et vous y retrouver...

214

— Je ne suis pas si vieux, dit Simon. Je…

— Ah ! mon Dieu ! dit Marie.

— Mais non ! dit Simon. Mais non, je vous assure. Il y a beaucoup de gens qui vivent cent ans. Imaginez vingt personnes qui, à des époques successives, auraient vécu cent ans. Vingt personnes : ce n'est pas beaucoup. Elles tiendraient sans aucune peine dans cette minuscule Scuola di San Giorgio où nous regardons les Carpaccio. Et elles en auraient vu, à elles vingt, tout autant que j'en ai vu.

— J'essaie de me figurer…, dit Marie.

— Chacun d'entre vous fait déjà l'expérience d'un temps qui change de rythme dans le bref parcours de la vie. Quand on est jeune, le mois suivant semble perdu dans l'avenir. À mesure que vous vieillissez, les semaines, les mois, les saisons, les années accélèrent leur allure et se bousculent autour de vous. Le printemps et l'hiver se succèdent plus vite pour le vieillard que les jours au temps de l'enfance. Ils sont à peine écoulés que déjà ils reviennent. C'est ce qui se passe pour moi avec les années, avec les siècles. Je vois défiler les modes, les passions, les croyances, les religions. Je vois le sacré s'évanouir, la nouveauté s'émousser, le progrès se changer en routine, les esprits se retourner et découvrir avec enthousiasme ce qu'ils avaient abandonné, trente ans plus tôt, avec lassitude ou dégoût. Tout roule et dégringole, tout surgit et disparaît à des vitesses prodigieuses. Le Chemin des Dames, les uhlans, les crinolines, les diligences, c'est déjà loin. Les invasions barbares, la destruction par Titus du Temple de Salomon, les débuts de l'Empire romain ne sont pas beaucoup plus loin. C'est comme si vous compariez ce que vous avez fait hier avec ce qui s'est passé il y a quelques années, avec la *Recherche du temps perdu* ou la fin de Hitler.

Un autre monde, bien sûr. Et pourtant toujours le même.

— Eh bien, lui dit Marie, vous êtes un vrai jeune homme.

— En doutiez-vous ? dit Simon.

— Je crois qu'elle m'a aimé autant qu'elle pouvait aimer. J'étais fou d'elle. Elle avait le visage le plus pur, les traits les plus réguliers : je l'ai beaucoup regardée. Ses longs cheveux couleur d'ambre tombaient en boucles le long de son cou. Ses grands yeux clairs pétillaient. Elle riait tout le temps. À cette gaieté, à cette pureté s'unissait l'audace la plus folle. Elle osait tout. Elle était moins cruelle que Messaline : elle aimait s'amuser. Elle était moins avide de pouvoir qu'Agrippine : elle avait besoin de plaisir. La première fois que je l'ai vue, près de l'Ara Pacis, au coucher du soleil, dans sa litière entourée de soldats, à sa dévotion il est vrai et dont elle achetait le silence d'une façon ou d'une autre, je lui en ai donné par-dessus la tête.

C'est elle qui a voulu me revoir. Je ne demandais pas mieux. Elle n'en pouvait déjà plus de son préfet du prétoire. Elle se servait encore de lui. C'est par elle, c'est par lui que je suis entré chez les prétoriens. Je savais me battre. Ils m'ont adopté. Je suis devenu légionnaire dans la cohorte la plus prestigieuse. La nuit, souvent, j'allais la rejoindre. Elle m'attendait. Je passais d'abord par une suivante qui s'assurait que le chemin était libre. Deux ou trois fois, j'ai dû battre en retraite parce que Rufus Crispinus était arrivé à l'improviste ou qu'ils avaient été, soudain, elle et lui, en plein milieu de la nuit, convoqués d'urgence par l'empereur qui voulait jouer du luth ou réciter des vers ou voir mettre à mort, en joyeuse compagnie, quelque pauvre diable effaré et qui avait envoyé Tigellin ou Pétrone, l'arbitre des élégances, le surintendant des plaisirs, les chercher tous les deux. Quand il n'y avait pas d'obstacle, la suivante me menait jusqu'au seuil de la pièce où Poppée, impatiente, marchait de long en large. Je tenais à la main mon casque ouvert surmonté d'une aigrette, je portais l'uniforme des cohortes prétoriennes avec la cuirasse et les bottines de cuir. Je crois que ça l'excitait. Elle était presque nue. Presque nue, mais non nue. Elle avait l'art de la suggestion, de la transparence, du décolleté. Elle tournait autour de moi. Elle m'aguichait. Elle se collait à moi, et puis elle se refusait. Elle se jetait à mes genoux, elle m'entourait de ses bras, elle mettait sa tête contre mon ventre. Je lui arrachais ses vêtements. Elle aimait ça. Elle criait. Je lui mettais la main sur la bouche. Elle me mordait jusqu'au sang.

La servante qui me menait à elle, une esclave, je crois, ou une affranchie, était très brune, avec des yeux noirs et un drôle de sourire. Une ou deux fois, par jeu, avant d'arriver chez Poppée, je la serrai contre moi. Poppée nous vit. Elle me demanda si la petite me plaisait.

— Moins que toi, lui dis-je.

C'était vrai.

— Si elle te plaisait…, me dit-elle.

— Si elle me plaisait ?…

— Elle ne me déplairait pas, me dit-elle.

À deux, à trois, parfois à quatre ou six, nous eûmes des nuits inoubliables. C'est quand nous nous retrouvions seuls, elle et moi, après l'amour, que, trop épuisés pour faire autre chose, nous nous mettions à parler. Elle me racontait ce qui se passait dans le palais de l'empe-

reur : je finissais par en savoir autant que l'arbitre des
élégances sur la cour de Néron, sur ses fêtes pleines de
sang, sur les banquets interminables dans les jardins de
Lucullus ou sur les pentes du Palatin où, avant de
sombrer dans l'ivresse, tout le monde s'empiffrait de
crêtes de coq farcies et de langues de faisan ou de paon
rôties au miel à la façon d'Apicius, sur la manie de
l'empereur de déclamer des vers, applaudis à tout
rompre, dont il était l'auteur, sur Tigellin, sur Othon,
sur Pétrone lui-même, les intimes de Néron.

Il y avait déjà quelque temps que, pour se débarrasser
d'un rival et ôter à sa mère un moyen de chantage,
Néron avait empoisonné Britannicus qui — voyez
Racine si nécessaire — avait plus de droits que lui sur le
trône impérial. J'assistais, du lit de Poppée, au déroulement parallèle des affaires publiques et privées. Poppée
avait soif d'honneurs et surtout de plaisirs, elle en avait
par-dessus le dos de Rufus Crispinus qui, malgré son
poste et sa puissance, finissait par lui paraître besogneux
et obscur. Pour se rapprocher encore du maître de
l'univers, dont la cruauté, le mauvais goût, le caboti-
nage la fascinaient, elle se jeta — ou peut-être Néron
lui-même la jeta — dans les bras d'Othon, une grosse
brute assez molle, perdue de luxe et de dettes, qui était,
avec Tigellin, l'ami le plus intime de l'empereur.

— Étiez-vous jaloux ? demanda Marie très vite, les
yeux brillants, en se penchant en avant avec cette
audace qui me consternait.

— Comment aurais-je pu être jaloux du spectacle de
Poppée puisque c'était moi qui le montais ? Plutôt que
le rôle de l'amant trompé, je tenais celui du conseiller,
du metteur en scène, de l'imprésario. J'ose dire que
c'est grâce à moi — et elle n'est pas la seule — que
Poppée est parvenue jusqu'aux sommets de son temps.
Je couchais avec Poppée, je la serrais dans mes bras, je
caressais ses seins et ses jambes, plus d'une fois, au

matin, nous n'en pouvions plus de fatigue et, d'une certaine façon, de bonheur. Nous nous chuchotions des folies, nous nous moquions de nous-mêmes. Ni pour elle ni pour moi, il ne pouvait être question de vie commune, encore moins de mariage. Elle voulait le luxe et tous les plaisirs. Je n'oubliais pas le motif de ma venue à Rome : je voulais aider mes frères juifs à se libérer de leurs occupants, je voulais me venger de Rome que j'avais servie si longtemps. Ce secret-là, je ne l'avais confié à personne, même pas à elle. Il me semblait que le chemin le plus sûr était de donner à Poppée — et de recevoir aussi d'elle — le plus de plaisir possible et de la rapprocher de l'empereur et du pouvoir absolu.

Rufus Crispinus disparaît de la scène où il n'a fait qu'apparaître. Poppée épouse Othon. C'est là que les choses se compliquent.

— Quelle époque ! dit Marie.

— Elles se valent toutes, dit Simon.

— Croyez-vous ? dit Marie. Il me semble qu'il y en a de délicieuses et qu'il y en a de sinistres.

— Je me demande, dit Simon, si l'histoire, comme la vie, ne passe pas son temps à rétablir l'équilibre. C'est Aldous Huxley, je crois, qui prétendait que, dans le bilan de toutes les existences, les comptes bonheur et malheur finissent par se valoir. Dans tous les grands malheurs se glisse un peu de bonheur — et d'autant plus intense. Le bonheur, au contraire…, le bonheur s'use jusqu'à se détruire. Il faut attendre qu'il disparaisse pour comprendre qu'il était là. J'espère qu'on écrira un jour une histoire des sentiments, et d'abord du bonheur. Elle réservera des surprises.

— Eh bien, moi, dit Marie, je pense que votre Huxley n'a pas le sens commun. Tout le monde sait qu'il y a des vies plus heureuses que les autres. Et des périodes de l'histoire moins enviables que les autres.

— Je n'en suis pas sûr, dit Simon. Je crois que tout, dans la vie, je crois que tout, dans l'histoire, a ses compensations.

— Je vous laisse vos compensations. Et je vous souhaite bien du plaisir à travers tous vos siècles.

221

— Marie !... dis-je à mi-voix.

— Laisse-moi !... dit Marie. Simon sait bien que je ne veux pas le blesser...

— Vous ne me blessez pas, dit Simon. Vous êtes peut-être même la première à si peu me blesser...

— Ce que je voulais dire, c'est que je n'aurais pas voulu vivre à l'époque de la peste noire. Je n'aurais pas aimé être romaine au temps des grandes invasions. Il fallait être lingère ou danseuse ou comtesse à Paris vers le milieu du XVIIIe siècle. Ou vivre à la campagne, aux environs de Londres, à la fin du siècle suivant. Le rêve, au moins pour un homme, ne serait-il pas d'être grec dans l'Athènes de Périclès ? Et votre Néron est odieux.

— Pas beaucoup plus odieux qu'un empereur de Chine, qu'un seigneur féodal, que la plupart de ceux, quels qu'ils soient, qui ont un peu de pouvoir. Je vais vous raconter une histoire...

— Encore une ! dit Marie. Si nous finissions d'abord celle de Poppée ?

— Non, non, dit Simon. Il s'agit toujours des femmes et des hommes et de regarder leurs passions se mêler à l'histoire. Vous allez voir : on croit que c'est différent — et c'est toujours la même chose.

— Aussi sordide ? demanda Marie.

— Aussi sordide, dit Simon. Aussi inoubliable. C'est une histoire d'amour.

— Une histoire d'amour ? dit Marie. Ah ! bon. Alors, allez-y.

Elle se secoua un peu, à la façon d'un jeune chien, et elle s'installa comme il faut, la tête sur mes genoux.

— Connaissez-vous la rue de Laborde ? demanda Simon à Marie.

— La rue de Laborde ?... À Paris ?

— À Paris, dit Simon.

— Bien sûr, dit Marie. Du côté de Saint-Augustin, du boulevard Malesherbes, du boulevard Haussmann.

— Elle doit son nom à une famille française qui portait le nom de Laborde. J'étais le jardinier du marquis de Laborde. Enfin, un de ses jardiniers. Mettons un aide-jardinier. Je transportais de la terre. J'étendais le fumier. Je courais à travers le parc avec des sacs sur le dos. Nous aurions pu nous retrouver : c'était tout juste l'époque où vous auriez aimé être lingère, ou danseuse, ou comtesse.

Au château de Méréville, dans le Hurepoix, en Beauce, à une vingtaine de kilomètres au sud d'Étampes, les danseuses, les comtesses, les lingères ne manquaient pas. Monsieur le marquis était né en Espagne. Il s'était installé à Bayonne. Il était devenu banquier et fermier général. Il se mettait de l'argent plein les poches. Il était riche à millions. Il était cultivé, libéral, tolérant, très aimable. Il avait prêté de l'argent au roi pendant la guerre de Sept Ans et pour aider les Américains à se libérer des Anglais. Rien n'enrichit les

223

riches comme de donner leur argent. Ils le récupèrent au centuple. La fortune rend séduisant. Le marquis de Laborde — le roi, pour le remercier, avait fait un marquis du banquier — était très séduisant. Il avait un goût exquis, il aimait les belles choses. C'était un amateur, un bâtisseur, un artiste. Il avait acheté le château de Méréville et il avait fait dessiner le parc par le peintre Hubert Robert. Vous connaissez Hubert Robert ?

— Les ruines ? risqua Marie.

— Bravo, dit Simon. Les ruines imaginaires. Les monuments antiques et les scènes pittoresques. La lumière diffuse. La mélancolie préromantique dans des décors classiques. C'est un goût qu'il avait pris à Rome où l'avait fait venir l'ambassadeur de Louis XV auprès du pape Benoît XIV, le futur duc de Choiseul, un autre libéral absolument irrésistible, catholique et athée, libertin et savant, amateur de beautés. Ce qu'il y a, avec la beauté, c'est qu'il faut des esclaves pour lui permettre de surgir. Les monuments si chers à notre culture bien-aimée sont des assassins méconnus. L'Acropole, les Pyramides, la Grande Muraille de Chine, le château de Versailles, les palais du Grand Moghol à Fatehpur Sikrî ont tué autant de gens que les famines et les guerres. Ils les ont fait vivre d'abord, ils les ont tués ensuite. Méréville tuait moins que les pyramides de Chéops ou de Teotihuacán. Mais il y avait le monde des maîtres et le monde des esclaves. J'ai connu l'un et l'autre. En ce temps-là au moins, j'étais du monde des esclaves.

Monsieur le marquis de Laborde, mon maître, que je n'ai jamais vu que de loin, entouré de grands seigneurs et de dames de la cour, avait une fille ravissante. Elle était née pour tous les bonheurs. Elle s'appelait Natalie.

J'ai rencontré plusieurs fois Mademoiselle Natalie. Elle était dans cet âge incertain que dépeignent souvent, aujourd'hui, les tableaux de Balthus : elle n'était déjà plus une petite fille, elle n'était pas encore une jeune fille. Elle se promenait dans le parc, une ombrelle au-dessus de la tête. Elle partait pour la chasse, un fusil à la main. Elle dansait, elle pique-niquait, elle séduisait les vicomtes, les barons, les marquis. Elle séduisait les valets de pied et les garçons de ferme.

— Elle vous a séduit ? demanda Marie.

— Elle était belle, dit Simon. Et elle était moins sotte que vous ne pourriez le craindre. Je n'irai pas prétendre que nous avons joué, elle et moi, dans les allées de Méréville dessinées par Hubert Robert, une répétition générale de *L'Amant de lady Chatterley* ou des avant-premières du *Go-Between* de Losey. Mais à deux ou trois reprises, elle s'est arrêtée devant moi qui tenais mon bonnet à la main. Elle m'a parlé avec douceur, la fameuse douceur des maîtres, elle m'a interrogé sur ce que je faisais, elle m'a même demandé, je n'en croyais pas mes oreilles, si j'avais besoin de quelque chose et si j'étais heureux. Oui, elle s'est inquiétée, c'était le temps des bergeries, du bonheur de l'aide-jardinier.

Les choses suivaient leur cours. Quelques années après avoir acheté Méréville, Monsieur le marquis maria sa fille au vicomte Charles de Noailles. Elle avait tout juste quinze ans. Le vicomte de Noailles apparte-nait à l'une des plus grandes familles du royaume. Il était le fils du prince de Poix, il allait devenir duc de Mouchy. Les très grandes familles, en ce temps-là, ne changeaient pas seulement de pays comme de chemise, elles avaient aussi le choix entre beaucoup de titres et de noms : les Poix, les Mouchy, les Noailles n'étaient qu'une seule et même famille. Un système un peu compliqué distribuait les titres entre le chef de famille, le fils aîné, les puînés. Le vicomte de Noailles était aussi jeune, aussi beau, aussi riche, aussi charmant que Natalie de Laborde. C'était un conte de fées. Elle l'aima avec passion.

Poppée ne fut pas plus tôt la femme d'Othon, qui était l'ami de l'empereur, qu'elle se mit à plaire à Néron. Elle lui plut à la folie. Néron, en ce temps-là, était encore un tout jeune homme : il avait à peine vingt ans. Il n'en avait que seize lorsque sa mère, Agrippine, pour le rapprocher encore du trône, lui avait fait épouser Octavie, la sœur de Britannicus, la fille de Claude et de Messaline, qui en avait douze ou treize. Gras, lourd, massif, beau garçon un peu repoussant, athlète mou et franchement laid, il vivait dans une peur constante qui, unie à la cruauté et à une sentimentalité infantile, lui faisait aimer et tuer ses amis. Il avait la folie de l'art, de l'esthétique, de la beauté, sur laquelle il rêvait de fonder un ordre nouveau et sanglant. Poppée l'enchanta. Très vite, elle devint sa maîtresse. Cartaphilus était toujours là, dans l'ombre, vainqueur de Rufus Crispinus, manœuvrant Othon qui ne se doutait de rien, tout proche, à travers Poppée, leur belle et commune amante, de l'empereur qui l'ignorait encore.

Un beau jour, Néron, qui avait beaucoup d'amitié et même d'affection pour son favori, demanda à Othon de lui céder Poppée. Othon était assez nul, mais il aimait Poppée. Il refusa. Toute la cour retenait son souffle. Pétrone s'amusait comme un fou. Burrus et Sénèque, qui vivaient encore, se demandaient s'il leur faudrait accepter et peut-être bien approuver un nouveau crime que leurs principes élevés condamnaient en silence. Pris de pitié pour Othon, ce fut Cartaphilus qui souffla à Poppée une solution élégante : Néron nomma Othon gouverneur de la Lusitanie, à l'extrême occident de l'Espagne ultérieure. Othon n'avait pas le choix. Il accepta et partit, sans Poppée, pour Emerita Augusta, qui s'appelle aujourd'hui Mérida.

Agrippine ne mit pas longtemps à comprendre le danger que représentait Poppée. Poppée comprit aussitôt les sentiments d'Agrippine. Elle poussa Néron à assassiner sa mère à qui il devait tout et, débarrassée d'Agrippine, débarrassée de Burrus, bientôt débarrassée de Sénèque, débarrassée de Rufus Crispinus, débarrassée enfin d'Othon, Tigellin nommé préfet du prétoire, elle demanda à Néron, sur les conseils de Cartaphilus, de se débarrasser aussi d'Octavie. Octavie fut exilée dans la petite île de Pandateria, en face de Cumes, et contrainte, comme tant d'autres, à s'ouvrir les veines dans son bain.

— Quelle horreur ! dit Marie.

— Je ne suis pas un saint, dit Simon.

Néron épousa Poppée. Ce furent des fêtes sans pareilles. Bien des siècles plus tard, à Venise, elles inspiraient encore le dernier des polyphonistes et des madrigalistes, le premier de la longue lignée lyrique des compositeurs d'opéras, celui qu'on appelait, à l'époque, le divin Monteverdi. Dans la foule du public qui assistait, dans l'enthousiasme, à la première de l'*Incoronazione di Poppea*, où la variété des thèmes, la diversité des personnages et des sentiments, le mélange de tragique et de bouffon annoncent le mélodrame et l'opéra moderne, figurait, un peu à l'écart, un marchand juif de Venise qui se livrait à l'usure et que ses clients connaissaient sous le nom tantôt de Giovanni Buttadeo, tantôt d'Isaac Laquedem et tantôt de Shylock. Sous l'apparence sarcastique qui lui était coutumière, le Juif dissimulait une assez vive émotion : bien des siècles plus tôt, en secret, comme il convenait, il avait déjà célébré avec l'impératrice le triomphe que constituait, tant pour l'un que pour l'autre, ce couronnement de tant d'efforts et d'obscures espérances — le mariage de Poppée.

— Les choses bougeaient. L'histoire haletait. Le 5 mai, le 20 juin, le 23 juin, le 14 juillet, le 15, le 16, le 17, le 4 août, le 26 août, le 5 octobre : en quelques jours, en quelques semaines, un monde ancien s'écroulait, un monde nouveau surgissait. Dix ou douze mois plus tôt, malgré la crise économique, malgré la crise financière, malgré les mouvements démographiques et la réaction nobiliaire, malgré un froid de loup, personne n'aurait encore osé prédire que quelque chose allait finir. Dix ou douze mois plus tard, personne déjà ne pouvait plus douter que quelque chose avait commencé. L'éternel présent était enfin bousculé. Je finissais par m'imaginer que tous, les bourgeois, les paysans, les soldats, les pauvres, les Juifs et les réprouvés, et peut-être même moi-même, nous avions un avenir.

J'avais quitté Méréville, ses ifs, ses boulingrins. J'étais devenu patriote, citoyen, sans-culotte, et bientôt enragé. J'avais échangé contre une pique mon râteau et mon balai. Je portais sur la tête un drôle de bonnet rouge. On me voyait prendre la Bastille, on me voyait partir pour Versailles, on me voyait envahir les assemblées successives, les clubs, les tribunaux. Je courais encore, mais en groupe. J'étais l'avant-garde de la conscience universelle. J'étais, à moi tout seul, la Révolution en marche.

La révolution! Savez-vous ce que c'est? C'est l'espoir, c'est l'enthousiasme : les pauvres vont devenir riches, les esclaves seront les maîtres. Je me suis jeté dans l'aventure comme dans une rédemption. Je n'ai guère de passion puisque je n'ai pas d'espérance. Si quelqu'un a jamais réussi à m'insuffler un peu de passion et à me rendre un espoir que je ne connaissais pas, ce sont les hommes de 1789 et les soldats de l'an II. Ils m'ont fait croire que le monde changeait. Et peut-être changeait-il. Tous ceux qui le menaient, les ducs, les princes, les rois étaient exterminés. Et puis, un beau matin, à leur propre stupeur, les fils de forgerons, d'aubergistes, de maîtres de poste se réveillèrent sur le trône ou en habits de cour : ils étaient maréchaux, ils étaient ducs et princes, quelques-uns étaient rois. L'histoire prenait des allures de conte de fées pour enfants pauvres. Elle était tour à tour un récit philosophique et moral, une tragédie classique, une opérette, un drame antique. Les Juifs, éberlués, se retrouvaient les égaux des catholiques ou des protestants. C'était la revanche de ceux qui n'avaient rien et qui coupaient la tête de ceux qui avaient tout. Les guillotineurs chantaient des bergeries douceâtres et des hymnes guerriers. Les guillotinés faisaient des mots. D'autres révolutions avaient quelque chose de sombre, de sinistre et de plat. Celle-là était gaie et sanglante. Avant d'être la matière et la forme de l'odyssée de l'esprit aux prises avec le temps, l'histoire est pour chacun une formidable aventure. Je me suis jeté dans cette aventure parce que, moi aussi, j'avais des revanches à prendre sur tous ceux qui, depuis si longtemps, sous prétexte que je n'avais rien, que je ne descendais de personne et que mes relations n'étaient pas bonnes avec le Tout-Puissant, n'avaient cessé de me rejeter et de me mépriser. C'est ce qui a fait croire, j'imagine, à l'auteur des *Mystères de Paris,* dans le livre qu'il m'a consacré... L'avez-vous lu ?

— Quel livre ?... demanda Marie, qui avait du mal à suivre.

— *Le Juif errant,* d'Eugène Sue. C'est l'histoire d'un héritage fabuleux que sont sur le point de se partager les descendants de la famille Rennepont. Il y a le prince hindou Djalma, l'industriel Hardy, l'ouvrier Jacques, dit « Couche-tout-nu », la belle Adrienne de Cardoville, deux orphelines éplorées et des étrangleurs indiens... Il y a surtout la terrible Compagnie de Jésus qui joue un rôle peu reluisant et qui fait tout ce qu'elle peut pour rafler l'héritage. Et puis, il y a moi, qui lutte contre les jésuites et qui me confonds, sous la plume d'Eugène Sue, avec la classe ouvrière injustement condamnée à une fatigue éternelle. Franchement, ce n'est pas fameux. Plutôt que *Le Juif errant,* où je me demande ce que je viens faire, vous auriez avantage à parcourir *Les Mystères de Paris.* Vous vous amuseriez plus avec Fleur-de-Marie, Rodolphe, le Chourineur, la Chouette, le Maître d'école et le concierge Pipelet, appelé à un bel avenir. La foule, pendant des mois, il y a un siècle et demi, a fait queue tous les jours devant les bureaux du *Journal des Débats* pour connaître la suite du feuilleton. Moi, vous le savez bien, je ne me confonds avec personne. Si je suis quelqu'un, c'est tout le monde. Et il y a eu quelques années où la Révolution, c'était tout le monde. J'ai été la Révolution comme j'ai été les cathédrales et comme j'ai été les croisades. Et les raids des Vikings et ceux des Barbaresques. Et la Horde d'or. Et la peste noire et le système de Law. Je marche, je marche toujours. Je suis ce qui déferle.

— Vous n'avez tout de même pas été les *S.S.* à tête de mort qui pourchassaient les Juifs ni les *Panzer* de Hitler qui déferlaient sur l'Europe ?

— Ah ! bien sûr que non, dit-il. Non, non. Bien sûr que non.

Il y avait dans son ton quelque chose de contraint. La phrase, telle qu'il la prononçait, en agitant la tête avec trop de conviction, semblait cacher une restriction, et peut-être un secret.

— Mais ?... murmurai-je.

— Mais quoi ? me dit-il.

— Il y a un mais, lui dis-je. Avouez qu'il y a un mais.

Il hésita encore une fois.

— Mais ?... répétai-je.

— On n'a jamais su..., dit-il.

Et il s'arrêta.

— Qu'est-ce qu'on n'a jamais su ? demandai-je.

— On n'a jamais su, dit-il très vite et avec une espèce de fureur, comment était mort ce voyou, cette ordure qui avait tant de talent, cet escroc débauché et cynique qui avait été tour à tour garçon d'hôtel et écrivain, conférencier et acteur, lecteur à la N.R.F. et directeur de théâtre, ce séminariste défroqué, ce gendre converti et homosexuel d'un pasteur protestant, ce Juif pestiféré, vendu à la Gestapo, et dont le corps, réduit en bouillie par ses compagnons de cellule, aurait été jeté aux chiens — à moins qu'un *S.S.* mystérieux et flamand ne lui ait tiré dans la nuque, du côté de Hambourg, un coup de pistolet plus irréel encore que ses folles aventures...

— Maurice Sachs ? murmurai-je.

— C'était moi, souffla-t-il.

Soir après soir, sur les marches de la Salute ou à la pointe de la Douane de mer, Simon Fussgänger nous racontait ces histoires et beaucoup d'autres encore qu'il serait trop long de rapporter. Nous l'écoutions, Marie et moi. Nous nous laissions entraîner par cette avalanche de récits. Nous ne nous demandions même plus s'il avait vécu ces aventures ou s'il les inventait. De temps en temps, dans la nuit close, il nous semblait les vivre nous-mêmes et marcher dans ses pas. Nous quittions Venise, la pensione Bucintoro, les foules de la Piazzetta et de la Merceria, les peintures de Carpaccio et les lions de Saint-Marc pour les déserts de Mongolie, les collines de l'Ombrie, les caravelles en train de sortir toutes voiles dehors du port de Palos de Moguer, la guillotine place de Grève, les ruines fumantes de Rome. Les décors de Simon, ses personnages, ses amis, ses souvenirs ou ses rêves envahissaient notre vie. Pour rien au monde nous n'aurions renoncé à nos rendez-vous de la Douane de mer. Venise, sa lagune, ses gondoles, ses masques, ses trompe-l'œil n'étaient plus qu'un tremplin pour l'imagination, une porte ouverte sur d'autres mondes et sur d'autres temps.

Simon Fussgänger parlait vite, avec un luxe de détails que mon absence de talent ne me permettait pas toujours de conserver, avec un mélange de précision et de désinvolture qui faisait souvent chevaucher et se confondre les époques et les intrigues. J'essayais, dans mes propres notes, de mettre un peu d'ordre dans ce fatras : peut-être aurais-je mieux fait de laisser aux récits de Simon leur apparence de broussailles et leur allure de torrent. Il finissait par occuper toutes nos journées, non seulement parce que nous piaffions en attendant le soir ou que nous parlions le lendemain, en nous promenant sur les Zattere ou sur la riva degli Schiavoni, de ce que nous avions entendu la veille, mais encore parce que je passais, avec l'aide de Marie, une bonne partie de la matinée, et parfois de l'après-midi, à jeter en toute hâte sur des cartes postales de musées, sur un cahier quadrillé que nous avions acheté dans une boutique de la Merceria, sur tous les bouts de papier qui nous tombaient sous la main, l'essentiel de ce qu'il nous racontait, sa canne entre les jambes, de sa voix sacca-dée. Ce n'était pas une tâche facile. Il fallait nous souvenir de beaucoup de noms que nous ignorions, ne pas négliger ses incidentes qui étaient toujours impré-vues et nombreuses, rétablir une cohérence qui fuyait de partout, suivre un fil de l'histoire qui, souvent, n'existait pas. Une idée le menait à une autre, il sautait avec allégresse par-dessus l'espace et le temps, il lui arrivait de mener de front plusieurs récits différents. Une physionomie, une situation, une formule le ren-voyaient tout à coup à d'autres formules, à d'autres situations, à d'autres physionomies qui lui rappelaient les premières.

— Oh ! non, lui disait Marie, vous n'allez pas encore partir sur trois chevaux à la fois !

— Non, non, répondait-il en riant, rassurez-vous. Chaque chose en son temps.

Et il mêlait aussitôt une rencontre à Samarkand avec Omar Khayyam dans une maison de mauvaise vie où ils avaient passé la nuit à caresser les filles, à réciter des poèmes, à regarder les étoiles et surtout à boire du vin, une sombre affaire de ciboire d'or incrusté de pierres précieuses volé dans la cathédrale de Lima par une soi-disant baronne balte qui était la maîtresse du chef de la police et un long séjour à Naples, au temps du roi Murat et de la reine Caroline, en compagnie d'une actrice polonaise qui triomphait dans un second rôle, plus applaudi que le premier, au théâtre San Carlo et qui semblait lui avoir laissé un souvenir assez vif.

— Mon Dieu ! disait-il, comme elle est amusante, cette vie qui dégringole et qui passe, comme il est délicieux, ce monde, quand on finit par le quitter ! Savez-vous que j'aurais voulu écrire une espèce de bouquin ? Oui, oui, j'ai même entretenu avec cette idée en tête une correspondance avec Désiré...

— Avec Désiré ?... dit Marie.

— Ah ! pardon ! je suis snob, vous savez. Avec Érasme. Il s'appelait Desiderius, ce qui est un drôle de nom pour un enfant naturel, assez vite délaissé et collé dans un collège pour qu'il devienne prêtre. Désiré, ou Didier. C'était un homme très simple, d'une courtoisie exquise. Il me répondait toujours. Les lettres, évidemment, mettaient du temps pour arriver. Au moins autant, et souvent plus, qu'à l'époque de Néron. Mais les gens qui envoyaient des lettres étaient bien plus nombreux. Fonctionnaires, banquiers, hommes d'affaires, cardinaux, amoureux et lettrés... Tout le monde se mettait à écrire. Pourquoi pas moi ? Nous nous écrivions en latin. Nous avons fini par nous lier, sans jamais nous rencontrer. Il m'appelait Isaac, je l'appelais Desiderius. Il ne m'a pas caché que mon livre ne valait pas tripette.

— De quoi parlait-il, ce livre ?

— Ah ! voilà... Un peu de tout. Comme les livres en ce temps-là. C'était une sorte de tableau de ce que faisaient les hommes, leurs métiers, leurs passions, leurs croyances, leurs folies. Parmi toutes les sottises que vous publiez en ce moment, il y a un bouquin qui m'a frappé. Il s'appelait *La Vie, mode d'emploi*. J'ai oublié le nom de l'auteur.

— Georges Perec, dit Marie, à ma stupeur.

— Ce n'était pas très loin — enfin, entendons-nous : il y a quatre cents ans entre les deux — de ce que je souhaitais faire. J'avais même un titre — en latin, bien entendu : *Qu'est-ce qui fait courir le monde ?* ou, plus brièvement : *Quoi faire ?* Érasme, je le crains, a laissé tomber le mot de *stultitia* — c'est-à-dire de connerie, ou à peu près. J'ai brûlé le manuscrit. Mais je n'avais pu m'empêcher de l'envoyer auparavant à Johannes Gensfleisch, que vous connaissez plutôt sous le nom de Gutenberg. Il avait commencé à l'imprimer. Et puis il a rencontré de ces difficultés financières qu'on trouve à chaque pas dans la vie des grands hommes. Le travail s'est interrompu. La perte n'était pas bien grande. J'ai tout de même promené longtemps dans une vieille besace abandonnée en Russie quelques pages de mon chef-d'œuvre en caractères gothiques, avec des illustrations qui valaient une fortune.

— Et alors ? dit Marie.

— J'avais trop d'ambition. J'avais voulu faire tenir le monde entier dans ce que je racontais. J'ai renoncé à écrire. C'est peut-être pour cette raison que je n'arrête pas de parler. On dirait que les gens ont presque autant besoin de raconter des histoires que de les écouter.

— Tu n'as pas peur ? demandait Poppée.

— Vous n'aviez pas peur ? demandait Marie.

— Bien sûr que non, disait-il. Peur de quoi ?

— De la mort, disait Poppée en se serrant contre lui avec un drôle de sourire qui découvrait ses dents blanches.

— De souffrir, disait Marie.

— Je n'ai pas peur de mourir. Et quand on souffre trop, on finit par mourir.

— Et Néron ? demandait Marie.

— Et Néron ? demandait-il.

— Il veut te voir, disait Poppée. Je lui ai parlé de toi. Je lui ai dit que tu étais le seul prétorien en qui j'avais confiance.

— Confiance ? disait Néron. Confiance ? C'est un mot et un sentiment dont j'ai appris à me méfier.

— Il a peut-être raison, disait-il.

— Vous l'avez vu ? demandait Marie.

— Je l'ai vu, disait l'empereur à Tigellin. Il m'a beaucoup plu. Mais c'est de toi qu'il dépend, après tout. Te voilà préfet du prétoire. Comme Rufus Crispinus. Comme Burrus. Tu me réponds de tout sur ta tête.

— Pauvre Tigellin ! disait Poppée en riant. Tu as dû le terrifier.

237

— Pauvre Tigellin! disait-il en riant et en lui caressant les seins qu'elle avait hauts et ronds. Raconte encore...

— Il lui a dit qu'il allait t'attacher à sa personne, mais que c'était lui, Tigellin, qui serait responsable de tout puisque tu étais un de ses hommes.

— Comment était-il, ce Tigellin? demandait Marie.

— Médiocre, disait-il. Sauf dans l'intrigue et dans l'assassinat où il brillait de mille feux. Burrus et Sénèque manquaient souvent de courage. Lui manquait de scrupules. Néron lui doit beaucoup de sa réputation.

— Nous lui devons beaucoup, disait Poppée. Après tout, c'est lui qui a fait tomber Octavie.

— Pour adultère, disait-il. Une trouvaille.

— C'est toi qui as tout monté, mon cœur, mon cher amour, disait Poppée chavirée en levant les yeux vers lui et en le prenant dans sa bouche.

— Pour adultère! disait Marie. Vous ne manquez pas de culot. Je commence à me persuader que vous n'êtes pas un saint.

— Je me tue à le répéter. Il faut me croire.

— Je te crois, mon chéri, je te crois, criait Poppée en gémissant de plaisir.

— Je vous crois, disait Marie.

— Eh bien, vous avez peut-être tort toutes les deux. Peut-être ne faut-il pas me croire?

— Faut-il le croire? disait Néron à Tigellin. Il m'a parlé de quelque chose qui me paraît bien tentant. J'hésite encore.

— Seigneur, disait Tigellin, votre nom passera de génération en génération comme celui du seul empereur qui ait été un artiste et du seul artiste qui ait été un empereur. L'idée de Cartaphilus ne peut qu'ajouter à votre gloire.

— Ont-ils seulement existé, disait Marie, il y a des

moments où je me le demande, ces Burrus, ces Tigellin, ces Rufus je ne sais quoi, ces Poppée, ces Néron ?

— Ces Cartaphilus ? disait-il.

— La tête me tourne, disait Marie.

— La tête me tourne, disait Poppée. La tête me tourne. Je ne sais plus rien. Je fais ce que tu veux.

— Écoute-moi, disait-il en lui prenant la tête entre les mains et en lui baisant les lèvres et les seins, écoute-moi : ce sera le plus beau spectacle de tous les temps, et tu le regarderas.

— Je le regarderai ?... disait Néron.

— Tu le regarderas, disait Poppée en le prenant entre ses mains, qu'elle avait longues et fines, et en l'approchant de sa bouche.

— Je ne comprends plus rien, disait Marie.

— L'histoire, c'est embêtant. Elle n'en finit pas d'être là et pourtant de bouger. Elle passe son temps à changer et à rester la même. Elle avance, elle court, elle revient sur ses pas. Elle s'acharne à brouiller les pistes. Elle bat les cartes, elle bouscule tout, elle renverse les guéridons, elle remet de l'ordre aussi sec. Elle va chercher du nouveau — et c'est déjà de l'ancien. Qui est en haut ? Qui est en bas ? Qui est bon ? Qui est mauvais ? On ne sait plus où on en est. Banquier, fermier général, ami de la famille royale et affameur du peuple, le ci-devant Laborde fut guillotiné à Paris en avril 1794. Sa femme et sa fille Natalie avaient été emprisonnées à la maison d'arrêt du Plessis. C'est là que je les retrouvai. Parce que j'avais la chance de savoir lire et écrire, j'étais l'adjoint de Fouquier-Tinville, un de ses innombrables assistants et greffiers.

Épouse du ci-devant Noailles, émigré, la citoyenne Laborde avait perdu de sa coquetterie et de son élégance. Elle avait gardé son cou très blanc, son charmant visage encadré de boucles, ses grands yeux mélancoliques d'enfant naguère gâtée. Elle était assez loin de la statue de Pajou où elle incarne l'Amour filial, du tableau du Dutailly qui la représente en chasseresse, gracieuse, vaguement inquiétante, un fusil sur l'épaule, un chapeau sur les cheveux frisés, vêtue d'une blouse brodée et d'une fourrure légère. Elle portait une robe grise, aussi simple que possible. Mais elle était toujours belle. Et peut-être plus belle dans le malheur qu'elle ne l'était dans l'insouciance.

Il y a toujours eu et il y avait en ce temps-là moins de filles de banquier et de fermier général que de jardiniers et de valets de ferme : elle ne savait pas qui j'étais, je la reconnus aussitôt. Natalie de Laborde avait toujours aimé plaire. Elle plaisait, même en prison. Elle séduisait les détenus, les visiteurs, les gardiens. Les prisons de la Révolution, où étaient enfermés, dans l'angoisse et l'ennui, tant de séductrices et de libertins formés par un Ancien Régime qui mettait le plaisir au-dessus de la vertu, abritèrent bien des amours d'autant plus violentes qu'elles étaient sans lendemain. Natalie suscita au Plessis autant de passions qu'à Méréville. Il m'arriva de la surprendre dans les bras d'un jeune et beau Vendéen qui s'était présenté devant le tribunal de Fouquier-Tinville comme un « officier subalterne de l'armée catholique et royale ». Je ne sais pas jusqu'où elle poussa son attachement à la foi de son enfance et à la monarchie. Je sais qu'à moi aussi elle essaya de tourner la tête. Et elle y réussit sans trop de peine. Je ne mis pas très longtemps à lui avouer que j'avais été au service de son père et que nous nous étions déjà rencontrés, en des temps engloutis, dans les allées de Méréville. Elle étouffa un cri et s'évanouit dans mes bras.

Peut-être faisait-elle semblant. Je fis semblant, moi aussi. D'un côté comme de l'autre, tous les prétextes étaient bons. Avec une ci-devant prisonnière serrée contre mon cœur, j'avais bonne mine : je regardais autour de moi, je rasais les murs, je me jetais dans un coin d'ombre. Quand elle parut se réveiller, elle murmura :

— Sauvez-moi.

Je suis peu sûr, tout le monde le sait. On ne peut pas compter sur moi. Ni en bien ni en mal. Après avoir embrassé avec tant de ferveur la cause de la Révolution, j'étais déjà décidé à faire tout ce que je pouvais pour la fille d'un banquier qui avait vécu dans la proximité et presque dans l'intimité de la reine et du roi. Que voulez-vous ? Je suis comme l'histoire elle-même : rien ne me plaît davantage que la contradiction. Je n'eus même pas à faire la preuve de ma conversion, de ma trahison, de mes nouveaux sentiments. Pour beaucoup de raisons différentes qui convergeaient tout à coup, d'autres, autour de nous, éprouvaient avec force ces sentiments nouveaux et ces contradictions : le 9 thermidor éclatait, Robespierre était renversé, les prisons se vidaient, Natalie était libérée. Elle me prit pour garde du corps, pour confident, pour son homme à presque tout faire. J'étais prêt à la suivre n'importe où.

— Franchement, dit Marie, je ne vous voyais pas en royaliste.

— Je n'ai jamais été royaliste. Il m'est peut-être arrivé de faire semblant de l'être. En vérité, je ne suis rien. Ou, si vous préférez, je suis tout. Ce qui fait que je suis d'abord la trahison. Je pourrais, pendant des heures, vous parler de la trahison : c'est un beau et grand sujet. La fidélité, par quelque lien obscur, est liée à la mort. En me privant de ma mort, l'autre m'a jeté à jamais dans l'incertitude fluctuante de l'histoire et du temps. Tout ce qui existe dans l'histoire, tout ce qui existe dans le temps est contraint au changement. Changer est une trahison. Exister est une trahison. Dieu n'existe pas puisqu'il est l'Éternel. Moi, j'existe et je change. Est-ce que le nom de Simon Deutz vous dit encore quelque chose ?

— Rien du tout, dit Marie.

— Rien du tout, dis-je en écho.

— Simon Deutz est un de ces hommes dont personne ne sait quand ils naissent, dont personne ne sait quand ils meurent...

— Ah ! c'était donc vous, dit Marie.

— C'était moi. Je passais pour un fils de rabbin. Par défi, pour m'amuser, pour changer un peu, une fois de plus, je m'étais converti au catholicisme. L'affaire fit un peu de bruit sous la monarchie de Juillet. L'Église s'empara de moi. Le pape me reçut à Rome et me recommanda à une Italienne étonnante, vive, aventureuse, imprudente, familière, un peu folle, courageuse jusqu'à l'inconscience. C'était la duchesse de Berry, la belle-fille de Charles X chassé du trône par les Trois Glorieuses, la veuve du duc de Berry assassiné par Louvel à la sortie de l'Opéra, la mère du duc de Bordeaux à qui Louis-Philippe, son oncle à la mode de Bretagne, avait volé la couronne. Au printemps 1832, à peu près au moment où le choléra fait rage et emporte Casimir Perier, président du Conseil, où Évariste Galois, mathématicien de génie, se fait tuer en duel pour une femme qu'il n'aime pas, où le premier ballet romantique — *La Sylphide* — est créé à Paris par Maria Taglioni et lance la mode du tutu, où les funérailles du général républicain Lamarque déclenchent les combats du cloître Saint-Merry, où le duc de Reichstadt est en train de mourir dans les fastes sinistres de Vienne, où le vicomte de Chateaubriand, abandonné par son dernier amour, se fait arrêter, rue d'Enfer, par un commissaire de police flanqué de deux acolytes, la duchesse de Berry débarque dans le Midi pour soulever le pays, au nom de la monarchie légitime, contre le roi Louis-Philippe. On aurait bien tort de prétendre que la France s'ennuyait sous la monarchie de Juillet.

L'expédition de la duchesse fut un échec retentissant. À sa grande surprise, le Midi ne se souleva pas pour défendre les Bourbons contre les Orléans. Le Midi se dorait au soleil, le Midi jouait aux boules, le Midi s'en fichait. Marie-Caroline dut se déguiser en paysan sous le nom de Petit-Pierre et se cacher à Nantes, dans la maison des sœurs Duguiny, d'où elle espérait faire jaillir l'étincelle d'une nouvelle guerre de

Vendée. C'est là que je la retrouvai. J'avais une lettre du pape. Elle m'embrassa et me fit baron.

— Voilà autre chose, dit Marie. Vous êtes baron ?

— Je l'ai été, dit Simon. Mais ne m'interrompez pas tout le temps. Nous n'en finirons jamais.

— Comment voulez-vous en finir ? dit Marie.

— Vous avez raison, dit Simon. Tâchons au moins de poursuivre. La duchesse de Berry était recherchée par toutes les forces du royaume. Je connaissais le nom d'un petit homme, pas plus haut que trois pommes, qui avait écrit des bouquins et qui était ministre de l'Intérieur : il s'appelait Adolphe Thiers. J'allai le voir à Paris. Il me reçut. Je lui demandai combien il me donnerait si je lui livrais la duchesse. Il dit qu'il me donnerait cent mille francs. Je lui indiquai que la duchesse était cachée à Nantes dans la maison des sœurs Duguiny.

Les gendarmes débarquèrent chez les sœurs Duguiny. Ils fouillèrent partout et ne trouvèrent personne. La duchesse, décidée à se battre jusqu'au bout, s'était dissimulée derrière la plaque d'une cheminée. Nous étions en novembre. Pour lutter contre l'ennui plutôt que contre le froid, les gendarmes allumèrent du feu dans la cheminée où se cachait la fugitive. Après avoir tenté de lutter encore et d'éteindre le feu comme elle pouvait, c'est-à-dire en pissant dessus, elle fut contrainte de se livrer. C'était le début d'une autre histoire qui devait voir la duchesse, veuve depuis douze ans et enfermée dans la citadelle de Blaye sous la garde d'un général, déjà guetté à la fois par une casquette et par la gloire, qui devait devenir maréchal et qui s'appelait Bugeaud, accoucher en prison — et, grâce à Monsieur Thiers, en public — d'une fille de père inconnu. J'avais fait coup double : les Bourbons s'en tiraient mal, les Orléans, c'était pis. La monarchie légitime était déshonorée. Et la monarchie de Juillet encore un peu davantage.

Le seul — en dehors de votre serviteur, muni de cent mille francs — à gagner quelque chose dans l'affaire était un vieux légitimiste, déjà rangé des voitures. En quelques jours, grâce à moi après tout, il écrivait un pamphlet où il mettait en scène devant une cour d'assises imaginaire le procès de la princesse. Il donnait la parole successivement — « Avocat, levez-vous ! » — à la défense et à l'accusation. Il représentait Louis-Philippe comme l'oncle et le tuteur d'un orphelin dont il avait volé le bien et le faisait comparaître « comme témoin à charge ou à décharge, si mieux n'aime se récuser comme parent ». Il organisait la confrontation entre « l'accusée » et « le descendant du grand traître ». Il exigeait « que l'Iscariote en qui Satan était entré — c'était moi, vous comprenez ? — dise combien il a reçu de deniers pour le marché ». Puis, « en présence de l'image du Christ », il déposait sur le bureau, comme pièce à conviction, la robe princière brûlée par le feu de cheminée : « car il faut qu'il y ait toujours une robe jetée au sort dans ces marchés de Judas ».

Un peu au-delà de ma modeste personne, l'ouvrage se terminait par un bouquet de mots lancé à la prisonnière, par une des mélodies les plus célèbres de l'auteur, bientôt reprise, dans les salons et dans la rue, par tous les royalistes de France : « Illustre captive de Blaye, Madame ! Votre fils est mon roi ! »

— Ma tête se perd, dit Marie. Mais de qui parlez-vous donc ?

— De Chateaubriand, dit Simon. Je crois que, comme Barrès, il ne m'aimait pas beaucoup. Je l'ai toujours admiré : il savait écrire et il savait vivre.

C'est des jardins de Tigellin que partit l'incendie.
Cartaphilus, par Poppée, à laquelle ils s'étaient attachés
l'un et l'autre et qu'ils servaient de leur mieux, s'était lié
avec Tigellin, nouveau préfet du prétoire. Le prétorien
était chez son préfet quand le sinistre se déclara.
Rentrés en hâte d'Antium, qui est aujourd'hui Anzio et
où ils s'étaient rendus pour se forger un alibi, l'empereur et sa femme étaient déjà en train de guetter, avec
une délicieuse impatience, de la terrasse du palais. Le
feu se répandit à une vitesse prodigieuse. Rome brûla
pendant neuf jours et neuf nuits. La nuit surtout, le
spectacle dépassait en horreur féerique les promesses
que Cartaphilus avait faites à Poppée, et Poppée à
Néron. On voyait les flammes progresser à vue d'œil,
sauter le Tibre par les ponts de bois, gagner de quartier
en quartier et de maison en maison, rattraper au pas de
course hommes, femmes, vieillards surtout, et enfants,
qui se bousculaient pour fuir. De la terrasse du palais,
Néron et Poppée, enlacés et sans voix, admiraient la
beauté de cet océan d'or en train de tout engloutir.
Un demi-siècle plus tôt, Auguste et son ami Agrippa,
à qui avaient été confiés les grands travaux d'urbanisme,
avaient profondément modifié, avec l'érection du premier Panthéon, avec l'adduction des eaux, avec la

multiplication des fontaines, avec la création des premiers thermes, avec la construction de bibliothèques, de portiques, du théâtre de Marcellus, du temple d'Apollon sur le Palatin, le visage de la Rome républicaine. L'hellénisme et le marbre avaient transfiguré la ville. Mais de nombreux îlots de la vieille cité en tuf volcanique ou en bois subsistaient un peu partout. Des ponts, des boutiques, des maisons et même des théâtres exigus et éphémères élevés ici ou là étaient encore construits en bois. Tout cela flambait. Les édifices s'écroulaient. Le vent, par bouffées, apportait l'odeur des cendres et les plaintes des mourants. Les flammes montaient très haut dans le ciel, se livraient à des arabesques et à des danses d'une grâce exquise, découpaient dans la nuit des paysages de légende, de tragédie, d'épopée, et l'empereur et Poppée poussaient des cris d'émerveillement et des exclamations d'enfants devant cet incendie qui ramenait la ville à ses mythes d'origine puisque, dans des temps immémoriaux, Énée, ancêtre de Romulus, portant sur son dos le vieil Anchise, son père, était parvenu sur les côtes du Latium après avoir fui Troie en flammes.

Cartaphilus s'était jeté, dès les débuts du sinistre, hors des jardins de Tigellin. Il était monté sur une des hauteurs qui composaient la ville et il contemplait, lui aussi, l'étendue du désastre avec une âpre jubilation, qui ne le cédait en rien, mais pour bien d'autres motifs, à l'allégresse de Néron. Il avait mené à bien son projet de vengeance contre le peuple romain qui occupait la Judée. Il pensait avec pitié aux coups de main des Juda, des Sadok, des Éléazar, des Barrabas contre les légions de Marcus Ambivius, de Valerius Gratus et de Ponce Pilate. Lui avait porté le fer au cœur de l'envahisseur. Mais ce qui le faisait rire aux éclats devant les flammes qui l'entouraient maintenant de très près, c'était d'avoir réussi, par toute une série de manœuvres qui remontaient assez loin, à déclencher le fléau sur les ordres de l'empereur lui-même, toujours affolé de spectacle, de nouveauté à tout prix et de beauté sauvage. L'histoire se faisait toute seule. On aurait dit, pour un peu, qu'elle pouvait se passer de lui, le Juif omniprésent. Comme elle pouvait se passer aussi, et à plus forte raison, de tous ceux qui s'imaginaient, avec une folle présomption, être pour quelque chose dans la marche du temps et dans la nécessité de ses péripéties. Cartaphilus, ébloui, regardait Rome brûler. Une barrière de feu l'entourait. Il la franchit sans se presser.

La partie collective et publique de sa vengeance était en train de s'accomplir. L'ombre de Barrabas l'emportait sur l'Empire. L'ancien huissier de Ponce Pilate réglait ses comptes d'un seul coup. L'orgueilleuse métropole était ravagée par plus de flammes que n'en avait jamais allumé en Judée et en Galilée, en Samarie, en Palestine, ses légions de soudards. Restait à prendre une autre revanche. Elle était sentimentale et privée.

Natalie de Noailles avait une seule idée en tête :
c'était de rejoindre son mari à Londres où il avait
émigré. Ce projet estimable ne souriait pas vraiment au
jeune Charles de Noailles. Il fit tout ce qu'il put pour le
décourager. Obéissant aux instructions embarrassées de
son mari, Natalie se rendit successivement, sous des
prétextes futiles de famille et d'affaires, en Suisse, en
Allemagne, en Hollande. Mais elle gardait au cœur
l'espoir de partir enfin pour l'Angleterre et de se jeter
dans les bras de son mari. Cet espoir n'était pas partagé.
Charles, le cher et beau Charles, était aussi amoureux
que sa jeune et jolie femme. Malheureusement, c'était
d'une autre. Le destin de Natalie était déjà écrit.

Aux yeux de ses contemporains, Mrs Fitzherbert
n'était plus une jeune femme : elle approchait de la
quarantaine. Elle avait déjà été mariée deux fois quand
elle rencontra le prince de Galles, le futur George IV. Il
tomba amoureux d'elle. Elle devint sa maîtresse, et
bientôt sa femme à titre morganatique. Toutes les
difficultés prévisibles ne tardèrent pas à surgir et le
prince de Galles la refila à Noailles. Mrs Fitzherbert
avait été ravissante. Elle était encore séduisante, elle
avait de beaux restes. Le mari de Natalie, qui était une
des jeunes femmes les plus irrésistibles de France,

tomba follement épris de ce cheval de retour. Ce qu'il y a de plus incompréhensible dans la passion, ce ne sont pas ses crimes, mais ses erreurs.

Flanquée de ses femmes de chambre et d'un ancien jardinier de son père, qu'elle avait retrouvé, racontait-on, dans les prisons de la Terreur, qui lui servait de factotum et qu'on appelait Isaac, Natalie débarqua à Londres avec toutes ses illusions. L'émigration française en Angleterre composait un milieu très fermé et un peu trouble qui, renouvelé régulièrement par des apports successifs, avait vécu pendant des années replié sur lui-même. L'arrivée de Natalie fit à peu près l'effet d'un délicieux pavé dans la mare aux grenouilles. Tout le monde, dans ce cercle restreint, était au courant de ses malheurs conjugaux, dont elle ignorait encore tout, et tout le monde — et d'abord les hommes — était prêt à la plaindre et à la consoler. Elle aimait plaire. Elle plut. Mais elle n'était pas disposée à se laisser consoler de trop près. Car cette femme qui aimait tant à séduire aimait surtout son mari. Elle n'avait pas cessé d'éprouver pour Charles la passion la plus vive. Et Charles ne pensait qu'à une chose : c'était à se débarrasser d'elle pour pouvoir continuer à vivre à Londres après l'arrivée de sa femme comme il y avait vécu auparavant : dans les bras de la maîtresse qu'il avait reçue du prince de Galles.

Fleur d'élégance et de raffinement, le vicomte de Noailles finissait par en vouloir à la Terreur de n'avoir pas duré plus longtemps. Pourquoi diable, et au nom de quoi, avait-elle lâché sur le monde ceux qu'elle détenait dans ses prisons ? Il promenait dans les clubs et dans les salons de Londres une mauvaise humeur persistante dont les moins subtils ne percevaient pas toujours les motifs.

— Quelle épreuve, lui disaient-ils, quelle épreuve vous avez traversée ! Mais voilà déjà qu'on devine les signes avant-coureurs d'une révolution dans la Révolution et que l'atroce Robespierre...

— Ah ! disait-il, comme nous étions heureux...

— Avant son temps ? susurraient les benêts, impatients de se jeter dans les fadaises et les lieux communs de la douceur de vivre.

— Mais pas du tout ! grommelait Charles à la stupéfaction de ses interlocuteurs. De son temps, de son temps...

Il essaya de reléguer dans le fin fond du Norfolk, aussi loin que possible, du côté des plaines argileuses et humides, parsemées de *broads* couverts de joncs, la rescapée des prisons de la Révolution. Elle s'accrochait. Elle écrivait. Elle se mettait à pleurer. Elle envoyait Isaac, son secrétaire à toutes mains, auprès de son mari. Isaac se sentait pris de pitié pour la détresse de la jeune femme. Il souffla au jeune vicomte, que l'esprit d'invention n'étouffait pas, une idée assez brillante qui se révéla désastreuse.

La ville détruite fumait encore. En passant à travers les décombres, on entendait de tous côtés des cris de blessés et de mourants qui réclamaient de l'aide. La plupart des Romains avaient perdu tous leurs biens. Le peuple grondait. Les noms de Tigellin, de Pétrone, de Poppée, de l'empereur lui-même revenaient dans toutes les conversations, et l'hostilité montait contre eux. On les accusait de négligence, d'indifférence aux souffrances des plus humbles, de cynisme, de mœurs abominables qui révoltaient le grand nombre et d'immoralité. Tigellin et Pétrone étaient déjà assez connus, mais presque tous ignoraient pourquoi : les gens de la rue, les citoyens ordinaires ne savaient que vaguement quelles fonctions ils occupaient. Le pouvoir de l'un, l'élégance, le détachement, le goût des plaisirs de l'autre suffisaient à les faire détester de ceux qui n'avaient plus rien. Néron avait été plutôt bien accueilli lorsqu'il avait succédé à Claude. Sa cruauté, ses folies, ses ridicules, les morts successives de Britannicus, d'Agrippine, d'Octavie l'avaient fait glisser peu à peu dans l'impopularité. Le mariage avec Poppée avait séduit la foule et l'avait indignée. On murmurait que Poppée exerçait sur l'empereur une influence désastreuse. Les plus hardis laissaient entendre que

Néron lui-même avait pris à l'incendie un plaisir pervers qui laissait planer les pires soupçons. Le peuple, qui, comme toujours, avait fait preuve de patience, commençait à s'impatienter.

Cartaphilus, chez les prétoriens et à travers eux, sentait ces mouvements profonds en train de parcourir la capitale en ruine. Il comprit assez vite que l'empereur lui-même était menacé. Et, avec lui, Poppée. Il courut chez l'impératrice. Elle lui ouvrit les bras.

— Ce n'est pas le moment, grogna-t-il. Les Romains sont sur le point de se soulever contre toi.

— Contre moi ? dit Poppée.

— Contre toi. Contre l'empereur.

Poppée pâlit brusquement et se laissa tomber dans un siège.

— Ils n'oseront pas !

— Ils oseront. Ils oseront parce qu'ils n'ont plus rien à perdre dans leur ville ravagée et qu'ils sont poussés par deux forces formidables : le désespoir et l'indignation. Ce qu'il faudrait...

— Ce qu'il faudrait ?... dit Poppée avec vivacité, une lueur d'espoir dans les yeux.

— Ce qu'il faudrait, c'est détourner leur fureur de l'empereur et de toi...

— Mais vers qui ? cria Poppée.

— Vers qui ?... répéta Cartaphilus.

— Vers Tigellin ! dit Poppée, très vite.

— Vers Tigellin ? Trop dangereux. Tu sais bien ce qu'il a fait... Et Tigellin, c'est nous. Il serait trop facile de remonter de lui jusqu'à moi, et de moi jusqu'à toi, et de toi jusqu'à l'empereur. Non, non, Tigellin, c'est impossible.

— Alors ? demanda Poppée.

— Il faut trouver autre chose. Il faut...

Poppée se leva, sourit, s'agenouilla aux pieds de son amant, posa la tête sur ses genoux, leva les yeux vers lui :

— Tu sais déjà ! lui dit-elle, d'une voix basse.

— J'ai une idée, dit-il.

Le projet d'Isaac consistait à noyer Natalie dans un tourbillon de plaisirs au lieu de la laisser dépérir dans un coin isolé de la campagne anglaise de l'extrême fin du XVIIIe. Le vicomte de Noailles était charmant et beau. Il se croyait souvent plus malin qu'il n'était. Il reprit au vol la suggestion d'Isaac et il broda sur ce thème une comédie cruelle destinée à retenir loin de lui sa femme devenue soudain importune par la grâce du prince de Galles.

Le vicomte avait un ami. L'ami s'appelait Vintimille. Vintimille et Noailles passaient des nuits à jouer dans un de ces clubs anglais — le *Kit Cat* ou le *White* — où les femmes n'entraient pas. Un matin, peu avant l'aube, Noailles avait perdu tout ce qu'il avait sur lui.

— Donne-moi encore une chance, dit Noailles.

— Si tu veux, dit Vintimille, qui se pliait toujours aux volontés de Noailles.

— Quitte ou double.

— Quitte ou double.

— L'ennui, dit Charles, c'est que je n'ai plus un sou.

— Bah! dit Vintimille, tu as le temps.

— J'ai une idée, dit Charles.

— Ah? bon, dit Vintimille.

— Je te joue ma femme, dit Noailles.

Vintimille avait connu Natalie petite fille dans les jardins de Méréville. Il l'avait aperçue une ou deux fois, lors de son arrivée en Angleterre, dans tout l'éclat d'une beauté avivée par les épreuves et par la joie, si longtemps espérée et si longtemps retardée, de retrouver son mari. Il venait de boire pas mal. Il admirait Noailles. Il n'hésita pas une seconde. Il accepta. Charles de Noailles perdit encore.

— Elle est à toi, dit-il en riant.

Ils burent encore un peu. À beaucoup d'égards, le vicomte de Noailles était une franche canaille. Il nourrissait en même temps un sens de l'honneur assez vif qui prenait souvent chez lui des allures de paradoxe. L'idée de tromper un ami lui paraissait insupportable.

— Tu sais, dit-il à Vintimille, d'une voix un peu pâteuse, je suis content que tu aies gagné.

— Ah ! oui ? dit Vintimille.

— C'est un fier service que tu me rends.

— À tes ordres, dit Vintimille.

— J'espérais perdre, dit Noailles.

— Voilà qui est fait, dit Vintimille.

— Je suis ton obligé, dit Noailles.

— Je suis ton serviteur, dit Vintimille.

— Tope là ! dit Noailles, avec cette ombre de vulgarité que se permettent les grands seigneurs.

Et il se mit à expliquer, en trébuchant sur les mots, que la mission de Vintimille était de faire semblant d'être amoureux de sa femme Natalie, de l'entourer à chaque instant et de l'occuper jour et nuit pour la détourner de son mari, ivre de Mrs Fitzherbert. Il poussa le scrupule jusqu'à se demander s'il était honnête de retourner à son avantage la perte de jeu qu'il avait subie. Il alla jusqu'à s'excuser d'infliger une telle corvée au joueur qui avait gagné. Il essaya de se faire pardonner en assurant à Vintimille que Natalie avait beaucoup de charme et qu'elle ne manquait pas de beauté.

— Ça va, disait Vintimille, ça va. Tu me donnes ta femme. Je la prends. Nous sommes quittes. N'en parlons plus. Je ne veux même plus savoir qui a perdu et qui a gagné, qui y gagne et qui y perd.

Ce qui se joue alors dans l'Angleterre de William Blake, de George Romney, du second Pitt, c'est un vaudeville tragique, écrit par un Feydeau de l'époque préromantique et révolutionnaire et où les diamantaires belges et les poules de province auraient été remplacés par la plus haute aristocratie française du temps de l'émigration. Il se passa naturellement ce qui devait se passer : entre Londres et le Norfolk, dans les salons et dans les jardins, au fil des bals et des longues promenades sous le pâle soleil du Nord, Vintimille, peu à peu, se prit au jeu dangereux où il s'était engagé et, sous les yeux d'abord amusés, puis de plus en plus inquiets d'Isaac Laquedem, il tomba follement amoureux de celle qu'il était chargé de séduire.

M. de Vintimille avait du charme, et même de la qualité. Natalie résista par fidélité à son mari infidèle. Pour tenter de la fléchir, le séducteur en service commandé, mué par la grâce et la beauté de sa victime en soupirant malheureux, finit, malgré les objurgations d'Isaac, l'esprit et le cœur perdus, par manger le morceau et par révéler à Natalie, pour l'éclairer sur un mari qu'elle s'obstinait à vénérer, le stratagème inventé par M. de Noailles. Venant après les épreuves de la séparation, de la prison, de la mort qui rôdait dans ses charrettes surpeuplées, des voyages assez rudes à travers l'Europe entière, la déception bouleversa la tête déjà plutôt faible de Natalie de Noailles. Avec accablement, avec désespoir, avec un mépris qui désormais s'étendait à tous les hommes, elle se donna à Vintimille qu'elle n'avait jamais aimé et qu'elle n'aima jamais. Pour lui, pour elle, pour les autres, un jeu d'enfer commençait.

Au confluent du Busento et du Crati, à la rencontre de la plaine et de la montagne, à l'ouest de la Sila, arriérée et sauvage, Cosenza est une ville de Calabre où les touristes ne se bousculent pas. Ils s'extasient sur Amalfi et sur Positano, ils s'arrêtent à Salerne, ils poussent jusqu'à Bénévent où ils jouent à cache-cache, au prix d'efforts démesurés, avec le souvenir de Bélisaire, de Manfred, du prince de Talleyrand-Périgord et du père de Victor Hugo, ils se traînent, le long de l'Adriatique, jusqu'à Trani et Bari et Ostuni et Otrante, jusqu'à Lecce, reine des Pouilles. Ils ignorent Cosenza. Démétrios arriva par le nord, avec l'armée d'Alaric.

Après la chute de Rome, le roi des Wisigoths avait conçu l'éternel projet de tous les conquérants : reconstituer l'empire du monde autour de son axe naturel et de son cœur brûlant — la Méditerranée. Il était descendu vers le sud pour s'emparer de la Sicile, la Trinakria des Anciens. La Sicile, en ce temps-là, était couverte de forêts et de champs de blé. Elle constituait à elle seule un prodigieux réservoir de richesses et un grenier à grains capable de nourrir toutes les armées du monde. Elle permettait aussi d'envahir l'Afrique du Nord et elle pouvait servir de tremplin et de base de départ vers de nouvelles aventures. Terrassé par la malaria qui régnait dans le Sud, Alaric mourut au moment d'entrer dans Cosenza.

Les grandes entreprises ne sont que la traduction d'un mouvement collectif et souterrain de l'histoire qui les impose et les fait naître. Mais elles reposent aussi sur l'action de quelques hommes qui les incarnent et les mènent à bien. L'armée des Wisigoths fut frappée de stupeur par la mort de son roi. Les chefs se réunirent et, sachant l'estime que le défunt portait à Démétrios, ils invitèrent le rhéteur, qui connaissait tant de choses et qui parlait toutes les langues, à se joindre à eux et à assister au conseil. La question qui se posait après la catastrophe que constituait la mort du général de génie était toujours la même, c'était, de toute éternité, celle des conquérants, des ambitieux, des révolutionnaires, des vaincus : que faire ?

Plusieurs se rappelaient que Démétrios était l'homme, brillant et un peu mystérieux, qui avait conseillé à Alaric de ne pas détruire Rome, ce qui avait permis d'emporter des trésors dans les chariots des Wisigoths. Ils demandèrent au conseil des chefs d'autoriser Démétrios à exprimer son avis au même titre que les chefs de guerre et les princes de sang royal. Il y eut des murmures dans l'assistance. Personne ne savait rien de ce grammairien un peu louche, qui semblait surgi de nulle part. On savait seulement qu'il n'était pas wisigoth, ni ostrogoth d'ailleurs, ni suève, ni hérule, ni vandale, ni alain. Le bruit avait couru qu'il était romain, tout simplement. Mais il semblait qu'il fût juif.

Juif ! Tous les chefs wisigoths réunis à Cosenza étaient chrétiens. En tant que chrétiens, ils n'avaient que méfiance et mépris pour les Juifs. En tant qu'ariens, pourtant, ils émettaient au moins des doutes sur la nature divine du Christ. Les Juifs, à leurs yeux, étaient des traîtres odieux dont il fallait se garder comme de la peste. Ils n'étaient pas des déicides. Après un assez long débat, et en souvenir de la confiance que lui avait témoignée Alaric, Démétrios fut autorisé à participer au débat et à donner son avis.

Les uns proposaient de ramener le corps d'Alaric à Rome et de lui faire des funérailles grandioses dans la Ville éternelle qui l'avait tant fasciné. Les autres suggéraient de le brûler et de transporter ses cendres jusqu'à Constantinople, jusqu'en Pannonie, jusqu'au Danube, où un tombeau de marbre digne du roi des Wisigoths, du descendant des Balthes, serait érigé pour les accueillir. D'autres encore pensaient qu'il fallait l'enterrer sur place, au milieu du déploiement formidable de ses troupes, dans un monument somptueux qui garderait à jamais le souvenir de ses victoires et de la terreur qu'il inspirait. Démétrios se taisait.

— Et toi, Démétrios, dit le chef de la cavalerie, de toutes les opinions que nous venons d'entendre, à laquelle te ranges-tu ?

— À aucune, dit Démétrios d'une voix forte.

Une rumeur de curiosité et presque d'indignation parcourut l'assemblée.

— À aucune ! Et que proposes-tu ?

— Je propose, dit Démétrios, de faire disparaître de la surface de la Terre toute trace du roi Alaric.

À ces mots pleins d'audace, tous les chefs de guerre se levèrent dans un grand tumulte. Ils avaient traversé les montagnes et les fleuves, ils avaient vaincu les Romains, ils avaient conquis la Ville éternelle — et un pion byzantin, pis : une sorte de grammairien et de philoso-phaillon juif prétendait effacer et réduire à néant leurs souffrances et leurs victoires ! Les coups commençaient à pleuvoir sur Démétrios qui ne se défendait pas quand le chef de la cavalerie et deux ou trois des officiers les plus proches d'Alaric réussirent à repousser les plus violents des Wisigoths et à imposer un peu d'ordre.

— Nous diras-tu, gronda le chef de la cavalerie, ce

que tu as dans ta pauvre tête et le sens de tes propos qui nous ont tous offensés ?

— Mon but n'était pas d'offenser qui que ce fût, répondit Démétrios de la voix la plus calme. Encore moins de nuire à la mémoire immortelle du grand roi des Wisigoths. Il a été bon pour moi, il m'a accordé sa confiance, il a été mon maître et j'ai été son ami. Je n'ai pas d'autre intention que de faire vivre son nom — et les vôtres — à travers les siècles des siècles.

Le silence s'était fait. On entendait haleter ici ou là l'un ou l'autre des guerriers qui s'étaient jetés sur le rhéteur.

— Est-ce pour servir sa mémoire que tu veux effacer son souvenir ?

— On pourrait parler ainsi, dit Démétrios en souriant, si l'on voulait faire briller les mots comme des épées au soleil. Ce que je voulais dire...

Et il s'arrêta pour reprendre haleine, en regardant les hommes autour de lui.

— Ce que tu voulais dire... ? crièrent en même temps deux Wisigoths que l'impatience jetait en avant, vers cet homme étrange qui n'était pas un guerrier et qui tenait au bout de ses phrases tant de conquérants invincibles.

— Ce que je voulais dire, c'est que n'importe qui peut construire des tombeaux, des monuments, des temples. Presque n'importe qui peut faire presque n'importe quoi. J'ai entendu beaucoup d'imbéciles faire l'éloge de l'intelligence. J'ai entendu beaucoup de crapules en appeler à la vertu. J'ai entendu des tyrans qui faisaient chanter à leurs sujets des hymnes à la liberté. Tout ce qui surgit sous les cieux n'a jamais aucun sens. Il n'y a que le vide qui gagne, le silence et l'absence. Donnez des outils à des hommes, ils bâtiront des choses immenses dont ils tireront beaucoup d'orgueil. Le temps passera : tout s'écroulera. Personne ne se souviendra des événements et des noms que les tombeaux et les temples étaient censés éterniser. Le temps qui passe et la mort sont plus forts que la vie, le temps qui passe et l'oubli sont plus forts que le souvenir. Si vous voulez vaincre le temps et la mort et l'oubli, il faut chercher un peu plus loin.

— Mais parle donc, cria quelqu'un, au lieu de faire des ronds avec tes mots !

— Je parle, dit Démétrios, en se tournant avec beaucoup de calme vers son interrupteur, mais il faut un peu de temps, il faut un peu d'efforts pour que vous compreniez. Comprenez-vous que tout tombe et que les pierres s'écroulent ? Comprenez-vous que le souvenir qui s'attache à ce qui passe est un souvenir condamné ? Comprenez-vous qu'il y a quelque chose qui est plus fort que la vie : c'est la mort ? Quelque chose qui est plus fort que la parole : c'est le silence ? Quelque chose qui est plus fort que la présence : c'est l'absence ? Si vous voulez que, dans toute la suite des siècles, les généra-tions successives conservent encore la mémoire de ce que fut Alaric, il faut confier la mort à la mort, le silence au silence et l'absence à l'absence. La seule tombe du roi Alaric doit être l'esprit des hommes qui se succèdent dans le temps, l'imagination qui n'en finit jamais de renaître de ses cendres et le souvenir du souvenir.

Il se fit de nouveau un grand silence immobile. Dire que tous les Wisigoths avaient compris le discours de Démétrios serait exagéré. L'un après l'autre, ils se remirent à parler. La nuit tomba sur le conseil. Le conseil dura toute la nuit. Démétrios répondait avec brièveté aux questions qu'on lui posait. Après avoir parlé avec tant de flamme, il paraissait accablé. Il disait : « Le silence, oui, oui... le silence et la mort... L'absence l'emporte sur la présence... Il faut effacer derrière soi toutes les traces de son passage... La seule chance de survivre est de disparaître... »

L'abattement de Démétrios eut plus d'effet encore

sur les guerriers Wisigoths que sa fougue et sa véhémence. Ils eurent le sentiment qu'un dieu était en train de parler par sa bouche. À l'aube, la décision était prise et les chefs rassemblèrent les soldats.

— J'ai beaucoup vu mourir. Il y a une définition
assez célèbre de la vie : « C'est l'ensemble des forces
qui résistent à la mort. » Ma définition à moi serait
plutôt l'inverse : la vie, c'est ce qui meurt. La vie et la
mort sont unies si étroitement qu'elles n'ont de sens que
l'une par l'autre. Vous voyez bien qu'au-delà des
plantes, des animaux, des hommes, il y a une vie du
monde. Regardez : le Soleil vit. Regardez : la Terre vit.
Tout cela disparaîtra. Vous mourrez. Venise aussi. Et le
Soleil. Et la Terre. Venise fera de belles ruines. La
Terre : plus belles encore. Il y a un premier miracle :
c'est que quelque chose naisse. Il y a un deuxième
miracle : c'est que quelque chose se passe entre la
naissance et la mort. Il y a un troisième miracle, le
même que les deux premiers, et le plus grand de tous :
c'est que nous mourrions tous. Peut-être commencez-
vous à comprendre l'évidence et à voir ce qui crève les
yeux : tout est nécessité, et pourtant tout est miracle. La
nécessité est un miracle et le premier des miracles est la
nécessité.

— Qu'est-ce qu'il dit ? murmura Marie, en tournant
sa tête sur mes genoux. Je ne comprends plus grand-
chose, je crois que je commence à m'endormir.

— Ah ! marmonna Simon, si bas que je dus me

pencher un peu par-dessus la tête de Marie pour entendre ce qu'il murmurait, je ne dis pas grand-chose. Je dis que tout s'en va. Je dis que tout meurt et disparaît. Et que quelque chose, pourtant, subsiste, chez ceux qui restent, de ce qui a disparu. Que quelque chose, pourtant, subsiste, chez les vivants, de ce qui a vécu. C'est ce que nous appelons le souvenir. La mort n'est pas la fin de tout puisqu'il y a le souvenir. Les hommes rêvent de fantômes, de revenants, de forces spirituelles et mystérieuses, dont on ne sait presque rien, dont on attend presque tout. Le premier des fantômes, le premier des revenants, la plus formidable de toutes les forces spirituelles, vous le savez bien, c'est le souvenir. Rien de plus beau que l'espérance — si ce n'est le souvenir, qui est l'inverse et la même chose : une espèce de cri du vivant vers la vie, une affirmation de l'être, une célébration de ce qui n'est plus et qui, pourtant, a été, un appel de ce qui doit être et qui n'est pas encore. Distinguez-vous ce jeu au loin entre le temps et la vie ? Il repose tout entier sur un mystère effrayant : quand il n'y aura plus rien, il y aura eu quelque chose et la mort elle-même n'efface pas le souvenir. Ah ! je ne dis pas grand-chose, non, je ne dis presque rien, je dis que tout s'en va et que tout disparaît, je dis qu'il y a une âme du monde et que ce qui a été ne peut pas ne pas être.

Les eaux du Busento furent détournées de leur cours. Pendant plusieurs jours et plusieurs nuits, les guerriers wisigoths établirent des barrages et contraignirent le fleuve à changer de parcours. Frappés de terreur, les habitants de Cosenza et les bergers de Calabre assistaient en silence à ce bouleversement. Beaucoup d'entre eux furent engagés de force dans les travaux de déblaiement et d'édification des digues. Les Wisigoths traînaient avec eux des foules de prisonniers ramassés dans les villes qui avaient tenté de résister au déferlement des Barbares et sur les champs de bataille. Calabrais et captifs constituèrent le gros de la masse de manœuvre. Sous les ordres des Wisigoths et de Démétrios, ils remuèrent à la main, à l'aide de pelles et de pics, des tonnes de pierres et de terre. Quand le lit du Busento se retrouva à sec, la deuxième partie du plan établi par Démétrios fut mis à exécution.

Les Wisigoths installèrent tout autour du chantier un immense cordon de troupes qui interdit tout accès et constitua une espèce de zone réservée. Sous le lit du fleuve à sec, dans des sites très secrets, des équipes de travailleurs surveillés par les soldats se mirent à creuser des tombes aux dimensions de cavernes. Ils en creusèrent plusieurs, à des emplacements différents, tantôt au fond de la rivière, tantôt le long des parois plus ou moins escarpées. Toutes ces excavations, sauf une, n'étaient que des leurres destinés à égarer les futurs pilleurs de tombes. Démétrios était partout à la fois et dirigeait les travaux.

Tout autour de lui, les chefs des Wisigoths étaient animés de passions contradictoires. Ils avaient beaucoup aimé et admiré Alaric qui les avait menés à la conquête d'un monde et qui avait fait d'eux les égaux et les vainqueurs des Romains. Ils étaient prêts à mourir pour lui. C'était lui qui était mort. Ils subissaient maintenant l'ascendant de ce philosophe mi-byzantin, mi-juif que le roi des Wisigoths avait choisi pour confident. Ils sentaient bien que quelque chose d'exceptionnel et de grand se passait autour de lui. Les plus avertis savaient que c'était Démétrios qui avait conseillé à Alaric, lors de la chute de Rome, d'éteindre le feu sacré sur l'autel des vestales. Tous avaient fini par se rallier à l'idée d'enterrer Alaric sous les eaux du Busento et de confier ses cendres au seul esprit des hommes. Mais un malaise, en même temps, s'était emparé des généraux devant le pouvoir croissant du grammairien de Constantinople. Ils s'étaient réunis entre eux à l'insu du rhéteur. Pour divisés qu'ils fussent par leurs ambitions et par leurs desseins, ils s'étaient accordés sur deux points. Le premier avait été acquis à l'issue des débats : il fallait faire disparaître Alaric comme le conseillait Démétrios. Le deuxième était secret : après avoir fait disparaître Alaric, il fallait faire disparaître Démétrios lui-même. Les choses sont toujours compliquées. Et elles sont toujours simples dès qu'on connaît la clé de leur complexité. Il y avait un troisième point ignoré des généraux : c'est que Démétrios, soit qu'il eût été informé par des espions à sa solde, soit qu'il fût doué pour deviner ce qui était caché, se doutait de leurs intentions. Il y avait un quatrième point dans le mystère des choses, et il aurait plongé dans la stupéfaction toute l'armée d'Alaric : personne ne souhaitait autant que Démétrios le succès du plan secret des généraux wisigoths. Le Juif savait pourtant déjà que ce succès tant espéré était à jamais impossible.

Avec calme, avec désespoir — non parce qu'il allait mourir, mais parce qu'il ne le pouvait pas —, Démétrios passa à la troisième étape de la manœuvre absence, de l'opération éternité montée par les Wisigoths.

— Il y a quelque chose qui m'étonne, dit Marie.

Midi sonnait. Nous nous promenions tous les deux, parmi les ombres de Casanova, de Goethe, de Byron, de Chateaubriand, de Thomas Mann, sans parler de quelques autres.

— Qu'est-ce qui t'étonne ? demandai-je.

Plus rien ne m'étonnait. Ce qui m'étonnait, c'était d'être là.

— Ce qui m'étonne, dit Marie, c'est que Simon soit si peu juif.

J'hésitai un instant. Je me demandais ce qu'elle voulait dire. Je la regardai. Elle était aussi légère, aussi naïve, presque aussi sotte que moi. C'était une chance. Elle était gaie et charmante, elle était la vie même. Avec ses cheveux blonds, ses yeux soudain très verts, sa chemise blanche, son blue-jean, elle me donnait envie d'elle. La tête me tournait un peu. Pourquoi diable s'occuper d'autre chose que de sa bouche et de ses fesses, de ses seins, de ses longues jambes ?

— Nous sommes idiots, lui dis-je. Embrasse-moi.

Elle m'embrassa. Il faisait beau. Venise disparaissait. Elle n'avait pas l'air d'être trop mal dans mes bras. J'étais bien dans les siens.

— Nous mourrons tous, me dit-elle.

Je me mis à rire. Nous mourrons tous. La vie était délicieuse.

— Ce qui m'étonne, dit Marie, c'est qu'il pourrait être n'importe qui. Ce n'est pas vraiment l'image que je me faisais du Juif errant. Quand j'ai compris qui il était, je me suis mise à rêver des intrigues les plus subtiles, des combinaisons les plus louches, de la Kabbale, du Talmud, de tous les mystères du ghetto. Il n'a même pas le nez crochu. Je crois qu'il aime l'argent moins que moi.

— C'est un snob. C'est toi qui le dis.

— Il a vécu, c'est tout. Et un peu trop, à son gré. D'autres racontent les Éparges, leurs amours de jeunesse, les jeux Olympiques de Melbourne, la Commune, le krach de 1929, Marilyn dans *Some like it hot,* les débuts de l'aviation, l'attentat contre le pape, leurs vacances en montagne. Il raconte ce qu'il a vu. Il pourrait être n'importe qui.

Un hymne de pierre et d'eau s'élevait autour de nous. Venise dansait sous le soleil.

Je regardai Marie. Elle riait à la vie. Je passai les bras autour de son cou.

— Le monde est grand, lui dis-je. Et le monde est petit. Je crois qu'être juif est d'abord une idée.

Sous le Directoire, sous le Consulat, aux débuts de l'Empire, Natalie de Noailles passa pour une des femmes les plus séduisantes et les plus coquettes de tous les temps. « C'était l'Armide, écrit un de ses amants, Mathieu Molé, ministre de la Justice sous Napoléon, ministre de la Marine sous les Bourbons, ministre des Affaires étrangères et président du Conseil sous Louis-Philippe, l'un de ces politiques innombrables qui ont prêté serment d'avance à tous les régimes présents et à venir, l'un des modèles de Balzac pour sa *Comédie humaine*. C'était l'Armide. Sa grâce surpassait encore sa beauté. Soit qu'elle parlât, soit qu'elle chantât, le charme de sa voix était irrésistible. Sa coquetterie allait jusqu'à la manie. Elle ne pouvait supporter l'idée que les regards d'un homme s'arrêtassent sur elle avec indifférence. Je l'ai plus d'une fois surprise à table, cherchant avec inquiétude sur le visage des domestiques qui nous servaient l'impression qu'elle produisait sur eux. » Cette manie de plaire et d'attacher, cette folie de séduire était peut-être, à l'origine, ce que des psychologues de salon appellent, un peu vite et pour s'empresser de passer à autre chose, un trait de caractère. Elle était surtout liée à l'histoire publique et privée. Il n'y a guère de caractère. Il n'y a que des situations. Il n'y a que la rencontre d'une histoire et d'un tempérament. Après les aventures formidables de la Révolution, après plus d'une demi-douzaine d'années de tourments, de stupeur et de crainte, les gens ne pensaient plus qu'à s'amuser. Les mœurs étaient plus gaies, plus libres, plus dissolues que jamais. Natalie de Noailles n'avait pas seulement subi, comme beaucoup d'autres, la cruauté de l'histoire. Elle avait été blessée dans son cœur. Elle se jeta dans les plaisirs du haut de ses chagrins.

L'ancien jardinier du marquis de Laborde était au centre de ces tourbillons et de ces débordements.

— Est-ce que Natalie et vous…? demanda Marie avec son effronterie coutumière.

— Est-ce que Natalie et moi?… reprit Simon, en la regardant dans les yeux.

— Oui. Vous voyez ce que je veux dire…

— Pas du tout, répondit Simon, d'un ton sec. Et, d'ailleurs, ça ne vous regarde pas.

— Ah! murmurai-je à Marie, tu vas toujours trop loin.

Il assistait, navré, aux succès de Natalie et à leurs conséquences désastreuses. Les hommes se pressaient en foule pour apporter à la jeune femme des conseils, de l'aide, des consolations de toute espèce. Elle riait beaucoup. Elle était désespérée. Elle était rentrée à Paris où brillait de plus en plus fort l'étoile de Bonaparte. Elle affichait, loin de Charles, l'indépendance la plus résolue. Elle se mettait à dessiner. Elle fréquentait l'atelier du peintre Moreau. Elle devenait l'amie de Molé. Elle poursuivait, vaille que vaille, sa liaison avec Vintimille, mais elle lui en voulait, comme à Charles, comme aux autres, elle le méprisait, elle se donnait à lui avec horreur, elle lui faisait sentir à chaque instant qu'elle ne l'aimait plus, qu'elle ne l'aimait pas, qu'elle ne l'avait jamais aimé. Le désespoir passait, comme une maladie contagieuse, de Natalie de Noailles à M. de

Vintimille. Il n'en pouvait plus de faire l'amour avec une femme dont il était fou et qui se donnait à lui par chagrin et par indifférence. Il lui demanda avec humilité la permission de la quitter et de s'éloigner de Paris.

— Qu'est-ce que vous voulez que ça me fasse ? lui répondit Natalie.

La brutalité de la formule fit vaciller Vintimille.

— Je pensais..., dit-il.

— Vous pensez trop, dit Natalie. Charles et vous, vous avez toujours trop pensé.

Vintimille baissa la tête. En finirait-il jamais de payer ses fautes à l'égard de cette femme qu'il aimait plus que tout ?

— Je vous aime, dit Vintimille. Vous ne voulez pas m'aimer. Je n'ai pas d'autre solution, pour essayer de survivre, que de partir au loin. Je voudrais que, pour une fois, vous me donniez quelque chose — ou plutôt quelqu'un.

Malgré tant de preuves contraires, en dépit de ce qu'il pensait, en dépit, peut-être, de ce qu'elle pensait elle-même, Natalie de Noailles aimait beaucoup Vintimille. S'il n'y avait pas eu Charles et sa conspiration, elle aurait pu, elle aussi, l'aimer à la folie. Mais il y avait Charles, et Mrs Fitzherbert, et le complot contre elle qu'elle ne pardonnait pas. Par une suite de contrecoups, il était la victime de Mrs Fitzherbert. Natalie se tourna vers lui.

— Que voulez-vous ? lui dit-elle.

— Que vous me donniez Isaac et qu'il vienne avec moi, loin de la France et de vous. Puisque je veux vous oublier et que vous ne m'aimez pas, il sera mon dernier et mon seul lien avec votre cher souvenir.

C'est ainsi que le jardinier du marquis de Laborde, l'ancien greffier de Fouquier-Tinville, l'ancien homme à tout faire de la vicomtesse Charles de Noailles, traversa les Alpes avec M. de Vintimille. Ils visitèrent Milan et

Vérone et Venise et Ravenne et Florence et Assise. Isaac connaissait déjà la ville de saint François et la retrouva avec bonheur. Ils s'installèrent à Rome quelques mois. Ils se promenèrent avec délices et avec mélancolie dans ces lieux chargés de souvenirs. Ils descendirent jusqu'à Naples où il faisait très beau et très chaud. M. de Vintimille ne parlait jamais à Isaac de Mme de Noailles. Il mourait en silence. Isaac, pour le distraire, nourrissait le projet de pousser jusqu'à la Sicile, en passant par la Calabre et par la petite ville de Cosenza.

— La Sicile ?... disait Vintimille.

— Elle est belle, disait Isaac. Nous irons à Noto, qui est baroque, à Ségeste et à Agrigente, qui sont des morceaux de Grèce égarés en Sicile, nous nous promènerons à Monreale, qui est arabe et normande, nous monterons jusqu'à Enna et jusqu'à Erice qui sont farouches et superbes, nous nous recueillerons, mon maître, devant les squelettes des capucins de Palerme et sur le tombeau de Frédéric II, qui frappa le monde de stupeur.

— J'aime la mort, disait Vintimille. Partons pour la Sicile.

— Personne ne peut comprendre mieux que moi votre désir de mourir. Il faut pourtant savoir se résigner à vivre. Rien ne nous y aide autant que le spectacle du monde.

— Vous savez tout, disait Vintimille, vous êtes allé partout.

— J'ai un peu voyagé, répondait Isaac.

— Cosenza ? demandait Vintimille.

— C'est une petite ville sans intérêt, et pourtant assez curieuse. Je vous raconterai, si vous voulez bien.

Isaac Laquedem ne trouva pas le temps de raconter à son maître ce qui s'était passé à Cosenza. M. de Vintimille se noya dans la baie de Naples, du côté de

Capri. Il était parti de Sorrente, qui était, en ce temps-là, une petite ville ravissante, peuplée de poètes et d'Anglais, de poitrinaires, d'amoureux, pleine d'orangers et de citronniers aux parfums entêtants. Attiré par les îles, par des mirages marins, par des sirènes meurtrières, il nagea trop loin et ne reparut pas. C'était l'époque, à peu près, la vie ne s'arrête jamais, elle court et ne s'arrête pas, où Natalie de Noailles, tonnerre et damnation, rencontrait Chateaubriand.

— J'ai beaucoup couru, c'est vrai. Je me suis promené à travers le monde, j'ai traîné un peu partout mon
immortalité. Les hommes ne font rien d'autre : ce sont
tous, depuis toujours, d'éternels voyageurs.

Aujourd'hui, naturellement, vous êtes un jour à
Paris, le lendemain à New York, le surlendemain à
Venise, avant de partir pour Bali, pour Louxor, pour
Udaipur. Vous ne voyagez même plus : vous vous
déplacez tous, et moi aussi, car le Juif errant désormais
se balade en Concorde, à la vitesse du son. Pendant des
siècles et des siècles, pendant des millénaires, vous avez
le sentiment que les gens ne bougeaient pas, qu'ils
restaient immobiles, qu'ils se mariaient entre eux, dans
le même village ou dans la même vallée et qu'ils
mouraient où ils étaient nés. C'est vrai, et ce n'est pas
vrai. Depuis les temps les plus reculés, il y a des
hommes qui rêvent d'autre chose, il y a des hommes qui
bougent. Vous êtes tous, tant que vous êtes, que vous le
vouliez ou non, des espèces de Juifs errants. Car, d'une
façon ou d'une autre, vous venez tous d'ailleurs.

Les Juifs et les Arabes se battent en Israël, en
Palestine, au Proche-Orient. Chacun accuse l'autre
d'être arrivé hier sur des terres étrangères. Il est vrai
que les Juifs sont venus de partout : des crématoires

d'Auschwitz et des camps de Sibérie, des ghettos polonais et des tentes du Yémen, de la Bourse de New York et des salons londoniens. Il est vrai aussi que les Arabes étaient encore en Arabie quand Salomon et David régnaient déjà sur la Judée. Et Jérusalem fut romaine bien avant d'être arabe. Mais Abraham lui-même sortait d'Ur, en Chaldée, et de Mésopotamie. Les Arabes, en quelques années, se sont répandus de la Perse et des frontières de l'Inde jusqu'à Gibraltar et à l'Espagne, jusqu'à Poitiers et à Samarkand. Vous vous imaginez peut-être que, repoussés par les Arabes, les Espagnols, eux au moins, étaient bien de chez eux. Pas du tout : ce sont les Vandales qui donnent son nom à l'Andalousie et l'Espagne est pleine d'Alains, de Suèves et de Wisigoths qui viennent du Danube et de la Scandinavie. Pour conquérir un peu plus tard, sur les Aztèques et les Mayas, sur les Incas du Pérou, l'Amérique de Cortés, de Pizarre, d'Amerigo Vespucci et de Christophe Colomb.

Ah ! les Indiens d'Amérique, voilà des gens de la terre, des autochtones, de ces hommes de chez eux, chassé par l'envahisseur ! Pensez-vous ! Ils viennent d'Asie, par le détroit de Behring que, voilà trente ou quarante mille ans, ils traversent à pied sec. C'est que, depuis toujours, l'homme se promène de par le monde. Les Francs venaient d'ailleurs, les Grecs venaient d'ailleurs, Énée venait d'ailleurs, tout le monde venait d'ailleurs. Et l'homme lui-même vient d'ailleurs. Chacun sait aujourd'hui qu'il n'est pas né au jardin d'Éden, il y a quelque six mille ans, comme l'imaginait Bossuet. Mais qu'il est né en Afrique, il y a trois millions d'années, ou peut-être quatre, si vous y tenez, d'une espèce d'animal noir et couvert de fourrure qui ressemblait à un singe. Et que, dès ses origines, il a couru à travers le monde, vers ce qui sera l'Asie et ce qui sera l'Europe. Et que les animaux, grands ou petits, que les êtres vivants dont il est descendu se baladaient déjà, il y a des millions et des millions d'années, et sur terre et dans l'eau, à travers l'univers.

Dès l'Antiquité, des Chinois viennent à Rome. Des franciscains vont en Chine avant Marco Polo. Alexandre le Grand, fatigué des Balkans, part pour la Perse et les Indes. Les Mongols arrivent jusqu'à Vienne. Les Arabes traversent la chaîne des Pyrénées et conquièrent la Sicile et menacent la Provence. Les Vikings poussent, d'un côté, jusqu'à Kiev, jusqu'à Byzance et, de l'autre, jusqu'en Normandie et en Bourgogne, jusqu'à Gibraltar, où, avant de se protéger avec de la graisse de baleine, ils attrapent des coups de soleil, jusqu'en Sicile à leur tour et s'établissent dans les Pouilles. Tout au long de l'histoire, ce ne sont que va-et-vient, croisades dans tous les sens, expéditions à double entrée et à multiples sorties, ambassades, découvertes, migrations et promenades.

Quand je parle de promenades, ce ne sont, bien souvent, que des promenades forcées, des déplacements de contrainte. Est-ce que je marche par plaisir ? Beaucoup d'autres sont comme moi. La plupart du temps, ils obéissent, ils fuient, ils sont entraînés ou poussés par l'histoire, ils s'efforcent de survivre. Réfugiés, déportés, prisonniers de guerre, déserteurs, otages, exilés et bannis, esclaves vendus sur les marchés, il leur arrive aussi de marcher dans les fers. Administrateurs, gouverneurs, ambassadeurs ou vice-rois, soldats sur les frontières de l'empire, commerçants, marins, explorateurs, missionnaires, ils trouvent, pour se déplacer, les motifs les plus divers, des plus graves aux plus futiles. Tout leur est bon pour partir sur les routes : la foi, l'argent et l'appât du gain, les passions malheureuses, l'amour de la patrie et la curiosité. Parfois même, et surtout plus récemment, et de plus en plus à mesure que le temps passe, ils bougent pour le plaisir. À l'inverse de ceux qui s'en vont parce qu'ils n'ont plus le choix qu'entre marcher ou mourir, à côté de tous ceux qui sont poussés par la passion et par des rêves de grandeur, il y a tous ceux et toutes celles qui traversent les continents et les mers à la seule poursuite de nouveau, n'en fût-il plus au monde, et des bonheurs inutiles à la vie de chaque jour.

Des trésors sans prix furent ensevelis auprès de la dépouille d'Alaric au fond du lit du Busento. Rome pendant plusieurs jours et plusieurs nuits et beaucoup d'autres villes avaient été livrées au pillage des Wisigoths. Les églises, pour la plupart, avaient été épargnées pour la raison que l'on sait. Les palais et les temples avaient livré des chefs-d'œuvre aux ariens d'Alaric. Des statues antiques, des vases en or, des bijoux, des manuscrits, des objets du culte païen avaient été chargés sur les chariots et emportés par les troupes dans leur descente vers la Sicile. Toute une partie de ce butin accompagna le roi mort dans sa demeure d'éternité sous la terre de Calabre.

Lorsque les tombes furent prêtes, les généraux wisigoths organisèrent les obsèques. Elles se déroulèrent de nuit, à la lueur des torches, parmi les chants des guerriers qui célébraient leur roi, ses victoires, sa grandeur. Démétrios, une fois de plus, était l'ordonnateur de la pompe et le maître des ténèbres. Pendant qu'une partie des soldats maintenait un cercle de fer autour de l'espace sacré où défilait le cortège et qu'une autre partie veillait sur les barrages qui détournaient le fleuve, les chefs, entourés d'un petit nombre de guerriers triés sur le volet et de la masse des captifs qui transportaient le butin, descendaient vers le lit du torrent où ne coulait plus aucune eau. Le corps sans vie d'Alaric était placé sur un catafalque porté par douze généraux. Ils avançaient lentement, au son des cymbales et des trompettes de guerre dont le rythme très lent, entremêlé des chants funèbres, émis souvent à bouche fermée par les soldats wisigoths, résonnait dans la nuit.

Le spectacle était sinistre, oppressant et grandiose. Démétrios le contemplait à distance : il s'était installé sur le barrage qui retenait l'eau du fleuve et la détournait de son lit. Il voyait, dans les ténèbres, le serpent de feu onduler et descendre vers les tombes. Il entendait au loin les chants de mort des Barbares. Tout se passait exactement comme il l'avait prévu. Il avait prévu la nuit et les torches, le silence et les chants, le lent cortège funèbre en train de descendre vers le fleuve, les trésors d'or et de marbre en route vers l'engloutissement.

Le choix de la sépulture définitive avait été repoussé jusqu'au dernier moment. Au fur et à mesure que le catafalque passait devant des excavations qui ne serviraient pas, des équipes de captifs faisaient tomber les échafaudages qui retenaient de lourdes pierres et muraient les entrées de ces tombeaux fictifs, changés en pièges pour les voleurs. Le cortège s'arrêta enfin devant une des cavernes qui avaient été creusées dans la roche : elle serait à jamais la tombe du roi barbare qui avait été le premier à s'emparer de la Ville éternelle.

Les soldats déposèrent la dépouille d'Alaric au milieu de la pièce éclairée par la lueur des torches. Ils entassèrent autour du corps le butin des Wisigoths. Les statues et les vases, les bijoux, les œuvres d'art montèrent à l'assaut du catafalque et finirent par le recouvrir. Un évêque arien, successeur de Wulfila, vint bénir le roi mort et réciter des prières pour le repos de son âme. Lorsque tout fut fini et que les généraux, qui se tenaient debout sur le seuil du sépulcre, reculèrent de quelques pas pour laisser les rochers, retenus par des machines, retomber des parois dans un bruit de tonnerre qui roula le long du torrent et murer les issues du tombeau d'Alaric, la nuit, déjà, approchait de son terme.

Des ordres coururent, comme une mèche enflammée, d'un bout à l'autre de l'armée. Le lit du Busento, qui était resté figé dans le silence et l'immobilité pendant toute la phase finale des obsèques du roi balthe, s'anima tout à coup. Le cordon de troupes, qui, là-haut, encerclait le cours du fleuve, le cortège, les barrages, resserra son étreinte. Les Wisigoths se regroupèrent sur les deux rives qui dominaient le tombeau enseveli sous les rocs et la terre. Les captifs, éperdus, tournaient en rond au fond du fleuve, tout autour des cavernes qu'ils venaient de creuser dans le sol asséché. Il y eut encore des cris, des courses d'estafettes, des flambeaux dans la nuit, des signaux mystérieux. Suivi de quelques hommes, un capitaine wisigoth, hors d'haleine, parvint jusqu'à la digue où se tenait Démétrios. Un système de traverses commandé par des poulies avait été prévu afin de permettre à l'eau du fleuve de reprendre son cours et de se déverser, d'un seul coup, dans le torrent à sec. Pour déclencher la machine, il fallait descendre jusqu'au pied du barrage, arracher deux chevilles et remonter en hâte, par une échelle de bois, sur la rive escarpée.

— Opération accomplie ! dit à Démétrios le capitaine wisigoth.

— Bien, dit Démétrios.

— Tout est en ordre ?

— Tout est en ordre.

— Exécution ! dit le capitaine.

À l'aide de l'échelle de bois, Démétrios descendit jusqu'au fond du torrent. Parvenu au pied du barrage, il leva les yeux vers le ciel. Il aperçut au-dessus de lui la masse énorme du barrage qui retenait, dans la nuit en train de s'effacer, les eaux du Busento. Quelques étoiles brillaient encore d'une lueur déclinante. Une clarté naissait à l'est, du côté de la Sila et de l'Adriatique.

— Et si..., murmura Démétrios, emporté soudain par une folle espérance.

— Alors ! cria du haut de la digue le capitaine wisigoth.

— J'y vais, dit Démétrios.

Et il tira sur les deux chevilles.

Le déluge éclata sur la tombe d'Alaric et sur la foule des captifs qui couraient en tous sens, dans le fond du ravin, semblables à des fourmis condamnées par les flots. D'un coup de pied négligent, le capitaine wisigoth avait déjà rejeté l'échelle dans le fleuve qui gonflait à vue d'œil.

Cartaphilus avait beaucoup parlé à Poppée du Temple de Salomon et de Jérusalem. La chair et la passion, le plaisir, l'entente physique, les caresses avaient noué entre eux les liens si forts de la peau. Quand ils avaient joui tous les deux dans les bras l'un de l'autre, elle se serrait contre sa poitrine et il se mettait souvent à rêver à voix haute de son enfance en Galilée et de sa jeunesse d'artisan dans la ville sainte de David, occupée par les Romains. Il gardait assez de contrôle sur lui-même pour parler avec prudence du procurateur Ponce Pilate et des événements tumultueux qui avaient marqué son époque. Mais le printemps en Galilée, les arbres fruitiers en fleurs, la pâque à Jérusalem, la foi profonde des Juifs lui inspiraient des images et des mots qui frappaient l'impératrice étendue près de lui et en train de regagner avec lenteur les rivages familiers que l'exaltation de la haute mer lui avait fait quitter. Elle se taisait. Elle l'écoutait avidement, se bornant de temps en temps à lever la tête vers son amant et à lui poser une question. Il répondait avec simplicité, avec force, et, loin des petitesses et des horreurs de la cour de Néron, tout un monde inconnu, où les couleurs étaient plus vives et les sentiments plus élevés, s'ouvrait soudain devant Poppée. Elle s'enchantait de David et de Bethsabée, de

Samson et de Dalila, de Joseph et de Putiphar. Elle s'interrogeait sur les mystères de ce Dieu inconnu et unique dont il était interdit de représenter la figure et même de prononcer le nom et dont tout dépendait.

— Un seul Dieu ?... murmurait-elle.

— Un seul Dieu.

— Et il peut tout ?

— Il peut tout.

— Un Dieu jaloux et cruel ?

— Un Dieu juste et puissant.

La curiosité, peu à peu, le cédait à l'intérêt, et l'intérêt à la sympathie. À la suite de Renan, tous les historiens un peu sérieux de l'Empire, ceux qui ne se bornent pas au troupeau de cinq cents ânesses chargées de procurer le lait pour les bains de l'impératrice ni à l'origine — contestée — du mot *poupée* qui pourrait venir de Poppée, ont mentionné, vers la fin de sa courte vie, l'étrange inclination de la femme de Néron vers le judaïsme, sans donner jamais, et pour cause, la moindre explication à ce penchant si surprenant à son époque et dans son milieu — et plus encore dans sa condition. Seule la secrète liaison entre Cartaphilus et Poppée fournit la clé de l'énigme.

L'initiation religieuse était inséparable pour Poppée de la jouissance physique. Malgré son jeune âge, elle avait déjà eu trois maris — Rufus Crispinus, préfet du prétoire, Othon, futur empereur, exilé en Lusitanie, Néron, l'empereur régnant — et pas mal d'amants. C'était Cartaphilus qui lui avait appris, en même temps, l'existence d'un Dieu unique et le plaisir de la chair. Elle passait sans cesse de l'un à l'autre, alternant caresses et questions. À peine son amant l'avait-il entraînée avec lui sur l'échelle de Jacob, sur le parvis du temple, sur les bords du Nil avec l'enfant Moïse qu'elle se réveillait soudain à des plaisirs plus profanes. Elle se penchait sur lui et, de sa main, de sa bouche, de tout son corps dessiné par la volupté même, elle le ranimait à son tour et le ramenait vers elle. Quand ils avaient joui à nouveau, ils restaient longtemps immobiles dans les bras l'un de l'autre.

— Ton idée..., murmurait Poppée.

— N'en parle pas ! disait-il. À personne.

— Mais comment, insistait Poppée, comment la faire aboutir ?

— Le seul moyen disait-il, le seul moyen, c'est l'empereur. Il faut n'en parler à personne et la faire pénétrer, peu à peu, dans l'esprit de l'empereur. Et pour convaincre Néron, il n'y a personne — sauf toi.

— Je le convaincrai, disait Poppée.

— J'en suis sûr, disait Cartaphilus en lui caressant les seins et en descendant avec une lenteur exaspérante vers le ventre et les cuisses, j'en suis sûr. Tu sais y faire. Et je ne connais personne de plus convaincant que toi.

Le vicomte de Chateaubriand avait déjà connu et aimé bien des femmes lorsqu'il fut présenté par sa maîtresse du moment à Natalie de Noailles. Elle était coquette, il était orgueilleux. À Mme de Boigne, qui nous a laissé des Mémoires où revit tout un monde et dont Simon Fussgänger parlait avec gourmandise, elle avouait elle-même avec simplicité : « Je suis bien malheureuse. Aussitôt que j'en aime un, il s'en trouve un autre qui me plaît davantage. » Tout cela était la faute de Charles, de Vintimille et de Mrs Fitzherbert. De lui, du séducteur, du génie, du génie de la séduction, une dame d'esprit s'écriait : « Je vois que René n'est pas bon à aimer, il ne craint pas le sérail, il pourrait dire comme Byron : *Personne depuis la guerre de Troie n'a été aussi enlevé que moi* », et le roi Louis XVIII, avec plus de finesse qu'on ne supposerait chez le frère si gros de souverains si débiles : « M. de Chateaubriand, qui pourrait voir si loin s'il ne se mettait pas toujours devant lui » et encore, avec cruauté, peut-être avec injustice, cette canaille de Molé, son ennemi le plus intime : « Ce qui m'a toujours étonné chez M. de Chateaubriand, c'est cette capacité de s'émouvoir sans jamais rien ressentir. » Très vite, chacun de son côté, sans le déclarer ouvertement, presque sans se l'avouer à soi-même, sans rien faire, en tout cas, qui pût engager un avenir qu'ils voulaient, tous les deux, pour des motifs différents et pourtant comparables, laisser aussi ouvert que possible, Chateaubriand et Natalie tombèrent amoureux l'un de l'autre. Le choc allait être rude.

Après la mort de Vintimille, Isaac Laquedem était retourné chez Mme de Noailles. Il avait essayé de la persuader que le drame de la baie de Naples était un accident. Elle ne le croyait qu'à moitié. « Il faut s'occuper, écrivait-elle à son frère, car la tête s'affaiblirait par les douloureuses pensées qui reviennent sans cesse. Une fois l'esprit frappé, le sens s'échappe et il vaudrait mieux mourir mille fois. » Natalie, pourtant, n'avait pas perdu tout à fait ni la tête ni les sens : elle ne pensait déjà plus qu'à René.

Chateaubriand, en ce temps-là, était aux prises non seulement, comme toujours, avec sa femme et ses maîtresses, mais aussi avec l'histoire. L'assassinat du duc d'Enghien l'avait brouillé avec Bonaparte en train de devenir son prénom et de se changer en Napoléon. Puisqu'il n'était et ne voulait être ni ministre ni ambassadeur, il préférait quitter la France où, malgré le triomphe du *Génie du christianisme,* il n'était plus le premier et où les victoires de son adversaire lui fatiguaient les oreilles. Il partait pour la Grèce et pour Jérusalem. Natalie, de son côté, et peut-être pour le fuir, s'en allait en Espagne. Les voyages, à cette époque, n'étaient pas de minces affaires. Ils duraient longtemps et séparaient à jamais. René, avant de partir, tenta le tout pour le tout. Il écrivit à Natalie pour lui dire son amour et il remit la lettre à Isaac Laquedem pour qu'il la transmette à sa maîtresse.

Isaac avait déjà fait le malheur de Mme de Noailles en voulant la sauver et en soufflant à son mari l'idée désastreuse qui, transformée, amplifiée, dénaturée jusqu'à l'invraisemblable qui est pourtant la vérité, avait abouti à la tragédie de Sorrente. Il ne voulait pas, une nouvelle fois, servir des amours dont il n'augurait rien de bon. Il garda pour lui la lettre de Chateaubriand.

Chateaubriand comprit assez vite, au silence de Natalie, que sa lettre d'amour ne lui était pas parvenue. Il laissa éclater son désespoir. Dans sa correspondance avec Joubert, son ami le plus proche, âme légère et pure qui était tombée dans un corps par hasard, être lunaire et charmant qui déchirait, dans les livres, les pages qu'il n'aimait pas, apparaissent, coup sur coup, datées de Venise où il s'embarquait pour l'Orient, deux lettres éloquentes qui n'ont pas retenu jusqu'à présent l'attention qu'elles méritent de la part des commentateurs et des admirateurs de l'auteur des *Mémoires d'outre-tombe*. Elles figurent pourtant, chacun peut le vérifier, dans la *Correspondance générale* de Chateaubriand publiée à Paris, chez Gallimard, par M. Pierre Riberette.

« La peste étouffe Isaac ! Voulez-vous parier qu'il n'a pas remis ma lettre à la personne à qui elle était destinée ? Je la lui ai donnée cependant devant vous. Lavez-lui la tête d'importance si vous tombez sur lui. Dites-lui mille injures. Cependant, s'il n'a pas perdu cette lettre, qu'il la remette à la personne et le ciel lui pardonne. Pour moi, cela va au-delà de la charité. J'aurais parti (*sic*) demain si j'avais trouvé ici la réponse à la lettre qu'Isaac a perdue. Le misérable. » Et quatre jours plus tard : « J'ai attendu inutilement la réponse à la lettre remise ou devant être remise par Isaac le jour de mon départ. Je suis très inquiet. Cette lettre était importante. Elle était adressée à Mme de Noailles. Elle était telle que si j'avais reçu une réponse prompte et satisfaisante, je me serais déjà embarqué. Voyez donc quel mal Isaac a fait. Je m'attends qu'il vous soutiendra qu'il l'a remise. Mais dans ce cas le silence de Mme de Noailles serait bien plus inexplicable et beaucoup plus malheureux. Mon Isaac a sûrement perdu la lettre. Ne l'a-t-il pas laissée dans le bureau où il alla changer mes billets ? Tâchez de lui faire confesser son *crime* par toutes les voies de force et de douceur. Je lui promets même pour boire s'il veut dire franchement : *J'ai perdu la lettre*. S'il la retrouve dans son taudis, qu'il la remette tout simplement, malgré son antiquité. Je rabâche là-dessus. Mais réellement, je suis fort inquiet. Répondez-moi à Venise, poste restante. Ne dites rien de toute cette histoire à personne. Je vous prie de passer chez moi et de prendre toutes lettres qui peuvent se trouver à mon adresse sous prétexte de me les renvoyer. Vous les garderez et vous me les remettrez à moi-même à mon retour. »

Tout est lumineux, là-dedans. C'est le mystère en pleine lumière : les angoisses de l'amour, la fureur contre Isaac, l'espérance tout de même qu'il a perdu la lettre car le silence de Natalie, si elle l'avait reçue, serait la pire des tortures, la méfiance à l'égard des autres femmes, légitime ou illégitimes, à qui il faut dissimuler à tout prix, à Paris comme à Venise, les messages de Natalie qui n'existent d'ailleurs pas... Les manœuvres d'Isaac Laquedem pèsent plus lourd, tous ces jours-là, dans l'esprit d'un génie qui piétine à Venise que les manœuvres d'un autre génie à Austerlitz ou à Iéna.

Il n'y avait pas de quoi s'affoler. Mme de Noailles souffrait au moins autant du silence de René que Chateaubriand souffrait du silence de Natalie. Aucune lettre de Joubert ni de Mme de Noailles n'arriva à Venise où Chateaubriand rongeait son frein et visitait trois fois par jour, non pas l'Accademia, ni la Douane de mer, ni l'église de la Salute, ni les chefs-d'œuvre de Carpaccio, mais la seule poste restante. Ce qui arriva à Venise, la veille de l'embarquement pour les temples de la Grèce et le tombeau du Christ, ce fut Isaac Laquedem lui-même, enchanté et penaud. Il avait vu, jour après jour, sa maîtresse se consumer de passion pour le grand écrivain. Il avait été pris de remords et il avait fini par lui remettre la lettre qu'il avait détournée. Natalie de Noailles, éperdue, ne s'était plus posé de questions et avait retrouvé d'un seul coup tout son charme légendaire et toute son allégresse exaltée. Elle avait envoyé à Chateaubriand Isaac en personne pour lui dire qu'elle l'aimait et qu'elle l'attendait à Grenade pour se donner à lui.

Ainsi, et ainsi seulement, s'expliquent les mots de feu rédigés par René et supprimés par lui dans les *Mémoires d'outre-tombe*, avant d'être retrouvés et publiés par cette peste de Sainte-Beuve : « Mais ai-je tout dit sur ce voyage commencé au port de Desdémone et fini au pays de Chimène ? Allais-je au tombeau du Christ dans les dispositions du repentir ? Une seule pensée remplissait mon âme ; je dévorais les moments ; sous ma voile impatiente, les regards attachés à l'étoile du soir, je lui demandais des vents pour cingler plus vite, de la gloire pour me faire aimer. J'espérais en trouver à Sparte, à Sion, à Memphis, à Carthage, et l'apporter à l'Alhambra. Comme le cœur me battait en abordant les côtes d'Espagne ! Aurait-on gardé mon souvenir ainsi que j'avais traversé mes épreuves ? Que de malheurs ont suivi ce mystère ! Le soleil les éclaire encore ; la raison que je conserve me les rappelle. Si je cueille à la dérobée un instant de bonheur, il est troublé par la mémoire de ces jours de séduction, d'enchantement et de délire. »

Simon Fussgänger savait ces lignes par cœur. Il les récitait avec exaltation, avec un peu trop d'emphase et de grandiloquence, dans le soir qui tombait sur la ville et les quais d'où s'était embarqué, non seulement sous ses yeux, mais en sa compagnie, le pèlerin adultère.

À Paris, pendant ce temps, le *Mercure de France* publiait des extraits d'une lettre sur Venise écrite par

293

Chateaubriand avant l'arrivée d'Isaac Laquedem, quand il ne savait encore rien de Natalie de Noailles. Pour la simple raison qu'une femme aimée se tait, l'impatience, la fureur, l'humeur la plus exécrable devant la reine des mers où s'entasse tant de beauté, s'exhalent presque à chaque mot : « Cette Venise, si je ne me trompe, vous déplairait autant qu'à moi. C'est une ville contre nature. On n'y peut faire un pas sans être obligé de s'embarquer, ou bien on est réduit à tourner dans d'étroits passages plus semblables à des corridors qu'à des rues. L'architecture de Venise, presque toute de Palladio (*sic*), est trop capricieuse et trop variée. Ce sont presque toujours deux, ou même trois palais bâtis les uns sur les autres. Les fameuses gondoles toutes noires ont l'air de bateaux qui portent des cercueils. J'ai pris la première que j'ai vue pour un mort qu'on portait en terre. » Dès qu'elles furent connues à Paris, ces considérations esthétiques un peu rapides soulevèrent un beau tollé, mêlé d'une certaine ironie. D'autant plus que la rédaction du journal avait fait précéder la lettre de quelques lignes qui valaient leur pesant de chapelet et d'encens et que Simon nous distillait avec un hennissement de joie : « Nous croyons faire plaisir aux lecteurs du *Mercure* en leur donnant des nouvelles d'un voyageur auquel s'intéressent si vivement les amis des lettres et de la religion. »

« On a peine à croire que l'idée d'accuser les chrétiens de l'incendie du mois de juillet soit venue d'elle-même à Néron. Par qui l'atroce expédient dont il s'agit lui fut-il suggéré ? » Marie découvrait, les yeux écarquillés, la réponse de Simon à la question de Renan. Les chrétiens étaient innocents de l'incendie de Rome. Mais l'idée de les accuser était une idée de génie. Les exemples sont innombrables de chrétiens, indignés par le culte païen, qui s'en prenaient aux temples et aux statues des dieux. Il est plus que probable que, pendant le désastre, l'attitude des disciples de Jésus dut paraître équivoque. Quelques-uns sans doute, selon une autre formule de Renan, « manquèrent de témoigner du respect et du regret devant les temples consumés ou même ne cachèrent pas une certaine satisfaction. Cet incendie, ils ne l'avaient pas allumé, mais sûrement ils s'en réjouirent. Les chrétiens pouvaient donc être tenus, si l'on peut s'exprimer ainsi, pour des incendiaires de désir ». Le piège de Cartaphilus contre des innocents qu'il avait tant de raisons d'exécrer était monté de main de maître. Derrière les caresses dont il comblait Poppée et derrière l'incendie de Rome attribué aux chrétiens se profilait l'ombre, adorée et haïe, de Marie de Magdala.

Poppée n'eut pas beaucoup de peine à convaincre Néron, toujours étreint par la peur, de rejeter sur les chrétiens la responsabilité du désastre. Elle n'eut à prodiguer ni son charme, ni sa beauté, ni les caresses expertes qu'elle réservait à son amant. L'empereur n'était pas seulement impatient de se disculper aux yeux de son peuple. Il n'attendait que l'occasion de joindre, une nouvelle fois, après l'incendie de la Ville éternelle, son attrait pour le sang et pour la cruauté à son amour des spectacles. Les chrétiens furent jetés aux lions dans le cirque de Caligula, au cœur des jardins qui s'étendaient au-delà du Tibre, sur l'emplacement actuel de la basilique Saint-Pierre. Le cirque était partagé par une sorte d'épine dorsale, ornée de statues de divinités, d'autels, de petits temples, et qu'on appelait la *spina*. Les extrémités de la spina étaient ornées de bornes autour desquelles tournaient les chars. Une de ces bornes était un obélisque tiré d'Héliopolis : celui-là même qui marque de nos jours le centre de la place Saint-Pierre et que fit élever Sixte Quint. Aux premiers rangs des spectateurs, dans la loge impériale, aux côtés de l'empereur qui était myope et qui avait coutume de porter dans l'œil, pour mieux suivre les souffrances des chrétiens déchirés, une émeraude concave qui lui servait de lorgnon, on pouvait voir Poppée et son amant Cartaphilus, assis, un peu en retrait, juste derrière Tigellin, son supérieur hiérarchique en tant que préfet du prétoire.

Ce que furent ces spectacles — « Ah ! non, vous n'êtes pas un saint !... » s'écriait, à nouveau, au pied de la Douane de mer, une Marie consternée —, nous le savons par les textes, par Tacite et par Suétone, par les récits des témoins, par toute la tradition et la légende dorée et sanglante des chrétiens qui se forge dans la douleur et dans le sacrifice. Couverts de peaux de bêtes, les condamnés chrétiens sont jetés dans l'arène où on les fait déchirer par des chiens ou des fauves, d'autres sont crucifiés, d'autres enfin, des femmes et des enfants surtout, sont lancés en l'air et rattrapés au vol sur des lances et des piques. Deux meneurs illustres comptent parmi les victimes : Pierre, qui refuse l'honneur de mourir comme son maître, supplie et obtient d'être crucifié la tête en bas dans la ville impériale, là où s'élève aujourd'hui l'église qui porte son nom ; Paul, citoyen romain puisqu'il est né à Tarse d'une famille qui a acquis le droit de cité romaine, est décapité sur la route d'Ostie. Perdu dans la foule des spectateurs ivres de sang, Cartaphilus assiste aux deux exécutions.

L'usage s'était établi, à peu près à cette époque, de faire jouer aux condamnés, dans des pièces de théâtre, des rôles mythologiques qui entraînaient la mort de l'acteur. Ces hideux opéras, où la science des machines atteignait à des effets prodigieux, fournirent aux chrétiens l'occasion de se produire dans des spectacles sans lendemain où ils étaient costumés en héros ou en dieu, voué à un sort tragique : Hercule, tentant en vain d'arracher de dessus sa peau la tunique de Nessus, était brûlé sur le mont Œta, Orphée était mis en pièces par un ours, Dédale était précipité du ciel et dévoré par les bêtes, Pasiphaé succombait sous les étreintes du taureau. À la fin de la pièce, Mercure, avec une verge de fer rougie au feu, touchait chaque cadavre pour voir s'il remuait et des valets masqués traînaient les morts par les pieds, assommant avec des maillets tout ce qui s'obstinait à palpiter.

Les femmes et les vierges étaient au centre de ces fêtes qui enchantaient le peuple, les lettrés et la cour. Dénudées, violées, attachées par les cheveux aux cornes d'un taureau furieux, lacérées par le fer, jetées vivantes dans les flammes, elles soulevaient l'enthousiasme d'un public déchaîné. L'empereur, et peut-être Cartaphilus lui-même, bien que Simon restât discret, sans doute à cause de Marie, sur sa participation, ne dédaignaient pas de se mêler à ces jeux. Un soir où des adolescents, des femmes, des jeunes filles avaient été attachés nus aux poteaux de l'arène, une bête, jaillie de la terre sous les hurlements de la foule, s'acharna et s'assouvit sur chacun de ces corps. La bête, dont saint Jean, une trentaine d'années plus tard, se souviendra dans l'*Apocalypse,* était Néron lui-même, couvert d'une peau de fauve. Les supplices se passaient le soir et, quand la nuit tombait, on allumait des flambeaux : c'étaient des torches vivantes, c'étaient d'autres chrétiens, liés à des poteaux et revêtus de tuniques trempées dans l'huile bouillante, la résine ou la poix, qui brûlaient dans la nuit.

Ces spectacles où le sang et le sexe sont mêlés l'un à l'autre, ces jeunes seins déchirés, ces vierges violées qui, à la joie de Néron, inventent, dans la souffrance, la volupté suprême de la pudeur piétinée portent jusqu'à l'incandescence l'excitation amoureuse de Poppée et de son amant. Souvent ils ne peuvent plus attendre d'être rentrés chez eux pour satisfaire leur désir exaspéré par le sang qui s'écoule sur le sable et, au mépris de toute prudence, ils se caressent dans l'ombre, à quelques pas de l'empereur. Au retour de ces fêtes, Cartaphilus et Poppée se jettent enfin l'un sur l'autre avec une violence qui finit par leur faire peur. En tenant entre ses bras l'impératrice frémissante, Cartaphilus s'imagine qu'il serre contre lui le corps palpitant, lacéré, couvert de sueur et de sang, de Marie de Magdala. Vers la fin de l'été, Poppée annonce à son amant qu'elle est enceinte de lui.

Un trouble s'empare de moi. Je me tourne vers Marie : les yeux comme des soucoupes, entre l'enchantement et l'horreur, elle paraît fascinée. Les tentatives de Charles, les séductions de l'avocat, les avances de beaucoup, emportés par sa beauté, elle les a dédaignées. Voilà que l'homme du Ghetto Nuovo et de la Douane de mer, dont elle s'est d'abord tant méfiée, la suspend à ses lèvres. Il parle, et elle l'écoute. Il raconte. Elle le regarde.

J'écris ces lignes à la hâte, en cachette de Marie. Je me frotte les yeux, je m'inquiète, je sens l'angoisse qui monte : qui est Simon Fussgänger ? L'idée qu'il soit Ahasvérus, Cartaphilus, Démétrios, Isaac Laquedem, Buttadeo, Esperendios, Luis de Torres, et tant d'autres, m'a d'abord paru si folle que je n'ai cru qu'à moitié le récit de ses aventures et de ses incarnations. Je souhaite maintenant de tout cœur, aussi invraisemblable que l'affaire puisse paraître, qu'il soit vraiment le Juif errant. S'il ne l'est pas, qu'est-il donc ? Un escroc de génie ? Une sorte de savant fou ? Un imposteur ? Un assassin, peut-être recherché par la police ? Un séducteur plus malin que les autres ? Un détraqué sexuel ? ou, pis que tout, un poète ? Je déteste les poètes. J'ai lu quelque part que Platon, qui les détestait lui aussi, les prenait tous pour des menteurs et les expulsait de sa cité idéale. J'aurais peut-être mieux fait de ne jamais venir à Venise, dans la calme pensione Bucintoro, au bout de la riva degli Schiavoni.

Romulus Augustulus, dont le nom évoquait à la fois le fondateur de la Ville éternelle et le fondateur de l'Empire, fut le dernier empereur de Rome. Ce qui avait été la communauté la plus durable et la plus puissante de tous les temps n'en finissait pas d'agoniser. Les Barbares succédaient aux Barbares.

Les derniers en date étaient les Hérules. Ils venaient du Nord, comme tout le monde, et ils étaient descendus, comme tout le monde, vers le Danube et la mer Noire avant de se jeter sur l'Italie. Leur chef s'appelait Odoacre. Le père d'Odoacre avait été un des lieutenants d'Attila, le terrible roi des Huns. À la mort d'Attila, Odoacre, comme tout le monde encore, était entré, avec ses Hérules, au service de l'Empire. À la tête de sa garde germanique, c'est lui qui mit sur le trône le jeune Romulus Augustulus. Un an plus tard, il le déposait avec la même simplicité et renvoyait à Constantinople, où résidait l'empereur d'Orient, les insignes impériaux. C'était la fin de Rome et de l'empire d'Occident. Un peu plus d'un demi-siècle après la prise de Rome par Alaric, une aventure millénaire qui n'avait jamais eu son pareil et qui n'en aurait pas trouvait enfin son terme et entrait dans la légende, pour le meilleur et pour le pire.

L'histoire change et se répète. Le premier soin d'Odoacre, qui avait succédé aux empereurs et à Alaric, fut d'assurer le ravitaillement de l'Italie et de Rome par le contrôle de la Sicile et de ses champs de blé. Quand ils arrivèrent à Palerme, les soldats d'Odoacre tombèrent sur un personnage bizarre, savant, agité, un peu fou, qui prétendait avoir vécu dans l'intimité d'Alaric dont la mort remontait à près de soixante-dix ans. Il disait venir de Byzance et s'appeler Démétrios. Les Hérules l'emmenèrent avec eux et le remirent à Odoacre.

Les Hérules étaient des Barbares peut-être plus farouches que tous les autres. Beaucoup d'entre eux se refusèrent toujours à embrasser le christianisme. Odoacre, lui, était arien. Il avait pris le titre de patrice et, comme la plupart des rois barbares, il rêvait de se glisser dans les institutions qu'il venait de détruire. Comme Alaric et tous les autres, y compris les Romains, il avait versé beaucoup de sang et il se piquait de culture, de tolérance, de réconciliation entre les peuples, sous son égide, bien entendu. Démétrios l'épata par sa connaissance du grec, du latin et des langues des Barbares.

— On m'assure, dit Odoacre, que tu prétends avoir connu Alaric ?

— Je l'ai connu, dit Démétrios. Et je l'ai suivi.

— Il a dû naître, dit Odoacre en comptant sur ses doigts, il y a un peu plus de cent ans. Quel âge as-tu ?

— Je n'en sais trop rien, répondit Démétrios.

— Tu parles le grec et le latin et beaucoup d'autres langues, mais tu ignores ton âge ? Sais-tu que je pourrais te faire mettre à mort pour mensonge et insultes envers le roi des Hérules ?

Démétrios se tut.

— Si tu as connu le roi des Wisigoths, tu as dû connaître beaucoup de choses depuis le temps de sa mort. Qu'as-tu vu depuis Alaric en Sicile et en Italie ?

— J'ai vu les Vandales, répondit Démétrios. Ils venaient du Nord, comme toi, des grands fleuves et des grandes plaines. Ils étaient passés par l'Espagne et, de là, en Afrique. Ils sont arrivés sur leurs bateaux de l'autre côté de la mer et ils sont remontés vers Rome, d'où tu descends.

— C'est vrai, dit Odoacre. Comment s'appelait leur roi ?

— Genséric, dit Démétrios.

— C'est encore vrai, dit Odoacre. Mais tu es savant. Tout le monde connaît, au moins de nom, les Vandales et leur roi. On a pu te parler d'eux, de leur débarquement en Sicile, de leurs expéditions vers le nord.

— J'ai marché avec eux. Non seulement en Italie, mais de l'autre côté de la mer. Et même de l'autre côté des colonnes d'Hercule.

— Tu es un savant, dit Odoacre, mais tu es un bavard, un vantard et un menteur. Si je t'écoutais, tu aurais vécu cent ans, tu aurais connu Alaric, tu aurais marché avec les Vandales à travers l'Hispanie, la Bétique, la Mauritanie, la Numidie et la Proconsulaire, et tu connaîtrais toutes les langues.

— Je parle celles que tu parles. Et peut-être quelques autres.

— Tu es un vantard et un arrogant. Je devrais te faire mettre à mort. Mais j'y renonce parce que...

— Tu fais bien, dit Démétrios.

— Tais-toi ! cria Odoacre en se levant. J'y renonce parce que tu peux m'être utile. Mais je te ferai rentrer tes paroles dans cette gorge qui sait parler tant de langues.

Odoacre fit jeter Démétrios dans une cage et l'emmena partout avec lui, le traitant à la fois en interprète et en prisonnier, le montrant comme une bête curieuse. Déjà, là-haut, sur les confins, du côté des Alpes et de cette trouée du nord-est où passaient tant de chemins qui allaient vers la mer, vers le soleil et vers Rome, apparaissait et piaffait, après les Wisigoths d'Alaric et les Hérules d'Odoacre, pour ne rien dire des Vandales qui étaient venus du sud et par mer sous la conduite de Genséric, une troisième vague d'envahisseurs. Elle se coulait à travers les cols, elle suivait le lit des rivières, elle déferlait sur les plaines de ce qui sera plus tard la Lombardie, de ce qui sera la Vénétie. Ce torrent d'hommes et de chevaux, d'enfants, de chariots, de bétail mugissant, c'était le grand Théodoric à la tête de ses Ostrogoths.

Isaac Laquedem accompagna l'ami des lettres et de la religion dans son voyage vers la Grèce, la Terre sainte et l'Espagne. Natalie de Noailles l'avait donné naguère à Vintimille impatient de mourir. Elle le prêta à Chateaubriand pour lui servir de guide dans les détours savants et pieux qui devaient le mener jusqu'à Grenade. Le vicomte de Chateaubriand semblait prendre plaisir à accumuler les contradictions : il adorait les honneurs et il les détestait, il avait besoin d'argent et il le méprisait, il était catholique et les femmes le rendaient fou, il aimait à la fois la liberté et le roi. Il lui était difficile d'ajouter à la liste une contradiction supplémentaire, qui aurait fini par prendre des allures de provocation, et de partir pour le tombeau du Christ en compagnie d'un Juif nommé Isaac, et attaché, de surcroît, au service de la femme qu'il allait retrouver au terme de son pèlerinage.

— Isaac, mon ami, lui dit-il, pour le rachat de votre retard à remettre ma lettre à Madame de Noailles et de vos autres péchés qui sont sûrement nombreux, une pénitence s'impose.

— Monsieur le vicomte, dit Isaac, je suis votre serviteur.

— Fort bien, dit Chateaubriand. Tu étais carpe, je te

baptise lapin. Verrais-tu un inconvénient à changer de nom pour le temps du voyage ?

— Monsieur le vicomte, dit Isaac à la surprise de son maître, je ne suis même pas très sûr de celui que je porte. Il me semble que j'ai passé mon temps à m'appeler autrement.

— Eh bien, dit Chateaubriand, je te nomme..., je te nomme...

Déguisé en marin pêcheur, le vicomte hésitait. Il se souvint tout à coup que Céleste, sa femme, qu'il avait abandonnée derrière lui aux bons soins de Joubert et de quelques autres préposés aux larmes et aux peines de cœur déclenchées par le génie et par ses turbulences, avait une cuisinière. Cette cuisinière, que tous les familiers connaissaient sous le nom de Manette, s'appelait Manuela Potelin. Elle avait un frère qui accompagnait de temps en temps, dans ses frasques et ses déplacements, l'auteur du *Génie du christianisme*. Le frère s'appelait Julien Potelin.

— Je te baptise Julien Potelin, lança Chateaubriand sur un ton de triomphe.

— À votre service, Monsieur le vicomte. Julien, Isaac — et le reste : pour moi, c'est tout un. Va pour Julien !

C'est ainsi qu'Isaac Laquedem devint, sous le nom de Julien Potelin, le valet d'un grand homme qui se rendait, pour des motifs obscurs et trop clairs, de Venise à Grenade, en passant par Jérusalem. Peut-être pour épouvanter Céleste, sa femme, et pour l'inciter à ne pas encombrer le voyageur de trop de tendresse et d'attention — car ce qu'il aimait le mieux en elle, ce n'était pas sa présence —, le vicomte de Chateaubriand, qui se dépeignait volontiers lui-même, les écrivains sont incorrigibles, en nourrisson du Pinde, en croisé à Solyme, s'était armé de poignards, de pistolets, d'espingoles et déguisé en Tartarin. Il attifa Isaac en valet de Molière ou de Mozart dans une turquerie bouffe. Il alla jusqu'à l'affubler d'un turban bleu qui faisait rire, dans les ports, les marins et les passants. Sur le pont du navire, dans les mers grecques et turques, au milieu des tempêtes violentes et subites, le pèlerin adultère et menteur était enfin heureux. Sous le soleil de feu, sous le ciel étoilé, sous ces constellations dont d'autres femmes, jadis, lui avaient enseigné les noms, il parlait avec Isaac, non de livres ou de religion, mais de la femme qu'il aimait. À chaque instant du pèlerinage romantique et profane dans l'Orient classique et sacré, Natalie fut présente entre Isaac et René.

— Julien !... disait René.

— Monsieur le vicomte ? disait Isaac.

— Parle-moi encore de Madame de Noailles.

Debout dans la tempête ou dans la canicule, se balançant sur le pont en sens inverse de la houle, Isaac Laquedem racontait pour la vingtième fois au voyageur passionné, accoté à son mât ou à un rouleau de cordages, les bosquets de Méréville, les prisons de la Terreur, les intrigues de Noailles, la tête tournée par une autre, les souffrances de Vintimille et sa mort dans la baie de Naples. René oubliait Paris, les libraires, l'Empereur admiré et haï, les salons, la monarchie légitime, la sainte Église catholique et romaine : il riait, il pleurait, il chantait, il était fou de bonheur. Il ne pensait plus qu'aux plaines silencieuses et brûlantes où, dans un cercle de montagnes couronnées par la neige, l'attendait Natalie. Jamais Chateaubriand n'avait autant ressemblé à ce qu'il y avait de plus étranger aux personnages — et au personnage — de l'auteur des *Martyrs,* de *René,* d'*Atala,* du *Génie du christianisme :* un héros de Stendhal.

De Constantinople où il régnait, l'empereur d'Orient avait vu avec inquiétude Odoacre renverser le dernier empereur d'Occident et se substituer à lui. L'empereur d'Orient disposait d'un clavier sur lequel il pouvait jouer, d'une réserve où il pouvait puiser : c'était la masse inépuisable des Barbares. Ils menaçaient Constantinople et l'Orient autant que Rome et l'Occident. La sagesse consistait à les éloigner le plus possible de l'Empire byzantin et à leur jeter en pâture ce qui était déjà perdu. Il décida de lancer les Ostrogoths de Théodoric contre les Hérules d'Odoacre.

Alaric appartenait à la famille des Balthes, le roi Théodoric descendait d'une lignée non moins illustre : la race sacrée des Amales. Selon le schéma classique, il avait passé son enfance comme otage à Constantinople et il y avait pris le goût des idées et de la philosophie. On assure cependant qu'il ne sut jamais écrire et qu'il se servait, pour signer son nom, d'une lame d'or percée dont il suivait les contours avec un stylet d'or. La politique et l'art militaire, il n'eut pas besoin de les apprendre : il les connaissait de naissance. Dès les premiers chocs en Italie du Nord, l'Amale bat trois fois Odoacre : sur l'Izonzo, à Vérone, et enfin sur l'Adda. La légende de Théodoric, qui devait courir pendant des siècles à travers le monde germanique et préparer les chemins de la race des Hohenstaufen et de l'empereur Frédéric II, est déjà en train de se lever dans l'imagination enflammée des Barbares, éblouis par le soleil sur les villes d'Italie, nichées dans leurs collines. Sur son cheval blanc jailli de l'enfer, un géant au teint clair, aux yeux bleus, aux cheveux blonds, part à fond de train pour ses batailles victorieuses, pour ses chasses interminables, qui font trembler d'effroi paysans et soldats, commerçants et jeunes filles : c'est Dietrich von Bern — c'est-à-dire Théodoric de Vérone — dont l'image triomphante se retrouve encore aujourd'hui dans tout le vieux quartier qui s'étend, à Vérone, des deux côtés de l'Adige, autour du ponte Pietra. Là, sur les rives du fleuve où Théodoric fait construire son palais, tout rappelle le conquérant dont la rumeur s'enfle peu à peu et finit par parvenir — il y a un millénaire et demi, mille trois cents ans, presque jour pour jour, avant l'été parisien de 1789 qui devait changer tant de choses, en sens inverse, dans l'existence de Natalie de Noailles et d'Isaac Laquedem — jusqu'à la cage de fer et de bois où Démétrios est détenu par Odoacre.

— Si nous allions à Vérone ? dit Marie, tête en l'air.

Voilà une bonne idée. Nous partions tous les trois. Simon Fussgänger proposa bien de marcher de Venise à Vérone.

— Ce n'est pas loin, bredouilla-t-il.

Nous préférions la voiture que j'avais laissée dans le garage du piazzale Roma, qui sert d'enfer au paradis et d'antichambre à Venise. Le jour était encore jeune quand nous entrâmes à Vérone.

Connaissez-vous Vérone ? Rouge et ocre, blanche et rose, appuyée sur ses collines dans une boucle de l'Adige, la ville nous parut merveilleuse : elle retient ses splendeurs au lieu de les étaler, elle les cache sous le silence, le calme, la dignité. Marie voulait tout voir : la piazza delle Erbe où, sur le marché aux légumes, aux fruits, aux fleurs des champs, éventaires et parasols ont pris la place des chars du vieux forum romain, la piazza dei Signori qui ressemble à un salon envahi de pigeons, les arènes où des dames, parfois un peu trop fortes, chantent du Verdi dans la nuit, le balcon où Roméo grimpait vers sa Juliette, qui avait quinze ans à peine et confondait encore le chant de l'alouette et celui du rossignol, les tombeaux que les Scaliger avaient fait édifier, pour plus de commodité, entre leur palais et leur chapelle, le surprenant Giardino Giusti, bourré de cyprès et de labyrinthes par les Giusti del Giardino. Mais ce qui plut surtout à Marie, ce fut, toute petite, encore presque ignorée par les cars de touristes, un peu à l'écart le long du fleuve, entre le ponte Pietra et l'abside gothique de Sainte-Anastasie où éclate, sur un des murs de la chapelle-sacristie, l'énorme croupe du cheval blanc jeté par Pisanello au premier plan de son *Saint Georges délivrant du dragon la princesse de Trébizonde*, la piazzetta Bra Molinari.

Marie resta longtemps, appuyée sur le parapet, à regarder le fleuve qui coule au pied de la colline. À gauche, d'une porte-tour léguée par le Moyen Âge jaillit le ponte Pietra, construit par les Romains. Au pied de la colline, de l'autre côté du fleuve et du pont, subsistent les ruines du théâtre romain, érigé à l'époque d'Auguste, dominé par le couvent et le cloître de San Girolamo. Au-dessus du théâtre et du monastère s'élève le castel San Pietro, édifié sur les ruines d'un vieux château Visconti. C'est là qu'après Auguste et avant les Visconti résidait Théodoric en train de combattre et de vaincre Odoacre.

— Alors, dit Marie, c'est ici que vous...

— Eh bien, oui, dit Simon avec simplicité. Les choses ont beaucoup changé, bien sûr, mais la courbe du fleuve est la même et la colline n'a pas bougé. Beaucoup de gens sont passés par là et ils ont regardé comme vous la colline et le fleuve.

— Vous en avez connu pas mal, dit Marie.

— Pensez-vous ! dit Simon. Une goutte d'eau dans la mer. Ici comme partout ailleurs, peut-être un peu plus que partout ailleurs parce que Vérone est un carrefour du commerce et de la guerre, le monde entier défile : des Étrusques, des Gaulois, des Romains, des Ostrogoths, des Lombards et des Francs, des Allemands du Saint Empire, des Vénitiens et des Autrichiens. Il est plus que probable que Catulle et Vitruve, que Frédéric II et une flopée d'empereurs, que toute la marmaille des Scaliger et des Visconti, que Véronèse et Pisanello et Chateaubriand et Metternich, et tant d'autres encore, connus et inconnus, sont venus ici même se promener près du fleuve et admirer ce que nous admirons. Tout au long de beaucoup de siècles, Vérone s'est embellie : des temples, des théâtres, des palais se sont construits. Des églises, aussi. Et puis Vérone s'est développée, et, au lieu de continuer à devenir de plus en plus belle, elle s'est mise tout à coup, vers le milieu du siècle dernier, comme toutes les villes du monde, à le devenir de moins en moins. Défense de tirer de sa poche les mouchoirs et les lieux communs de l'esthétisme en déroute : le monde n'est pas fait seulement pour servir la beauté. Il y a beaucoup de demeures dans la maison de mon père — et la plupart sont franchement laides.

— J'aime mieux quand c'est joli, dit Marie avec une moue.

— Moi aussi, dit Simon, mais il faut bien que tout le monde vive...

— Ah oui ? dit Marie.

— Eh oui ! dit Simon. Vous n'êtes pas seule sur la Terre. Et tout le monde ne peut pas vivre dans des villas romaines ou dans des palais Renaissance. La marche de l'histoire n'est pas nécessairement un élan vers la beauté.

— C'est une marche vers quoi ? demanda Marie.

— Si je savais ! dit Simon. Rien ne m'est plus étranger que l'esprit de système. Je crois que les imbéciles s'occupent beaucoup de l'avenir parce qu'ils peuvent en dire n'importe quoi. Ils ont même une chance de tomber juste. Mais elle ne relève que du hasard. Il y a plus de rigueur dans le passé, plus d'exigence dans le présent. Je traverse le monde, je l'admire, il m'amuse, il me fait pitié. Je ne sais pas où il va. Vers son terme, bien entendu. Beaucoup vous diront vers la raison, vers la justice, vers un peu plus de conscience. Vers l'intelligence ? j'en doute un peu. Sûrement pas vers la sagesse. Sûrement pas vers la beauté. Et pourtant vers la science et vers le savoir. Les plus ignares d'aujourd'hui en savent plus sur l'univers que les plus savants d'autrefois. Nous souffrons moins, nous vivons plus, nous partons vers d'autres mondes, nous travaillons à notre bonheur, à notre puissance et à de grandes catastrophes. Et peut-être à notre perte. Il n'y a rien d'impossible au pouvoir de l'esprit. Mais ce qu'il voudra, je l'ignore. Et je crains qu'il n'ignore lui-même ce qu'il est en train de nous préparer. On ne sait le sens de l'histoire que lorsqu'elle est finie.

Marie se tut un instant. Elle regardait le fleuve couler. Et puis elle demanda :

— Combien d'hommes sur la Terre depuis qu'il y a des hommes sur la Terre ?

— Combien d'hommes ?... Ah ! tout dépend d'abord de ce qu'on appelle des hommes... Je crois qu'on situe leur nombre entre soixante et cent milliards. Tenez, je vous fais un prix : quatre-vingts milliards, ça vous irait ?

— Mon Dieu..., dit Marie.

Avant de rentrer vers Venise et la pension Bucintoro, où j'avais hâte de me retrouver pour rédiger les lignes que vous venez de lire, nous passâmes par Vicence. Dernier théâtre antique, premier théâtre moderne, inspiré par Vitruve, dessiné par Palladio, achevé par Scamozzi poursuivi par l'idée d'une architecture universelle, le Teatro Olimpico plut beaucoup à Marie : grâce aux niches et aux statues, aux colonnes, aux fausses portes, perspectives et trompe-l'œil y mêlent l'espace et le temps.

Ils passèrent à Modon, l'antique Méthone, et à Tripolitsa, à Mistra et à Sparte, à Mégare et à Éleusis, à Athènes et au cap Sounion. Partout, les souvenirs revenaient en foule à l'esprit et au cœur de René. Et, puisqu'il était poète, amoureux et menteur, il lui arrivait même d'en inventer. Et le plus invraisemblable est que ces souvenirs inventés étaient parfois exacts. Il parle d'événements dont personne ne savait plus rien et de villes détruites qu'il n'a pas pu visiter. Beaucoup d'historiens et de commentateurs se sont penchés sur ce paradoxe et l'ont mis, avec légèreté, sur le compte du hasard ou, avec gravité, sur celui du génie qui ressuscite le passé comme il annonce l'avenir. La vérité est plus simple : avec ce qu'il fallait de discrétion et de simplicité, Isaac Laquedem, alias Julien Potelin, alias Cartaphilus, alias etc., glissait à Chateaubriand, qui n'y voyait que du feu, ses propres expériences de globe-trotter mystique, de vagabond inspiré, de marcheur par obligation et de voyageur professionnel.

Ce n'est pas par hasard que *Les Martyrs* de Chateaubriand paraissent deux ans après son voyage en Méditerranée. Toutes les histoires de la littérature soulignent à qui mieux mieux que Chateaubriand est allé à Athènes et à Jérusalem se fournir en images. Toutes indiquent aussi que les observations de l'auteur d'*Atala* et de l'*Itinéraire,* voyageur fantaisiste et plus pressé encore que Morand, sont sujettes à caution. Comment concilier ces deux affirmations ? D'où vient la masse d'informations qui sert de socle aux *Martyrs* ? Tout devient soudain d'une clarté aveuglante quand on se souvient de l'aventure qui, pendant un an, presque jour pour jour, de juillet 1806 à juin 1807, a laissé Chateaubriand dans la seule compagnie d'Isaac Laquedem, camouflé en Julien Potelin. Ce qui compte, pendant cette année d'enchantement et de formation, ce n'est pas ce que voit le futur auteur des *Martyrs,* qui, comme tous les grands voyageurs, ne regarde d'ailleurs presque rien : c'est ce qu'il écoute avec passion.

De quoi parlent-ils, tous les deux, l'immense poète catholique, le va-nu-pieds maudit, sur le pont des navires, dans les auberges de passage, le long des côtes de la Grèce, de la Turquie, de l'Égypte, dans les caravanes auxquelles ils se joignent, pendant les soirées interminables où ils se retrouvent tête à tête ? Vous le savez, naturellement : de l'Empire romain, de la naissance du christianisme, de Néron et des jeux du cirque, de cette mer intérieure d'où sort l'histoire du monde et que Cartaphilus avait parcourue en tous sens. Tout ce qui fera la trame et le décor des *Martyrs*. Chateaubriand est un génie. Sa seule faiblesse est l'orgueil, et peut-être la vanité. Il n'avouera jamais ce qu'il doit à son valet, Isaac — dit Julien. Il n'est pas impossible qu'il ne s'en soit jamais rendu compte. Chacun sait que la conscience de sa propre valeur aveuglait le vicomte.

Julien Potelin, pour qui sait lire, s'est vengé d'avance, avec un esprit bien surprenant pour le frère de la cuisinière de Céleste de Chateaubriand. Dans les premières années du siècle passé, l'écriture, l'instruction, le talent étaient moins répandus qu'aujourd'hui. On dirait qu'Isaac Laquedem a tenu à signer, d'une sorte d'encre sympathique, l'aveu bouffon et pourtant grave de ses relations d'égal à égal avec son maître et de sa présence, sans amertume mais sans compromission, auprès de l'écrivain le plus illustre de son temps. D'un bout à l'autre du voyage de Venise à l'Andalousie, en passant par la Grèce et par la Terre sainte, pendant que Chateaubriand, à l'écoute de son compagnon, recueille note sur note en prévision de son œuvre future, Isaac Laquedem, déguisé en Julien Potelin, tient son propre journal.

— Il y avait longtemps, dit Simon, que j'avais envie d'écrire.

— Ah! dit Marie, le fameux manuscrit refusé par Érasme?...

— Notamment, dit Simon. J'ai fait d'autres essais.

— Publiés? demanda Marie.

— Publiés, dit Simon, sur un ton de satisfaction, avec une ombre de suffisance.

— Sous votre nom? demanda Marie.

— Quel nom? dit Simon en riant.

— Je ne sais pas, dit Marie. L'un ou l'autre, j'imagine.

— Vous seriez bien surprise si vous saviez sous quels noms j'ai publié mes livres et à qui j'ai servi de nègre.

Et il se remit à rire.

Debout maintenant au bord de l'eau, à la pointe de la Douane de mer, il se laissait aller à son goût de la comédie, à son génie de la mise en scène. Il sautait d'un côté à l'autre, il changeait de voix et presque d'allure, il était tour à tour, sous nos yeux écarquillés, le vicomte et son valet, Chateaubriand et lui-même. Nous n'étions plus à Venise, nous approchions d'Athènes, nous longions les côtes turques, entre Constantinople et Jaffa, nous apercevions au loin les murs de Jérusalem, nous affrontions les tempêtes de la mer déchaînée. Est-ce qu'il inventait ce qu'il disait, est-ce qu'il récitait de mémoire l'*Itinéraire* de Chateaubriand et son propre journal ? Allez savoir ! Il n'hésitait pas un instant sur ce qu'il déclamait et il s'amusait à la folie.

CHATEAUBRIAND : Je vois aujourd'hui, dans ma mémoire, la Grèce comme un de ces cercles éclatants qu'on aperçoit quelquefois en fermant les yeux. Sur cette phosphorescence mystérieuse se dessinent des ruines d'une architecture fine et admirable, le tout rendu plus resplendissant encore par je ne sais quelle autre clarté des Muses. Quand retrouverai-je le thym de l'Hymette, les lauriers-roses des bords de l'Eurotas ?

ISAAC-JULIEN : Monsieur, qui s'était endormi sur son cheval, est tombé sans se réveiller.

CHATEAUBRIAND : On entendait de tous côtés le son des mandolines, des violons et des lyres. On chantait, on dansait, on riait, on priait. Tout le monde était dans la joie. On me disait : « Jésuralem ! » en me montrant le midi, et je répondais : « Jérusalem ! »

ISAAC-JULIEN : Nous avions nos provisions de bouche et nos ustensiles de cuisine que j'avais achetés à Constantinople. J'avais, en outre, une autre provision assez complète que M. l'Ambassadeur nous avait donnée, composée de très beaux biscuits, jambons, saucissons, cervelas ; vins de différentes sortes, rhum, sucre, citrons, jusqu'au vin de quinquina contre la fièvre. Pendant plusieurs jours de mauvais temps que nous avons eus, les femmes et les enfants étaient malades et vomissaient partout.

CHATEAUBRIAND : Les nuits passées au milieu des vagues, sur un vaisseau battu de la tempête ne sont pas stériles ; l'incertitude de notre avenir donne aux objets leur véritable prix : la terre, contemplée du milieu d'une mer orageuse, ressemble à la vie considérée par un homme qui va mourir.

ISAAC-JULIEN : Quand nous voyions, à la fin du jour,

317

que nous allions avoir une mauvaise nuit, je faisais notre punch. Je commençais toujours à en donner à notre pilote et aux quatre matelots, ensuite j'en versais à Monsieur, à l'officier et à moi.

En face du palais des Doges et de l'isola San Giorgio qu'on devine dans la nuit, Simon Fussgänger se jette à droite, se jette à gauche. Il est successivement Chateaubriand et Potelin, Don Quichotte et Sancho Pança, maître Puntila et son valet Matti, Monsieur et son chant amébée. Nous sommes, tout à la fois, dans la Venise du cinéma, de l'art abstrait, de la démocratie chrétienne, du communisme et dans les ruines d'Athènes ou de Jérusalem au temps de Friedland, d'Auerstaedt et d'Iéna. Balzac et Victor Hugo apprennent encore à lire. Stendhal est adjoint aux commissaires des guerres de l'armée impériale. Valéry et Claudel sont déjà changés, chacun selon son choix, en semence et en cendres. Aragon chante Staline et achève *La Semaine sainte*.

Le 30 mars 1807, enfin, toujours flanqué d'Isaac déguisé en Julien, Monsieur débarque à Algésiras. Natalie ! Natalie !

Vaincu, vaincu encore, vaincu une troisième fois, Odoacre avait fini par se jeter dans Ravenne où il s'était retranché. Théodoric, après s'être établi à Vérone et avoir reçu à Pavie des renforts wisigoths, mit le siège devant Ravenne. Le siège dura trois ans. Entre l'assiégé et l'assiégeant, entre les Hérules et les Ostrogoths, entre Odoacre et Théodoric, le lien fut fait par Démétrios.

De la guerre de Troie à Sébastopol et à Stalingrad, l'art des sièges a longtemps constitué, sous le nom harmonieux de poliorcétique et au même titre que l'amour, la théologie, les fêtes et les jeux, la sculpture, la musique, les épopées en vers, les révolutions de palais, les longs voyages en mer, une des occupations favorites des hommes en quête de je ne sais quoi — et bien sûr de butin. Quand des lieutenants de Théodoric, venus parlementer avec les généraux d'Odoacre, furent introduits, sous bonne garde, à l'intérieur des fortifications de Ravenne, Démétrios, qui savait lire et écrire et qui parlait toutes les langues, assista aux rencontres et aux pourparlers, qui ne tardèrent pas à échouer. Son intelligence, son savoir, ses dons, son étrangeté aussi, attirèrent l'attention des émissaires ostrogoths. Pendant que les soldats se faisaient tuer sur les remparts, Ostrogoths et Hérules, pour s'en jeter plein la vue et prendre barre sur l'autre, échangeaient des cadeaux pleins d'insolence et de mépris. Les assiégeants envoyaient à Ravenne des charrettes de légumes et de fruits hors d'usage qui suscitaient des émeutes parmi la population affamée. Les Hérules envoyaient aux Ostrogoths des barriques d'huile bouillante pour leur faire comprendre ce qui les attendait s'ils se hasardaient à attaquer les murailles de la ville. D'une de ces barriques, un beau jour, les Ostrogoths stupéfaits virent surgir Démétrios.

Mené devant Théodoric par un officier qui s'était rendu en ambassade à Ravenne et qui l'avait reconnu, Démétrios ne mit pas longtemps à gagner la confiance du chef des Ostrogoths. Un siège de trois ans est une longue épreuve tant pour ceux du dehors que pour ceux du dedans. Démétrios ne se contenta pas de servir d'informateur aux généraux, de secrétaire à Théodoric, d'écrivain public aux Barbares. Il fit plus et mieux : il organisa des fêtes, il leur raconta des histoires, il les fit rire et pleurer.

Il raconta Rome et Néron, il raconta Jérusalem et la mort du Seigneur Christ, il raconta le roi des Wisigoths et les obsèques d'Alaric dans le lit à sec du Busento. Tout autour des grands feux, les guerriers ostrogoths écoutaient avec passion ces chants de gloire et d'amour, ces poèmes de la mort, pleins de fureur et de bruit, qui montaient dans la nuit. Les chefs, naturellement, qui en savaient plus long que leurs hommes, secouaient la tête d'un air entendu et ne croyaient pas grand-chose de ces récits manifestement inventés et surgis de l'imagination féconde de l'ancien prisonnier d'Odoacre.

Le siège s'éternisait. Ni les uns ni les autres ne parvenaient à prendre un avantage décisif. Théodoric envisageait de lever le siège. Démétrios lui proposa de faire un dernier effort et de retourner dans Ravenne pour tenter de voir Odoacre.

— À quoi bon ? dit Théodoric.

— Nous ne savons rien de lui, dit Démétrios. Peut-être est-il aussi découragé que toi et décidé à se rendre ? Il serait absurde de partir s'il est sur le point de fléchir.

— S'il ne l'est pas, il te tuera.

— Il ne me tuera pas, dit Démétrios. Laisse-moi aller. Que risques-tu ?

Démétrios réussit à rentrer dans Ravenne, à rencontrer Odoacre et à s'entretenir avec lui. Comme il l'avait supposé, la situation des Hérules était plus critique encore que celle des Ostrogoths. Leur résistance était à bout. Après trois ans de privations, de famine, d'épidémies et d'angoisse, ils aspiraient à la paix. Odoacre en voulait à Démétrios d'être passé aux Ostrogoths. Il lui fit des reproches sanglants et l'accabla d'insultes. Et puis il s'entretint longuement tête à tête avec lui et le renvoya à Théodoric.

— Alors ? lui demanda l'Amale.

— Eh bien, répondit Démétrios, je lui ai donné la moitié de tout ce que tu peux espérer.

— Quoi ! dit Théodoric.

— En ton nom, dit Démétrios.

— En mon nom !

— Je lui ai assuré que j'étais autorisé à engager ta parole.

— Es-tu fou ? dit Théodoric.

— Il a fait la petite bouche, mais il a fini par accepter.

— Il est fou, dit Théodoric en tendant le doigt vers Démétrios et en se tournant, comme au théâtre, vers le plus proche de ses officiers.

— Il m'a chargé de te saluer et de t'inviter, de sa part, à entrer dans Ravenne et à t'y montrer à ses côtés.

— Je ne comprends pas un mot de tout ce que tu

racontes, dit Théodoric au comble de la fureur. La seule chose que je comprends, c'est qu'Odoacre, naguère, t'ait fait charger de chaînes et enfermer dans une cage. L'envie me prend...

— De me couvrir d'or, j'imagine, de me nommer ambassadeur perpétuel et plénipotentiaire, de me confier la direction de ton gouvernement ?

Devant tant d'audace, Théodoric se mit à rire et se carra dans son siège :

— Raconte-moi, lui dit-il.

Démétrios reprit en détail le récit de sa mission et de ses négociations. Il s'était vite aperçu du délabrement physique et moral des Hérules. Il avait proposé à Odoacre de cesser la lutte fratricide contre Théodoric et de partager avec lui le gouvernement de l'Italie. Odoacre, par dignité, avait fait semblant d'hésiter. Et il avait sauté sur cette offre inespérée.

— Inespérée est le mot juste, grommela Théodoric.

— C'est le mot juste, dit Démétrios.

— Pour lui, dit Théodoric.

— Pour toi, dit Démétrios.

— Pour lui, dit Théodoric. Pour moi, la proposition que tu as faite en mon nom est honteuse et déshonorante.

— Inespérée pour toi, dit Démétrios.

— Et pour lui ?... rugit Théodoric, en se penchant en avant. Et pour lui ?

— Pour lui ? répondit Démétrios. Pour lui, elle est désastreuse.

— Ma patience est à bout, gronda Théodoric. Je...

— Seigneur, dit Démétrios, je te demande encore une grâce.

— En récompense de ta sottise ?

— Je voudrais...

— Quoi encore ?

— Je voudrais rester seul avec toi.

Théodoric, qui bouillait d'impatience et contenait mal sa fureur, fit sortir toute l'assistance. Puis, se tournant vers Démétrios, il laissa éclater sa colère.

— Cesse de jouer avec les mots comme tu aimes à le faire. As-tu perdu la tête ? Mieux valait lever le siège et attendre des temps meilleurs à Vérone ou à Pavie plutôt que de céder à Odoacre, que j'ai vaincu trois fois, la moitié de cette Italie où je compte bien régner seul. J'espérais mieux de toi, je l'avoue, que cette folie et cette lâcheté dont il va falloir maintenant me dégager, d'une façon ou d'une autre. Essaie de comprendre, si tu peux : quand je voudrai — et je le veux déjà — revenir sur la parole que tu as donnée en mon nom avec tant de légèreté, je n'aurai pas d'autre choix que de te sacrifier.

À ces paroles pleines de menaces, Démétrios se contenta de sourire.

— Tu es idiot, dit Théodoric, mais tu n'as pas peur.
— Peur de quoi ? dit Démétrios.

Et, se rapprochant de l'Amale, il se remit, avec force gestes, car il était un homme du Sud parmi ces hommes du Nord, à parler à voix basse.

Tout secret est un miracle. « Il n'y a pas, écrit Aragon, de vin plus soûl que le secret. Il n'y a pas plus grand'merveille qu'à savoir sans partage. » Peut-être le monde entier n'est-il qu'un grand secret. Et quand il n'y aura plus personne pour se souvenir de nous, tout ce que nous aurons fait et pensé sur cette Terre sera un secret englouti.

Le voyage en Espagne d'Isaac Laquedem et de son maître, le vicomte de Chateaubriand, fut un secret bien gardé. Presque toutes les femmes qui ont passé dans la vie de René figurent, d'une façon ou d'une autre, sous une lumière plus ou moins crue, dans les *Mémoires d'outre-tombe*. Vous y trouverez Charlotte Ives, la fille du pasteur de Bungay, érudit et ivrogne, et Pauline de Beaumont, qui vient mourir à Rome, en silence, avec discrétion — « je tousse moins, mais je crois que c'est pour mourir sans bruit » —, dans les bras du génie, du génie et du mufle, qui l'a abandonnée. Vous y trouverez Lucile, la sœur folle de son frère, et Céleste, bien entendu, l'épouse bafouée et pourtant triomphante. Vous y trouverez Juliette Récamier, son mystère et son charme qui donnent leur unité aux éparpillements de René, aux déchirements de son cœur. Vous n'y trouverez pas trace de Natalie de Noailles ni de la rencontre à

Grenade. Le voyage en Espagne est le secret partagé de Natalie de Noailles, d'Isaac Laquedem et de Chateaubriand.

Le secret veut un menteur. Le cher vicomte met le paquet. Seul Molé, l'infect Molé, se doute peut-être de quelque chose. À Céleste, bien entendu, mais aussi à Joubert, l'ami le plus proche, le confident le plus intime, le poète catholique ment à perdre haleine. Il redoute que Céleste, dame d'œuvres et de piété, ne se mette en tête de le rejoindre sur le tombeau du Christ — et il gomme non seulement le passage en Espagne, mais le passage en Terre sainte.

Chateaubriand avait une cousine étonnante qui s'appelait Mme de Talaru. Elle avait poussé l'esprit de famille jusqu'à épouser, veuve, son gendre devenu veuf. Et, en l'absence de son mari, convaincue que la présence d'un homme à ses côtés était indispensable à sa santé, elle faisait coudre son neveu dans un sac et elle le mettait dans son lit. Le lendemain, au réveil — « après coup », disait Simon, en riant un peu trop fort —, elle faisait constater par ses domestiques que le sac n'avait pas été décousu. « Si vous voyez ma femme, écrit Chateaubriand à Mme de Talaru, si vous voyez ma femme, ne lui dites rien de mon voyage en Syrie, de peur de l'effrayer. » « Je viens de recevoir une lettre de notre cher voyageur, écrit Céleste à Joubert. Il dit qu'il va traverser le Péloponnèse et qu'après avoir vu Sparte, Argos, l'Arcadie et Athènes, son vaisseau le portera à Constantinople, d'où il reviendra en France. Aurait-il oublié Jérusalem ? »

Natalie mentait aussi. À une de ses cousines, elle écrit : « Vous savez sûrement déjà en détail des nouvelles de M. de Chateaubriand, chère amie, je veux pourtant vous en donner aussi. Il se porte fort bien, il est engraissé, un peu noir, mais aussi gai et aussi reposé que s'il n'avait rien fait — Pardi ! disait Simon, c'était moi qui faisais tout ! — Il parle de Jérusalem comme de Montmartre. Il doit passer ici dans deux jours ; je ne l'y attends pas, car je suis si pressée de revenir que je ne puis retarder d'un jour. » — Menteuse ! disait Simon : elle l'attendait depuis huit mois.

À peu près au moment où Chateaubriand débarquait en Espagne, le bruit courait à Paris, dans ce qu'il est convenu d'appeler les milieux bien informés, source inépuisable de rumeurs et de fausses nouvelles, que Chateaubriand avait fait naufrage et que son navire avait péri corps et biens. Les bureaux envisagèrent de prévenir les journaux et la veuve supposée. L'Empereur lui-même s'y opposa : il ne voulait pas, dans le doute, tourmenter inutilement Mme de Chateaubriand. Céleste, plus tard, sans devenir ouvertement bonapartiste, gardera toujours beaucoup de gratitude à l'Empereur pour son intervention. Peut-être parce que la plupart des maîtresses de son mari, celles qu'elle appelait les « Madames », Natalie de Noailles en tête, inclinaient du côté royaliste, elle se sentait de l'indulgence pour l'usurpateur de génie qui l'avait protégée. Elle se demandait, avec beaucoup de bon sens et un peu de prescience, si les Bourbons auraient montré à l'égard d'un ami autant de délicatesse qu'en avait témoigné Napoléon à l'égard d'un ennemi.

Il y a ici un trou dans la vie de Chateaubriand. Au moment où, sauvé des eaux, le voyageur passionné débarque à Algésiras, toutes ses biographies se mettent à bredouiller. Comment verraient-elles clair à travers le brouillard que Natalie et René et Isaac Laquedem s'obstinent, avec tant de succès, à répandre sur leurs déplacements ? Il n'y a pas d'historien de la littérature qui ne se soit demandé comment et à quel endroit Natalie et René ont fini par se retrouver. La vérité, une fois de plus, est d'une simplicité biblique : c'est Isaac Laquedem qui mena Chateaubriand, son maître par intérim, jusqu'à sa maîtresse, Natalie de Noailles, dont il avait reçu, en partant pour Venise, les instructions les plus précises et les ordres les plus stricts.

— C'était comme au théâtre. La fortune de mer nous avait interdit de prévoir avec précision la date de notre arrivée sur les côtes de l'Espagne. Je savais, et je ne l'avais dit à personne, que Mme de Noailles serait tous les soirs, à partir du 12 avril, en train de dessiner et de nous attendre dans la cour des Lions de l'Alhambra de Grenade. C'était là que j'étais chargé de ramener le génie, après sa course d'obstacles. Nous étions arrivés le 30 mars dans le port d'Algésiras. C'était beaucoup trop tôt. Nous avions couru si vite à travers tout l'Orient, ne voyant presque rien, sautant de ruine en ruine, impatients d'en finir pour passer aux choses sérieuses, c'est-à-dire à l'amour, que, malgré tempêtes et contretemps, nous étions en avance sur notre calendrier. Il m'a fallu faire perdre douze jours à mon compagnon de voyage qui piaffait d'impatience. Sous les prétextes les plus divers, je l'ai baladé à Cadix, à Cordoue, à Andujar. Un homme amoureux, et qui sort de huit mois sur la mer et dans les déserts, vous devinez ce que c'est : il s'imaginait à chaque pas reconnaître Natalie. Dans les petites rues obscures et blanches, écrasées de soleil, qui vous mènent peu à peu à l'illumination mystique de la mosquée de Cordoue, il apercevait partout le visage et la silhouette dont il avait tant rêvé. Et, dans la mosquée même, dans cette forêt plafonnée aux innombrables piliers d'où sort une cathédrale, il s'attendait à voir surgir, de derrière chacune des huit ou neuf cents colonnes ou de la triple maksourah qui précède le mihrâb à la coupole de marbre et aux mosaïques d'or, l'image, déjà presque effacée, qu'il avait tant espérée.

Enfin, le 12 avril, Passepartout surgi de la Bible traînant derrière lui un autre Philéas Fogg, aussi éloigné que possible de la froideur britannique, nous pénétrons tous les deux dans l'Alhambra de Grenade, dans le château rouge des rois arabes. Voici les arcs, les terrasses, les plazas. Nous passons à la hâte sous la porte de la Justice. Nous longeons les tours et les murailles, nous nous précipitons parmi les masses de verdure d'où jaillissent des cyprès. Sur la place des Citernes, nous n'avons pas un regard pour le palais de Charles Quint, pour le ravin du Darro, là-bas, au loin, en contrebas, pour les parterres et les bosquets. Nous courons, nous courons. Nous nous jetons vers l'Alcazar et vers la cour des Myrtes.

Toujours des cours, et des jardins, et des voûtes, et des miradors. La salle de la Baraka ne nous retient pas un instant. Pas le moindre coup d'œil pour celle des Ambassadeurs, avec ses fenêtres à balcon et sa vue prodigieuse sur l'Alcazaba Cadima et sur l'Albaïcin, avec son inscription arabe indéfiniment répétée que je n'ai pas le temps de traduire au vol au pèlerin éperdu : *Dieu seul est victorieux*. Nous nous hâtons, nous forçons le pas. Nous traversons en coup de vent la salle des Mozarabes. Toute blanche avec ses colonnes aux chapiteaux ouvragés et sa fontaine au milieu, la cour des Lions s'ouvre soudain devant nous. La voilà, sous le soleil déjà en train de décliner.

— Elle était là ? dit Marie.

— Elle était là, dit Simon. Elle attendait.

Dans un des coins de la galerie, à l'ombre d'un pavillon à la toiture pyramidale et aux arcs pendants, Natalie de Noailles, dans une robe longue et claire, est assise, sous un grand chapeau, devant un chevalet. Isaac et René n'aperçoivent d'abord que son profil lointain, à moitié caché par la planche à dessin. Ils la devinent à son allure, d'ailleurs incomparable, plutôt qu'ils ne la reconnaissent. Elle ne les voit pas arriver, elle ne les entend pas qui approchent. Elle travaille et elle rêve. Elle dessine ce qu'elle voit — et ce qu'ils voient aussi :

la fontaine, les galeries ajourées, la charmante grandeur d'une architecture enchantée, fille d'un désert transfigurée par l'eau et d'une foi qui bouleverse et transforme l'histoire. Frappés par le spectacle, Isaac et René se sont soudain arrêtés sur le seuil de la cour. Ils s'efforcent de faire durer encore quelques instants cette épreuve pleine de délices qu'est l'attente après l'impatience. Et puis René s'élance vers ce qu'il a tant espéré sur la colline de l'Acropole et dans le jardin des Oliviers. Natalie, tout à coup, se sent prise par les épaules. Elle n'a même pas le temps de se retourner. Le chevalet tombe à terre. Elle est dans les bras de René. On n'entend que le bruit de l'eau qui jaillit vers le ciel.

La passion les emporte et les roule dans ses flots. Quelque chose se termine et quelque chose commence. Peut-être parce qu'ils sont loin de tout ce qui les rattache à un monde évanoui — à Paris, à Céleste, à Mrs Fitzherbert, à Molé ou à Charles, à Joubert, à l'Empereur, au souvenir de Vintimille ou de Pauline de Beaumont —, peut-être parce que les obstacles, les épreuves, les embûches qu'ils ont pris soin, l'un et l'autre, de semer sur leur chemin exaltent leurs sens et leur ardeur, peut-être aussi, tout simplement, parce que le ciel est beau et le décor prodigieux, il leur semble que la vie et l'histoire se réduisent à leur amour. Y a-t-il autre chose sous le soleil que la passion des cœurs ? Au grand jour du Seigneur, de quoi nous souviendrons-nous si ce n'est de l'amour ? Dans la cour des Lions de l'Alhambra de Grenade, Natalie et René sont dans les bras l'un de l'autre. Leurs mains se pressent, leurs bouches se joignent. Seul, les bras croisés, dans un coin de la cour, un drôle de sourire aux lèvres, Isaac Laquedem, alias Julien Potelin, les regarde avec envie : ils s'aiment et ils vont mourir. Ils s'aiment parce qu'ils vont mourir. La vie n'est un chant d'amour que parce qu'elle est un chant de mort.

Tout séducteur aspire obscurément à voir dans sa dernière conquête un amour éternel et il essaie de se convaincre qu'après tant de navigations il touche enfin au port. Toute coquette espère que ses manœuvres ont fini par réussir et qu'elle n'aura plus besoin d'opposer à l'admiration et à l'amour qui suffisent à la combler d'autres témoignages d'amour et d'autres hommages d'admiration. René est un séducteur. Natalie est une coquette. Ils vécurent à Grenade une passion éternelle et un amour unique. Un paysage enchanteur, la légèreté lumineuse des cloîtres et des fontaines, les citronniers en fleur furent le décor d'un amour qui s'étonnait de lui-même. Suivis de loin par Isaac qui veillait sur leur bonheur avec un soin jaloux, ils se promenaient longuement dans le palais des fées et des rois. Et ils interrompaient à chaque pas leur marche émerveillée pour se jeter, loin du monde, dans les bras l'un de l'autre.

Après avoir vu le soleil jouer à travers les cyprès et les arcs des galeries, ils revinrent la nuit, sous la lune. Le rossignol chantait. Pour tâcher de s'occuper pendant leurs longs baisers qui n'en finissaient pas et qui se mettaient peu à peu à lui taper sur les nerfs, Isaac Laquedem grava sur une colonne de la salle des Deux-Sœurs, en caractères arabes, leurs deux noms entrelacés. Sous sa calotte de concierge, plein de savoir et d'envie, d'admiration un peu fielleuse et de talent amer, Sainte-Beuve affirme que, jusque vers le milieu du siècle passé, on pouvait encore distinguer à l'Alhambra de Grenade, transposés en arabe par une main mystérieuse, les deux noms enlacés de René et de Natalie.

Plus tard, dans un de ses livres, *Les Aventures du dernier Abencérage,* Chateaubriand devait se souvenir d'Isaac Laquedem et de la promenade de l'Alhambra. René se confond avec son sombre compagnon au teint mat, aux yeux de velours et il combine leurs images pour se transformer à eux deux en un seigneur arabe du nom d'Aben-Hamet. Natalie de Noailles est une jeune Espagnole, catholique et très belle. Elle danse dans la nuit close au son de la guitare, elle chante d'une voix très basse qui fait tourner les têtes, elle aime l'ennemi arabe et elle s'appelle Blanca : « La lune, en se levant, répandit sa clarté douteuse dans les sanctuaires abandonnés et dans les parvis déserts de l'Alhambra. Ses blancs rayons dessinaient sur le gazon des parterres, sur les murs des salles, la dentelle d'une architecture aérienne, les cintres des cloîtres, l'ombre mobile des eaux jaillissantes et celle des arbustes balancés par le zéphyr. Le rossignol chantait dans un cyprès qui perçait les dômes d'une mosquée en ruine, et les échos répétaient ses plaintes. Aben-Hamet écrivit, au clair de la lune, le nom de Blanca sur le marbre de la salle des Deux-Sœurs : il traça ce nom en caractères arabes, afin que le voyageur eût un mystère de plus à deviner dans ce palais des mystères. »

— Ce culot ! disait Simon au pied de la Douane de mer. Il aura fini par tout me prendre : et la femme, et les souvenirs, et la gloire, et l'amour.

— Dites donc…, demanda Marie.

— Oui ? répondit Simon.

— Je finis par m'interroger : aimiez-vous donc tant que cela M. de Chateaubriand ?

— Je l'admirais, dit Simon. C'est un grand écrivain. Et je l'aimais beaucoup. Il était bon garçon.

— Et l'affaire Deutz ne serait pas quelque chose comme une sorte de revanche ?

— Mon Dieu ! dit Simon. Il faut bien que le valet en arrive un beau jour à se révolter contre Monsieur. Et l'esclave contre le maître. Ce que j'aime par-dessus tout, c'est que l'histoire avance. Pour en finir, vous comprenez ? Et la lutte de l'esclave contre le pouvoir du maître est encore un des trucs les plus malins qu'on ait jamais trouvés pour la faire avancer. Avec l'amour, bien sûr. Et avec cette soif de savoir qui ne figure pas par hasard — la pomme, vous vous rappelez ? — à côté de l'amour et de son invention, tout au début de la Bible.

— Mais j'y songe ! s'écria Marie, comment, un quart de siècle plus tard, Chateaubriand n'a-t-il pas reconnu le pseudo-Julien Potelin, son valet maritime, dans le pseudo-Simon Deutz ?

— C'est qu'il ne l'a jamais vu, répondit Fussgänger. Il connaissait Monsieur Thiers et la duchesse de Berry et presque la Terre entière. Je connaissais aussi Monsieur Thiers et la duchesse de Berry et une foule d'autres gens. Mais lui ne m'a jamais vu dans le rôle de Simon Deutz. Et il n'y avait pas de télévision ni de photographie. Il n'y avait même pas de radio pour reconnaître une voix. Quand il traînait dans la boue le misérable Simon Deutz, il ne pouvait pas se douter que, sur le pont des navires et sur les quais des ports, en Turquie et en Grèce, dans l'attente et dans l'impatience, il avait passé avec cette fripouille, avec ce traître abject, quelques-uns des plus beaux jours de sa vie de serviteur — un peu rétif, il est vrai, et très irrégulier — de l'autel et du trône.

— Vous n'auriez pas aimé tomber sur lui et qu'il vous reconnût ?

— Chacun sait, répondit Fussgänger, que Simon Deutz disparaît sans laisser aucune trace, ce qui est assez rare depuis déjà plusieurs siècles. Peut-être était-ce surtout pour ne pas courir le risque de croiser par hasard M. de Chateaubriand dont il avait écrit le nom en arabe sur une colonne de marbre de l'Alhambra de Grenade ?

— Quel drôle de type vous faites ! dit Marie. Vous pouvez être charmant et vous pouvez être odieux.

— Mon enfant, dit Simon, je suis comme tous les hommes. Puisque je suis un homme. Et puisque chaque homme est un peu tous les hommes.

Néron accueillit avec des transports de joie l'annonce de la grossesse de Poppée. Il décréta des jeux et des courses de chars. Il fit massacrer, en signe de satisfaction et pour rendre grâces à ses dieux, quelques chrétiens de plus. Il s'attacha avec une ardeur nouvelle à la construction sur l'Esquilin d'un palais couvert de fresques et d'une somptuosité si folle qu'on lui donna le nom de *Domus Aurea* — la Maison dorée. Autant que détruire, construire a été, de tout temps, une des activités les plus constantes des hommes. Ils ont construit des huttes, des tours, des temples, des maisons, des églises, des forteresses, des systèmes, des fortunes, des États, des machines, des voitures, des routes, des avions, des bateaux et des ponts. Et ils les ont détruits. Pour en reconstruire d'autres. L'incendie de Rome n'avait pas été seulement, pour Néron, un spectacle enivrant. C'était aussi l'occasion de rebâtir une autre Rome, plus grande et plus belle que l'ancienne. Sous les espèces de la Maison dorée, il la dédia d'avance à l'enfant de Poppée.

La Domus Aurea était un palais magnifique. Ses portiques, ses pavillons, ses bains, ses loges, ses fontaines et ses jardins s'étendaient, jusqu'au Palatin d'un côté, jusqu'au Caelius de l'autre, sur près d'une cen-

taine d'hectares autour de l'Esquilin. Dans la vallée
entre le Palatin et l'Esquilin avait été creusé un lac
artificiel, entouré de grottes, de piliers et de belvédères.
Le chemin, bordé de colonnes, qui menait jusqu'à la
façade dorée du palais, était dominé par une statue
colossale de bronze doré : haute de quarante mètres,
elle représentait Néron lui-même, l'empereur, le demi-
dieu.

À l'intérieur du palais, les bains étaient alimentés en
eau de mer et en eaux sulfureuses venues de Tivoli :
elles coulaient de palier en palier sur une mosaïque
étincelante. Des jets dissimulés dans les corniches
vaporisaient des parfums de jasmin et de rose. Le toit de
la plus grande des salles tournait continuellement sur
lui-même, jour et nuit, comme le monde. Les murs de
marbre étaient incrustés de nacre et de pierres précieuses. Des fleurs sculptées en ivoire tombaient des
plafonds de bois. Bien des siècles plus tard, les artistes
de la Renaissance, et Raphaël lui-même, allaient se
faire descendre, attachés à des cordes, dans les ruines
béantes de la Maison dorée pour admirer ce qu'il restait
de ses reliefs et de ses décors. Des statues grecques et
des œuvres d'art étaient répandues un peu partout. Et,
parmi elles, le fameux *Laocoon* qui devait, plus tard,
être si cher à la fois à Chateaubriand et à Goethe.

Ce qui se passa est obscur, et pourtant évident. La
tradition voudrait que Poppée se fût moquée de Néron
qui était revenu très tard d'une course de chars dans le
cirque et que l'empereur, irrité, et peut-être éméché,
l'eût tuée d'un coup de pied décoché dans le ventre. La
légende est absurde. On dirait du Zola transposé sous
Néron. La version de Simon était plus convaincante.
Loin d'attendre l'empereur à l'entrée du palais avec un
rouleau à pâtisserie et de lui reprocher de rentrer trop
tard à la maison, les souliers à la main et un verre dans
le nez, Poppée, folle de bonheur parce qu'elle portait en

elle un enfant de Cartaphilus, traitait au contraire son mari avec une indifférence qui touchait au mépris. Qui avait glissé dans l'esprit de l'empereur l'idée que l'enfant n'était pas de lui ? Tigellin, peut-être, ou l'un ou l'autre des innombrables mouchards qui peuplaient le palais. Peut-être aussi — car les amants ne se cachaient guère et multipliaient les imprudences — peut-être Néron avait-il surpris lui-même, au théâtre ou au cirque, des signes non équivoques de leur passion mutuelle ? Le plus probable, pourtant, est que Poppée, sous le coup de la colère et de la passion, jeta elle-même, dans des circonstances dramatiques, son dédain et son secret à la face de l'empereur.

Une de ces fêtes innombrables qui marquent le règne de Néron venait de se dérouler sur le Tibre. Le festin avait été disposé sur un radeau remorqué par des navires. Sur les navires, rehaussés d'or et d'ivoire, les rameurs avaient été remplacés par des mignons et des débauchés, rangés avec soin selon leur âge et leurs talents érotiques. Partout s'entassaient les bêtes les plus étranges, des oiseaux venus de pays reculés et jusqu'à des animaux marins amenés à chers deniers de l'Océan et de la Bretagne lointaine. Pendant qu'hommes et femmes étaient ravalés par l'empereur à la condition d'animaux, bêtes sauvages et féroces étaient élevées en quelque sorte à la dignité d'êtres humains. Sur les quais du fleuve, se dressaient des lupanars peuplés de femmes de haut rang, souvent des épouses et des filles de sénateurs, étroitement mêlées à des prostituées toutes nues. À mesure que les ténèbres descendaient sur le fleuve, tous les jardins et toutes les maisons d'alentour étincelaient de lumières et retentissaient de chants. Et un délire de danses lascives et de gestes obscènes s'emparait de l'assistance. Poppée et Cartaphilus ne s'étaient pas quittés.

Le festin terminé, Néron avait pris part à une course

de chars organisée dans la nuit, à la lumière des flambeaux. À peine rentré dans son palais, il avait fait appeler Cartaphilus et Poppée.

C'était à peu près l'époque de la conspiration de Pison. Des républicains, des sénateurs, d'anciens consuls, un préfet du prétoire, des épicuriens proches de Néron comme Pétrone, l'auteur du *Satiricon,* des stoïciens, tels que Sénèque, le philosophe aux principes longtemps un peu trop souples, un poète de vingt-six ans, Lucain, auteur de la *Pharsale* et neveu de Sénèque, beaucoup d'autres encore furent impliqués dans la conjuration qui échoua dans le sang, faute de courage et de décision, trois ans avant la chute définitive et la mort de Néron, bientôt remplacé sur le trône impérial par l'ancien mari de Poppée — vous vous souvenez ? — exilé en Lusitanie : Othon. Néron, par ses excès, avait dressé contre lui une foule de personnages, indignés par sa folie et par sa cruauté. Il voyait, à juste titre, des conjurés partout. Simon ne sut jamais si l'empereur le soupçonnait d'abord, sous le nom de Cartaphilus, comme amant de Poppée ou comme ennemi du régime.

Immobiles, pétrifiés, Cartaphilus et Poppée assistèrent, côte à côte, à la plus formidable des colères de Néron. Il criait, il pleurait, il émettait des mots sans suite, il se roulait par terre, il les menaçait, l'un et l'autre, de tous les supplices les plus cruels. Poppée, épouvantée, finit par se jeter dans les bras de Cartaphilus qui la serra contre lui.

— Ah ! rugit Néron, vous avouez !

Alors, s'adressant à Cartaphilus, il se mit à détailler tous les raffinements de souffrance qu'il lui avait réservés et lui annonça une mort affreuse :

— Tu mourras comme personne n'est jamais mort avant toi.

— Je ne mourrai pas du tout, dit Cartaphilus d'un ton calme.

— Tu mourras ! dit Néron. Et tu souhaiteras n'être jamais né.

— Il y a longtemps que je le sais : j'aurais mieux fait de ne pas naître. Et, puisque je suis né, ce que je souhaite avec le plus de force, c'est de mourir et de disparaître.

— Ton vœu est exaucé, cria Néron hors de lui. Tu mourras dans les flammes, sous les tenailles, avec du plomb fondu versé lentement dans tes plaies, et il ne restera rien de toi.

— Mon amour, dit Poppée d'une voix blanche qui tremblait légèrement, il restera ton enfant.

Et, levant vers son amant un visage soudain transfiguré, elle lui baisa les lèvres.

Penché sur elle en silence, Cartaphilus, d'un geste très tendre, les yeux rivés sur Néron, lui passa la main sur les cheveux, lui caressa lentement le visage et lui rendit son baiser.

Alors, se dégageant un peu de l'étreinte de Cartaphilus et se tournant vers Néron, elle cria avec orgueil, en montrant son amant :

— Parce que l'enfant que je porte est de lui !

Pendant quelques instants, Néron, perdu dans ses pensées, resta immobile et silencieux. Il paraissait accablé par ce qu'il avait vu et appris. Et puis, tout à coup, il se jeta sur Poppée en poussant un cri de bête et il lui lança dans le ventre un coup de pied d'une telle violence qu'elle tomba sur le sol.

— Gardes ! hurla-t-il. Gardes ! Qu'on arrête cet homme !

Les gardes entrèrent. Ils virent Poppée par terre, les yeux clos, dans les bras de Cartaphilus qui était penché sur elle et qui tenait contre lui son corps inanimé. L'empereur, en proie à une crise de haut mal, se roulait sur le plancher.

Interdits, les gardes hésitaient sur le seuil. Néron, la

bave aux lèvres, était secoué de mouvements convulsifs. Cartaphilus baisait Poppée sur les lèvres, sur les yeux. Les larmes coulaient sur ses joues.

— Tuez-le ! soufflait l'empereur. Tuez-le !

Cartaphilus se leva, portant Poppée dans ses bras. La tête de la jeune femme était rejetée en arrière et ses cheveux d'ambre jaune dénoués tombaient presque jusqu'à terre. Les prétoriens, l'épée levée, se jetèrent sur le couple. Cartaphilus les regarda. Ils reculèrent.

— Vous ne pouvez pas la tuer, dit Cartaphilus d'une voix lente, vous ne pouvez pas la tuer parce qu'elle est déjà morte. Et vous ne pouvez pas me tuer parce que je ne peux pas mourir.

« Il se passa alors, écrit Suétone dans sa *Vie des douze Césars,* quelque chose de stupéfiant, de difficile à croire, et pourtant d'attesté par une multitude de témoignages. » Serrant toujours contre lui le corps sans vie de Poppée, Cartaphilus s'avança vers ceux qui étaient chargés de le tuer et déposa la morte — qui allait recevoir, plus tard, de l'empereur effondré, des honneurs quasi divins — entre les bras du prétorien qui était le plus proche de lui. Le prétorien reçut la charge, sans un mot, sans comprendre, comme un dépôt sacré. Néron se débattait contre ses ombres et ses fantômes. Cartaphilus poursuivit son chemin, de son pas le plus calme, à travers la foule sans cesse croissante de gardes, de serviteurs, de curieux accourus de tous les coins du palais. Les poignards déjà levés, les dagues, les lames des épées s'abaissèrent devant lui. Tous s'écartèrent en silence. Il disparut, comme en rêve.

Il l'avait aimée avec passion dans l'Alhambra de Grenade. Il l'aima à Andujar, à Aranjuez, à Madrid. Toute l'Espagne, pour lui, était illuminée en secret par le sourire de Natalie. « C'est de la féerie, de la magie, de la gloire, de l'amour, écrit-il au bon Joubert à propos de l'Andalousie ; cela ne ressemble à rien de connu. » Il traîne sur les routes, il retarde son retour, essayant encore d'arracher à la mort, aux honneurs à venir et au temps qui s'écoule quelques heures pour l'amour. Il traverse l'Espagne, Natalie dans ses bras, à bord d'une grosse voiture emportée par six mules menées par deux cochers qui plaisantent en espagnol avec Julien-Isaac. Natalie penchée sur lui, il écrit à une amie qui est sa voisine à Paris : « J'aime en Espagne les ruines de Grenade qui sont un véritable enchantement. L'Alhambra est un palais de fées ; c'est une chose dont je n'avais aucune idée et qui n'existe que dans ce coin du monde. J'arrivais charmé du voyage que j'avais fait, plein d'envie de revoir mes pénates et d'embrasser mes amis. Mais, loin de désirer maintenant retrouver mes foyers, je trouve que j'avance trop vite, je prolonge exprès mon voyage, je vais courir dans les Pyrénées, et peut-être même rentrerai-je d'Espagne par la Catalogne ou la Navarre. »

Il court avec lenteur, il traîne, il prolonge, les yeux de Natalie toujours perdus dans les siens. À Madrid, il évite l'ambassadeur de France, M. de Beauharnais, la reine Marie-Louise d'Espagne, le Premier ministre, don Manuel Godoy, prince de la Paix et amant de la reine, tous excités comme des puces à l'idée de voir le grand homme et de causer avec lui. Le grand homme n'a qu'une pensée en tête : c'est de fuir les raseurs pour rester seul avec son amour. « J'ai quitté précipitamment Madrid, écrit-il à Joubert qui, dans son innocence, ne se doute encore de rien, parce qu'on voulait m'y faire trop d'honneurs. » Toujours suivis ou précédés d'Isaac, les deux amants cueillent encore au passage l'Escurial, Ségovie, Burgos, Miranda, Vitoria… Ce sont des heures délicieuses. Au milieu des souvenirs accumulés par tant d'autres et de leur propre bonheur, le rêve enchanté se poursuit, mais la séparation approche. Sous le regard d'Isaac, tout à coup bouleversé, ils rient, ils s'embrassent, ils regardent le paysage, ils parlent à voix basse, avec de longues émotions et des bouffées de tendresse, de leur rencontre dans l'Alhambra, ils pensent à des choses minuscules et sans la moindre importance mais qu'ils ont faites ensemble et qui sont plus belles pour eux que toutes les fanfares de l'histoire.

Déjà les rattrape la mélancolie des voyages sur le point de s'achever. Les voyages, hélas ! ne se font pas seulement dans l'espace : ils se font aussi dans le temps. Ils ont un terme, par définition. Ils vont vers quelque chose qu'on poursuit et qu'on craint, et qui marquera leur fin. Ce terme, pour les amants de Grenade, c'est les Pyrénées et la frontière française. René essaie encore de retarder l'inévitable, à la façon du lecteur qui tourne les pages plus lentement pour ne pas trop se hâter vers la fin du roman : « J'ai fait un voyage admirable, écrit-il à Joubert. Que je suis heureux de l'avoir fait, malgré trois attaques par les Arabes et une espèce de naufrage de

cinquante-six jours ! Les pantoufles de l'archevêque
Turpin à Roncevaux me tentent beaucoup : je veux voir
tout pour n'avoir plus de prétexte pour voyager. » Les
avaient-ils vues, tous les trois, les fameuses pantoufles
de Turpin — qui sont des faux éhontés et datent du XVIe
siècle, l'archevêque Turpin n'étant pas mort à Roncevaux et n'ayant peut-être jamais existé ? Simon, pour
une fois, ne s'en souvenait pas bien. Il se souvenait
seulement de Natalie et de René en train de se quitter
dans les étreintes, dans les larmes, aux premiers jours
du mois de mai, à la frontière française. Elle regagnait
Méréville par la route la plus directe, lui s'obstinait
encore à errer sur les chemins comme pour ressasser son
amour. Il en parlait sans se lasser à Isaac-Julien que
Natalie de Noailles lui avait laissé jusqu'à Paris — avec
promesse de le rendre — pour qu'il gardât quelques
jours près de lui le seul témoin de la passion qui les avait
unis.

Simon se souvenait de Bayonne et de Pau, de
Bordeaux, d'Angoulême et de Tours, de Blois,
d'Orléans traversés tour à tour par un Chateaubriand
rejoint, après tant de bonheur, par la solitude et la
tristesse. Il se souvenait aussi d'un arrêt de deux jours et
d'une nuit au relais de poste d'Angerville. Tiens !
pourquoi Angerville ? C'était le relais le plus proche de
Méréville. Un mois, jour pour jour, après leurs adieux à
la frontière espagnole, les deux amants séparés par la fin
du voyage et le retour chez eux se jettent à nouveau,
pour quelques heures, dans les bras l'un de l'autre. Ah !
que la vie est triste ! et que la vie est belle ! Ils versent
quelques larmes, ils s'embrassent à perdre haleine, ils se
murmurent des mots d'amour, ils échangent dans les
rires et dans les baisers fous des secrets andalous, ils
font des projets d'avenir dont ils savent déjà, au plus
profond d'eux-mêmes, qu'ils sont morts avant d'être nés
et, pour se consoler, ils revivent leurs souvenirs, ils les

342

inventent s'il le faut et ils les gravent dans leur cœur où va entrer la douleur, bientôt suivie de son acmé et pourtant déjà de son contraire : l'oubli. La vie est belle. Et elle est triste.

Simon Fussgänger se souvenait surtout de son retour à Paris. Le 5 juin 1807, sur le coup de trois heures de l'après-midi, un peu plus d'une semaine avant la bataille de Friedland, un peu plus d'un mois avant le traité de Tilsit, à l'époque où Hegel publiait à Iéna sa *Phénoménologie de l'esprit*, récit romanesque et génial des aventures de la raison aux prises avec l'histoire, René et Isaac débouchaient tous deux sur la place de la Concorde. Il y avait onze mois moins huit jours que le vicomte de Chateaubriand avait quitté Paris. Sous les arcades de la Concorde, au coin de la rue Royale, chacun peut lire la plaque qui commémore ces événements : le départ pour l'Orient et le retour, un an plus tard, au bercail de l'hôtel de Coislin, où le ménage Chateaubriand occupait le dernier étage sous les toits. Au moment où la grosse voiture, qu'on appelait une dormeuse, faisait son entrée sur la place, Isaac salua son maître avec un peu d'émotion et sauta en marche sur le sol. Monsieur le vicomte eut la bonté de se pencher par la fenêtre et d'agiter la main. Isaac, immobile, leva un bras, baissa la tête. Et puis, pour affronter Céleste qui l'attendait depuis tant de mois, avec beaucoup de patience et encore plus d'impatience, l'irrésistible comédien, le menteur des deux mondes effaça le sourire qui flottait sur ses lèvres. L'amant de Natalie, le compagnon d'Isaac, le bon garçon des nuits de Grenade, d'Andujar et d'Angerville redevenait d'un seul coup le génie romantique et théâtral qui était allé prendre des poses au pied du Parthénon et du tombeau du Christ avant d'écrire *Les Martyrs*.

Il y avait fête, ce soir-là, au palais d'Odoacre, à Ravenne. Hérules et Ostrogoths, enfin réconciliés, célébraient ensemble la fin du siège et de la guerre qui les avait opposés. La guerre avait duré quatre ans, le siège avait duré trois ans. L'hiver s'achevait. L'air était doux. Les premiers bourgeons, les premières fleurs apparaissaient déjà. C'était le début du printemps. Odoacre et Théodoric avaient accepté tous les deux les propositions de Démétrios qui avait servi d'arbitre entre eux et ramené la paix entre leurs peuples. Les deux rois allaient régner ensemble sur l'Italie, se partageant le pouvoir et les richesses des campagnes et des grandes villes majestueuses qui, de Pavie à Milan, de Rome à Vérone et à Ravenne, perpétuaient les vieilles cités de l'Empire romain.

Restait encore à régler un certain nombre de problèmes. Les deux rois régneraient-ils simultanément ou alternativement ? Dans le cas d'une alternance, les ministres et les fonctionnaires constitueraient-ils un corps stable ou changeraient-ils avec le souverain ? Comment seraient désignées les autorités des provinces et des grandes villes ? Hérules et Ostrogoths seraient-ils fondus dans une même armée ou les deux troupes resteraient-elles distinctes ? De ces questions et d'autres encore, les deux rois et leurs conseillers allaient discuter pendant des mois. Ce soir, c'était la fête. Elle prenait l'allure d'un immense banquet auquel avaient été conviés tous les chefs, tous les ministres, tous ceux qui jouaient un rôle à la cour des deux rois, et trois mille guerriers de chaque camp.

Démétrios avait veillé à tout. Des tentes gigantesques avaient été dressées. Des centaines d'animaux avaient été égorgés, des milliers de coqs et de poulets avaient eu le cou tordu. Des cuisines et des fours à pain avaient été établis un peu partout. D'innombrables tonneaux avaient été roulés près des tables où Ostrogoths et Hérules allaient prendre place côte à côte.

Tous, naturellement, ne mangeaient pas la même chose. Au centre, sur une sorte d'estrade surélevée, les deux rois et les chefs, entourés de leur famille et de leurs conseillers les plus proches, partageaient le privilège d'une avalanche de plats délicats et savants, préparés par des cuisiniers grecs, byzantins et romains, arrosés de falerne, de massique, de faustin, de cécube, de vins de Provence et de Thessalie. Il y avait les recettes classiques des crêtes de coq et des vulves de truie, il y avait des loups et des espadons pêchés dans l'Adriatique, il y avait même un paon farci aux herbes et aux aromates dont la queue étalée était maintenue par un fil et qui portait dans son bec un tampon de laine en train de brûler, comme si l'oiseau royal crachait du feu. Présenté sur un plat d'or par un esclave éthiopien, vêtu de rouge et de bleu, un turban orné d'une aigrette enroulé autour de la tête, la splendeur du mets arracha aux convives des cris d'admiration.

Le gros de la troupe n'avait pas droit à ces raffinements. Des chèvres, des porcs, des sangliers entiers étaient rôtis sur des broches qui tournaient sur des feux, entretenus par les femmes et par les enfants. Un guerrier hérule, ivre mort, voulut à tout prix partager avec Démétrios, qui refusa avec fermeté, un morceau de porc rôti. Pour accompagner les énormes quartiers de viande, des bouillies d'avoine et d'orge remplissaient des écuelles qui passaient de main en main. Dans la nuit douce de mars, illuminée par les feux, le spectacle était prodigieux. Une rumeur sourde sortait de Ravenne et la brise légère l'emportait assez loin sur les marais et les champs qui entouraient la ville.

Le banquet marquait la réconciliation des deux peuples qui s'étaient entre-tués. Démétrios, qui avait tout organisé et veillé jusqu'aux moindres détails, s'était arrangé pour accueillir Ostrogoths et Hérules en nombre rigoureusement égal. À chaque Ostrogoth correspondait un Hérule et tous étaient placés selon une règle stricte d'alternance que Démétrios avait fait observer à la lettre : chaque Ostrogoth était assis entre deux Hérules et chaque Hérule entre deux Ostrogoths. Ainsi se développerait entre les deux communautés un esprit de compréhension, de confiance et d'amitié. À la table des deux rois, Odoacre et Théodoric, assis l'un à côté de l'autre, donnaient l'exemple de la concorde. Les hommes mangeaient, buvaient, chantaient, lutinaient les femmes qui apportaient les plats, allaient se chauffer de temps en temps devant les grands feux où rôtissaient les chèvres et les sangliers. La guerre était terminée.

Le banquet tirait à sa fin. Abreuvés de vin, les convives s'abandonnaient à un bien-être qui allait, chez certains, jusqu'à la somnolence et la torpeur. Plusieurs, qui s'étaient levés pour se dégourdir les jambes ou pour courir après les filles, se rassirent en voyant Démétrios se lever pour réclamer le silence. Il salua, au nom des deux rois, tous ceux qui étaient présents. Il leur souhaita la bienvenue à ce banquet de Ravenne où était enfin scellée la réconciliation de deux peuples. Il leur parla d'un passé qui avait été détestable et héroïque, il leur parla d'un avenir qui serait glorieux et rayonnant. Il les invita à rester assis pour profiter d'un spectacle dû à la magnificence d'Odoacre et de Théodoric et qui était l'image et le fruit de la paix. Il fit l'éloge des deux rois dont il porta successivement à ses lèvres le manteau rouge et le manteau bleu, ornés l'un et l'autre de broderies d'or et d'argent. Et il reprit sa place entre deux chefs hérules.

Les danseuses jaillirent de nulle part, dans un tourbillon de soie, de rubans, de couleurs, de musique. Tous les guerriers se levèrent, emportés par l'excitation. Une immense rumeur se répandit dans la nuit. Le cortège des danseuses se fraya un passage parmi les tables, les tonneaux, les feux où finissaient de rôtir les derniers chevreaux et les derniers moutons. La plupart d'entre elles avaient été formées à Byzance, mais beaucoup venaient de plus loin : de Syrie, d'Égypte, du Danube, de Bretagne. Chacune était un roman, une histoire, une suite de désirs et de tempêtes. Des acrobates, des jongleurs, des mangeurs de feu, des manieurs de bâton et d'épée évoluaient parmi elles, bondissaient en l'air, toupillaient, se désossaient, édifiaient en un clin d'œil des pyramides humaines qui se défaisaient aussitôt, marchaient sur les mains, se livraient à des sauts périlleux et à mille pirouettes. Les filles passaient en dansant, en agaçant les hommes, en les caressant de la main. Éblouis par le spectacle, abrutis par le vin, les hommes s'étaient tous rassis et regardaient de tous leurs yeux, la gorge à nouveau sèche, la tête tournée par tant de splendeur. Tout à coup, des trompettes éclatèrent avec force, couvrant le bruit sourd des tambours et des harpes.

Un grand silence se fit pendant quelques instants. Danseuses, musiciens, convives, femmes debout devant les feux, enfants accablés de sommeil, vieillards rêvant à des choses vagues, tous restèrent immobiles, pétrifiés dans le silence qui suivit le vacarme. Un coup de cymbales éclata. Alors, chaque guerrier ostrogoth plongea son poignard dans le cœur de son voisin de gauche. Trois mille guerriers hérules périrent dans le même éclair. Théodoric lui-même se jeta sur Odoacre et le perça de coups. Égaré, toujours ailleurs, Démétrios se trompa et poignarda son voisin de droite : il venait déjà d'être tué par son voisin de droite. Le voisin de gauche de Démétrios fut le seul Hérule du banquet de Ravenne à échapper au massacre. C'était un prince de sept ans. On lui laissa la vie.

— Pauvre Mouche ! dit Simon. Sa fin est sinistre. Et un peu à cause de moi.

— Pourquoi l'appelez-vous Mouche ? dit Marie.

— Parce que Charles, son mari, l'ami de Vintimille et de Mrs Fitzherbert, était devenu duc de Mouchy. Et M. de Chateaubriand écrivait des lettres sublimes où il mettait son âme — et son corps — aux pieds de celle qu'il appelait Mouche.

Je l'avais rejointe à Méréville. Elle n'avait jamais quitté l'Alhambra. Elle était folle de Chateaubriand — et être folle de Chateaubriand, c'était être folle tout court. Ils se voyaient encore : tantôt à Méréville, tantôt à la Vallée-aux-Loups, cette propriété du côté d'Aulnay, de Châtenay et de Sceaux que le vicomte avait achetée à son retour d'Espagne et où il travaillait, dans une tour encombrée de souvenirs de Grenade — vous pouvez aller la voir : elle est toujours debout —, aux *Martyrs,* au *Dernier Abencérage,* où Natalie s'appelle Blanca, à son *Itinéraire de Paris à Jérusalem* et aux premières pages des *Mémoires d'outre-tombe.* Nous venions tous les deux, Mme de Noailles et moi, tantôt en public et tantôt en secret. Nous arrivions de Paris, où Mme de Noailles habitait rue Cerutti — une rue qui a changé de nom, ne la cherchez pas sur votre plan.

Quand la visite était officielle, nous entrions par la grande porte. Il y avait souvent des invités : un abbé venu de Rome, ou cette peste de Mme de Boigne, ou Fontanes, devenu pompeux et déguisé en sénateur, en courtisan, en grand maître de l'Université, ou Joubert, toujours fidèle, ou encore une nouvelle venue que Natalie de Noailles, à Méréville, avait présentée au vicomte et qui s'appelait Claire de Duras.

— Je vois ça, coupa Marie qui allait plus vite que la musique, Chateaubriand était tombé amoureux de Mme de Duras.

— Pas du tout, dit Simon. C'était Mme de Duras qui était amoureuse de René. Lui aimait Natalie. Il appelait Claire « ma chère sœur » et ne rêvait pas d'inceste. Il la traitait avec dureté et elle le bénissait. J'ai entendu la pauvre Claire feindre de s'inquiéter auprès de René, derrière le dos tourné de Céleste, de l'accueil réservé par Natalie de Noailles à l'affection naissante que la nouvelle venue cultivait avec passion : elle s'essayait, avec maladresse, à cette forme de coquetterie qui consiste à faire semblant de s'effacer pour mieux s'imposer et qui ne peut réussir que quand la partie est déjà presque gagnée.

— Quelle folie, chère sœur ! lui répondait René devant moi qui faisais semblant de débarrasser la table ou de nettoyer un vêtement et qui n'en perdais pas une miette. Quelle folie, chère sœur ! Mme de Mouchy sait que je l'aime, que rien ne peut me détacher d'elle. Sûre ainsi de moi, Mme de Mouchy ne me défend ni de vous voir, ni de vous écrire, ni même d'aller chez vous, avec ou sans elle. Si elle me le commandait, sans doute elle serait aussitôt obéie, comme je vous l'ai dit cent fois. Vous ne le trouvez pas mauvais. Vous m'en estimez davantage. C'est Mme de Mouchy qui a inspiré l'*Aben-cérage* ; je suis charmé qu'il vous plaise tant.

— Aïe ! dit Marie.

— Impossible, dit Simon, d'être plus insolent.

— Roule ma poule, dit Marie. Céleste est dans le coffre à bois. Mme de Boigne fait des mots. Claire en est pour ses frais et pour sa courte honte. René aime Natalie. Et Natalie aime René. Que demande le peuple ?

— Oui, oui, bien sûr, le rêve continue, Grenade n'est pas oubliée et Natalie est toujours là. Tout ce qu'on peut insinuer — et encore : avec prudence —, c'est que le plus beau de l'amour, c'est-à-dire ses débuts, est déjà derrière nous. Mais enfin René se rend à Méréville aussi souvent que possible et, de jour ou de nuit, Natalie de Noailles débarque à la Vallée-aux-Loups. Souvent, après le dîner, M. de Chateaubriand, laissant Céleste et Natalie causer avec Joubert et avec Mme de Boigne, m'entraînait vers sa tour.

— Mon cher Isaac, me disait-il, j'ai besoin de ton aide.

Et, pour rafraîchir sa mémoire, il me demandait des détails sur Modon, l'antique Méthone, ou sur Tripolitsa dont il se souvenait mal, sur Jérusalem, bien entendu, ou sur le consul à Smyrne qui s'appelait Choderlos de Laclos et qui était le frère de l'auteur des *Liaisons dangereuses*.

— Que ferais-je sans toi ? me disait-il.

Un livre à la main, les yeux fixés sur le grand homme, je me collais dans un coin de la tour et il se mettait à écrire très vite ce que je venais de lui raconter. Tout à coup, il s'interrompait, le grincement cessait sur le papier, il posait la plume, il se tournait vers moi :

— Jamais un mot, surtout, sur le rôle que tu as joué sous le nom de Julien Potelin.

— Moi, tombeau. Mais lui ?

— Lui, je m'en charge, disait-il, j'en fais mon affaire.

Il nous arrivait aussi, à Natalie et à moi, de rappliquer de nuit, en secret, Mme de Chateaubriand depuis longtemps endormie, l'*Imitation de Jésus-Christ* ou le missel entre les mains, son chapelet autour des doigts. Nous passions par une porte percée dans le mur d'enceinte et nous nous hâtions vers la tour où René écrivait à la lueur d'une chandelle ou d'une lampe à quinquet. Un soir, je me souviens, nous venions de franchir le mur et de pénétrer dans le parc quand un froissement de feuilles et de branches brisées nous fait soudain sursauter dans le silence de la nuit. Est-ce un garde de Céleste ? Est-ce un espion de Claire de Duras ? Nous nous immobilisons aussitôt et nous apercevons un jeune homme de dix-sept ou dix-huit ans en train de dégringoler d'un arbre d'où il venait de plonger ses regards dans la tour éclairée. Nous allons vers lui, Natalie le cuisine et lui demande qui il est, ce qu'il veut, ce qu'il fait là. L'adolescent se met à rougir et nous répond qu'il admire l'auteur du *Génie du christianisme* et qu'il s'appelle Alphonse de Lamartine. C'était la première fois que j'entendais ce nom-là.

— Eh bien, Monsieur Alphonse, lui dit Natalie avec son audace et sa coquetterie de toujours, la prochaine fois, au lieu de grimper aux arbres, vous viendrez avec nous et nous entrerons par la porte.

L'histoire a beaucoup plu à M. de Chateaubriand. Il répétait : « Le grand dadais ! le grand dadais ! », mais il était visiblement enchanté de servir de point de mire à de jeunes générations en train de monter dans de hautes branches, au risque de se casser le cou, pour tenter de l'apercevoir. Le plus souvent, la nuit, quand nous venions par le parc, je n'entrais pas dans la tour. J'attendais en bas. Je laissais Natalie monter seule dans le cabinet de travail où René la guettait pour parler d'autre chose, j'imagine, que de littérature.

— Bon ! dit Marie, j'ai compris : c'est le beau fixe. Qu'est-ce qui cloche ?

— La formule est bonne, dit Simon. Tout roule :
qu'est-ce qui se déglingue ? Tout va bien : qu'est-ce qui
ne va pas ? C'est l'image de la vie. Pour dire les choses
en trois mots, Natalie entrait dans une mélancolie
exaltée et dans quelque chose d'obscur qui ressemblait à
la folie. Folle ? Elle l'était déjà : c'était charmant. Elle
s'enfonça dans ses rêves, dans ses angoisses, dans ses
soupçons : et ce fut un drame. À qui la faute ? À ce
monde bien sûr, à l'histoire, à elle, aux autres, à René, à
Charles, à Vintimille, à Mrs Fitzherbert. Et à moi.
Claire, qui s'était mise à protéger Natalie depuis que
René la conjuguait à l'imparfait — un jour, j'ai remis à
Claire un billet où René écrivait : « *J'ai aimé* passion-
nément Mme de Mouchy » ; j'ai cru que Mme de
Duras, qui était pourtant la confidente plus que la
bénéficiaire de ce renvoi dans le passé, allait s'évanouir
de bonheur —, me disait avec une justesse où se mêlait
la bonté :

— Sans ce fatal voyage d'Angleterre qui l'a rendue
toute blessée, toute désillusionnée, peut-être n'aurait-
elle pas suivi une aussi mauvaise voie…

Peut-être… Pour la détourner vers d'autres chemins,
pour la distraire de Charles, de René, de Mrs Fitzherbert, du souvenir de Vintimille, des images de la
Terreur, de tant de fantômes et de bourreaux, de tout ce
qui l'attirait et lui faisait peur dans ce monde qui est un
labyrinthe, un miroir, un piège dont il faut essayer de
sortir à tout prix, j'ai cru bon d'entraîner Natalie dans
mes voyages sans espoir. Je l'ai emmenée avec moi.
Nous avons marché et marché. Nous avons couru à
travers Paris, à travers la France, à travers l'Europe. J'ai
eu tort. Elle finissait par me traîner derrière elle autant
que je la traînais derrière moi. Elle fuyait ses obsessions
comme je fuyais les miennes. Je m'en suis voulu assez
vite de l'avoir jetée sur les routes. Je l'ai vue peu à peu
donner à sa folie la forme même de cette marche

maudite à quoi j'étais condamné. Quels crimes, quels rêves obscurs lui avaient valu ce châtiment qui me paraissait si injuste, si disproportionné ? Fille du marquis de Laborde, femme du duc de Mouchy, maîtresse de Chateaubriand, familière des princes et des rois, propriétaire de Méréville et de tant de trésors sans prix, Natalie de Noailles, une des femmes les plus brillantes et les plus adulées de son temps, était devenue cette chose qui n'avait de nom dans aucune langue : la compagne du Juif errant.

Chaque jour un peu plus sauvage, plus sombre, plus fantasque, elle n'était plus que l'ombre d'elle-même. Elle s'accrochait à moi comme à son seul salut et sa folie prenait l'allure tragique, bientôt familière aux médecins, d'une manie ambulatoire : comme si elle essayait d'échapper à une existence qui la rendait malheureuse, elle passait son temps à marcher à mes côtés, à courir de plus en plus vite. Sa vie ressemblait à un film fantastique qui se serait mis soudain à dérailler et à passer en accéléré — mais l'angoisse, de loin, l'emportait sur le comique. C'était moi qui lui avais passé, comme une maladie contagieuse, ce besoin irrépressible, qui frappa si fort son époque, de courir d'auberge en auberge et de pays en pays. « Elle rêve tous les jours, me disait Mme de Boigne, d'une manière plus extravagante de courir vers le tombeau. » Et, entre deux billets à l'idole inaccessible pour qui elle se consumait, Claire de Duras m'écrivait : « Elle croit toujours mourir la nuit qui va suivre. La terreur la saisit. Elle marche, elle marche, elle fuit... »

— Vous vous souvenez par cœur de tous ces billets, dit Marie, ou vous les inventez ?

— J'ai bonne mémoire, dit Simon, puisque je suis l'histoire. Et l'histoire a bonne mémoire. Je n'étais pas le seul à m'occuper de la pauvre Mouche et de sa course à l'abîme. Comme dans un roman bien ficelé, comme dans une pièce de théâtre où il s'agirait, faute de ressources, de limiter les dépenses, il y a un acteur qui resurgit dans la vie ravagée de Natalie de Noailles : c'est... eh bien !... qui donc ?... Devinez !

— Je ne sais pas..., dit Marie. Fontanes, peut-être ? Ou Joubert ?

— C'est Molé, dit Simon. Le compagnon ardent et si doué de la jeunesse de René, l'ami le plus choyé qui finit dans la trahison par faiblesse et par ambition, l'admirateur rongé par une secrète jalousie ramassa Natalie abandonnée par le grand homme qui l'avait aimée à Grenade. Peut-être parce qu'il n'avait pas réussi à effacer le souvenir d'un amour andalou, Molé se montra dur avec Natalie de Noailles. Il parla de « celle que la nature avait formée pour l'ornement de la terre et à laquelle aucune faute ne fut pardonnée parce qu'elle n'avait jamais aimé ». Quand un homme dit d'une femme qu'elle n'a jamais aimé, c'est le plus souvent qu'elle en a aimé un autre. Et Natalie, en effet, à défaut de Mathieu, avait aimé René. Et Mathieu le savait. Et Claire aussi. Et moi. Mathieu Molé ne m'a jamais pardonné d'avoir été le témoin de la passion partagée de Natalie de Noailles et de Chateaubriand. C'est pour cette raison, je crois, qu'il ne me portait pas dans son cœur. Et je lui rendais la pareille : passer de Chateaubriand, de Natalie, qui était folle, de Claire, de Céleste, de Joubert, qui ne serait jamais rien, à Mathieu Molé qui allait tout avoir, devenir ministre des Affaires étrangères et président du Conseil, entrer à l'Académie et inspirer Balzac, c'était descendre d'un degré.

Mouche, qui n'aimait pas Molé et que Chateaubriand n'aimait plus, envoyait à Claire des billets déchirants : « Parlez de moi quelquefois ! Que je ne sois ni trop méconnue ni trop oubliée ! Si notre ami peut conserver mon souvenir, je suis sûre qu'il me plaindra et aimera

ma mémoire. Adieu ! Soyez heureuse ! » Claire de
Duras avait le cœur généreux. Elle peignit à René la
folie qui empêchait la pauvre Mouche de plus rien
déguiser et qui laissait voir à chacun combien cette âme
orgueilleuse devait souffrir de sa chute. René haussait
les épaules, grommelait qu'il y a une fin à tout, se
plaignait des orages de la rue Cerutti et montrait plus
d'indifférence et de compassion raisonnable que de
douleur et de flamme. Il écrivit à Claire une lettre où il
parlait surtout de lui-même et que Mme de Duras me
tendit sans un mot en passant, un matin, à la maison de
santé de la rue du Rocher où il avait fallu interner
Natalie de Noailles : « Ah ! Mon Dieu, la pauvre
Natalie ! Quelle fatalité me poursuit ! Ne vous ai-je pas
dit que tout ce que j'avais aimé, connu, fréquenté, était
devenu fou, et moi, je finirai par là. Il n'y a rien que je
ne fisse ou ne donnasse pour voir Mouche heureuse.
J'espère que sa tête se remettra. Il peut se faire que ce
ne soit qu'un dérangement passager. Pour tout le
bonheur qu'elle m'a donné, je ne puis rien pour elle.
Chère sœur, quelle déplorable impuissance que celle
des amitiés humaines. »

— Mon Dieu ! dit Marie. On est loin de Grenade.
— Oui, dit Simon : loin de Grenade. C'est la devise
des hommes : loin de Grenade. Le temps passe et le
cœur change. Et nous sommes la proie du malheur qui
nous guette. Loin de Grenade. Molé faisait ce qu'il
pouvait. Il ne pouvait pas grand-chose. Il s'efforçait de
la retenir, de vaincre son isolement, d'arrêter sa fuite en
avant, de l'intéresser au monde extérieur, de lui lire
Adolphe qui venait de paraître. « Elle avait l'air, écrit-
il, de sentir en elle des souvenirs, une amertume, des
secrets bien autrement poignants que toutes les désespé-
rantes révélations échappées à la plume de Benjamin
Constant. » Ce sont ces secrets, cette amertume, ces
souvenirs déchirants qui, pendant près d'un quart de

siècle, ont fait courir à travers le monde son corps
d'abord, puis son esprit. Je courais, je fuyais, je
marchais avec elle.

— Je vous vois tous les deux, dit Marie, en train de
fuir sous l'orage. Le vent s'engouffre dans vos vêtements. La foudre tombe du ciel. Le paysage est sinistre.
Vous la protégez de vos bras et elle défaille contre vous,
comme dans une de ces gravures que nous devons au
romantisme allemand.

— C'est une image de tous les temps, dit Simon. Et
de tous les pays. Natalie devra attendre jusqu'au règne
de Louis-Philippe pour être enfin libérée de l'horreur de
cette vie. Moi, j'ai tant de souvenirs, tant d'amertume,
tant de secrets que mes chaînes sont plus lourdes. Il me
faudra marcher jusqu'au bout.

— Jusqu'au bout ? dit Marie.

— Jusqu'au bout, dit Simon. Jusqu'à la fin de l'histoire.

— Parce qu'il y aura une fin de l'histoire, c'est vrai ?
demanda Marie.

— Bien sûr, dit Simon. Nous en avons déjà parlé.
« Comment va le monde ? — Il s'use, monsieur. » C'est
de Shakespeare : *Timon d'Athènes*. Vous naissez. Vous
mourrez. Mon histoire a commencé. Et, grâce à Dieu,
elle finira. Même elle, elle finira. Il y a un début de
l'histoire...

— Quand ça ? s'écria Marie.

— Vous savez bien, dit Simon d'un ton un peu lassé.
Quinze milliards d'années pour l'univers, cinq milliards
pour la Terre, quatre milliards pour la vie, trois ou
quatre millions d'années, ou quelque chose comme ça,
pour ce qu'on peut appeler les hommes... Il y a les
algues, il y a les vertébrés, i! y a les mammifères, il y a
les primates, il y a les singes. Et il y a nous. Il y a le feu,
il y a l'agriculture, il y a la ville et l'écriture. Il y a la roue
et le lorgnon, la brouette, la baguette de pain, le

mariage du doge et de l'Adriatique à bord du *Bucen-taure,* les pyramides de Gizeh et de Teotihuacán, l'autobus *S* qui desservait le Quartier latin et dont on voyait la plaque sur la couverture de *Notre avant-guerre* de Brasillach. Il y a l'esclavage, il y a la chevalerie, il y a l'amour et la révolution, il y a des tas de petites choses amusantes et sinistres. Il y a l'assassinat du duc de Guise et l'assassinat du duc d'Enghien, les attentats de Rava-chol et la mort de millions et de millions de jeunes gens atteints par une flèche ou une lance ou fauchés par la mitraille. Il y a la naissance du Bouddha et l'invention par Papin, par Watt, par Jouffroy d'Abbans, par Fulton de la machine à vapeur. Il y a la Grande Muraille de Chine édifiée par Ts'in Che Houang-ti sur six mille kilomètres contre les Barbares qui surgissaient des steppes et le supplice de Cuauhtémoc, dernier empereur des Aztèques, étendu sur un lit de braises et pendu par Cortés au lendemain de la *noche triste.* Il y a le théorème de Gödel...

— Qu'est-ce que c'est ? demanda Marie.

— Je vous expliquerai un autre jour, dit Simon, et le ruban de Möbius qui, sans envers ni endroit, n'a jamais qu'une seule face. Il y a le mystère de l'Atlan-tide et le *Journal* de Jules Renard. Il y a la révolte de Spartacus et l'histoire d'amour, toujours la même, entre Rodin et la sœur de Claudel, entre Marie et vous, entre la reine d'Égypte et le plus grand des Romains. Il y a *Le Capital* de Karl Marx et *Occupe-toi d'Amélie* et la rédaction, lettre par lettre, de ce qui sera le Coran. Il y a *Le Banquet* de Platon et Cléo de Mérode. Il y a une symphonie de Haydn où tous les musiciens quittent la scène tour à tour en soufflant leur chandelle, il y a un petit pan de mur jaune dans une des deux seules vues d'extérieur qu'on connaisse de Vermeer et plein de secrets partout dans les cœurs et les livres. Il y a tout, en un mot, et il y a la fin de tout

— je veux dire : de notre tout. Et il y a une fin de l'histoire.

— Ah ! dit Marie qui ne doute jamais de rien. Et comment sera-t-elle cette fin de l'histoire ?

— Si je savais ! dit Simon.

L'histoire de Ravenne ne se termine pas avec Théodoric. Dix ans exactement avant le banquet de Ravenne et l'assassinat du chef des Hérules par le roi des Ostrogoths, naissait dans une famille de pâtres, du côté de Skoplje, en Macédoine, un garçon auquel ses parents donnèrent le nom de Justinien. Justinien avait un oncle qui s'appelait Justin et auquel sa haute taille avait permis d'entrer, à Byzance, dans la garde impériale. L'oncle s'éleva, de grade en grade, jusqu'au commandement de la garde qui finit un beau jour, à la suite d'intrigues obscures, par le proclamer empereur. Justin fit venir son neveu à Constantinople et l'associa à l'empire. À la mort de l'oncle, le neveu fut empereur.

Justinien était pieux et il aimait la gloire. Il avait une puissance de travail formidable et la réputation de ne jamais dormir. Il avait surtout une femme qui s'appelait Théodora. C'était une prostituée et une sainte. Plus et mieux que personne, elle a mêlé en elle les vertus et les vices. Quatorze cents ans plus tard, Victorien Sardou lui a consacré un mélo où Sarah Bernhardt jouait le rôle de l'impératrice et où traînent des vers célèbres que Simon récitait avec délectation dans la nuit de Venise :

Sur les places publiques
Quand tu rôdais le soir,
À l'ombre des portiques
Chacun a pu t'avoir.
Ah ! Ah ! Théodora !
Alors, beauté fatale,
Tu valais un sou d'or.
Que l'empereur détale,
Tu vaudras moins encore.
Ah ! Ah ! Théodora !

Les Byzantins avaient hérité des Romains une passion violente pour les courses de chars et pour les jeux du cirque. Théodora était la fille du gardien des ours de l'Hippodrome de Constantinople. À la mort de son père, il fallut vivre. Elle fut actrice et mime, elle se prostitua. Elle se prostitua parce qu'elle aimait l'argent ; et elle n'eut pas trop à se forcer parce qu'elle aimait l'amour. Procope, Paul le Silentiaire, le cardinal Cesare Barone, ou Baronius, disciple de saint Philippe Neri et bibliothécaire de la Vaticane, Gibbon et des centaines d'autres la font revivre sous nos yeux et les récits de ses débauches sont fameux. On parle d'un souper où, environnée de trente esclaves, elle accorda ses faveurs à dix jeunes gens. Elle tomba amoureuse plusieurs fois et Justinien tomba amoureux d'elle. La loi interdisait aux personnages d'un certain rang d'épouser des actrices ou des prostituées. À l'épouvante de sa mère, qui mourut, dit-on, de chagrin, et de sa tante, la femme de l'empereur Justin, Justinien fit promulguer par son oncle, qui était encore sur le trône, un édit impérial qui abrogeait la loi et il épousa Théodora.

En Italie, pendant ce temps-là, Démétrios, dans l'ombre de Théodoric, s'était attaché à un philosophe du nom de Boèce qui voulait accorder le système d'Aristote avec celui de Platon et transmettre la culture grecque à l'Occident barbare. Avec Cassiodore et quelques autres esprits élevés, Boèce, le plus éloquent et le plus doué des Romains, était devenu ministre du roi des Ostrogoths. Il chargea Démétrios de plusieurs missions de confiance auprès de Clotaire, roi des Francs, et de Gondebaud, roi des Burgondes. Ce fut Démétrios qui fit passer les Alpes à un orgue conçu par Boèce et à une clepsydre sans roues, sans poids et sans ressorts, qui indiquait le cours du Soleil, de la Lune et des astres au moyen de l'eau enfermée dans une boule d'étain qui ne cessait de tourner, emportée par son propre poids. Les talents de Boèce et ses succès lui valurent beaucoup d'inimitiés. Parce qu'il s'occupait d'astronomie et de mathématiques, on l'accusa de magie et de sorcellerie. Parce qu'il s'efforçait de protéger les plus faibles, on l'accusa de s'opposer au pouvoir des vainqueurs. Parce qu'il admirait la philosophie de Platon, on l'accusa de s'être vendu à l'Empire byzantin pour sauver l'ancienne Rome à laquelle il appartenait par sa naissance et par sa famille. Théodoric lui-même finit par soupçonner Boèce de s'être allié en secret contre lui avec l'empereur de Constantinople et le fit jeter en prison à Pavie. Du fond de sa cellule, Boèce dicta à Démétrios un ouvrage célèbre, à mi-chemin du stoïcisme et du néo-platonisme, qui devait jouer un rôle immense pendant huit ou neuf siècles avant de tomber dans l'oubli : *De consolatione philosophiae — La Consolation de la philosophie*. La philosophie y prenait la parole sous les traits d'une femme à l'aspect vénérable et aux yeux étincelants et, balayant les illusions de la puissance, de la volupté, de la réputation qui n'apportent que malheur, elle indiquait à Boèce comment affronter les revers de la fortune et s'élever à la vérité, au bien et à l'universelle Providence, seule capable d'assurer à l'âme l'indépendance et le bonheur. Le livre à peine achevé, Théodoric fit exécuter le philosophe. On lui serra une corde autour de la tête. Les yeux jaillirent de leurs orbites et la langue de la bouche. Sous les supplices les plus atroces, Boèce mettait du temps à mourir. Alors, on l'étendit sur une poutre où il fut frappé de verges et achevé à la hache. Épargné par Théodoric en souvenir des services rendus dans la lutte contre Odoacre, Démétrios quitta l'Italie et, reprenant un chemin qu'il avait bien souvent parcouru dans un sens ou dans l'autre, il marcha, par l'Illyrie, par la Macédoine, par la Thrace, vers la capitale de l'Empire byzantin. À Constantinople, il devint cocher de char et, d'après Simon au moins, beaucoup des aventures prêtées plus tard à Ben-Hur devraient lui être rendues.

Plus que le palais de l'empereur ou le forum ou la basilique de Constantin, le centre de la ville, à cette époque, c'était l'Hippodrome. Il occupait, et au-delà, la grande place qui, sous le nom d'At Meydani, s'étend aujourd'hui, non loin de Sainte-Sophie, devant la Mosquée bleue et où s'élèvent encore l'obélisque de Thoutmès III érigé par Théodose, l'obélisque muré et la colonne serpentine, aux relents démoniaques. Des foules énormes s'y pressaient et venaient acclamer les conducteurs de chars qui étaient devenus des vedettes couvertes d'argent et de gloire. Toute la ville ne parlait que de leurs amours et de leurs ruses, de la rivalité qui les opposait et des querelles qui éclataient pour un oui ou pour un non aux abords des écuries. Selon une division quatripartite, qui rivalise avec la division tripartite chère à Georges Dumézil et dont on retrouve les traces en Inde, en Chine et jusque chez les Wisigoths, les cochers étaient répartis en quatre groupes qui correspondaient à la fois à une division géographique, à une division religieuse et cosmique et à une division sociale : les Bleus, les Verts, les Blancs et les Rouges. Les Bleus et les Blancs représentaient les quartiers riches, favorables à l'orthodoxie et au gouvernement d'un petit nombre. Les Verts et les Rouges représentaient les quartiers populaires à tendance démocratique et inclinaient vers l'hérésie. Le célèbre Palio, la course qui se déroule à Sienne sur la Piazza del Campo incurvée en coquille vers le Palazzo Pubblico et où chaque cavalier est le champion d'une *contrade*, c'est-à-dire d'un quartier, peut donner, en petit et, malgré sa splendeur, en modeste, une idée de ces courses de chars de Byzance qui laissaient loin derrière elles la passion populaire de nos matches de football ou de rugby. Les deux groupes principaux étaient les Bleus et les Verts. Démétrios était Vert.

L'empereur, longtemps, avait favorisé les Verts et porté leur casaque. La coutume était surtout de maintenir l'équilibre entre les Bleus et les Verts. Pour des raisons d'abord religieuses, Justinien inclina vers les Bleus. La fureur s'empara des Verts qui descendirent dans la rue. Forts de la protection de l'empereur, les Bleus se déchaînèrent, se jetèrent sur les Verts et pillèrent leurs maisons. L'empereur eut beau désavouer les Bleus et leurs excès, les Verts se soulevèrent. Ce qui se passa alors est compliqué et simple. L'empereur, s'efforçant de rétablir le calme, déplut à la fois aux Verts qui lui étaient hostiles et aux Bleus qui lui en voulaient de ne pas les soutenir. Les combats sporadiques entre les Verts et les Bleus se changèrent insensiblement en une révolte contre l'empereur. Les Bleus firent cause commune avec les Verts, adoptèrent leur cri de guerre : *Nikê!* — Victoire ! — et se joignirent à la foule quand les Verts en masse se répandirent dans la ville. L'empereur vacilla.

La sédition Nikê fut une des plus formidables de l'histoire. On vit Constantinople livré aux émeutiers, les palais envahis et mis à sac, les boutiques pillées, la basilique de Constantin ravagée par les flammes et l'empereur lui-même débordé, menacé dans sa vie, au bord de renoncer à son trône. C'est alors que Théodora, qui connaissait le cirque, se souvint de Démétrios, dont elle avait souvent applaudi les exploits, le sang-froid, l'audace devant le danger, et le fit venir en secret.

— Que faire ? lui dit-elle.

— Hier, lui répondit-il, j'aurais dit : ce que tu veux. Aujourd'hui : ce que tu peux.

— L'empereur veut fuir.

— S'il tient à sauver sa vie, il a peut-être raison.

— Et s'il reste ?

— Il peut tout perdre, ou tout gagner.

— Que faut-il faire pour tout gagner ?

— Il faut se battre, lui dit-il, au péril de la vie.

— Je préfère mourir, dit Théodora, à vivre dans l'exil et la honte.

— Alors, répondit-il, tu as la réponse à la question que tu poses.

Théodora convainquit Justinien qu'il fallait vaincre ou mourir et Justinien fit appel à un général qui s'appelait Bélisaire. Bélisaire avait du génie et les scrupules ne l'étouffaient pas. À la tête de ses mercenaires, il écrasa la révolte et massacra dans l'Hippodrome plus de trente mille insurgés.

— C'est ça, le génie ? dit Marie.

— C'est la vie, dit Simon. C'est la force, c'est le succès. L'empereur avait pris le risque d'avoir les mains et le nez coupés, les yeux crevés, la tête tranchée. Il a gagné. L'histoire, c'est ce qui marche.

Sur tous les mouvements des Verts et sur leurs intentions, Démétrios avait apporté à Bélisaire des informations décisives. C'est de la trahison de Démétrios que date la superstition qui fait craindre le vert à nos pilotes de course, héritiers des cochers de chars — des Verts, pour la plupart — exterminés par Bélisaire dans l'Hippodrome de Byzance.

— Que font les vainqueurs ? Ils règnent. Justinien régna. Il régna avec splendeur, Théodora à ses côtés. Il construisit Sainte-Sophie — la Sagesse divine — sur les ruines de la basilique détruite par l'insurrection. Il promulgua le code qui devait, pendant des siècles, servir de base au droit. Et il envoya Bélisaire reconquérir une par une les terres éparses de l'Empire. Mieux valait, pour moi, m'éloigner quelque temps de ce qu'il restait des Verts : ils ne me portaient pas dans leur cœur. Je suivis Bélisaire. Il triomphait partout. Je le suivis en Afrique où il l'emportait sur les Vandales, je le suivis en Italie où il battait les Ostrogoths qui n'avaient plus à leur tête le grand Théodoric. Une fois encore, une fois de plus, j'ai marché des jours et des jours, et des mois et des mois, le long de la mer intérieure qui, cinq cents ans après le Galiléen, après César, après Antoine et Cléopâtre et le rêve brisé à Actium, après Octave qui serait Auguste, était encore pour près de mille ans, avant Colomb et ses caravelles, avant la naissance d'un monde nouveau, au centre de l'univers.

Bon Dieu ! J'ai marché sur ces routes le long de la grande bleue ! Vous me demanderez peut-être pourquoi, de préférence aux autres, c'est sur ces chemins-là que je marche ? Je ne pouvais pas marcher au Canada, aux États-Unis, au Mexique, au Pérou : ils n'existaient pas encore ou n'existaient que pour eux-mêmes, à l'écart du monde connu. J'ai marché en Afrique, j'ai beaucoup marché en Asie. Mais je revenais toujours, c'est vrai, sur les bords de notre vieille mer, me jeter dans ses bras. De Scandinavie et d'Écosse, de Pologne, d'Arabie, je me retrouvais tout à coup parmi les vignes et les figuiers, parmi les oliviers, parmi les cyprès qui montaient droit et haut dans le ciel étincelant. Tout m'y ramenait : la douceur du soleil, le hasard, mes souvenirs, et la guerre. Tenez ! une des dernières fois que j'ai sillonné ces routes du marbre, du vin, des légions et des dieux, c'était avec les Anglais et les Américains contre Rommel et Kesselring : d'abord les va-et-vient d'Égypte et de Cyrénaïque, et puis, comme toujours, la Sicile, Naples et Rome.

Avec mon Bélisaire, avec un autre général, arménien celui-là, et eunuque, qui s'appelait Narsès, et sur l'un et sur l'autre je pourrais pendant des jours et des semaines vous raconter des histoires, je suis remonté jusqu'à Ravenne, reprise aux Ostrogoths par les troupes de Byzance. J'ai eu un coup au cœur en retrouvant la ville d'Odoacre et de Théodoric où j'avais passé tant d'années, prisonnier et vainqueur. Dans Ravenne reconquise, qu'est-ce que nous avons fait ? Nous avons construit des églises.

J'ai construit beaucoup d'églises. Ça vous fait rigoler ? J'ai été tailleur de pierre. C'est un beau métier. J'ai construit des temples, des cathédrales, des palais et des ponts. Plus tard, des usines et des navettes spatiales : ce n'était plus de la pierre. Je n'ai jamais mis plus de cœur que dans les églises de Ravenne. La ville comptait déjà une foule de monuments qui sont encore debout et que vous pouvez aller voir : Sant'Apollinare Nuovo, qui portait jadis le joli nom de San Martino in Ciel d'Oro, le baptistère des orthodoxes et celui des ariens, le tombeau de Théodoric et le mausolée de Galla Placidia, fille, femme, sœur et mère de l'un ou l'autre de ces empereurs de la décadence romaine qui ont vu s'écrouler sous les coups des Barbares l'œuvre de tant de siècles. Pour montrer que l'Empire n'était pas mort, qu'il survivait en Orient, qu'il renaissait à Byzance, que le christianisme le soutenait et qu'il soutenait le christianisme, nous avons fait monter vers le ciel de Ravenne des poèmes de pierre et d'or à la gloire du Tout-Puissant.

Je vais vous dire quelque chose qui va encore vous faire rire : j'ai envié la foi des constructeurs d'églises. Je ne crois à presque rien. Je n'ai pas cru au Galiléen. Je ne sais toujours pas ce qu'est la vérité. J'ai vu défiler et mourir les royaumes et les religions, les dogmes et les convictions. Tout le monde répète depuis toujours qu'il n'y a rien d'éternel ni de certain sur cette Terre que je parcours, que tout y passe et que rien n'y dure. Ceux qui ont construit avec moi les églises de Ravenne, ceux qui ont plié et souffert sous les charges trop lourdes, ceux qui sont tombés des échelles et des échafaudages, ceux qui ont péri écrasés sous les blocs de marbre ou sous les pans de murs en train de s'écrouler, ceux qui ont prié devant les autels qu'ils venaient d'édifier ont atteint à ce que les hommes peuvent atteindre de la vérité et de l'éternité. Et qu'importe s'ils se trompaient. Ils croyaient à ce qu'ils faisaient. C'est une définition du bonheur, et meilleure, je crois, que les autres. Quand, assis devant les travaux, sous le ciel d'automne ou de printemps, je les voyais donner leur temps, leur sueur et leur vie à Sant'Apollinare in Classe, unique vestige aujourd'hui du port détruit de Classis, ou à la basilique San Vitale, avec ses splendeurs byzantines, des rêves que j'aurais dû être le premier et peut-être le seul à chasser me venaient à l'esprit : leur Dieu n'existait pas, ils avaient tort de croire qu'il les avait créés, c'étaient eux qui le créaient et il se mettait à exister parce qu'ils croyaient en lui.

Leur foi n'était rien d'autre que la forme de leur espérance. Ils espéraient de toutes leurs forces que les portes d'un autre monde s'ouvriraient devant eux à l'instant de leur mort. Ce monde-ci était injuste, il était abject et cruel. Les puissants et les riches y dominaient les pauvres et ils les massacraient. Il n'y avait rien à attendre de cette vie de misère. Ils reportaient sur l'autre, sur la vie inconnue de l'autre côté de la nuit, leurs espérances et leur foi. Il y a beaucoup de choses admirables dans les livres que ses disciples ont consacrés au Galiléen. Les plus belles ont toutes trait au bonheur promis aux malheureux : « Heureux ceux qui ont faim, car ils seront rassasiés. Heureux les affligés, car ils seront consolés. Heureux les pauvres en esprit, car le royaume des cieux est à eux. Heureux les cœurs purs, car ils verront Dieu. » Dans quelle vie ? Dans celle-ci ? Bien sûr que non. Dans l'autre. Dans l'autre, après la mort. C'est ce que promettent les derniers mots du soi-disant roi des Juifs au larron repenti, crucifié à sa droite : « Dès ce soir, tu seras avec moi dans la maison de mon père. » Les hommes et les femmes de Ravenne vivaient dans une des villes les plus belles de leur temps. Ils vivaient surtout dans l'espoir des promesses de la vie éternelle. Ils construisaient des églises.

Il me semble que, si j'étais chrétien, je ne penserais qu'à mourir. Déjà moi, qui ne le suis pas et qui ne sais rien de ces portes que la mort doit ouvrir et qui imagine parfois qu'elles donnent sur le néant, je n'aspire qu'à mourir. Comment un homme, comment une femme qui croient au Galiléen et à ses paroles rapportées par ses quatre chroniqueurs ne vivent-ils pas dans l'impatience du seul moment de bonheur de cette vie de malheur — c'est-à-dire sa fin et le terme de tant d'épreuves et l'entrée dans la mort qui, après les tourments heureusement provisoires de l'existence sur cette Terre, est la vraie naissance à la vie éternelle ?

Il m'arrivait de parler de ces choses et de quelques autres avec deux hommes qui étaient devenus mes amis et que tout opposait. Le premier s'était établi depuis peu à Ravenne. Il s'appelait Droctulft. J'ai retrouvé avec stupeur, il y a quelques années, dans un livre de Jorge Luis Borges intitulé *Labyrinthes,* ce nom jadis familier que je croyais emporté à jamais par l'oubli. Par quels détours improbables, à partir de quelles sources inconnues de tous les autres, ce guerrier descendu du Nord vers les pays du soleil revit-il sous la plume du bibliothécaire argentin et aveugle ? Mystère. Droctulft venait des forêts inextricables du sanglier et de l'auroch.

Les guerres l'avaient conduit à Ravenne « et là, écrit Borges avec une exactitude surprenante qui recoupe mes propres souvenirs, il voit quelque chose qu'il n'a jamais vu, ou qu'il n'a pas vu avec plénitude. Il voit la lumière du jour, les cyprès et le marbre, il voit une ville de statues, de temples, de jardins, de maisons, d'escaliers, de jarres, de chapiteaux, d'espaces réguliers et ouverts. Peut-être lui suffit-il de voir une seule arche, avec une inscription incompréhensible en éternelles lettres romaines. Brusquement, cette révélation l'éblouit et le transforme : la Ville. Il sait que dans ses murs il sera un chien ou un enfant et qu'il n'arrivera même pas à la comprendre, mais il sait aussi qu'elle vaut mieux que ses dieux et la foi jurée et toutes les fondrières de la Germanie. Droctulft abandonne les siens et combat pour Ravenne ». Dans Ravenne semée d'églises à la gloire du Christ Jésus qu'il confondait avec Odin, Droctulft était quelque chose, en effet, comme un enfant ou un chien. J'aimais ses étonnements, ses admirations subites pour des chefs-d'œuvre ou des babioles, sa balourdise, sa fidélité toute neuve à ce qu'il venait de découvrir. Il posait peu de questions aux autres, il ne s'en posait pas à lui-même. Il se taisait beaucoup. C'était pour cette raison que je l'aimais. Nous nous protégions mutuellement, chacun fournissait à l'autre ce qui lui faisait défaut et nous nous quittions le moins possible.

Le second compagnon dans les temps de Ravenne excellait dans son métier qui consistait à assembler des fragments de pierres dures, d'agate, de porphyre, de marbre, d'onyx, des lapis-lazuli, des morceaux d'émail ou de verre de couleur et de la poussière d'or pour en faire de ces tableaux qui brillent dans le chœur des églises et que vous appelez mosaïques. Son nom n'est plus connu que de quelques érudits, spécialistes des mosaïques de Ravenne à l'époque de Justinien. Il s'appelait Alexis. Il avait du génie. Et il tirait ce génie de sa foi simple et naïve où les poissons et les arbres, les agneaux, les oiseaux, la beauté des êtres et de la nature chantaient la gloire de Dieu.

Souvent, nous nous asseyions tous les trois à l'ombre des échafaudages de San Vitale ou de Sant'Apollinare in Classe en train d'être édifiés et où Alexis venait de travailler à l'une ou l'autre de ses mosaïques. Nous mangions notre galette de pain trempée dans l'huile, accompagnée de fromage et de quelques oignons, et nous buvions un coup de vin. Je regardais du coin de l'œil Alexis et Droctulft.

— Et si… ? commençais-je.

— Si quoi ? disait Alexis en tendant la main vers un oignon.

— S'il n'y avait pas d'autre monde, si l'immortalité de l'âme était une invention des évêques et des empereurs, s'il n'y avait rien après la vie ?

Un grand silence se faisait. L'enfant Droctulft, l'air absent, jouait aux osselets en silence. Alexis se penchait vers moi.

— Tu ne penses pas ce que tu dis ?

— Je ne sais pas. Je m'interroge. Je ne suis pas le premier à me poser des questions. Je ne serai pas le dernier.

— Tais-toi, me disait Alexis en tournant la tête autour de lui. Tais-toi.

— Comme ce serait commode pour les puissants et les riches de tout avoir dans ce monde et de tout promettre dans l'autre ! Ces histoires merveilleuses avec des anges et des gloires d'où tu tires tant de beauté, y crois-tu donc vraiment ?

— Pourquoi pas ? aboyait Droctulft, soudain tiré de son mutisme. Odin a bien un cheval à huit jambes dont le nom est Sleipnir et un anneau magique qui s'appelle Draupnir.

— Reste donc tranquille, lui disais-je. Ne t'occupe pas de tout ça.

— Pauvre Droctulft, dit Marie. Il me fait un peu pitié.

— Ne le plaignez pas trop, dit Simon. C'était un homme du Nord — doux et violent jusqu'à la cruauté.

— Ces histoires dont tu parles, reprenait Alexis, je les rends belles parce que j'y crois. Et j'y crois parce qu'elles sont belles.

— Elles sont belles. Sont-elles vraies ? Il y a peut-être un Dieu. Et si c'était un Dieu méchant ?

— Ah ! oui, disait Droctulft. Il est souvent méchant.

— Tais-toi ! me criait Alexis en se levant brusquement. Tu ne crois à rien.

Il marchait de long en large. Il revenait vers moi. Il me prenait par les épaules.

— À quoi crois-tu ? disait-il.

— À quoi je crois ? lui disais-je. Mais à toi. À ton talent. À ton génie. Il y a un autre Dieu que Dieu : c'est le génie des hommes. Droctulft, qui est si fort, aura péri depuis longtemps, percé par une épée, abattu par un poison, dévoré par une bête sauvage, écrasé par des pierres lancées du haut d'un rempart...

— Merci beaucoup, grommelait Droctulft.

— ... et personne ne se souviendra plus de lui...

— Sauf un poète, dit Marie.

— Sauf un poète, dit Simon. Et toi, tu seras mangé aux vers et ton nom sera oublié. Mais l'empereur et l'impératrice, que tu as faite si belle avec cette Adoration des Mages brodée en pierres au bas de son manteau, vivront dans le souvenir des hommes parce que tu auras imprimé leur image en relief et en couleurs sur les murs du chœur de l'église San Vitale. Ils vivront comme vivent les dieux et les anges, tes prophètes, tes oiseaux de rêve, comme vivent les hommes et les femmes et tout ce qui paraît sous la voûte des cieux :

dans le souvenir, dans l'esprit, dans l'imagination. Et plus que Bélisaire et Narsès et tant de dignitaires et de généraux et tant d'archontes et d'éparques et de logothètes du drome, c'est toi qui feras rêver les hommes sur la puissance de Justinien, sur la robe et le cou et les yeux de Théodora. La vérité nous échappe. L'éternité nous fuit. C'est ton art qui les remplace et qui rend immortel. Il fixe le monde à jamais dans son éternité et dans sa vérité — dans ce qu'il peut atteindre de vérité et espérer d'éternité. Pour survivre et durer — c'est la revanche de la beauté sur la brutalité et la laideur de la vie —, il n'y a que le plus fragile : les sons, les formes, les couleurs et les mots.

III

Un hosanna sans fin

L'éléphant est le plus sage de tous les animaux, le seul qui se souvienne de ses vies antérieures ; aussi se tient-il longtemps tranquille, méditant à leur sujet.

Texte bouddhique
cité par André Malraux

J'ai déjà souvent vécu parmi les hommes et je connais tout ce que les hommes peuvent éprouver, du plus bas au plus haut... Je suis chaque nom de l'histoire.
FRIEDRICH NIETZSCHE

... un hosanna sans fin.
CHATEAUBRIAND

— J'ai souvent été pauvre : j'ai détesté les riches. J'ai souvent été riche : j'ai méprisé et craint les pauvres. L'univers est unique et il est multiple. Il n'y a qu'un seul monde et il n'en finit pas d'être le contraire de soi. Nous n'en sortons jamais et on peut tout en dire. Il est tout et le reste, il est n'importe quoi. Il est fini et infini. Une seule minute de votre vie est un abîme et une cathédrale. Une seule minute de votre vie est déjà le monde entier. Ajoutez-y le temps qui passe et le vertige vous prend. Je n'ai jamais cessé d'être victime et bourreau.

J'ai couru à travers l'espace comme j'ai couru à travers le temps. Vous rappelez-vous Poppée, et Néron, et Rufus Crispinus, l'ancien mari, et Othon, futur empereur, et l'incendie de Rome ?

— Comme si j'y étais, dit Marie.

— Vous y êtes, dit Simon, puisque vous vous en souvenez. J'ai marché, j'ai marché. Je suis reparti pour la Terre sainte. J'ai retrouvé mes Juifs. Ils étaient, une nouvelle fois, en train de se révolter contre l'Empire que j'avais servi sous Néron. La grandeur des Juifs est d'être toujours menacés et toujours révoltés. J'ai marché avec eux. Les Romains nous ont écrasés. Il y avait, près de la mer Morte, sur un piton rocheux, une ville qu'Hérode le Grand, avec sa manie de bâtisseur, avait fait fortifier. Elle s'appelait Massada. Nous nous y sommes retranchés pendant que les soldats de Vespasien, qui avait succédé à Othon, qui avait succédé à Néron, rasaient Jérusalem et détruisaient le Temple. C'était le fils de Vespasien qui commandait les troupes. Il s'appelait Titus et, par une juste revanche et pour le bonheur de Racine, il allait tomber amoureux de la princesse Bérénice qui avait vingt ans de plus que lui et qui, fidèle au sang des Hérode, avait été longtemps la maîtresse de son propre frère, Hérode Agrippa II. Nous sommes restés là-haut pendant des mois et des mois. Nous étions les derniers à défendre le peuple juif contre l'envahisseur. Le peuple juif, c'était nous et nous étions vaincus. Qu'importe ! L'Éternel était avec nous. Car, vous le savez comme moi, il y a de l'éternel en nous.

— En vous, les Juifs ? dit Marie.

— En nous tous, dit Simon. Platon, Jésus, le Bouddha, Spinoza et, en un sens, Einstein n'ont pas dit autre chose : nous sommes trop grands pour nous, et aussi trop petits, et nous appartenons à quelque chose qui nous dépasse de partout.

— Trois Juifs sur cinq, dit Marie.

— Qu'y puis-je ? dit Simon. Nous étions perdus et heureux. Nous croyions à notre cause et que notre Dieu était avec nous.

Pendant la guerre des Six Jours ou la guerre du Kippour, un village israélien avait été encerclé par les Arabes et considéré comme perdu par l'état-major de Tsahal, l'armée israélienne. Contre toute attente, il fut pourtant délivré et des journalistes venus de partout demandèrent au rabbin du cru, qui passait pour un saint homme, comment il expliquait cet heureux dénouement.

— C'est très simple, dit le rabbin. Il y a eu une action, et il y a eu un miracle.

— Quelle était l'action ? demandèrent les journalistes en tendant leurs micros, en griffonnant leurs calepins.

— Nous n'avons jamais cessé, dit le rabbin, de réciter les psaumes et de chanter des cantiques.

— Et quel a été le miracle ?

— Tsahal est arrivé et les anges du ciel sont descendus sur nous.

— Les anges du ciel ! s'écrièrent les journalistes qui avaient été élevés à la rude école des faits et buvaient des boissons fortes.

— C'étaient des parachutistes, dit le rabbin.

— Y a-t-il eu, demanda Marie, un miracle à Massada ?

— Il n'y en a pas eu, dit Simon, parce qu'il n'y a jamais de miracle. Il n'y a qu'un seul miracle : c'est le monde, l'histoire, la vie. Nous aussi, à Massada, nous avons récité des psaumes et chanté des cantiques. Les Romains, dans la plaine, offraient des sacrifices à Jupiter et à Mars. Et les Romains et nous, chacun de notre côté, nous faisions ce que nous pouvions pour que la divine Providence, sous les couleurs de l'histoire, suivît les chemins que nous voulions. Nous n'avons, j'imagine, pas chanté assez fort : la divine Providence a roulé pour les Romains.

Il est bien intéressant de voir les efforts déployés, dans la vie de chaque jour, par ceux-là mêmes qui croient que les dieux éternels ont tout écrit d'avance. C'était comme si Jupiter et Yahvé n'avaient jamais existé. Chacun ne comptait que sur ses forces et sur ses propres ressources. Nous avons essayé de desserrer l'étau des ennemis de notre Dieu. Au nom de la Ville éternelle et de leur divin empereur, ils ont bloqué toutes les issues. Ils ont essayé de nous affamer et de nous assoiffer. Ils ont essayé de nous détruire comme ils avaient détruit notre Temple. Mais nous avions de l'eau, de l'huile, de la viande séchée, du grain pour des mois et des années. Au sein de la forteresse protégée par treize tours, nous avions des citernes et des champs bien irrigués où poussaient fruits et légumes. Nous avions surtout dans le cœur le nom imprononçable et sacré d'Adonaï, notre Seigneur et notre Maître, celui qui est et qui sera et dont personne ne peut rien dire.

Il y a des hommes que nous ne croisons jamais et qui jouent un rôle immense dans notre vie. Je n'ai jamais vu Flavius Silva. Ou peut-être de très loin et parmi beaucoup d'autres. Il commandait les Romains et, par ces circuits mystérieux qui se moquent des murs et des fossés, son nom était devenu plus familier à tous les Juifs de Massada que celui de leur père ou de leur femme. Il a hanté nos nuits et nos songes, nous l'avons craint et haï. Lui voyait en nous des rebelles qui faisaient comme une tache sur la puissance de Rome. Il était riche, nous étions pauvres. Il était fort, nous étions faibles. Il ignorait tout de moi et il aurait été très surpris d'apprendre que j'avais vécu naguère dans l'intimité de l'empereur. Il attendait notre mort, notre reddition ou une sortie sans espoir. Le face-à-face, à Massada, des Romains et des Juifs dura plus de trois ans.

Un matin, au pied du rocher, il y eut un rassemblement de soldats et de l'agitation. Du haut de la forteresse, nous distinguions assez mal ce qui était en train de se passer. Dans les éboulis de pierres, à travers lentisques et arbousiers, par les lits de torrents desséchés, nous envoyâmes deux espions. Le premier se fit tuer. Le second rapporta que les Romains construisaient une machine. C'était une sorte de plate-forme assez large qui, avec ses poutres et ses rondins, nous intrigua quelques jours. Nous comprîmes assez vite qu'il s'agissait d'une tour de bois qui s'élevait, jour après jour, et surtout nuit après nuit, en face de notre piton. Deux fois, nous avons réussi à la détruire par le feu : la première fois, en envoyant un commando de quelques hommes qui furent exterminés après avoir mené à bien leur mission ; la deuxième fois, en lançant des flèches dont l'étoupe enflammée avait été trempée dans l'huile. Les Romains, sans se lasser, reprenaient les travaux et postaient sur la tour des soldats chargés d'abattre nos archers. Avec nos flèches et nos frondes, nous avons tué pas mal de ces soldats romains. Il en venait de nouveaux, et ils nous empêchaient de mettre le feu à la tour. La machine de guerre, où la pierre remplaçait le bois, grandissait peu à peu : c'était l'image de notre mort.

Un jour, après des mois, la tour fut aussi haute que le rocher de Massada. Une deuxième forteresse s'élevait en face de la première. Les Romains hissèrent deux catapultes au sommet de la machine et se mirent à nous bombarder. Il y eut beaucoup de morts parmi nous. Il fallut nous abriter dans les grandes salles voûtées creusées dans le roc par Hérode. Les Romains, pendant ce temps-là, commençaient à jeter des passerelles entre leur tour et nous. Au prix de lourdes pertes, plusieurs de ces passerelles furent encore précipitées dans le fond du ravin, avec bon nombre de Romains qui hurlaient de terreur après avoir lâché prise et tombaient, bras écartés, à la façon de pantins ou d'épouvantails à moineaux. Il devint vite évident que nous menions désormais des combats de retardement et que la forteresse de Massada, incendiée à son tour par les flèches de l'ennemi et par ses fascines enflammées, allait être submergée sous la marée des Romains.

Les chefs se réunirent. La bataille touchait à son terme, et elle était perdue. Comment transformer une défaite en victoire ? Tout était suspendu à un jeu de mots sur le sens de l'histoire : à défaut de pouvoir inverser sa direction qui nous échappait, il était toujours possible de modifier du tout au tout sa signification ; il suffisait d'un peu de courage. La place de Massada dans le souvenir des hommes dépendait de notre mort. Si elle nous venait des Romains, la défaite était consommée. Si elle nous venait de nous-mêmes, l'échec, sans doute, ne se muait pas en succès, mais la honte se changeait en exemple. La décision fut prise très vite. Et elle ne fut pas pénible. Nous allions mourir de toute façon. Un peu plus tôt, un peu plus tard. Nous allions connaître les souffrances, l'humiliation, la servitude. Dans le meilleur des cas, nous partirions pour Rome ajouter un peu d'éclat au triomphe d'un vainqueur avant d'aller grossir la masse des galériens, des esclaves et des gladiateurs. Mieux valait en finir vite et de nous-mêmes, à la barbe des Romains, dans l'espoir d'une gloire éternelle. C'est quand nous n'avons plus rien à attendre de cette vie que nous nous mettons enfin à penser à l'essentiel et à l'éternité.

La décision arrêtée, restait à la faire passer dans les actes. Mourir est un art facile et tout d'exécution. Il y avait parmi nous des femmes et des enfants. Il fallait les faire périr les premiers et réserver pour la fin les âmes les mieux trempées et les tempéraments les plus frustes. Un plan d'extermination fut dressé rapidement en forme de pyramide. On tuerait les femmes et les enfants, les infirmes, les malades. Puis une moitié des combattants tuerait l'autre moitié. Dix de la moitié épargnée tueraient les survivants. Deux des dix tueraient les huit autres. Il en resterait un dernier pour tuer l'avant-dernier. J'obtins sans trop de peine d'être le plus sanglant des anges exterminateurs et de régner seul sur tant de morts.

L'ordre de marche vers la mort fut d'abord suivi à la lettre. Le sang des femmes et des enfants, des fous, des épileptiques ruissela sur Massada. J'égorgeai une mère et ses trois enfants qui crurent jusqu'à la fin qu'il s'agissait d'un jeu. Je poignardai moi-même avec tendresse une femme qui, pendant le siège, avait eu des bontés pour moi. J'enfonçai le couteau sous son sein gauche, droit dans le cœur, et je la serrai contre moi en lui baisant les lèvres. Son sang jaillit sur moi et elle passa dans mes bras de la vie à la mort. Un idiot congénital qui bavait en parlant me supplia de l'épargner. J'hésitai un instant. Il fut perdu par une jeune fille aux yeux très bleus, aux longs cheveux noirs qui se tenait derrière lui. Comment tuer l'une et pas l'autre ? Je les tuai tous les deux.

Les choses allèrent plus vite avec les hommes valides. Beaucoup se suicidèrent ou se jetèrent d'eux-mêmes sur l'épée que leur tendait un ami. Quelques-uns sautèrent dans le vide sous les yeux des Romains ou se précipitèrent dans les flammes qui dévoraient les magasins. Plus de la moitié des soldats gisaient déjà sur le sol. Il ne resta plus, bientôt, qu'une douzaine de survivants. Pour une raison ou pour une autre, ce n'étaient pas exactement ceux qui avaient été désignés. Cette défaillance de l'organisation n'avait plus grande importance. J'en tuai trois ou quatre. Nous restâmes trois. Les deux autres étaient deux frères qui ne s'étaient pas quittés depuis le début du siège. Ils s'égorgèrent entre eux.

Il faisait beau. Le soleil brillait sur la mer Morte et sur le désert de Judée, sur Jérusalem, là-bas, au nord, et sur le Temple de Salomon, rasé par les Romains, sur Hébron, à l'ouest, où vivait à jamais le souvenir d'Abraham, père des trois religions dont les haines et les guerres allaient occuper tant de siècles, sur les ruines, au sud, de Sodome et Gomorrhe. On entendait le cliquetis des armes des Romains en train de pénétrer dans la forteresse abandonnée, les ordres des centurions et les cris des soldats qui découvraient les corps des Juifs entassés sur le sol et leurs ruisseaux de sang. Sous les rumeurs de la guerre, que devait recueillir un historien juif de trente-trois ans qui était passé aux Romains, qui avait ajouté à son nom celui du général d'où nous venait la mort et qui s'appelait Flavius Josèphe, il y avait encore, au loin, les bruits timides de la paix : un peu d'eau qui coulait d'une citerne éventrée, un oiseau que tant de meurtres n'avaient pas pu chasser, et qui, enfin, s'envolait.

C'est le sang des Juifs de Massada qui, quatre siècles plus tard, m'attachera à Alaric, à Odoacre, à Théodoric le Grand, impatients d'abattre l'Empire.

— Je vois ce que c'est, dit Marie : c'est toujours la même chose. Du sang, des sièges, la fin de tout, l'espérance chevillée au cœur, la peur vague d'on ne sait quoi, l'attente d'un dieu inconnu qui peut prendre toutes les formes, qu'on défie et vénère et qui est peut-être le néant, et, courant à travers le monde comme un fil invisible qui tiendrait tout ensemble, l'amour. Demain ou après-demain, vous nous raconterez une passion, la fois d'après une bataille, et le tout se terminera à Florence ou à Bâmiyân, devant les portes de bronze ciselées par Ghiberti pour le petit édifice en face de la cathédrale...

— Le Baptistère, dit Simon.

— Merci, dit Marie, ou devant une statue colossale de Bouddha dans une grotte reculée au pied de l'Hindou Kouch où, depuis beaucoup de siècles, défilent les pèlerins.

— Eh bien, bravo ! dit Simon. Nous commençons à nous connaître. C'est vrai. J'ai poussé jusqu'à Bâmiyân. J'étais une sorte de pèlerin. Je venais de la Chine où, parce que je parlais plusieurs langues, je passais pour un sage et pour un savant.

— Déjà ! dit Marie.

— Déjà, dit Simon. Je m'appelais Hiuan-tsang en ce

temps-là — ou Xuan zang, comme on dit aujourd'hui —
et, sous la dynastie des T'ang, je suis parti pour l'ouest
par la route de la soie. Au-delà des Portes de fer et des
dix mille montagnes, j'allais chercher les textes saints,
des manuscrits en sanscrit, le *Traité des dix-sept terres,*
les ouvrages du Grand et du Petit Véhicule, tout ce qui
regarde les Six Vertus et les Trois Connaissances parmi
les grands fleuves et les déserts pierreux du pays de
l'Éléphant.

— Le pays de l'Éléphant ?... dit Marie.

— Jambudvîpa, dit Simon. Ou Tian zhu, ou Shen du,
ou Xian dou, ou encore Yin du — c'est-à-dire l'Inde.
Les contrées de l'Ouest, pour les Chinois, l'Occident
au-delà de la Barrière de pourpre, c'est-à-dire de la
Grande Muraille. La patrie de Gautama, ou Siddhâr-
tha, ou Sâkyamuni, que les Chinois appelaient Fo ou Ru
lai et que nous connaissons sous le nom de Bouddha. Il
y avait déjà plus de mille ans, comme le temps passe,
que le fils du roi Suddhodana et de la reine Mâyâ-Devî
avait fait les quatre rencontres qui, autant que le procès
de Socrate ou l'enseignement de Maître K'ong, que
nous appelons Confucius, autant que le Sermon sur la
montagne, ou la fuite à Médine, allaient changer les
âmes et le monde : un vieillard, un malade, un mort et
un religieux. Il faudra cinq bons siècles pour que la
doctrine du Bouddha, qui tend à ôter aux désirs au lieu
d'ajouter aux besoins, franchisse les mers et les montagnes et parvienne jusqu'à Chang an, la résidence de
l'empereur, la capitale de la Chine, notre Xian d'aujourd'hui, célèbre à travers le monde pour son armée de
cavaliers et de soldats en terre cuite, retrouvés sous la
terre où ils avaient la charge de défendre l'empereur
défunt. Encore cinq ou six cents ans pour laisser au
bouddhisme le temps de construire des couvents et
d'ordonner des moines et je quitte la Chine en cachette,
sans rien demander à l'empereur, par Dun huang et

Turfan, par la Sogdiane et par Bactres, pour gagner une autre terre sainte au-delà des montagnes, pour enrichir le canon du bouddhisme chinois et pour mettre sur le bambou le récit de mes périls et de mes illuminations.

— Je vous imagine en Chinois, dit Marie dans un rire. Je sais qu'il y a des Chinois catholiques, des Chinois protestants et des Chinois marxistes, c'est la première fois que j'entends parler d'un Chinois qui serait juif. Ou d'un Juif qui serait chinois. Vous deviez avoir une de ces binettes...

— Il y a des portraits de moi un peu partout, dit Simon avec dignité. Vous en trouverez à Dun huang. Vous en trouverez à Xian, dans la Grande Pagode de l'Oie sauvage. Rien de trop étonnant : c'est moi qui l'ai fondée, à mon retour, en 652. J'apparais sous les traits d'un colporteur en livres, d'un âne savant chargé de reliques, d'un Diogène d'Asie qui courrait les chemins au lieu de rester bêtement enfermé dans son tonneau, d'un Juif errant aux yeux bridés. On me voit enfoui sous les sûtra, qui sont des livres sacrés, sous les rouleaux, sous les bambous, et sous un tas de petites choses qui vous feraient rire aujourd'hui : un pot avec son couvercle, un chasse-mouches, mon bâton de pèlerin. Souvent un tigre m'accompagne. Parfois le roi des singes me protège des dangers. J'ai le crâne rasé, de longues moustaches, la robe des moines bouddhistes. Je vous assure que j'étais bouddhiste. Je vous assure que j'étais chinois. Aucune difficulté pour un Juif à être bouddhiste et chinois : tous les hommes se ressemblent.

Vous ne serez pas très surpris d'apprendre que j'avais dû changer de nom : j'avais perdu le mien. À peu près à la même époque que Confucius et Socrate, le Bouddha était né à Kapilavastu, au nord de Bénarès, un peu au sud du Népal, dans la tribu des Sâkya, d'où son nom de

Sâkyamuni, le Sage d'entre les Sâkya. Or, il est écrit dans l'*Ekottarikâgama :* « Quand les gens des quatre castes seront devenus moines, ils perdront leur ancien nom et seront connus sous celui de *la famille des Sâkya.* » La Chine ne vivait pas comme l'Inde sous le règne des quatre castes : les *brâhmanes,* savants et prêtres ; les *ksatriya,* ou guerriers ; les *vaisya,* ou marchands ; les *sûdra,* ou laboureurs. Le bouddhisme chinois n'en adopta pas moins le précepte de l'*Ekottari-kâgama.* On m'appelait *sri* ou *sramana,* c'est-à-dire le moine, ou encore *bhiksu,* le mendiant, parce que je marchais ma vie et que je n'avais sur moi que le strict nécessaire pour ne pas mourir de faim. Parce que j'avais le don des langues, parce que je n'avais cessé d'échapper à la mort et à beaucoup de périls et que j'aimais à raconter ce que j'avais vu et entendu aux savants et aux sages...

— Aux sages comme nous, dit Marie.

— ... aux sages comme vous, dit Simon, car vous êtes tous des sages et des saints en puissance, on m'appelait surtout, je le dis en toute modestie, le Maître de la loi. Plus tard, de grands savants, comme Grousset, ou Gernet, ou Lévi, ou Renou, ou Demiéville, ou Filliozat, ou Étiemble, m'ont comblé d'éloges que je ne méritais pas. « C'est le plus grand de tous, a la bonté d'écrire de moi M. Jean Filliozat. Il fut le plus fécond des traducteurs de textes sanscrits et le plus savant de tous les bouddhistes de la Chine. » Et savez-vous le titre qu'il me donne ?

— Je me creuse la tête, dit Marie.

— Il m'appelle le saint Jérôme du bouddhisme chinois.

Il fallut bien, après tout ça, retourner encore une fois à San Giorgio degli Schiavoni voir la tête de saint Augustin au moment où il apprend, par une inspiration divine, sous l'œil de son caniche et sous le pinceau de Carpaccio, la mort de saint Jérôme. Simon, discret, charmant, moins diabolique que jamais et pénétré de toute la douceur de la sagesse bouddhiste, rougissait de plaisir entre les ombres de ses deux confrères.

Je ne sais plus très bien où j'en suis avec ce diable d'homme qui m'épouvante et me rassure, qui répand autour de lui un mélange d'angoisse et de paix. Il plaît à Marie, c'est trop clair. Quand nous rentrons tous les deux, le soir, à la pension Bucintoro, elle me parle encore de lui avec une ironie qui cache mal l'enthousiasme, et peut-être quelque chose qui commence à ressembler, au moins de loin, à la tendresse. On a compris son truc. L'histoire parle par sa bouche, c'est une affaire entendue. Il me semble, de temps en temps, qu'il en rajoute un peu. Marie l'écoute, éperdue. Elle en redemanderait plutôt. Le temps est déjà loin où elle voulait rester seule avec moi et où elle fuyait le raseur. Maintenant, elle vit avec lui et avec le Bouddha, avec Fontanes, avec Poppée, avec saint Augustin qu'elle traite d'égal à égal. J'essaie de lui parler de nous, de ce que nous ferons après Venise, d'une lettre qu'elle devrait écrire à Charles pour lui expliquer un peu ce qui se passe entre nous. Elle me répond par *La Cité de Dieu* et le kalpa des sages. Je crains qu'en face de Simon, ou plutôt de Hiuan-tsang ou de Démétrios ou de Luis de Torres, je ne devienne un peu comme Charles était en face de moi. Je ne suffis plus à la tâche. Il faut me battre sur trop de fronts. L'autre nuit encore, Marie m'a secoué pendant que je dormais.

— Qu'est-ce qui se passe ? lui ai-je dit, en renversant un verre d'eau avant d'allumer la lampe.

— Je pense à Alexis, dit Marie dans un souffle.

— Alexis ?

— Alexis. À Ravenne. Les mosaïques. L'oignon.

— L'oignon ?

— Il mangeait de l'oignon, souviens-toi, devant Saint-Vital ou Saint-Appolinaire, avec Droctulft et Simon.

— Eh bien, lui dis-je en boxant l'oreiller, que ça ne t'empêche surtout pas de te mettre en ménage avec lui.

— Vous avez raison, dit Simon : c'est toujours la même chose. L'histoire des hommes se ressemble. Elle bouge, mais avec lenteur. Un peu plus vite depuis cent ans. Avec le bateau à vapeur, le téléphone, l'automobile, le cinéma. Avec la pénicilline, la pilule, l'ordinateur. Pendant des millénaires, elle a à peine frémi. On imagine assez bien — c'était un thème de dissertation au temps de Jules Ferry et du triomphe des instituteurs — une rencontre et un dialogue entre Alexandre le Grand ou César et l'empereur Napoléon. À peine étonnés par le son du canon, le Grec et le Romain auraient été enchantés par la traversée des Alpes au col du Grand-Saint-Bernard ou la manœuvre d'Austerlitz. Le christianisme et la Révolution ont beau les séparer, ils sont unis par le cheval, par l'armée, par la conquête, par l'idée qu'ils se font de l'empire et du chef. Peut-être surtout par le cheval. Les *Béatitudes* et les droits de l'homme ne pèsent pas lourd auprès du cheval. D'Homère ou de Virgile, de Thucydide ou d'Euripide à Chateaubriand, à Tolstoï, à Hemingway, à Yachar Kemal, à Garcia Marquez, à Jorge Amado, les sentiments des hommes, leurs passions, leurs amours, leurs chagrins et leurs joies, leurs craintes, leurs espérances, n'ont presque pas varié. Les dieux ont été gommés. Ils ne mènent plus les hommes qui sont devenus des hommes maîtres de leur destin et des héros de roman au lieu de rester des marionnettes actionnées par l'Olympe et des héros d'épopée. N'importe. Avec dieux ou sans dieux, avec chœurs ou sans chœurs, avec esclaves ou sans esclaves, quand nous lisons *L'Odyssée* ou *Antigone* ou *La Guerre du Péloponnèse,* nous comprenons tout ce qui se passe, nous ne changeons pas de monde. Il faut aller très loin pour avoir un peu de mal à saisir les ressorts qui font agir les hommes : vers les Aztèques ou les Mayas, vers les animistes d'Afrique ou de Nouvelle-Guinée, qui disparaissent peu à peu, vers la guerre du feu, dans une certaine mesure vers le Japon féodal ou vers l'Inde des Veda. Génie ou pas génie, à l'intérieur d'une sphère qui va de la Bible et de *L'Iliade* à la *Recherche du temps perdu* et qui, désormais, couvre le monde entier, c'est toujours la même chose : l'amitié, l'ambition, la cruauté, la beauté, l'absente présence de Dieu, le souvenir et l'attente, l'amour dans tous ses états. C'est pour cette raison, j'imagine, que les romans d'aujour-d'hui, qui répètent ceux d'hier, perdent de leur intérêt. Il y a déjà un bon bout de temps que La Bruyère écrivait que vous veniez trop tard dans un monde trop vieux.

Il faudrait faire autre chose. Rien n'est plus difficile que de faire autre chose. Le surréalisme a essayé de faire autre chose. Le nouveau roman a essayé de faire autre chose. La science-fiction a essayé de faire autre chose. Avec des succès divers. J'ai rêvé de romans...

— Je sais, dit Marie : de la totalité. Vous voudriez tout mettre dans ce que vous racontez.

— D'une autre totalité. Il est vrai que j'essaie de rapporter tout ce que j'ai vu et entendu, mais si possible au-delà des recettes et des mécanismes, si subtils, si usés, qui, à travers dossiers et faits divers, sous une forme ou sous une autre, dans les combinaisons les plus folles, à grand renfort de coups de théâtre et de renversements, n'en finissent pas de tourner autour de votre envie d'argent, de pouvoir, de bonheur, d'aventures, de reconnaissance sociale et de la femme ou du frère du voisin. Il faudrait...

— Quoi donc ? dit Marie.

— Je ne sais pas. Autre chose. J'ai rêvé de romans qui raconteraient le monde. Pas seulement nos passions, l'état civil, la société, l'histoire. Un peu plus. Un peu au-delà. Le monde. Tout l'univers. Les animaux et les plantes. Les arbres de la forêt qui naissent de presque rien, qui poussent et deviennent immenses et finissent par tomber sous les coups de la maladie, des parasites, de la tempête, de la hache. Toute la vie profonde dont nous ne sommes qu'une fraction, la fleur la plus achevée qui comprend toutes les autres. Le monde autour de nous. La vie encore en chemin qui n'a pas abouti à la conscience morale, à la Bourse, à la télévision, aux concours de pronostics, aux voyages organisés, au prix Nobel de la paix. Les loups, les otaries, les fourmis, les abeilles. De Kipling à Colette, en passant par Jack London, il y a eu des romans sur les chats et les chiens, les panthères, les éléphants. Il y a eu le roman de Renart. Il y a eu les fables de La Fontaine. Mais tout est un peu truqué par la présence de l'homme. Je n'aurais pas détesté écrire une Iliade des fourmis de combat, une sorte de Râmâyana ou de Mahâbhârata où les singes et les démons, qui ne sont jamais que des hommes, auraient cédé la place à des essaims d'abeilles.

— Vous avez le temps, dit Marie.

— Oui, bien sûr, j'ai le temps... Et les pierres ? Et l'eau ? Un roman de la tempête qui ne serait pas vue par le marin à la façon de Conrad, mais qui surgirait des vagues et du vent et du fond de la mer. Un roman du vent et des vagues. Un roman des fleuves et des ruisseaux. Un roman des torrents qui descendent des glaciers. Le temps passe sur le monde comme il passe sur les hommes. On raconterait ce qui change et comment tout avance vers quelque chose d'inconnu. Sur les fourmis et les abeilles, sur les arbres et les plantes, sur les pierres, sur l'eau, le temps passe plus lentement que sur les sociétés. Hors du regard des hommes, les choses ne bougent qu'à peine. Mais elles bougent. Un des triomphes de l'homme est d'avoir accéléré dans des proportions formidables ses changements et son histoire.

— Est-ce un triomphe ? dit Marie.

— Je ne sais pas, dit Simon. Une conquête, en tout cas. Peut-être ces changements et ce rythme nouveau fourniront-ils dans mille ans, dans cinq cents ans, dans deux cents ans, des ressources inconnues aux romanciers de l'avenir ?

— Vous verrez tout cela, dit Marie.

— J'en ai peur, dit Simon. Les pierres changent moins vite. Et tout ce qui nous entoure, en plus petit au-dessous de nous, en plus grand au-dessus de nous. Il faudrait descendre aux atomes, aux protons, aux neutrons, aux électrons, aux spires, aux quarks, à toute cette astronomie prodigieuse qui s'agite et ronronne, dans la rigueur des lois immuables et dans l'incertitude, au sein des êtres et des choses. Il faudrait monter jusqu'aux planètes, aux étoiles, aux quasars, aux galaxies, à tous ces amas de matière qui s'enfuient dans tous les sens, à des allures vertigineuses, à partir de l'instant, s'il a jamais existé, du big bang créateur où l'univers encore à venir, avec ses amanites phalloïdes, ses fulgors porte-lanterne, ses Tintoret, ses arbres à cames, n'était qu'une boule minuscule, infiniment petite, d'une densité, d'une chaleur, d'une richesse infinies. Ce serait le roman de la physique et des espaces sans fin après les romans de l'histoire, de la géographie et de la biologie. Il faudrait aller plus loin, imposer l'unité à la diversité, quitter le point de vue de l'homme, se mettre à la place de Dieu et écrire, vaille que vaille, le roman du monde et de ses lois. On y trouverait les cathédrales de l'infiniment petit, des éléments si imperceptibles qu'il est impossible d'en rien dire, des absences qui ne se révèlent que par leurs conséquences, des trous noirs que personne ne peut voir parce que la gravité y est si forte que la lumière elle-même ne peut plus s'en échapper, des forces et des particules aux comportements imprévisibles, des distances prodigieuses dans un sens ou dans l'autre — dans le minuscule et dans l'immense. On y trouverait le temps.

Le temps n'est rien. Il est tout. Tout n'est fait que de temps. Nous sommes plongés dans le temps et le temps est en nous. Vous pouvez imaginer un monde où manquerait presque tout : la mer, les arbres, les couleurs, les formes. Et même la pensée et les hommes. Impossible d'imaginer un monde qui serait privé du temps. Flanqué de l'espace, qui est une sorte de temps au rabais, apprivoisé et soumis, le temps, bien sûr, est mon domaine. J'ai été condamné à l'espace et au temps. Je domine l'un, l'autre me tue et m'empêche de mourir. Je suis le maître de l'espace, je le parcours en tous sens. Je suis l'esclave du temps. J'attends qu'il passe et qu'il finisse. Et je ne m'occupe que de lui. Le temps. Depuis que nous nous connaissons, je ne vous parle de rien d'autre.

Le Maître de la loi mit deux ans à gagner le bassin de l'Indus. Sur un cheval roux et maigre, à la selle vernissée, garnie de fer sur le devant, il traversa le fleuve de sable que nous appelons désert de Gobi, le royaume des Ouïgours, plein de sables mouvants, de démons et de vents brûlants, la région du Syr Daria et de l'Amou Daria, le célèbre Oxus des Anciens, qui courent l'un et l'autre sur près de trois mille kilomètres avant de se jeter dans la mer d'Aral, les défilés de l'Hindou Kouch. Il échappa à la faim, à la sécheresse, aux tempêtes de sable, aux brigands, aux avalanches de neige. Plus d'une fois, il aperçut, à perte de vue, dans les déserts de sable et de pierre, des milliers de soldats, vêtus de feutre et de fourrures, armés de lances et d'étendards, montés sur des chameaux et des chevaux étincelants. À chaque instant, les escadrons prenaient de nouvelles formes et se livraient sous ses yeux à de nouvelles figures. Quand il voulait s'approcher pour examiner de plus près ces carrousels de tourbillons et de métamorphoses, les soldats s'évanouissaient. Alors, il comprenait que c'était de vaines images créées par les démons.

Plus d'une fois, dans le désert de Gobi quand il laissa tomber son outre dont tout le contenu se répandit dans le sable, sur un chemin creusé dans le roc au milieu de montagnes à pic où, saisi de vertige, il ne pouvait plus bouger, le désespoir le saisit. Aussitôt, il s'arrêtait et il lisait avec ferveur, en chinois ou en sanscrit, l'un ou l'autre des livres de la sagesse bouddhique. Plus d'une fois, dans la chaleur écrasante du désert ou dans la neige qui ne cessait de tomber depuis des jours et des jours sur les hautes montagnes qu'il avait à franchir, il s'écroula épuisé. Il glissait peu à peu dans un sommeil délicieux qui le faisait passer de la torpeur à l'inconscience. Alors apparaissait en songe un esprit terrifiant, haut de deux ou trois chang, armé d'une lance et d'un étendard et qui criait d'une voix forte : « Pourquoi dormir comme tu le fais au lieu de marcher comme tu le dois ? » Réveillé en sursaut, le Maître de la loi se remettait en route.

Il vit des princes et des sages, il coucha dans des couvents et à la belle étoile, il souffrit de la faim, de la soif, de la chaleur et du froid, il vit périr autour de lui ses compagnons de voyage et les chevaux et les chameaux qui portaient leurs provisions, leurs vêtements, leurs souliers doublés de fourrure, leurs bottes et leurs marmites. Il rencontra Tong le Yabgu que les Chinois appelaient Tong she hu et qui était le khân des Turcs. Le khân habitait une grande tente ornée de fleurs d'or à l'éclat éblouissant. Il portait un manteau de satin vert. Son front était ceint d'une bande de soie qui était longue de dix pieds. Elle laissait voir toute sa chevelure, faisait plusieurs fois le tour de sa tête et tombait par-derrière. Il était entouré d'environ deux cents officiers vêtus de costumes de soie brochée et de manteaux de brocart et dont les cheveux étaient nattés. Le reste des troupes se composait de cavaliers montés sur des chameaux ou des chevaux. Ils étaient vêtus de four-rures et de tissus de laine et portaient de longues lances, des bannières et des arcs droits. Leur multitude s'étendait tellement loin que l'œil ne pouvait en découvrir la fin.

Le khân sous sa tente de feutre et tous les Turcs autour de lui étaient des barbares qui adoraient le feu. À trente pas de la tente, le Maître de la loi s'interrogeait en silence sur son sort. Il s'était juré d'arriver au royaume des brâhmanes et de ne jamais retourner en Orient, c'est-à-dire en Chine, s'il ne parvenait pas en Occident, c'est-à-dire en Inde, la patrie du Bouddha. Il avait fait le serment de se laisser couper en morceaux et réduire en poussière plutôt que de revenir en arrière avant d'être parvenu à son but.

Par des voies mystérieuses, par des moines mendiants, par des courriers militaires, la réputation du Maître de la loi était parvenue jusqu'au khân. Pendant que le Maître de la loi, après s'être incliné plusieurs fois, s'avançait vers la tente, le khân lui adressa la parole. À la stupéfaction du chef turc, Hiuan-tsang lui répondit dans la langue des barbares. Alors, le khân se leva et, s'avançant à son tour vers le moine, il le prit par la main, le fit asseoir et, ayant fait venir du vin de raisin, il en offrit au pèlerin et aux officiers autour de lui. Des instruments de musique résonnèrent et ce fut une musique bruyante et barbare que, tout au long de sa vie chinoise et de ses existences antérieures, Hiuan-tsang n'avait jamais entendue. D'innombrables serviteurs apportèrent des quartiers de mouton et de veau bouillis qu'on accumula devant le chef des Turcs, puis des aliments purs pour le Maître de la loi : gâteaux de riz, crème de lait, sucre en cristaux, rayons de miel et raisin. Les convives, de plus en plus animés, s'adressaient et se renvoyaient à l'envi des invitations à boire du vin de raisin, à choquer mutuellement leurs coupes, à les remplir et à les vider tour à tour. Quand tous eurent fini de manger et de boire, le prince demanda à Hiuan-tsang de lui parler de la loi. Le Maître prit la parole et expliqua les Cinq Défenses, les Trois Précieux, l'amour et la compassion pour les êtres vivants, les Six Pâramitâ qui sont les six moyens de parvenir à l'autre rive et d'obtenir à jamais la délivrance finale. Le khân écoutait avec émerveillement.

Quand le Maître de la loi, après avoir éclairé beaucoup de mystères, raconté la vie du Bouddha et introduit ses auditeurs dans les arcanes du kalpa des sages, qui est l'époque où nous vivons et au cours de laquelle doivent se succéder mille Bouddhas, dont Sâkyamuni n'est que le quatrième et dont le cinquième, encore à venir, le Bouddha futur, s'appellera Maitreya, eut fini de parler, le khân se leva et s'approcha de lui. Il l'exhorta avec vivacité à renoncer à son projet de voyage dans l'Occident lointain, au-delà des hautes montagnes toujours couvertes de neige où les voyageurs meurent de froid.

— Maître, lui dit-il, il ne faut pas aller dans le royaume de l'Inde. Ce pays est excessivement chaud et, là-bas, il fait aussi chaud dans la dixième lune d'hiver qu'ici dans la cinquième lune d'été. Vous serez desséché. Votre figure fondra. Vous risquez de mourir dans de grandes souffrances. Les habitants sont noirs. Presque tous vont tout nus, sans respect pour les bienséances et ils ne méritent pas que vous alliez les visiter.

— Tel que vous me voyez, répondit Hiuan-tsang, je brûle du désir d'aller dans le pays où est né le Bouddha, d'interroger ses vestiges et les monuments qui subsistent de son temps, de suivre avec amour la trace de ses pas et de ramener jusqu'à Chang an les écrits des sages qui perpétuent sa loi.

Alors, le khân offrit à Hiuang-tsang un costume complet de religieux en satin rouge et cinquante pièces de soie. Il lui donna une escorte et l'accompagna lui-même, avec quelques officiers, jusqu'à une distance de dix li. Et il lui montra le chemin vers le pays des Mille Sources, vers le royaume de Samarkand, vers les Portes de fer, vers Bactres et vers Bâmiyân où s'élèvent, dans des grottes, au flanc de la montagne, les deux statues géantes du Bouddha.

— La philosophie, vous savez... Quelqu'un disait —
Camus peut-être ? — que le seul problème philosophique sérieux, c'est le suicide. Alors, moi, vous comprenez... J'en vois pourtant deux ou trois autres. Le mal,
évidemment. Pourquoi les enfants meurent-ils quand
moi, qui le voudrais tant, je n'ai pas le droit de m'en
aller ? Pourquoi pleurer ? Pourquoi souffrir ? Et encore
la question la plus simple de toutes : que faisons-nous
donc là ? Pourquoi suis-je ici à parler ? Pourquoi êtes-
vous là à m'écouter ? Ou, de façon plus générale :
pourquoi y a-t-il quelque chose au lieu de rien ? Rien de
plus satisfaisant pour l'esprit que le rien. Au lieu de la
complication et du désordre des sentiments et des
choses, le rien a la grandeur et la simplicité du tout. Il
est la majesté même, l'harmonie, la perfection. Une
sphère, un cercle, une ligne, un point sont l'image de la
perfection parce qu'ils sont ce qu'il y a, dans l'être, de
plus proche du néant. Le désordre guette toute chose,
toute pensée, tout mouvement de l'âme ou des corps. Il
n'y a d'ordre que dans le néant. Dès qu'il y a quelque
chose, il y a de la souffrance, du déclin, du désordre.
Dès que nous écrivons un seul mot, que nous pronon-
çons une seule parole, que nous faisons un seul geste,
c'est déjà une atteinte à la pureté du non-être. Il n'y a de

pur que le rien. Quand, avant le big bang et tous ces trucs à la noix, il n'y avait que le rien, le rien était le tout. Dieu était le tout. Il n'était rien. Pourquoi, au lieu de rien, faut-il qu'il y ait quelque chose ?

— Tiens, oui ! dit Marie. Pourquoi ?

— Il y a un autre problème. Et le plus beau de tous. C'est le temps. Saint Augustin disait…

— Allons le voir ! dit Marie.

— Un instant, dit Simon. Nous avons le temps. Saint Augustin disait : « Si vous ne me demandez pas ce qu'est le temps, je sais ce que c'est. Si vous me demandez ce qu'est le temps, je ne sais plus ce que c'est. » Le temps est la seule chose au monde que tout le monde connaît et éprouve et qu'on ne peut ni voir, ni sentir, ni toucher, ni diriger, ni modifier, ni définir. Il est insaisissable comme la pensée. Il n'est nulle part, il est partout. Il n'est rien et il est tout. Il est impossible de le comprendre. Il devrait être interdit d'en parler.

— Parlons-en tout de même, dit Marie.

— Essayons, dit Simon. Le monde n'est déjà pas commode. Le temps est infernal. On peut, sinon imaginer, du moins tâcher de concevoir le début de la vie, le début de la matière, le début de l'univers. Le big bang, vous savez… Mais le début du temps ? Ou bien le temps est éternel, et alors il est Dieu, ou bien le temps a un début, comme le monde a un début. Quel début, je vous prie ? On imagine assez mal pour le temps un début progressif à la façon du monde, de la vie et de l'homme. C'est plutôt un tout ou rien.

— Ça me fait penser, dit Marie, à l'histoire de la jeune fille qui se croit un peu enceinte.

— Si vous voulez, dit Simon. Les physiciens s'en tirent en nous disant que le temps est une propriété de la matière et qu'il apparaît avec elle. La réponse me semble faible. C'est une propriété de la matière… On croirait entendre les médecins de Molière en train de parler de l'opium et de sa vertu dormitive. Autant dire que nous ne savons rien, mais alors rien du tout, de l'origine du temps.

Kant, qui avait du génie, a une idée astucieuse quand il transforme le temps en une propriété de l'esprit de l'homme, qui le projetterait sur le monde. L'ennui est que le temps a existé bien avant l'homme. L'homme, ou l'ancêtre de l'homme, ou ce qui en tenait lieu, a deux ou trois ou peut-être quatre millions d'années. L'univers se développe dans le temps avec beaucoup de succès depuis quinze milliards d'années. Ne parlons plus des origines, j'ai peur de dire des bêtises et c'est un peu ennuyeux.

— Mais non, dit Marie poliment.

— Merci beaucoup, dit Simon. L'avantage du temps, c'est que vous pouvez y penser en prenant le vaporetto, en vous promenant à Torcello, en m'attendant, si je suis en retard, au pied de la Douane de mer. Le temps est fait de deux blocs qui se regardent en chiens de faïence : le passé et l'avenir. Au milieu, minuscule, coincé, irritable, tremblotant, une espèce de gelée ou de flan, un évanouissement perpétuel : le présent.

Il est tout à fait clair qu'il n'y a pas de présent. Le présent est une limite, une asymptote, un mythe. Il n'existe qu'à l'état de projet ou à l'état de souvenir. Il est une pure absence. À peine dites-vous : « le présent » que le présent, toujours fugueur, est déjà du passé. Le présent n'est qu'une écume, il n'est que la frange de la vague du passé en train de submerger l'avenir. Un poète qu'aimait Borges a écrit quelque part :

Le moment où je parle est déjà loin de moi.

Savez-vous de qui c'est ? C'est d'un grand poète.

— Vous avez un côté prof, répondit Marie. On ne vous l'a jamais dit ?

— Madeleine ! m'écriai-je.

Ce n'était pas parce que Simon m'irritait qu'il fallait le laisser insulter. Il y avait encore autre chose dans mon indignation : sous la familiarité de Marie, je décelais une intimité qui ne faisait que croître et qui m'exaspérait. En prenant le parti de Simon contre Marie, j'essayais, peut-être en vain, de rétablir entre eux une distance abolie. Je me fichais pas mal de l'évanouissement de l'écume du présent. J'aurais voulu Marie à la fois plus courtoise et plus réservée, je l'aurais voulue…

— Laissez donc, dit Simon. Il y a du vrai dans ce qu'elle me reproche. De tous les métiers que j'ai exercés, celui que j'ai le plus aimé, c'est celui de professeur à Corpus Christi College, à Oxford, vers la fin du siècle dernier. Il m'en est resté quelque chose. Pardonnez-moi. C'est de Boileau. Il est tout à fait clair aussi que, des deux blocs rivaux qui font jaillir le présent dans son inexistence, l'un ne cesse de s'accroître et l'autre de décroître : le passé passe son temps à dévorer l'avenir. Chaque instant qui s'écoule est arraché au futur et entraîné dans le passé. Une seconde, une heure, et même un jour, c'est peu de chose au regard d'une vie. Presque rien par rapport à la longue histoire des hommes. Rien et trois fois rien — c'est-à-dire tout de même quelque chose — au regard de l'univers. Chaque seconde évanouie est un pas vers la mort. Et même moi, qui ne meurs pas, elle me rapproche, d'un battement de cils, de la fin de l'histoire. Elle ajoute quelque chose, une goutte d'eau dans l'espace, un grain de sable parmi les étoiles, aux quinze milliards d'années qui sont passés sur l'univers et elle retire quelque chose aux milliards d'années qui constituent son avenir. Le monde, à chaque instant, est d'abord la victoire du passé sur l'avenir. Il arrivera un jour, ou une nuit, il arrivera un moment où la provision d'avenir sera enfin épuisée, où le passé aura fait son plein, où la fluidité du futur et ses rêves de liberté seront bloqués par le souvenir. Ce sera l'instant de votre mort, ce sera la fin de l'histoire, ce sera l'apocalypse annoncée par saint Jean et les trompettes du Jugement dernier. Ce sera ce que les physiciens appellent, je crois, le *big crunch* et qui est le contraire du *big bang :* une contraction de l'univers au lieu de son expansion. Ce sera ça ou autre chose : la science aussi bouge tout le temps. En tout cas, la fin de tout. Reste à savoir, mais c'est une autre histoire, s'il y aura encore quelqu'un pour se souvenir de ce tout changé soudain en rien, qui aura été l'être et qui sera le néant.

Dans cette bataille de tous les lieux et de tous les instants, dans cette lutte formidable entre le passé et l'avenir, où l'avenir, si brillant, si fort, à nos yeux si moderne, est d'avance écrasé par un passé vieillot et vaguement ridicule, le présent n'a pas de place. Il est broyé, laminé, ramené sans répit à sa plus simple expression. Il n'est qu'une mince limite, imaginaire et fragile, un bouchon sur les eaux, un signal de détresse qui n'en finit jamais d'être déplacé à la hâte. Seuls règnent les deux monstres qui se partagent le temps et le monde : l'avenir, toujours fringant, paré de tous les prestiges, détenteur de projets, réservoir d'espérances, vainqueur d'avance vaincu — et le passé détruit, évanoui, réduit à l'état de souvenir, et pourtant triomphant.

— Mais vous y croyiez, dit Marie, à tout ce que vous racontiez ? Aux Trois Précieux, aux Cinq Défenses, aux Six je ne sais plus quoi qui vous menaient sur l'autre rive, aux mille Bouddhas qui se succèdent et au Bouddha encore à venir ?

— J'ai fait pis, dit Simon. Je me suis prosterné devant les dents du Bouddha, dont le nombre, à travers l'Inde, dépasse de loin trente-deux, et devant les os de son crâne sur lesquels je croyais voir et comptais un par un les points d'insertion des cheveux de Ru lai, j'ai craint dragons et démons, j'ai cherché le mont Sumeru, qui est la montagne centrale et divine de l'univers bouddhique. Y ai-je cru avec force ? C'est une question difficile. Je dirais plutôt que je n'y pensais pas vraiment, que je mettais à l'écart la personne du Bouddha, sa vie, son enseignement. Au-delà des formes qu'elles prenaient, j'ai cru à la justice et à la vérité — σὺν ὅλῃ τῇ ψυχῇ εἰς τὴν ἀλήθειαν ἰτέον.

— C'est du sanscrit ? dit Marie.

— Non, dit Simon, c'est du grec : il faut aller à la vérité de toute son âme. Après tant de meurtres et de sang, j'ai limité le savoir pour faire place à la foi. J'ai cru au Bouddha, l'homme parfait, le saint qui apprivoisait les fauves comme j'ai cru, plus tard, à saint François d'Assise apprivoisant son loup. Et puisqu'il fallait vivre et qu'il fallait marcher, autant vivre et marcher dans la sagesse bouddhique. En théorie au moins, elle était libérée de la superstition et des sacrifices et de l'autorité des maîtres : « Ce n'est pas parce que je suis votre maître qu'il faut que vous me croyiez. » Le bouddhisme ne s'adresse ni au prêtre, ni au noble, ni au bourgeois, ni à l'esclave : il s'adresse à l'homme dépouillé de cette défroque dont le Bouddha nous apprend qu'elle ne cesse de varier d'une existence à l'autre. Derrière chaque personne et son nom et son existence passagère, liée à son époque, son pays, sa classe sociale, il s'adresse à l'être vivant qui souhaite mourir mais ne le peut pas, à quelque chose qui survit, qui transmigre et qui passe, à travers les siècles, par des destins successifs. Un *jâtaka*, dans le bouddhisme, est un recueil de récits sur les vies antérieures. Ce que je vous propose ici, depuis que nous nous connaissons, n'est rien d'autre qu'un *jâtaka :* le *jâtaka* de Venise, le *jâtaka* de la Douane de mer. Comment ne me serais-je pas attaché au bouddhisme ?

J'avais mis deux ans à gagner le bassin de l'Indus, j'ai passé douze années à parcourir Jambudvîpa, le pays de l'Éléphant, du nord-ouest au sud-est. Je suis rentré en un an, ou peut-être un peu plus, par le Pamir et Kashgar et de nouveau Dun huang d'où j'ai adressé une supplique à ce même empereur T'ai-tsong, de la dynastie des T'ang, dont, plus de quinze ans auparavant, j'avais enfreint les lois en partant en secret. Un voyage de quinze ans entre la Chine et l'Inde, séparées par l'Himalaya, c'est peu de chose dans l'histoire, c'est beaucoup dans une vie. J'ai souffert, j'ai pleuré, j'ai admiré le monde et ses mirages trompeurs.

— Vous êtes un grand voyageur, lâcha Marie sans réfléchir plus loin que le bout de son nez, qui était ravissant.

— Que voulez-vous que je sois ? répondit Simon. Je

suis le Juif errant. Quand j'ai été chinois et bouddhiste, j'ai été pèlerin. Il y aura même un Chinois, du nom de Wou Tch'eng-en, qui osera tirer de mes aventures de croyant et de moine un conte cynique et charmant, d'allure un peu voltairienne : le fameux *Singe pèlerin*. Quand il verra le jour, je serai — ou j'étais — déjà loin de la Chine, vêtu, en bon bouddhiste, d'une tout autre défroque.

Je descendais le Gange sous la défroque de Hiuan-tsang, du pèlerin passionné, du Maître de la loi, lorsqu'une demi-douzaine de bateaux, embusqués derrière des arbres asoka dont le feuillage à fleurs rouges est extrêmement touffu, surgirent soudain des deux rives. Plusieurs dizaines de passagers s'étaient embarqués avec moi. Dès qu'ils aperçurent les navires qui s'avançaient vers nous à la force des rames, ils crièrent : « Les Thugs ! Les Thugs ! » et bon nombre d'entre eux, pris de panique, se jetèrent dans le fleuve. C'étaient ces mêmes Thugs, en effet, qui apparaissent dans tant de romans, qui tuaient leurs victimes en les étranglant avec un lacet et que les Anglais, au siècle dernier, eurent beaucoup de mal à soumettre. Les pirates entourèrent notre barque et la conduisirent au rivage. Là, ils forcèrent tous les passagers à quitter leurs vêtements et ils les fouillèrent pour trouver tout ce qu'ils pouvaient avoir de précieux. Or, les Thugs adoraient, non seulement lord Jagannath, qui est un avatar de Vishnou et un dieu très cruel, mais la déesse Kâli, qui, en bonne épouse de Siva, est assoiffée du sang des hommes, et chaque année, en automne — nous étions à l'extrême fin de l'automne, vers le début de l'hiver —, ils cherchaient une victime, au teint aussi clair que possible, à sacrifier à cette déesse pour en obtenir le bonheur. Ils nous examinèrent l'un après l'autre et, après avoir rejeté avec brutalité tous ceux dont la peau foncée leur était trop familière, ils s'arrêtèrent à moi dont la figure et l'allure répondaient à leurs vœux. Ils se regardèrent l'un l'autre avec des cris de joie.

— Faute de trouver un sujet digne de notre déesse, dirent-ils, nous allions laisser passer l'époque du sacrifice exigé par Kâli. Mais voici un moine qui a la peau la plus claire que nous ayons jamais vue. Tuons-le pour obtenir le bonheur.

Plusieurs des voyageurs qui étaient avec moi sur la barque s'étaient noyés en sautant dans le Gange. Quelques-uns, assez rares, avaient réussi à s'enfuir. Tous ceux qui restaient se jetèrent aux pieds des brigands pour qu'ils renoncent à me tuer. Il s'en trouva même deux ou trois, qui voyageaient avec moi depuis les rives de l'Indus et peut-être, si je me souviens bien, depuis Bâmiyân ou Bactres, pour proposer avec grandeur d'âme de mourir à ma place. Mais les pirates ne voulurent rien savoir. Ma peau claire leur plaisait, et leur chef envoya des hommes chercher de l'eau et de la terre dans le bois fleuri d'asoka afin de construire un autel pétri de la vase du fleuve sacré. Dès qu'un tumulus grossier eut été édifié, il ordonna à deux des siens de m'entraîner sur l'autel et de me sacrifier à Kâli. Les deux bandits tirèrent leur sabre.

— Vous imaginez bien, dit Simon, qu'après vous avoir expliqué que le présent n'existait pas je vais vous démontrer qu'il n'y a rien d'autre que le présent. Ce qu'il y a de bien avec les mots, c'est qu'ils sont les plus dociles de tous les serviteurs et qu'on peut leur faire faire tout ce qu'on veut. Je ne me pique pas de philosophie, mais tout le monde sait, depuis les sophistes, que la philosophie consiste d'abord à dire le contraire, dans un second temps, de ce qu'on a dit dans le premier. C'est ce qu'on appelle la dialectique et c'est plus sérieux que vous ne croyez. Gide prétendait qu'un philosophe se reconnaît à ceci que, quand il vous donne sa réponse, vous n'avez plus aucune idée de la question que vous venez de lui poser. Je dirais plus volontiers que la philosophie est une évidence qui serait le contraire de l'évidence ajouté à l'évidence.

Il y a le passé. Il y a l'avenir. Ce sont deux blocs formidables. Il est on ne peut plus clair que vous n'entrez jamais ni dans le passé ni dans l'avenir. Ce n'est que dans les romans qu'on va explorer le passé, qu'on se promène dans l'avenir. L'avenir n'existe pour nous qu'à l'état de projet et le passé n'existe pour nous qu'à l'état de souvenir. Parce qu'il y a une flèche du temps et qu'il n'est pas irréversible, on ne se souvient pas du futur, on ne se jette pas dans le passé pour y faire des projets. Le passé nous pousse en avant, l'avenir nous attend au tournant. Je connais mon passé et je ne peux rien — ou presque rien — y changer. Dans une certaine mesure, je suis maître de mon avenir, mais je ne le connais pas. Il y a le passé évanoui, familier et perdu. Il y a l'avenir ouvert, mystérieux, plein de promesses et de craintes. Au milieu, le présent. C'est dans le présent que je suis établi et, aussi loin que je regarde dans le passé et dans l'avenir, je n'étais, je ne suis, je ne serai jamais établi dans rien d'autre que dans quelque chose d'évident et de dominateur qui s'appelle le présent.

Aucun être vivant ne quitte jamais le présent. Le présent bouge tout le temps, et je bouge avec lui. À aucun moment je ne me balade dans l'avenir, à aucun moment je ne m'attarde dans mon passé. Je suis, vous êtes, nous sommes tous dans un présent éternel. Le passé ne cesse de s'accroître et le futur de décroître. Seul le présent est à la fois immuable et changeant, seul le présent est éternel. À aucun moment de l'existence nous ne sortons du présent. Et au-delà de moi et de vous, il y a, en avant du passé, en arrière de l'avenir, un éternel présent du monde. Nul ne sait où est le passé, nul ne sait où est l'avenir. Le passé est aboli. Le futur n'est pas mûr. Il n'y a jamais que le présent. Seul le présent triomphe.

Personne ne sort jamais de la prison du présent. Ici ou là, un jour ou l'autre, une lézarde apparaît et un tunnel se creuse dans le mur de la mémoire ou dans celui de l'espérance. Le prisonnier s'y rue, ivre de liberté. Mais tous les chemins de ronde et tous les souterrains ne donnent jamais que sur du présent. L'administration pénitentiaire organise, de temps en temps, des excursions surveillées dans les vertes prairies du passé, sur les plages balayées par le vent de l'avenir. Mais toutes les terres, toujours, appartiennent au présent.

La prison est mobile. Elle change, elle reste la même. Elle se déplace sans arrêt, comme la maison du berger dans le poème de Vigny. Elle emprunte la ligne de crête entre le passé et l'avenir. Elle flotte sur l'écume des vagues. Elle suit le fil du courant. Les perspectives se transforment, le paysage se modifie. Les prisonniers s'étonnent des changements autour d'eux. La barbe leur pousse, les rides se creusent. Ils deviennent méconnaissables à eux-mêmes et aux autres. Le monde n'est jamais le même. La prison est toujours là.

Il n'y a aucune issue. Vous prenez les tortillards, les diligences, les tilburys du souvenir. Vous retenez votre place dans les fusées des projets. Vous rêvez, enchantés. Vous vous laissez bercer par la musique d'autrefois, par les rumeurs de demain. Les valses et les gavottes, le vrombissement des machines. Quand vous rouvrez les yeux, vous êtes encore dans le présent.

Vous vous rappelez, l'autre jour, les deux blocs rivaux du passé et de l'avenir en train d'égorger le présent ?

— Très bien, dit Marie.

— Vous voyez où je veux en venir ?

— Pas du tout, dit Marie.

— Le présent n'existe pas, mais nous en sommes prisonniers. Nous sommes enfermés dans une absence de réalité. Le temps lui-même est déjà à la fois une domination souveraine et une absence de réalité. À l'intérieur du temps, le présent est, au deuxième degré et à plus forte raison, une absence de réalité et une souveraine domination. Il n'y a pas de présent et, à aucun moment, nous ne pouvons en sortir. Voilà où nous en sommes : prisonniers d'un néant. Toujours en train de tomber dans un évanouissement, image même du paradoxe et de l'effondrement. L'homme n'existe que dans quelque chose dont il ne peut pas s'évader et qui a déjà disparu et que nous appelons le présent.

Entouré des deux bandits qui, le sabre à la main, attendent l'ordre de leur chef, le Maître de la loi ne laisse paraître sur son visage et dans son comportement aucune trace d'émotion. Les pirates, un instant, en sont surpris et touchés.

Alors, le Maître de la loi tourne ses pensées vers le Ciel de la connaissance suffisante où résident les saints et les Bodhisattvas qui attendent le moment de redescendre sur la Terre en qualité de Bouddha. Il forme des vœux ardents pour y entrer à son tour afin d'offrir aux saints et aux Bouddhas à venir ses hommages et ses respects, de comprendre tous les détours de la loi des Parfaits, de parvenir lui-même à l'état de Bouddha et de redescendre et renaître sur la Terre pour instruire et convertir ceux qui veulent le tuer. Pour leur faire pratiquer des actes de vertu supérieure et abandonner leur infâme profession. Pour répandre au loin tous les bienfaits de la loi. Pour procurer la paix à toutes les créatures. Assis dans l'attitude de la méditation, il adore les Bouddhas des dix contrées du monde.

Tout à coup, au fond de son âme ravie, il lui semble qu'il s'élève jusqu'au mont Sumeru et qu'après avoir franchi tous les cercles des cieux il aperçoit dans le Ciel de la connaissance suffisante, assis sur un trône de feu et entouré de saints, le vénérable Maitreya, prochain Bouddha à venir. La joie l'envahit. Il oublie les pirates. Il oublie surtout qui il est et quel est son destin.

— Laissez-moi, murmure-t-il, entrer dans le nirvâna d'une âme calme et joyeuse.

À l'instant même, un vent furieux s'élève, brise les arbres asoka, fait voler le sable en tourbillons, soulève les flots du Gange et engloutit les bateaux. Les pirates, saisis de terreur, interrogent leurs prisonniers qui s'abandonnent déjà à l'affliction et aux larmes.

— D'où vient cet homme et quel est-il ?

— C'est un religieux renommé qui vient d'au-delà des montagnes pour chercher la loi et se procurer des livres sacrés. Si vous le tuez, seigneurs, vous vous attirerez de grands malheurs. Ne voyez-vous pas déjà, dans les vents et les flots, les signes terribles de la colère des esprits du ciel ?

Les brigands, saisis d'effroi, s'exhortent mutuellement au repentir et à la vertu, jettent leurs armes dans le Gange, rendent à chaque passager ses vêtements et ses biens et s'inclinent jusqu'à terre devant leur prisonnier. Un des pirates touche de la main le Maître de la loi, toujours ravi dans le Ciel de la connaissance suffisante. Hiuan-tsang ouvre les yeux et murmure :

— Mon heure est-elle arrivée ?

— Maître, répondent les pirates, nous ne pouvons pas vous tuer.

Sous les acclamations de ses compagnons de voyage, le Maître de la loi reçoit les excuses et les hommages des bandits. Il leur apprend à se méfier de ce corps méprisable qui passe en un instant comme l'éclair dans la nuit, comme la rosée du matin, et à fuir les malheurs qui s'abattent sur les méchants pendant des siècles et des siècles.

Les vents et les flots se calment. Les pirates, transportés par un bonheur inconnu, saluent le Maître de la loi et prennent congé de lui. Hiuan-tsang se prosterne devant la force des décrets de l'immuable Connaissance. Et il reprend sa route.

— Je suis beaucoup parti. J'ai fini par aimer ces abandons à l'aube, ces arrachements au sommeil et à la fidélité, lorsque tout le monde dort encore dans la grande maison aux volets clos, perdue au milieu des plaines ou juchée sur la colline. Par vocation, par force, je suis un être de fuite, je suis un être des lointains. Le jour se lève. Je pars.

J'ai descendu les fleuves, j'ai labouré les mers. À bord de knarrs, de karvs, de snekkjas, de skutas, de skeids et de langskips, que vous appelez des drakkars, je suis parti vers l'ouest, vers le sud et vers l'est : j'ai été un de ces guerriers, un de ces marins formidables qu'avec un reste d'effroi qui traîne à travers les siècles vous appelez les Vikings. De l'invasion arabe et du règne de Charlemagne à la conquête de l'Angleterre et de la Sicile par les Normands, nous avons terrifié le monde occidental. De l'Amérique à l'Iran, de la Russie au Maroc, nous avons fait la guerre sans jamais faire la paix. Nous avons brûlé, pillé, exigé des rançons, ramassé du butin — nous n'avons pas fondé d'empire. S'il y a eu sous le soleil une aventure sans limites et pourtant sans lendemain, c'est bien celle des Vikings.

— Vous n'étiez plus bouddhiste ? dit Marie.

— Plus du tout, dit Simon. J'ai tué beaucoup de gens.

Je me serais tué moi-même : j'étais passé plutôt du côté des brigands qui attaquaient Hiuan-tsang. Qu'il y ait eu dans le même monde un Björn Côtes de Fer, un Ivan le Désossé, un Erik le Rouge et les sramana ou les bhiksu qui servaient de modèles au Maître de la loi est un motif de stupeur. La planète, en ce temps-là, était encore assez vaste pour leur permettre de s'ignorer. Il fallait courir longtemps pour passer des Portes de fer et des dix mille montagnes au pays d'Odin, des drakkars et des sagas, de Dun huang, de Bâmiyân, de Kapilavastu à Hedeby, dans le Jutland, à Birka en Suède, à Kaupang ou Skiringssal, en Norvège, capitales des Vikings. Il n'y a guère eu que moi, je crois, pour établir un lien entre les rois de la mer et les déserts de pierres du pays de l'Éléphant.

— Vous étiez devenu, dit Marie, un grand blond aux yeux bleus ?

— Venus de moins loin que moi, mais tout de même de Bagdad ou du califat de Cordoue, des voyageurs arabes, al Tartûschi ou Ibn Fadlan, se sont mêlés aux Vikings sur les bords de la Volga ou en Scandinavie. Ils les voient « beaux et de noble stature, hauts comme des palmiers, souples et hardis, la peau claire, les cheveux d'un blond presque roux, vêtus d'un manteau rejeté sur le côté pour être plus libres de leurs mouvements, ne se séparant jamais de leurs armes ». La seule chose qui épouvante les envoyés musulmans, ce sont les chants des Vikings : une espèce d'aboiement de chiens ou de grognement de cochons, en un peu plus bestial. Je chantais, moi aussi. Je grognais, j'aboyais. Mettons, si vous y tenez, que j'étais le moins grand, le plus brun, le moins sauvage aussi, des Vikings. Mais comme les Turcs, les Chinois, les Indiens ou les Romains, les Vikings n'y voyaient que du feu. Il m'est même arrivé, parce que j'étais moins blond qu'eux, de leur rendre des services.

À l'époque où la Russie n'existait pas encore, nous avons remonté la Vistule et descendu le Dniestr, le Dniepr, la Volga. Cinq siècles avant Colomb, nous avons navigué jusqu'en Islande, jusqu'au Groenland et, un peu au-delà, jusqu'aux côtes fabuleuses du Vinland. Nous avons aussi franchi les colonnes d'Hercule des Anciens, que les Arabes baptisèrent Djebel Tariq, ou Gibraltar. Deux siècles avant les frères Guiscard et la conquête de la Sicile par les Normands, qui étaient eux-mêmes des Vikings, nous aurions pu faire de la grande île en forme de triangle une terre des hommes du Nord si... C'est une curieuse histoire.

Nous venions de doubler les côtes sud de l'Espagne et de pénétrer dans ma mer intérieure que je retrouvais avec joie après tant d'années passées en Asie ou dans les brumes du Nord. Nous étions quatre ou cinq cents hommes répartis sur huit langskips. Nous étions partis sur douze navires, mais deux vaisseaux avaient été détruits par une tempête au large de Gibraltar et deux autres, qui s'étaient éloignés du gros de notre flotte, avaient été capturés par les Arabes. Mes compagnons s'appelaient Harald Hardradi, Olaf Tryggvasson, Harald à la Dent bleue, Sven à la Barbe fourchue, Aigrold, Raghenold, Felechan... Ils chantaient des chansons de marins dont je n'ai oublié aucune strophe et que vous pouvez encore lire dans les *Gesta Danorum* de Saxo Grammaticus, dans la *Saga de Snorri le Godi* ou dans la *Heimskringla* de Snorri Sturluson, qui est un auteur digne de confiance puisqu'il écrit quelque part : « Il y aurait bien d'autres choses à dire et que nous n'avons pas écrites. La cause en est notre ignorance et aussi que nous ne voulons pas consigner par écrit des histoires sur lesquelles nous ne disposons pas de témoignages. » La chanson favorite de Sven à la Barbe fourchue et d'Olaf Tryggvasson était un chant de naufragé qui servit plus d'une fois d'oraison funèbre à nos compagnons emportés par une lame ou frappés à mort par une flèche :

> *Grimpe sur la quille, camarade,*
> *Sous les coups glacés de la mer.*
> *Essaie de garder ton courage,*
> *Ici il faut laisser la vie.*
> *Ne va pas pleurnicher, marin,*
> *Si tu es pris dans la tempête.*
> *Tu as connu l'amour des belles :*
> *Un jour chacun doit mourir.*

Nous étions quelque part, j'imagine, au sud-est des Baléares quand il se passa quelque chose de tout à fait surprenant. Le soleil brillait avec force et nous étions tous de bonne humeur à l'idée des îles et des ports dont les richesses nous attendaient. Aucun navire à l'horizon. La mer plate comme la main. Une petite brise régulière sous le soleil écrasant, à peine voilé par une brume de chaleur. Les plaisanteries fusaient en norrois dans la bouche de Raghenold ou de Felechan lorsque Sven à la Barbe fourchue, qui était pourtant un dur, poussa un sourd gémissement et prit son visage entre ses mains. Il brûlait, il avait froid, il tremblait de tous ses membres. Nous l'installâmes sous une de nos voiles carrées en laine où il se mit à délirer. Quelques instants plus tard, Harald Hardradi se jeta à la mer. Nous le repêchâmes. Il nous dit que Loki, le plus méchant de tous les dieux, avait envoyé des génies malfaisants le tourmenter dans son corps et qu'il souffrait le martyre. En moins de deux ou trois jours, tous mes compagnons, l'un après l'autre, furent frappés du même mal et c'était une pitié de voir ces géants blonds, qui étaient le courage même et qui avaient tout affronté, pleurer de douleur comme des enfants. Les yeux tuméfiés jusqu'à l'aveuglement, la peau réduite à l'état de cette bouillie sanglante qu'on voyait aux condamnés qui mouraient sous le knutr, ancêtre viking du knout, ils prononçaient des mots sans suite, gémissaient quand on les touchait et refusaient toute aide. J'étais à peu près le seul à résister, le seul capable d'assurer tant bien que mal, avec l'aide des moins atteints, la marche de notre langskip. Je décidai de faire demi-tour et de remonter vers le nord. Tout aussi éprouvés, les équipages des autres bateaux nous suivirent aussitôt. Pendant deux siècles encore, avant la conquête normande et le règne triomphal de Frédéric de Hohenstaufen, la Sicile allait rester arabe. Savez-vous quel était le mal qui avait vaincu les Vikings et retardé l'histoire ?

— Ce n'était pas le mal de mer ? dit Marie.

— Des Vikings ! Le mal de mer ! Bien sûr que non, dit Simon.

— La peste ? demanda Marie.

— Pas du tout, dit Simon.

— Parlez, docteur, parlez vite.

— Des coups de soleil, dit Simon.

N'allez pas croire que les hommes du Nord fussent des mauviettes un peu fragiles. Il fallait le soleil déjà presque africain du sud de la mer intérieure pour venir à bout de leur courage et de leur énergie. Ils allaient apprendre, plus tard, à se couvrir le corps avec de la graisse de baleine pour lutter contre le feu qui descendait du ciel et qui était bien le seul ennemi à les avoir fait reculer. Car ils ne craignaient ni les dieux, ni les démons, ni la souffrance, ni la mort.

Nous ne sommes pas seulement partis vers le sud, sous les flèches du soleil de la mer intérieure. Nous avons aussi et surtout balayé l'Océan, au large des glaciers couverts de neige et de l'île de Thulé où les nuits d'été étaient si claires qu'il était possible de travailler et même de trouver des poux dans sa chemise. Nous n'avons pas été les premiers à naviguer vers l'ouest, vers le soleil couchant. On racontait qu'un moine irlandais, saint Brendan, avait parcouru pendant sept ans, à bord de son curragh, l'océan Atlantique et qu'il avait fêté Pâques sur le dos d'une baleine où il resta quatorze jours parce qu'il l'avait prise pour une île. Quand nous sommes partis à notre tour, nous n'avions pas de boussole. Nous suivions les côtes des Shetland, des Orcades, des Hébrides, des Féroé, de l'Islande, du Groenland, nous regardions le soleil et les étoiles. Quand le soleil était caché, nous nous servions de la pierre solaire, un cristal de cordiérite qui a la propriété de passer du jaune au bleu quand il est frappé par la lumière diffuse du soleil noyé dans le brouillard ou masqué par les nuages. Pour choisir les terres nouvelles où nous allions nous établir, nous lâchions des corbeaux dont nous suivions le vol ou nous jetions à la mer les montants de bois de nos hauts-sièges, c'est-à-dire des sièges d'honneur réservés, dans nos maisons, aux personnages les plus importants. Là où les montants des hauts-sièges finissaient par s'échouer, nous installions nos campements.

Au-delà du Groenland, s'étendait un pays mystérieux dont parlaient les légendes. Il aurait été visité par Bjarni Herjolfsson à la recherche de son père, disparu au Groenland avec Erik le Rouge, puis, successivement, par Leif Eriksson, par Thorvald, par Thorstein, les trois fils d'Erik le Rouge. Le pays, disait-on, abondait en saumons, en vigne sauvage — d'où son nom de Vinland — et surtout en bois, si nécessaire aux Vikings pour construire leurs bateaux. De là à conclure que nous avions découvert l'Amérique cinq siècles avant Colomb, le pas fut vite franchi. Des traces de notre présence furent signalées plus tard sur les côtes des États-Unis, au Mexique, au Pérou et jusqu'au Paraguay. Moi, Ragnar Lodbrok, dit Ragnar le Savant, je ne suis jamais parvenu aussi loin. J'ai navigué vers l'ouest jusqu'aux terres que nous avons baptisées Helluland et Markland et que vous appelez, je crois, Terre de Baffin et Labrador. J'ai poussé jusqu'à la côte où l'herbe, entre les grands arbres, était couverte d'une rosée qui, portée à nos lèvres, avait la saveur la plus douce.

Les terres que nous découvrions appartenaient à celui des Vikings qui, le premier, posait la main sur elles. Cet été-là, nous étions trois karvs, portant chacun une vingtaine d'hommes, qui approchions d'une de ces côtes dont l'aspect verdoyant, après tant de glaciers et d'étendues stériles, nous faisait tous rêver. Nous venions de doubler des falaises qui tombaient sur des bancs de sable lorsque nous aperçûmes, au milieu de grands arbres, l'embouchure d'un cours d'eau. De l'autre côté de la baie où s'écoulait le fleuve, séparée de la terre ferme par un détroit assez mince, s'étendait une grande île, couverte de prairies et de forêts. Erik Olafsson, qui commandait notre navire, ordonna aussitôt de faire force rames vers ce décor de paradis. Le karv, déjà poussé par le vent qui soufflait dans sa voile de laine, parut bondir en avant. Mais, au même instant, nous vîmes le karv de Sitrygg Barbe de soie, qui avait suivi la côte de plus près, déboucher tout à coup de derrière le promontoire et s'avancer lui aussi à toute allure vers l'île que nous convoitions. Entre les deux navires, ce fut une course acharnée. Au fur et à mesure que nous nous approchions de l'île, la distance entre les deux bateaux, d'abord assez considérable, se réduisait aussi. Quand nous en fûmes à distinguer les feuilles des arbres et les ceps de vigne sauvage, les deux karvs étaient côte à côte. Debout, l'écume à la bouche, dans un état d'exaltation indescriptible, Erik Olafsson et Sitrygg Barbe de soie échangeaient des insultes. Ils étaient en proie l'un et l'autre à la fureur des berserkers.

Soumis à une discipline de fer à l'intérieur de camps fortifiés dont l'accès était interdit aux femmes, aux enfants, aux vieillards, les Vikings n'étaient pas seulement des marins intrépides. C'étaient des guerriers redoutables. Dans les instants de haute tension, il arrivait à ces guerriers d'être saisis d'accès de violence qui leur faisaient perdre toute raison. Leurs forces décuplées par la rage, ils hurlaient comme des chiens, mordaient le rebord de leur bouclier rond en bois recouvert de cuir et se précipitaient sur l'ennemi, l'épée ou la hache à la main. Alors, rien ni personne ne pouvait les arrêter. Dans cet état d'égarement, on avait vu des Vikings s'attaquer à des animaux, à des arbres, à des rochers, avaler des charbons ardents, se jeter dans les flammes. Ces guerriers changés en fauves étaient appelés berserkers. Le verbe *to go berserk,* devenir fou furieux, existe toujours en anglais. Selon toute vraisemblance, le mot français berzingue, aller à tout berzingue, provient de la même origine. Erik Olafsson et Sitrygg Barbe de soie donnaient l'exemple du plus terrible berserksgangr auquel il m'ait jamais été donné d'assister.

À quelques encablures de l'île à fabriquer des berserkers, on sentit que le karv de Sitrygg Barbe de soie allait prendre l'avantage. Des rugissements de joie s'élevaient de son bateau. Lui, debout à la proue, triomphant, hors de lui, était déjà prêt à se jeter sur l'île qui, d'après la loi des Vikings, allait devenir son bien. Alors, je vis Erik Olafsson poser sa main gauche sur le plat-bord du navire, lever sa hache de la main droite et, d'un coup terrible, se trancher le poignet. Quelque chose de mou tomba au fond du bateau. Avec un calme soudain, indifférent au sang en train de couler à flots de son bras amputé, il ramassa la main et la jeta sur le rivage en signe de possession.

C'est ce jour-là qu'Erik Olafsson reçut le nom, qu'il allait rendre célèbre par sa violence et sa témérité, d'Erik à la Hache sanglante.

— Mes enfants, dit Simon, il n'y a rien de plus beau que l'histoire des hommes. Pour la raison la plus simple : il n'y a rien d'autre. Les poissons dans la mer, c'est l'histoire des hommes ; les pierres, c'est l'histoire des hommes ; les étoiles les plus lointaines et les galaxies qui s'enfuient à tire-d'aile, c'est encore l'histoire des hommes. Une matière sans la vie serait à peine une matière. Une vie sans la conscience serait à peine une vie. Les étoiles, les poissons, les pierres ne seraient rien, ou presque rien, s'il n'y avait pas d'hommes pour les voir, et surtout pour en parler. Pour leur donner un sens. Et pour les empêcher d'être quelque chose comme un néant. Les étoiles, les pierres, les poissons dans la mer, les arbres dans les forêts entretiennent avec les hommes des liens obscurs et secrets. Ils sont des étapes, ou des écarts, sur leur chemin. Ils sont emportés dans la même aventure. Tout ce que nous pouvons nommer et décrire, et même l'ineffable dont nous nous risquons à parler, appartient à l'histoire. Ce dont on ne peut pas parler, il faut le taire. Mais tout ce que nous disons et pensons, et jusqu'au reste dont nous disons que nous ne pouvons rien en dire, est au cœur de l'histoire des hommes.

Pour nous au moins, il n'y a pas de dehors à l'histoire

des hommes : tout est toujours dedans et rien ne lui échappe. Il n'y a pas de rêve ni de monstre, il n'y a pas de passé, il n'y a pas d'avenir, il n'y a pas de secret, il n'y a rien au-dessus, il n'y a rien derrière ni en dessous qui n'en fasse pas partie. Je ne dis pas qu'elle se suffise à elle-même ni qu'elle soit à jamais sa propre explication. Les hommes — je suis payé pour le savoir — ne sont peut-être rien d'autre que le rêve de Dieu. Mais tant que nous sommes là, tout seuls, à nous débrouiller comme nous pouvons dans un monde inachevé, Dieu n'est qu'un rêve des hommes. Son culte, c'est l'histoire des hommes. Sa mort, c'est l'histoire des hommes. Depuis la guerre du feu, et l'invention de l'agriculture, de la ville, de l'écriture jusqu'au moindre de vos gestes et à la moindre de vos pensées, tout relève de l'histoire des hommes. Et tout ce que vous ne faites pas, et tout ce que vous ne dites pas, et même ce que vous ne pensez pas : vous êtes pris dans l'histoire et vous n'en sortez pas.

Inutile de vous débattre ni de vous en aller : l'histoire contre l'histoire, c'est toujours de l'histoire. Vous vous appelez Moïse, Jésus, Bouddha, Mahomet ou Platon, vous l'expliquez par en haut : c'est l'histoire. Vous vous appelez Darwin ou Karl Marx ou Sigmund Freud, vous l'expliquez par en dessous : c'est l'histoire. Vous ne voulez plus rien savoir, vous vous bouchez les yeux et les oreilles, vous vous réfugiez dans l'amour, dans la révolte, dans le silence, dans la mort : c'est l'histoire. Il y a une absence d'histoire qui est déjà l'histoire. Il y a une histoire en creux, et c'est encore l'histoire. Et tout ce bordel innommable prend une espèce de sens.

— Il ne me semble pas exclu, dit Marie en fronçant les sourcils sous l'effort, que le monde n'ait aucun sens.

— Vous avez raison, dit Simon. Il n'en a peut-être aucun : *life is but a tale told by an idiot, full of sound and fury, signifying nothing*. Ce qu'il y a pourtant de surprenant, c'est que tout ce qui s'y passe, et même la souffrance et le mal et la sottise et l'absurdité, ait l'air de faire un tout et d'avancer cahin-caha. Lorsque Macbeth, sur le point de périr, s'écrie que le monde est un tumulte dépourvu de tout sens, il donne, mieux que personne, un peu plus de sens au monde. On dirait que l'absence d'ordre est encore une forme d'ordre et que le manque de sens finit par prendre un sens. Tout ne s'arrête jamais d'aller n'importe comment, tout part à chaque instant dans toutes les directions, personne ne comprend rien à ce qui est en train de se passer — et puis on regarde en arrière et c'est le plus harmonieux de tous les monuments, et d'ailleurs le seul de tous les monuments, puisque c'est l'histoire des hommes.

— Ah! dit Marie, est-ce que l'histoire des hommes, c'est vraiment si bien que ça?

— Rien ne peut être mieux que l'histoire, dit Simon, puisque, par définition, elle est incomparable et unique et qu'elle embrasse d'avance tout ce qu'on pourrait lui opposer. Elle n'est pas regardante, c'est vrai. Elle fait flèche et feu de tout bois, elle se contente de ce qui se présente, elle s'arrange de n'importe quoi. Si solennelle, si grandiose, si belle à en perdre le souffle, l'histoire est d'abord un ramassis d'ordures. Il n'y a pas de bassesse qui ne la nourrisse. Il n'y a pas d'obscénité dont elle ne fasse ses choux gras. De ces horreurs et de ces crimes surgissent les pyramides, l'Acropole, la cathédrale de Chartres, *La Tempête* de Giorgione, *La Création* de Haydn, la *Recherche du temps perdu,* et l'amour du prochain, et la vision en Dieu. On tend vers quelque chose — mais quoi? — qui ressemble au sublime parmi l'ignominie.

L'histoire est un effort, un mouvement, un élan, une ascension — et toujours un échec. L'histoire est comme l'amour : on peut en dire n'importe quoi. Vous pouvez la définir de cent façons différentes qui seront toujours exactes et toujours dérisoires. Vous pouvez soutenir qu'elle est une lutte qui n'a jamais de fin, une succession de batailles, un combat sans répit — et aussi qu'elle n'est qu'amour. Elle est une longue parole dont la signification se révèle peu à peu à ceux qui savent l'écouter — et elle n'est que silence. Elle est le succès même, la réalisation absolue, un triomphe sans égal — et elle est toujours un échec. L'histoire est universelle et elle l'est à tel point que tout ce qu'on en dit lui convient. Le blanc et le noir, le réel et l'imaginaire, l'optimisme et le pessimisme, un Dieu ou pas de Dieu, un début ou pas de début et une fin ou pas de fin, peu importe : tout lui va comme un gant et elle se prête à tout. Elle n'a besoin que d'une chose : c'est d'exister. Elle existe. Dieu n'existe pas, puisqu'il est éternel. Mais il est. L'histoire a du mal à être. Elle hésite, elle bafouille, elle ricane, elle nous ressemble : elle se contente d'exister. Et tout lui est souverain bien, jusqu'à la souffrance et au mal, jusqu'à l'absence et la mort.

Elle crée son propre aliment. Elle ne cesse de produire ce qui la constitue. Elle s'engendre sans se lasser. Son moteur, vous le savez bien, son moteur est le temps. Pour faire surgir l'histoire, il a fallu nourrir le temps de saisons et de sève, de semences et d'instincts, d'emportements et de conflits. Ce que nous appelons la nature s'est chargé du travail jusqu'à ce que la conscience, la culture et tout le tremblement cher aux penseurs du dimanche et aux humanistes de service prennent enfin le relais. Le jeu consiste alors à glisser dans le temps des passions et des calculs qui, de plus en plus vite, le transforment en histoire. L'amour a sa place dans ce grand cirque du temps et de l'histoire réunis. Et le savoir aussi, et la curiosité, et l'ambition, et la folie, et la haine, et l'alcool, et la drogue, et toutes les formes du désir. Puisqu'on peut tout dire de l'histoire, on pourrait dire très bien que l'histoire n'est que désir. Ce serait encore très vrai. Le reste aussi, d'ailleurs. L'essentiel est de tirer l'histoire, de la pousser au cul, de la faire avancer. De la faire respirer un peu plus haut qu'elle-même.

Un peu plus haut qu'elle-même... C'est ce que Victor Hugo, qui avait du génie, et beaucoup d'imbéciles et de radicaux-socialistes par-dessus le marché ont appelé le progrès. L'histoire avance, puisque le temps passe. Et il serait malheureux que toute la suite des hommes ne réussisse pas, à la longue, à accumuler un peu de savoir à défaut de sagesse. Vous vivez mieux qu'il y a un siècle. Vous en savez plus sur l'univers. Vous mourrez un peu plus tard. Vous aurez moins mal aux dents. On vous endormira pour vous couper une jambe. Il y a des systèmes d'assurances et des caisses de retraite. Les avions vont plus vite que les courriers à cheval. On partira pour d'autres Lunes et peut-être pour d'autres Terres. Si c'est cela le progrès, alors il y a un progrès. Et c'est une chose digne d'estime. Incapable pourtant de nous faire oublier que l'horizon recule à mesure qu'on avance.

C'est cette distance-là qu'aucun progrès, jamais, ne réussira à combler. Le fond de l'affaire, c'est qu'il y a comme un défaut, que quelque chose ne va pas, et que le monde se démène pour atteindre ce qui manque. L'histoire avance, les choses vont mieux, Le sacro-saint progrès ramène sa fraise en sifflotant et les mains dans les poches — et il y a toujours quelque chose qui n'est pas encore là. L'histoire, pleine comme un œuf, est pourtant d'abord un trou. Après le désir et l'amour et la lutte et tout le reste, on pourrait dire aussi que, d'un bout des temps à l'autre, la clé de l'histoire des hommes est l'insatisfaction. C'est un grand bonheur : elle lui permet d'aller plus loin, elle l'oblige à marcher. Je marche au pas de l'histoire à travers l'espace et le temps.

Vous devinez ce que je suis : tous les hommes, bien sûr, et aussi leur histoire. « Marche ! Mais marche donc !... » : le cri que j'ai jeté et qui m'a été jeté en retour jusqu'à la fin du monde, comment ne pas voir qu'il s'adresse d'abord à l'histoire ? Longtemps, aux yeux de beaucoup, j'ai été d'abord un Juif et d'abord l'homme de la faute. Je suis surtout l'histoire. Ce n'est pas par hasard que, pour jouer son propre rôle, l'histoire a choisi quelqu'un de la race élue et maudite, si clairement élue et si souvent maudite. Et ce n'est pas non plus un hasard si elle s'est incarnée dans un homme de la faute. Puisque l'histoire des hommes, qui est une parade, un cortège, une longue marche triomphale au milieu des trompettes, des oriflammes, des cris de femmes aux balcons et des acclamations de la foule en délire, est en même temps un manque, une absence, une attente éternelle et comme le souvenir obscur de quelque chose à la fois d'innommable et d'ineffable qui n'en finit pas, à la fois, d'être célébré et pleuré.

Le royaume de Nagarahâra, appelé Na jie luo he par les savants chinois, est entouré de tous côtés par des montagnes infranchissables. C'est là, du côté de Jellâlâbâd, dans l'Afghanistan d'aujourd'hui, qu'avant d'entrer enfin dans les joies du nirvâna l'Honorable du siècle, plus connu dans nos régions sous le nom du Bouddha, laissa son ombre dans une caverne.

Le Maître de la loi voulut aller dans cette grotte pour rendre ses hommages à l'ombre de Ru lai. Les fonctionnaires du roi le prévinrent que les chemins n'étaient pas seulement longs, mais déserts et dangereux et que si, par hasard, on rencontrait quelqu'un, c'étaient à coup sûr des brigands. Ils ajoutèrent que, depuis deux ou trois ans, on n'avait jamais revu les pèlerins qui s'étaient rendus dans la grotte et que, pour cette raison, les visiteurs se faisaient rares.

— Même pendant cent mille kalpa, leur répondit Hiuan-tsang, il serait difficile de découvrir une seule fois la vraie ombre du Bouddha. Comment pourrais-je être arrivé jusqu'ici sans aller l'adorer ?

Et il partit seul pour la grotte. Il marcha longtemps.

En chemin, il rencontra un jeune garçon, puis un vieillard, qui lui servirent de guides. Il tomba aussi sur des brigands dont il toucha le cœur en ôtant son bonnet et en leur laissant voir son habit de moine bouddhiste.

— Maître, lui dit le chef des brigands, où voulez-vous aller ?

— Je désire, répondit-il, aller voir et adorer l'ombre de Sâkyamuni.

— Maître, reprit le brigand, n'avez-vous pas entendu dire que, tout autour de la grotte, il y avait des brigands ?

— Les brigands sont des hommes, dit le Maître de la loi. Maintenant que je vais adorer le Bouddha, quand les chemins seraient remplis de bêtes féroces et de serpents venimeux, je marcherais sans crainte. À plus forte raison n'aurai-je pas peur de vous, qui êtes des hommes dont le cœur est doué de pitié.

En entendant ces mots, les brigands furent émus, leur âme s'ouvrit à la foi et ils laissèrent passer le Maître de la loi.

Lorsque Hiuan-tsang, parvenu à son but, plongea les yeux dans la grotte, elle lui parut sombre et vide et il ne put rien distinguer.

— Maître, lui dit le vieillard qui l'avait accompagné, entrez tout droit. Quand vous aurez touché la paroi dans le noir, faites cinquante pas en arrière et regardez vers l'est : c'est là que réside l'ombre.

Le Maître de la loi pénétra dans la grotte et s'avança dans l'obscurité. Il heurta bientôt un mur. Aussitôt, fidèle à l'avis du vieillard, il recula, se tourna vers l'est et, animé d'une foi profonde, il fit cent salutations. Mais il ne vit rien du tout. Il se reprocha ses fautes, ses erreurs, ses omissions, pleura en poussant de grands cris, s'abandonna à la douleur et, du cœur le plus sincère, se prosternant après chaque strophe, il récita avec dévotion le Srîmâlâ-devî-Simhanâda sûtra et les gâthâ du Bouddha. Après une centaine de prosternations, il vit apparaître sur le mur oriental une lueur, large comme un pot, qui s'éteignit aussitôt.

Pénétré de joie et de douleur, il recommença ses prières et ses salutations, et, de nouveau, il aperçut une lumière, de la largeur cette fois d'un bassin qui brilla et s'évanouit en un éclair. Alors, dans un transport d'enthousiasme et d'amour, il jura de ne point quitter la grotte avant d'avoir vu l'ombre de l'Honorable du siècle.

Il poursuivit ses hommages et, après deux cents autres salutations, toute la grotte fut soudain inondée de lumière et l'ombre de Ru lai, d'une blancheur éclatante, se dessina sur le mur, comme lorsque les nuages s'entrouvrent et laissent apercevoir tout à coup l'image merveilleuse de la montagne d'or. Un éclat éblouissant éclairait les contours de la face divine. Ravi en extase, Hiuan-tsang contempla longtemps l'objet incomparable et sublime de son admiration. Le corps du Bouddha et sa kâsâya, c'est-à-dire son vêtement de moine, étaient d'un jaune qui tirait sur le rouge. Depuis les genoux jusqu'au sommet du crâne, les beautés de sa personne brillaient en pleine lumière. Le dessous de son trône rond en forme de lotus était enveloppé dans un crépuscule. À gauche et à droite et derrière le Bouddha, on apercevait au complet les ombres des Bodhisattvas, ces saints qui résident dans le Ciel de la connaissance suffisante en attendant leur réincarnation sur Terre en qualité de Bouddha, et toute la théorie des vénérables sramana qui forment son cortège.

Après avoir été témoin de ce prodige, le Maître de la loi ordonna, de loin, au vieillard et au jeune homme qui l'avaient accompagné et qui se tenaient devant la grotte ainsi qu'à quatre brigands qui, mus par la curiosité ou touchés par la foi, s'étaient joints à eux d'apporter du feu et d'entrer pour brûler des parfums. Quand le feu fut arrivé, l'ombre du Bouddha s'en retourna soudain et disparut.

Aussitôt Hiuan-tsang ordonna d'éteindre le feu. Il se

fit à nouveau indiquer l'endroit par le vieillard et, à l'instant même, l'ombre du Bouddha reparut devant lui. Parmi les six hommes, cinq purent la distinguer. Mais il y en eut un qui n'aperçut rien du tout.

Ayant vu clairement ce phénomène divin, Hiuan-tsang derechef se prosterna avec respect, célébra les louanges du Bouddha et répandit sur le sol des fleurs et des parfums. Après quoi, la lumière céleste s'éteignit. Elle n'avait duré que quelques instants.

Alors, le Maître de la loi fit ses adieux et sortit de la grotte où l'Honorable du siècle avait laissé son ombre.

Moscou brûlait. L'ordre d'incendier la ville, occupée par les Français, avait été donné par Rostopchine à l'insu du tsar Alexandre. Le général comte Rostopchine était le gouverneur de Moscou. Il était aussi le père d'une petite fille d'une douzaine d'années qui portait le nom de Sophie. C'était la future comtesse de Ségur, l'auteur des *Petites Filles modèles*, des *Mémoires d'un âne*, des *Malheurs de Sophie* et du *Général Dourakine*. Un beau matin de septembre, une semaine exactement après la bataille de Borodino, elle se promenait avec sa babouchka dans les rues déjà désertes de la capitale abandonnée par la plupart de ses habitants quand les Français étaient arrivés. Isaac Laquedem, courrier de l'Empereur, l'avait prise dans ses bras et fait monter sur son cheval, à l'épouvante de la gouvernante qui poussait de hauts cris. L'image du cavalier qui l'avait hissée en riant jusqu'à lui se grava dans le souvenir de l'enfant. Elle reparaîtra plus d'une fois dans les livres encore à venir. Maintenant Moscou brûlait. L'automne était déjà là.

Isaac Laquedem appartenait depuis plusieurs mois au service des courriers de la Grande Armée. Pendant une bonne partie de l'été, les estafettes du courrier, chargées du portefeuille destiné à l'Empereur, avaient parcouru au galop et dans les deux sens le trajet entre Paris et ce qu'il était convenu d'appeler le « palais impérial » — et qui n'était souvent qu'une pauvre ferme où, entouré de ses généraux, l'Empereur donnait ses ordres et dormait quelques heures. Très vite, la Grande Armée s'était heurtée à des obstacles imprévus : en se retirant sans bataille, la masse immense des Russes ne laissait pas un éclopé, pas un chariot derrière elle. Dans le désert de Russie, les Français étaient perdus. Lorsqu'ils parvenaient, par extraordinaire, à mettre la main sur un guide du cru, ils devaient, de force, le prendre en croupe pendant plusieurs jours et ils s'apercevaient bientôt qu'entraîné trop loin de son village d'origine l'homme ne connaissait pas la région où ses ravisseurs l'avaient amené. Plus le théâtre des combats se déplaçait vers l'est, plus le contraste éclatait entre l'indigence des communications sur place et la perfection des transmissions avec les bureaux de Paris. Le service des courriers impériaux auquel appartenait Laquedem avait été porté à un degré de régularité qui soulevait l'admiration. Depuis le début de la campagne jusqu'aux prémices de l'hiver, l'estafette Laquedem mettait quatorze ou quinze jours à venir des Tuileries ou à y retourner. Habitué à cette commodité, l'Empereur s'impatientait du moindre contretemps. S'il montrait de l'humeur, c'était le plus souvent parce que le portefeuille, qui apportait des nouvelles du roi de Rome et qui allait remporter, dans le portemanteau de Laquedem, les statuts flambant neufs de la Comédie-Française, avait quelques heures de retard. Moscou en feu, la Grande Armée déjà sur le chemin du retour, l'hiver sur le point de paraître, les choses, chaque jour, devenaient plus difficiles. Dans le courant d'octobre, elles allaient se gâter tout à fait.

Dès le début d'octobre, les courriers français se mirent à être attaqués. Il fallut les faire escorter. Le 12 ou le 13 octobre, malgré l'escorte, deux estafettes furent enlevées. La retraite à peine entamée, on informa l'Empereur que les cosaques organisaient l'interception du courrier dans les deux sens. Le 29 octobre, à Ghjatsk, une dizaine de jours après l'évacuation de Moscou aux deux tiers détruite par les flammes, l'Empereur reçut des dépêches de Paris qui dataient de plus d'un mois. Le 3 décembre, à Molodetchno, après le passage de la Berezina, Napoléon trouva une quinzaine de sacoches — quatorze selon Caulaincourt, son aide de camp, vingt d'après Fain, son secrétaire —, entassées les unes sur les autres depuis le 12 novembre. Il se jeta sur les portemanteaux et, d'après plusieurs témoins, il les eût éventrés s'il avait eu un couteau à la main. Recevoir des nouvelles de France — où la conspiration de Malet venait d'éclater — était capital pour Napoléon. Mais il y avait plus essentiel encore : c'était d'envoyer aux Français, qui ne savaient plus rien de la Grande Armée et qui commençaient à s'inquiéter des rumeurs en train de naître, des nouvelles de l'Empereur sur qui tout reposait. Napoléon ordonna à Daru, intendant général, de faire partir coûte que coûte un courrier vers Paris pour annoncer son retour.

Daru appela aussitôt un de ses cousins de province qu'il protégeait depuis plusieurs années et qui l'avait suivi en Russie où, dans la détresse générale, il se nourrissait de café.

— Henri, lui dit-il, l'Empereur veut sur l'heure une estafette pour Paris.

— Pour Paris ! Diable !... Ce sera déjà un miracle si l'Empereur y parvient sans encombre avec une lourde et puissante escorte et si nous arrivons tous ensemble à le suivre. Même entouré de plusieurs cavaliers, un homme seul n'a aucune chance.

— Il le faut pourtant. L'Empereur l'exige. Et mieux vaudrait qu'il partît seul pour voyager plus vite.

Henri Beyle — car c'était lui — posa sa tasse et réfléchit un instant.

— Je ne vois qu'un seul courrier capable d'échapper aux cosaques et aux milices de partisans, de crever six chevaux sous lui, de traverser, à pied s'il le faut, la Pologne et l'Allemagne et d'atteindre Paris vivant : c'est Isaac Laquedem.

— Impossible, dit Daru. Il a quitté Moscou vers le 15 octobre et il est déjà revenu : c'est lui qui a apporté le dernier des portemanteaux que l'Empereur a trouvé en arrivant à Molodetchno. Il contenait une lettre de Cambacérès — « Le roi de Rome a reçu ce matin ceux qui sont venus lui faire leur cour. J'étais du nombre : j'ai trouvé Sa Majesté, qui commence à manger, bien portante et causante... » — et une lettre de l'impératrice. L'Empereur les a lues à Caulaincourt toutes les deux et quand il a eu fini de les lire, il lui a pincé l'oreille et il lui a jeté : « N'est-ce pas que j'ai là une bonne femme ? » C'est Caulaincourt lui-même qui m'a tout raconté : il fondait de bonheur et de fierté à l'idée d'avoir été pris pour confident des histoires de la famille, des ragots des duchesses et des borborygmes du roi de Rome... Tu ne voudrais pas faire repartir pour Paris un homme qui est arrivé de Paris il y a à peine quelques jours ? Sais-tu qu'il neige ? J'ai déjà eu deux courriers dont les pieds et les mains ont gelé. Trouve-m'en un autre.

— Je n'en vois pas d'autre. Laquedem est infatigable. Il est fait pour courir. Et je crois qu'il aime ça.

— Alors..., dit Daru.

Daru confia à Isaac Laquedem une lettre de Napoléon à Marie-Louise — « Donne un baiser à mon fils, tout ce que tu me dis me donne bien envie de le voir, mais c'est toi, mon amie, que j'aimerais surtout embrasser... » —, une autre à Cambacérès — « Je reçois votre lettre du 10 novembre. Faites travailler à Chaillot. Je pars cette nuit pour la Pologne. Mes soldats sont des braves. Ma santé est meilleure que jamais. Annoncez-le à Paris et fusillez ceux qui en doutent » — et toute une série de décisions jetées par l'Empereur, sous forme de brèves apostilles, en marge des rapports qui lui avaient été soumis. C'était peu de chose au regard de la masse des papiers qu'il avait fallu sacrifier. Une bonne partie des voitures, charrettes, traîneaux n'avait pas pu franchir la Berezina. Le 23 novembre, à Tolotchino, pour réduire les bagages et soulager les chevaux, l'Empereur avait fait brûler une trentaine de portefeuilles prêts à être renvoyés à Paris. Le trésor de l'armée avait pu être sauvé, et notamment la croix d'argent sertie de saphirs, de rubis et d'émeraudes de l'église de la Dormition à Moscou et d'autres trophées encore dont la capture avait été imprudemment annoncée à Paris par le *Moniteur*. Daru, après avoir hésité à choisir Laquedem, voulait le charger lourdement. Beyle insista pour que seul l'essentiel soit remis à l'estafette qui emporta, en fin de compte, l'équivalent, en papiers, d'un portefeuille et demi, plus la croix d'argent et quelques babioles à montrer d'urgence aux Parisiens. Au dernier moment, Daru ajouta au lot une lettre pour sa femme et souhaita bonne chance à l'estafette qu'il considérait, en lui-même, comme perdue d'avance. Laquedem partit dans la neige qui tombait avec abondance sur tout l'est de l'Europe.

LETTRE
DU MAÎTRE DE LA LOI
À L'EMPEREUR DE CHINE

« ... Je songe avec respect que Votre Sublime Majesté, ayant reçu en partage l'heureuse harmonie du Ciel et de la Terre et l'influence bienfaisante du Soleil et de la Lune, exerce avec calme le pouvoir suprême et chérit ses sujets comme des fils. Elle est au centre du monde et, soumis à Votre autorité qui ne connaît pas de borne, tous, jusqu'aux pays des Lou lan, des Yue zhi, des Ouïgours et des cent tribus barbares, éprouvent les effets de Votre profonde humanité et sont comblés de Vos riches bienfaits. Ce n'est pas tout. Ce qui fait monter surtout vers le Trône impérial le flot des éloges et de l'admiration, c'est ceci : Vous montrez de la bienfaisance pour les sages et de l'attachement pour les lettrés ; Vous aimez la vertu et Vous répandez à grands flots Votre affection sur ceux qui la pratiquent.

Tout le monde sait quel fut jadis le zèle des sages et des lettrés. Si les anciens allèrent au loin pour chercher la science, qui oserait aujourd'hui redouter les fatigues d'un long voyage et ne pas aller chercher avec passion les traces mystérieuses des Bouddhas qui se sont voués au bonheur du monde et l'explication merveilleuse des Trois Recueils qui servent à briser les liens du siècle ? Moi, le sramana Hiuan-tsang, j'ai su de bonne heure que, jadis, le Bouddha, né dans l'Occident, a légué sa doctrine qui s'est propagée dans l'Est, en Chine. Mais comme les textes précieux qui renferment les principes étaient arrivés jusqu'à nous mutilés et incomplets, l'idée d'aller les chercher au loin, sans prendre aucun souci de ma vie, m'a longtemps tourmenté. C'est pourquoi dans le quatrième mois de l'époque Zheng guan[1], bravant des périls et des obstacles sans nombre, je suis parti en secret pour le Tian zhu, ou Yin du, que les gens du pays appellent Jambudvîpa.

Je me prosterne avec humilité devant Votre Sublime Majesté pour avoir osé exécuter sans ordre spécial de Sa part ce voyage dans les terres lointaines de l'Ouest. J'ose espérer qu'Elle voudra bien pardonner avec bonté à Son esclave repentant qui a couru beaucoup de dangers en faveur de la science et de la vertu. J'ai parcouru des plaines immenses, des déserts de pierres et des sables mouvants, j'ai franchi les hauteurs gigantesques des montagnes neigeuses, j'ai traversé les falaises escarpées des Portes de fer et les flots impétueux de la mer chaude. Parti de la cité divine de Chang an, j'ai terminé mon voyage dans les royaumes de l'Éléphant et dans l'île du Lion, au sud de Jambudvîpa, où les habitants sont noirs, petits de taille, violents et emportés. Dans cette longue pérégrination, sans jamais prendre de repos, j'ai parcouru cinquante mille li.

Toujours animée par une curiosité insatiable pour toutes les formes de la science, Votre Sublime Majesté voudra peut-être savoir de quels noms de mesure se servent, à la place des li, les habitants de Yin du. Ils sont très différents de ceux que nous devons en Chine à Vos illustres ancêtres et que tout le monde connaît : le li[2], le chang, contenu cent quatre-vingts fois dans le li, le chi et le cun, que les Barbares soumis par Votre Sublime

---

1. En 629.
2. Entre 550 et 600 mètres.

Majesté et qui lui paient tribut utilisent dans le monde entier sous le nom de pied et de pouce. Là-bas, au Yin du, depuis les saints rois de l'antiquité, un yojana représente la marche d'une armée pendant un jour. Suivant les anciennes traditions, un yojana correspond à quarante li ; d'après les usages de plusieurs royaumes de Jambudvîpa, c'est plutôt trente li ; enfin le yojana que mentionnent les livres sacrés ne contient que seize li.

Pour arriver à la dernière limite des petites quantités, on divise le yojana en huit krosa. Un krosa est la distance jusqu'où Votre Sublime Majesté peut entendre le mugissement d'un bœuf. Le krosa se divise en cinq cents arcs. Un arc en quatre coudées. La coudée en vingt-quatre jointures de doigt. La jointure de doigt en sept grains de blé tardif. De là, on arrive au pou ; à la lente ; au poil de vache ; au poil de mouton ; au poil de lièvre. Après sept divisions du poil de lièvre, on arrive à la poussière fine venant par un petit trou. La poussière fine venant par un petit trou ayant été divisée sept fois devient une poussière fine plus fine qu'aucun petit trou. La poussière fine plus fine qu'aucun petit trou ayant été divisée sept fois devient une poussière excessivement fine. La poussière excessivement fine ne peut plus être divisée. Si Votre Sublime Majesté commandait de la diviser encore, on arriverait au vide. Voilà pourquoi on appelle cette poussière, non seulement fine, mais excessivement fine.

La circonférence de tous les royaumes qui constituent Yin du est d'environ quatre-vingt-dix mille li. De trois côtés, la terre de Yin du ou Jambudvîpa est bordée par une grande mer, qui l'a souvent fait prendre pour une île. Au nord, en vérité, elle est adossée à des montagnes épouvantables qui portent des glaciers hérissés et des neiges qui ne fondent jamais. Elle est large au nord et resserrée au midi. Sa figure est celle d'une demi-lune. C'est pour cette raison que nous donnons à Jambudvîpa le nom chinois de Yin du, ou lune. Elle est divisée en soixante-dix royaumes. En tout temps, il y règne une chaleur excessive. La terre est humectée par une multitude de sources. Au nord, les montagnes et les collines sont imprégnées de sel et forment des chaînes continues. À l'est, les vallées et les plaines sont abondamment arrosées et les terres propres à la culture sont grasses et fertiles. Dans le sud, les plantes et les arbres végètent avec rigueur. Dans l'ouest, le sol est pierreux et stérile. Tel est l'aperçu sommaire qu'on peut donner de Yin du. Quant aux habitants de la région, ils portent des vêtements qui ne sont ni taillés ni façonnés. Parfois, ils ornent leur tête de guirlandes de fleurs et de bonnets chargés de pierres précieuses ; parfois, pour tout ornement, ils n'ont que des bracelets. En général, ils marchent nu-pieds, ils réunissent leurs cheveux, ils percent leurs oreilles, ils teignent leurs dents en rouge ou en noir, ils ont de grands yeux et surtout un long nez. Tel est leur air et leur extérieur. Les religieux et les savants qui peuvent expliquer les textes sacrés sont tenus en grande estime. S'ils savent traiter des sujets abstraits et développer des principes subtils avec une élocution élégante, on les fait monter sur des éléphants et, entourés d'une foule immense, ils passent sous des portes triomphales.

Malgré la différence des mœurs, la diversité des climats et les périls innombrables que j'ai rencontrés, fort de la protection du Ciel qui ne voulait pas que je meure et qui me contraignait d'avancer, j'ai marché, encore marché, toujours marché, et je suis arrivé partout sans accident. J'ai été comblé d'hommages, mon corps préservé n'a point connu la souffrance et les vœux de mon âme ont été aussi pleinement accomplis que possible.

En apprenant que j'arrivais des contrées lointaines où règne Votre Sublime Majesté, les rois et les princes donnaient des ordres autour d'eux pour que je fusse guidé avec sollicitude et accueilli avec ferveur. Souvent, il m'a été permis de parler en public pour la propagation de la loi. Plusieurs princes, après avoir daigné me donner solennellement le titre de frère, m'ont remis des lettres pour les souverains de plus de vingt royaumes des contrées occidentales et ont ordonné de me fournir, pour aller d'un pays à l'autre, une escorte et des vivres. Émus de pitié en songeant à l'abandon d'un pauvre voyageur qui traverse les contrées de l'Ouest et à la rigueur du froid qu'on ressent sur les chemins de neige, ils ont souvent commandé à des novices ou à des serviteurs de m'accompagner sur les routes et ils m'ont fait préparer des vêtements de religieux, des tapis de feutre, des bonnets garnis de coton, des fourrures et des bottes. Quelques-uns d'entre eux ont ajouté des pièces de soie et de taffetas et une quantité de monnaies d'or et d'argent qui ne s'épuisait jamais pour subvenir, pendant vingt ans, aux frais de l'aller et du retour. Étonné et confus de tant de bienfaits que je dois en vérité à la gloire universelle de Votre Sublime Majesté, je n'ai plus craint de traverser les périlleux glaciers des montagnes noires et blanches. J'ai eu le bonheur de saluer avec respect l'échelle du Ciel, le pic du Vautour, et l'arbre de l'Intelligence. J'ai vu des monuments divins. J'ai entendu expliquer des livres sacrés, inconnus en Chine avant moi. J'ai reçu de la bouche des maîtres l'enseignement de la droite loi. J'ai annoncé aux peuples étrangers les bienfaits et les vertus de mon Auguste Souverain et, par là, j'ai fait éclater en Son honneur les louanges et les respects. J'ai marché pendant dix-sept ans et je suis revenu dans l'empire où règne Votre Majesté.

Le grand éléphant qui m'avait été offert pour rapporter mes livres sacrés s'est noyé sur le chemin du retour en passant un grand fleuve du nom de Xin du, ou Sindh, ou encore Indus. Faute de chars pour transporter la grande quantité de documents que j'avais recueillis, j'ai dû retarder ma marche. Je vais partir avec toute la célérité possible pour aller me prosterner devant Votre Sublime Majesté. Ne pouvant contenir plus longtemps l'élan de mon admiration et de mon respect, j'ai osé Lui dépêcher un messager de Tourfan : il est parti à la suite d'une compagnie de marchands pour porter cette lettre au pied de Votre Trône, informer d'avance de ma prochaine arrivée Votre Sublime Majesté et solliciter mon pardon.

De retour en Orient, je traduirai les livres sacrés, je répandrai au loin des vérités inconnues, j'abattrai la forêt épaisse des erreurs, je détruirai les artifices des fausses doctrines, je réparerai les lacunes de la doctrine de l'Éléphant, je fixerai la boussole de la porte mysté-rieuse. Peut-être, par ces chétifs mérites, répondrai-je enfin à Vos immenses bienfaits et obtiendrai-je Votre indulgence.

Je finis cette lettre par l'expression respectueuse de ma reconnaissance. Comment la témoigner à Votre Sublime Majesté, je ne sais : les eaux débordées du fleuve Jaune ne sont rien auprès du torrent de Vos bontés ; les monts Cong ling semblent petits et légers en comparaison de la masse écrasante de tout ce que je Vous dois. Bientôt, je partirai pour aller me jeter aux pieds de Votre Sublime Majesté et la seule idée de me prosterner devant Votre Trône me transporte de bon-heur. »

Pendant des jours et des nuits, Isaac Laquedem, courrier de l'Empereur, galopa dans la neige. Il aimait avancer seul, jouer à courir des risques et avoir un terme devant lui. Les plaines interminables de Russie et de Pologne, entrecoupées de forêts et de fleuves à franchir, avec l'ennemi de tous les côtés et quelque chose encore à faire dans un monde inutile, lui convenaient mieux qu'à personne. Il oubliait. Il chantait de vieilles chansons qui lui revenaient à l'esprit de tous les coins du monde et des temps évanouis. Il y avait longtemps qu'il n'avait été aussi gai.

De temps en temps, au loin, à la corne des forêts de bouleaux ou se découpant en ombres vaguement menaçantes sur l'horizon des plaines, il apercevait des troupes d'hommes. Des Français ? Des Russes ? Des partisans ? Des pillards ? Dans le doute, il les évitait. Il lui fallait être à Paris au plus vite pour remettre les lettres qu'on lui avait confiées et pour annoncer l'arrivée de l'Empereur à la fille d'un ennemi de toujours et à d'anciens régicides tombés dans la servilité et dans un gâtisme lucratif devant un marmot de dix-huit mois.

— Laquedem, lui avait dit Beyle, vous êtes chargé d'une mission par l'Empereur. Si, pour une raison ou pour une autre, vous ne pouvez pas la remplir vous-même…

— Si je suis tué ?… avait dit Laquedem.

— Eh bien… oui, si vous êtes tué, ou gravement blessé, ou prisonnier…

— Je ne serai pas tué, avait dit Laquedem. Et il n'est au pouvoir de personne de m'empêcher de marcher.

— Enfin, bref, avait dit Beyle, légèrement agacé, si quelque chose se passe le long du chemin, remettez votre portemanteau à un homme de confiance que vous aurez choisi le mieux possible et qui atteindra Paris à votre place. Mais souvenez-vous de vous méfier.

L'estafette Laquedem était bien décidée à ne s'en remettre à nul autre et à franchir en personne le seuil des Tuileries. À intervalles réguliers, le cavalier tâtait de ses doigts gourds le portemanteau fixé à sa selle : les décisions de l'Empereur et le sort de l'Empire étaient entre ses mains.

Un matin, de très bonne heure — le soleil venait à peine de se lever sur la neige répandue et sous la neige qui s'obstinait à tomber sans répit —, Laquedem parvint au bord d'un fleuve qui n'était peut-être qu'une rivière et qu'il avait déjà traversé plusieurs fois dans un sens ou dans l'autre. Du printemps à l'automne, le fleuve, dont il ignorait le nom et qu'il avait baptisé Loire orientale, coulait paresseusement dans la grande plaine qui s'étendait à perte de vue dans toutes les directions. Les deux dernières fois déjà, les eaux étaient prises dans les glaces de l'hiver qu'une épaisse couche de neige fraîche était en train de recouvrir. Laquedem se souvenait d'un pont qu'il avait emprunté un ou deux mois plus tôt. La glace le rendait inutile, mais, sous les tourbillons de neige, il l'aperçut devant lui, un peu en amont, et se préparait à le franchir lorsque quatre cosaques à cheval surgirent soudain sous ses yeux.

Ils avaient dû passer la nuit sous le tablier du pont et

paraissaient sortir de la terre et des glaces. Laquedem, d'un geste vif, prit le pistolet dans sa fonte. Il eut le temps d'apercevoir, à travers le rideau de neige, le cosaque le plus proche : un visage de Kalmouk, avec des yeux bridés et des pommettes saillantes sous le bonnet de fourrure. Il vit surtout la lance, déjà pointée vers lui. Il tira. L'homme tomba. Une balle siffla : elle venait d'un autre cosaque qui le tenait encore en joue, d'une main que le froid ou la peur avait fait un peu trembler. Laquedem prit dans l'autre fonte son second pistolet et visa l'homme qui ouvrait une bouche ronde et des yeux effarés. À l'instant de tirer, il devina plutôt qu'il ne vit le troisième des cosaques en train de se jeter sur lui, le sabre déjà levé. Le canon du pistolet pivota de quelques degrés. L'élan du sabreur fut brisé d'un seul coup : une balle entre les deux yeux, juste au sommet du nez.

Laquedem tira son sabre et poussa son cheval contre le dernier des cosaques. Ils échangèrent quelques coups de sabre, se blessant légèrement, gênés par les deux corps étendus dans la neige qui commençait à rougir et par les chevaux sans cavalier qui se cabraient autour d'eux. Le courrier de l'Empereur voulut se dégager, rompre le combat, partir. L'autre galopa derrière lui, bientôt rejoint par celui dont la main avait tremblé. L'idée de Laquedem était de les entraîner l'un et l'autre loin du fleuve et de revenir en trombe sur le pont. Les deux cosaques comprirent son plan et, cessant de le poursuivre, ils revinrent en arrière s'établir devant le fleuve aux rives un peu escarpées pour l'empêcher de passer.

« Les imbéciles ! » grommela Isaac.

Quelques instants encore, il tourna le dos au fleuve et disparut dans la neige qui bouchait l'horizon. Les deux Russes survivants étaient en train de se pencher sur les corps de leurs camarades que la neige recouvrait déjà quand ils virent jaillir de la brume un cavalier lancé au galop qui se ruait sur eux, sabre au clair. Ils eurent le temps de se relever, de mettre la main sur leur lance. La tête du premier d'entre eux volait déjà dans l'air, détachée de son corps par un coup de sabre terrible qui venait, en fin de course, entamer l'épaule de son camarade, le cosaque à la main tremblante. « C'est un coup, devait écrire Giono, cent cinquante ans plus tard, qui exige dix ans de pratique et trois cents ans de désinvolture héréditaire. » Exact. Sauf que les dix ans de pratique avaient été interrompus par onze mois sur la mer au service du vicomte et que la désinvolture, loin d'être héréditaire, était un désespoir de beaucoup plus de trois cents ans. Le blessé s'écroula, poussant un cri d'horreur plus encore que de douleur. Le courrier de l'Empereur avait franchi le pont.

Il mit son cheval au pas pour le laisser reposer et poursuivit son chemin vers l'ouest. Il respirait un peu vite. En quittant la terre russe, le destin de ces hommes dont il avait tranché la vie lui trottait dans l'esprit. Ce n'étaient pas les premiers dont Isaac Laquedem, pour une raison ou pour une autre, sous ses noms successifs, avait dû se débarrasser. Le sang n'avait pas cessé, depuis pas mal de siècles, de couler autour de lui. Cette tête, tout de même, en train de sauter... L'image lui restait dans les yeux.

« Les imbéciles ! Ils se sont fait tuer pour rien. S'ils se contrefichent autant de leur tsar et de leurs boyards que je m'archifiche de l'archiduchesse et de cette archifri-pouille d'archichancelier, nous aurions mieux fait, tous les cinq, de vider une chopine que de vider notre querelle. Dommage. J'ai fait tout ce que j'ai pu pour les entraîner loin du pont. Tant pis pour eux. Il a eu de la chance, le trembleur. Quelque chose me dit que l'autre, celui dont la tête a volé, devait avoir une belle femme. Elle ne lui baisera plus les lèvres. Qu'est-ce que le trembleur va bien pouvoir faire de la tête ? Est-ce qu'il va l'enterrer dans la neige en la posant sur le corps ? Ou est-ce qu'il va tâcher de la conserver dans un petit bloc de glace et de la rapporter dans un sac pour l'offrir à la veuve ? Je ne sais pas bien ce qu'on fait d'une tête qui a volé en l'air. Dommage que je n'aie pas eu le temps de leur expliquer la vie. Je leur aurais dit que les Tuileries et le Kremlin, ce n'était pas notre affaire et qu'on se fichait pas mal du général Rostopchine et de Cambacérès. Ils n'ont jamais vu Rostopchine, je n'ai jamais vu Cambacérès. On ne va tout de même pas se faire tuer pour des gens qu'on ne connaît pas ? Ah ! ils m'auraient parlé de la terre russe. Je leur aurais répondu que l'Empereur était un sacré gaillard qui savait parler aux soldats. A la 18e demi-brigade, il disait : « Vous, la 18e, je vous connais : l'ennemi sera battu. » À la 32e : « J'étais tranquille : la 32e était là. » Et la 57e, il la traitait de « terrible ». Bah ! on aurait de toute façon dérangé nos cravates, on se serait donné sur la gueule. La tête aurait volé. Ce n'est pas parce qu'on se fout de tout qu'on ne va pas s'étriper. Il faut bien meubler l'existence, moi autant que les autres et les autres autant que moi. Tout ce que nous faisons dans cette vie n'a aucune importance, mais la vie nous est donnée pour faire avec passion des choses sans importance. La Grande Armée entre en Russie, Rostopchine brûle Moscou, le Petit Caporal essaie de faire sauter le Kremlin, il échoue, j'essaie de faire sauter une tête, je réussis : tout cela n'a pas plus de sens que cette mouche qui se pose sur l'oreille de Capitole. La vie est une passion inutile. Il faut traiter le monde avec une indifférence passionnée. La guerre, le cheval, la musique, l'amour servent à charmer la vie comme on charme un serpent et à camoufler l'indifférence. J'ai fait sauter cette tête pour occuper la veuve. Elle va beaucoup pleurer. Je l'imagine châtain clair... ou, peut-être, non, très blonde, avec des yeux bleu-vert et une bouche un peu épaisse. Ses mains, etc. »

Tournant et retournant ces pensées dans sa tête qui tenait toujours, hélas ! solidement sur ses épaules, Isaac Laquedem s'était déjà enfoncé assez loin en Pologne lorsque, sur une route toute droite, plantée d'arbres des deux côtés, où Capitole, son cheval, aussi infatigable que son maître, trottait allégrement, il fit soudain une autre rencontre. Il aperçut devant lui un cavalier qui avançait au pas, l'air négligent, avec une ombre d'insolence, dans un uniforme étincelant qu'il reconnut au premier coup d'œil : c'était le célèbre habit des aides de camp de Berthier. Court de taille, toujours affairé, bredouillant, gesticulant, cavalier et chasseur, petit noble d'Ancien Régime le plus souvent occupé à se ronger les ongles quand il n'avait pas les mains dans les poches ou un doigt dans le nez, Alexandre Berthier, major général de la Grande Armée, prince souverain de Neuchâtel, duc de Valengin, prince de Wagram, choisissait pour aides de camp des hommes d'une grande beauté. Leur uniforme avait été dessiné par l'un des leurs, le baron Lejeune. Le cavalier qui musardait sur un chemin de Pologne devant Isaac Laquedem portait cet uniforme avec une élégance surprenante pour le lieu et l'époque : vêtement à la hongroise, pelisse en drap noir, dolman blanc avec tresses d'or et fourrure, large pantalon rouge vif, shako écarlate surmonté d'une aigrette blanche en plumes de héron, le tout surchargé de galons, de torsades, de boutons en or. La ceinture était en soie noir et or, le sabre en acier de Damas. Le cheval, arabe, était aussi pomponné que son cavalier était couvert de galons et de glands d'or. La selle était ornée d'une peau de panthère, festonnée d'or et d'écarlate. Jetée avec une négligence qui supposait beaucoup d'art, elle fit envie à Laquedem qui n'avait plus envie de grand-chose, mais avait passé beaucoup de siècles dans un caftan sans forme et de couleur indécise. D'un coup d'éperon, le courrier de l'Empereur rattrapa le cavalier étincelant.

— Bonjour, mon capitaine, dit Laquedem en saluant. Que puis-je pour votre service ?

— Eh, l'ami ! dit l'aide de camp en tournant sa tête vers le nouveau venu comme s'il s'agissait d'une rencontre au bal du prince de Neuchâtel ou de l'archichancelier, quel bon vent... ?

— Courrier de l'Empereur, dit Laquedem.

L'estafette essaya bien de savoir à son tour ce que faisait sur une route de Pologne, avec l'air le plus détaché, un aide de camp de Berthier. Peine perdue. Laquedem ne réussit pas à découvrir si son nouveau compagnon, qu'il affubla en lui-même du surnom de *l'élégant*, était un déserteur en grand uniforme, un dilettante qui prenait du bon temps, un officier en mission qui n'avait pas froid aux yeux. Il était si naturel, en ce temps-là, de rencontrer des Français en Italie, en Espagne, dans le fin fond de la Pologne qu'Isaac Laquedem n'attacha à la question qu'une assez mince importance. L'estafette entraînant l'aide de camp, ils firent un bout de chemin ensemble, à vive allure, échangeant peu de mots. La nuit allait se mettre à tomber lorsqu'ils aperçurent un groupe de quelques maisons, adossées à un bois. Ils se dirigèrent vers la plus grande. Une femme parut à la porte.

— Et alors ?... dit Marie.

— Voilà bien les femmes ! dit Simon. Je vous raconte des choses du plus vif intérêt sur la poussière fine et excessivement fine dans l'Inde du VIIe siècle commentée par un Chinois voyageur et bouddhiste, sur les transmissions au sein de la Grande Armée pendant la retraite de Russie, sur la résistance juive aux Romains après la destruction du Temple de Jérusalem — et il faut bien reconnaître que vous écoutez tous ces détails positivement captivants de l'oreille la plus distraite. Mais à peine est-il question d'une femme qui, dans une nuit d'hiver, ouvre sa porte à deux hommes surgis d'on ne sait où que votre attention soudain s'éveille. Les deux hommes sont en uniforme. Ils descendent de cheval. Ils attachent leurs montures à un anneau de fer fixé au mur de la maison. La femme tient une lanterne à la hauteur de son visage que les deux hommes ne distinguent pas.

— Une lanterne ? dit Marie.

— Une lanterne, dit Simon. Je constate à regret que cette lanterne vous trouble autant qu'elle trouble les deux hommes qui sont debout dans la neige d'une nuit d'hiver 1812. Vous vous demandez ce qu'il y a derrière. Et eux aussi se le demandent. La femme regarde les deux hommes. Les deux hommes, immobiles, essaient de deviner ce que cache la lanterne.

Il y a ainsi des moments où le temps semble s'arrêter. Il coule inlassablement, il passe sans tourner les yeux, et puis, tout à coup, on dirait qu'il s'assoit. Il se relâche un peu. Il met ses pieds sur la table. Il incline son chapeau pour se protéger de la lumière. Il fait la sieste. Pendant des jours et des nuits, Isaac Laquedem avait galopé dans la plaine. Tout défilait à grande allure : les heures, les arbres, le paysage, les têtes détachées de leur tronc. Devant la maison, soudain, chaque chose reprend sa place. Un miracle de paix. Le silence. Le calme. Un sentiment de bonheur. Un air d'éternité.

Vous avez connu, naturellement, un jour ou l'autre, ces illuminations au petit pied, ces extases au rabais. Les voitures s'immobilisent, les pendules s'arrêtent, votre cœur cesse de battre, le monde cesse de tourner : il descend de là-haut et va vous tendre sa clé. L'inquiétude s'évanouit. Les mystères se dissipent. Tout s'explique. L'avenir explose dans votre poitrine. Inutile de chercher plus loin. Vous attendiez quelque chose qui maintenant vous attend. Ce sont ceux surtout qu'une idée fixe tourmente qui ont le sentiment d'être parvenus enfin au bout de leur chemin, là où est tapi le secret, si longtemps espéré. L'amour s'empare de l'amoureux et la paix du mourant. Le musicien, en un éclair, entend sa symphonie ; le peintre voit son tableau ; l'écrivain, transporté, comprend ce qu'il veut faire. Isaac Laquedem, à sa façon, était une sorte d'artiste : il s'imagina un instant qu'il avait fini de marcher et qu'il allait pouvoir mourir.

— Je parle beaucoup de la mort, dit Simon. Mais de quoi parler d'autre ? Vous, parce qu'elle vous menace ; et moi, parce que j'y aspire. Il faut que la vie soit bien forte pour nous faire oublier, à vous que vous allez mourir, à moi que je ne mourrai pas. Cocteau soutenait que le sommeil est le meilleur des narcotiques : il n'y a pas, contre la mort — ou contre l'absence de mort —, de divertissement plus puissant que la vie. Et la passion, de temps en temps, vient lui donner un coup de main. Parce qu'ils ont, l'un et l'autre, une part d'éternité en eux, rien ne vaut l'amour pour combattre la mort. Mais, à défaut d'amour, toutes les autres passions feront très bien l'affaire. L'essentiel est de nous distraire, de nous faire penser à autre chose, de nous occuper l'esprit avant la fin du jour et l'extinction des feux. Divertissement, la guerre. Divertissement, l'argent. Divertissement, le voyage. Divertissement, la religion. Divertissement, la peinture, la musique, l'architecture. Et divertissement, le savoir. Toutes les histoires que je vous raconte ne sont que des variations sur le thème du divertissement, c'est-à-dire de la mort.

Vous savez, bien sûr, qui est le maître du divertissement et l'origine et le modèle de tous les romanciers ? Non ce n'est pas Stendhal, ni Dumas, ni Cervantès, ni

Tolstoï. C'est la sultane Schéhérazade : elle racontait des histoires pour détourner le destin et écarter l'idée de la mort. C'est ce que fait avec vous, qui avez peur de mourir...

— Je n'ai pas peur de mourir, dit Marie.

— Vous avez peur, dit Simon, mais vous ne le savez pas. Parce que vous êtes très jeune et que vous ne pensez à rien. Mais si vous étiez moins jeune et que vous pensiez à quelque chose, vous penseriez à la mort et vous auriez autant peur de mourir que j'ai peur de ne pas mourir. Car il n'y a pas de vie qui ne soit dominée par l'ombre de la mort. Et tout l'effort de la vie est de repousser l'idée de la mort par le jaillissement, par l'abondance, par l'accumulation de la vie. C'est pour cette raison qu'il y a des routes, des ponts, des complots, des passions, des voyages, des Bourses, des opéras, des batailles, des concours d'élégance et des courses de taureaux, des amours heureuses et des amours malheureuses, des délires et des défilés, des ambitions et des rêves. Et des gens qui les racontent pour qu'il y ait — donjon dans le château-fort, second rempart derrière le premier — de la création au sein de la création et un peu plus de vie dans la vie. C'est ce que fait avec vous, qui avez peur de mourir, le pauvre Simon Fussgänger, qui meurt chaque jour de ne pas mourir. Des histoires ! des histoires ! Il nous faut des histoires pour oublier ce qui nous attend.

À peine le Maître de la loi était-il rentré à Chang an au son d'une musique de fête et sous les acclamations d'une foule enthousiaste qui grouillait dans les rues pavoisées de bannières qu'il apprit une nouvelle propre à le remplir de stupeur : Balkh venait de tomber sous les coups d'un ennemi inconnu.

Balkh, la ville natale de Zoroastre, défiguré avec génie sous le nom de Zarathoustra par un philosophe fou de la fin du XIXe siècle, était une ville florissante où Hiuan-tsang était passé au cours de sa marche vers les pays de l'Ouest, sur le chemin de Yin du. Elle s'appelait alors Bactres, ou, en chinois, Bo he, et elle était la capitale du royaume de Bactriane. Ce royaume s'étendait au pied de l'Hindou Kouch, au nord de Bâmiyân où s'élèvent les statues gigantesques du Bouddha, au sud de Samarkand, de Kash et des Portes de fer.

La traversée de Samarkand et des Portes de fer avait été très dure pour le Maître de la loi. Samarkand était une ville très riche, au sol gras et fertile, au climat tempéré, dont le roi, plein de courage, avait une armée très puissante. Mais ni le roi ni le peuple ne croyaient à la loi du Bouddha. Les gens de Samarkand adoraient le feu et attaquaient les pèlerins des autres religions, et notamment les bouddhistes, à coup de tisons enflammés. Hiuan-tsang avait été reçu par le roi avec des marques évidentes de mépris et deux jeunes religieux qui l'accompagnaient et qui étaient allés faire leurs dévotions dans un couvent d'ailleurs désert furent poursuivis par la foule avec des tisons ardents.

Il y avait deux choses que Hiuan-tsang savait et aimait faire : c'était marcher et parler. Toute une nuit, après les premières rebuffades, il avait réussi à s'entretenir avec le roi et à lui exposer le fruit des actions des hommes, les mérites du Bouddha et le bonheur qui découle des hommages qu'on lui rend. Le roi écouta d'abord avec réticence et mauvaise humeur et ne dissimula guère des mouvements d'impatience. Et puis, peu à peu, il se laissa prendre au charme de la parole du Maître de la loi et, de lui-même, il demanda d'en savoir plus sur la vie du Bouddha, sur son enseignement et sur les règles de la discipline. À la fin, transporté de joie, il témoigna à Hiuan-tsang le plus profond respect. Et quand il apprit le sort qui avait été réservé, sur son propre territoire, aux deux novices qui accompagnaient le pèlerin, il entra dans une grande colère et ordonna l'arrestation des coupables. On les prit, on les amena et, devant le peuple rassemblé, le roi les condamna à avoir les mains coupées. Mais le Maître de la loi, et les deux moines eux-mêmes, ne purent souffrir que même des barbares et des coupables fussent ainsi mutilés. Le Maître de la loi les sauva du supplice et profita de l'occasion pour exhorter le roi à la vertu. Le roi se contenta de les faire battre de verges et autorisa Hiuan-tsang à convertir les cœurs dépravés, à instruire dans la loi des hommes de tout âge et de tout rang, à rouvrir les couvents déserts et à y installer des sages, des savants et des religieux.

Au sud de Samarkand, à l'ouest du Pamir, au nord de l'Hindou Kouch, non loin de la ville de Kash, s'ouvraient les Portes de fer qui allaient réserver au Maître de la loi les épreuves les plus cruelles et de vives souffrances physiques. Creusées dans le cours supérieur de l'Amou Daria, que les Anciens appelaient Oxus et les Chinois Bo zu, les Portes de fer formaient une gorge étroite entre deux montagnes parallèles qui s'élevaient à droite et à gauche et dont la hauteur était prodigieuse. Ces montagnes, qui dressaient, des deux côtés, de grands murs de pierre couleur de fer, n'étaient séparées que par un sentier fort étroit et bordé partout de précipices qui courait alternativement le long des deux parois, passant de l'une à l'autre par des passerelles branlantes qui dominaient de très haut le lit du fleuve souvent à sec. Ce passage, déjà difficile, parfois couvert de glace et partout escarpé, était fortement défendu par des barrages de bois consolidés avec du fer. Et, soit pour prévenir des attaques, soit pour mettre en garde le voyageur contre les portions les plus dangereuses du chemin, une multitude de sonnettes en fer avaient été disposées un peu partout. C'est pour toute cette série de raisons que les habitants du pays avaient donné au défilé le nom de Portes de fer.

En sortant des Portes de fer, le Maître de la loi aperçut au sud les grandes montagnes neigeuses de l'Hindou Kouch ; il devina au loin, vers l'ouest, le royaume de Bo si, ou Perse ; vers l'est surgissaient les monts Cong ling qui rejoignent l'Himalaya en direction du sud. Il remarqua l'abondance des pluies mêlées de neige qui tombent sans discontinuer pendant toute la fin de l'hiver et une bonne partie du printemps. Et il poursuivit son chemin en direction de Bactres.

Le royaume de Bactres est entouré de hautes montagnes couvertes de neige. Les routes et les sentiers y sont encore plus difficiles et encore plus périlleux que dans les déserts de pierres et de glace. Le voyageur n'est pas un seul instant sans rencontrer des nuages congelés et des tourbillons de neige. Les glaces accumulées s'élèvent comme des montagnes et roulent en tourbillons sur une étendue de mille li. Tout autour de la ville étaient établis une centaine de couvents qui comptaient trois mille moines. Le Maître de la loi fut surtout frappé par l'écriture dont se servaient les moines et les savants : elle était constituée de vingt-cinq signes, pas un de plus, qui, à la différence des innombrables caractères chinois, n'avaient pas le moindre sens propre et qui se combinaient entre eux pour exprimer toutes choses. Les livres composés avec ces signes étaient écrits en travers et se lisaient de gauche à droite. Au nord des montagnes neigeuses avait été construit un couvent où des maîtres s'attachaient sans relâche à la tâche honorable de composer des sâstra, c'est-à-dire des traités philosophiques. Dans ce couvent étaient aussi conservés avec beaucoup de respect et une foi sincère une dent du Bouddha longue d'environ deux pouces et large d'un pouce, le balai du Bouddha dont le manche est orné de diverses pierres précieuses et la cuvette de différentes couleurs où se lavait le Bouddha.

La grande crainte des gens de Bactres, c'était les Turcs, vêtus de fourrures, ennemis familiers venus du nord et de l'est. Plus d'une fois, le khân des Turcs, suivi de toute sa horde, avait menacé Bactres. Beaucoup de peintures de la région représentaient des Turcs en train d'attaquer. On racontait que, lors de leur dernière apparition, leur chef, le khân Di She hu, fils de She hu, à la tête de ses soldats barbares, avait envahi le couvent où étaient entassés, à côté des reliques du Bouddha, beaucoup d'objets précieux et de grande valeur. Puis, pour passer la nuit, il s'était installé avec son armée dans la plaine voisine. Au cours de la nuit, il entendit en songe une voix qui lui disait : « Quelle est donc ta puissance pour que tu aies l'audace de vouloir détruire le couvent ? » Et, au même moment, il sentit une lance lui traverser la poitrine et le dos. Réveillé en sursaut, le khân éprouva une vive douleur. Il se hâta d'envoyer un messager aux religieux du couvent pour leur exprimer son repentir. Mais avant le retour du messager, il était mort.

C'était cette même ville de Bactres, si pleine de souvenirs du Bouddha et si mêlée à l'histoire souvent confuse des va-et-vient des hordes turques descendues de l'Altaï ou du Pamir, surgies des steppes de l'Asie centrale, dont des messagers hors d'haleine annonçaient la chute aux autorités de Chang an et au Maître de la loi. Elle avait été attaquée et conquise, racontaient-ils, non par les Turcs que tout le monde attendait, mais par des ennemis fabuleux et jusqu'alors ignorés, dont le nom même était inconnu, et qui, venus d'un pays lointain sur les flancs d'une Afrique de légende, auraient d'abord pris Ctésiphon, au sud-est de Bagdad, puis écrasé les Perses de l'armée sassanide à la bataille d'al-Qâdisiyyah. Ces ennemis jaillis de nulle part et dont personne ne savait rien portaient un nom plein de mystère : ils s'appelaient les Arabes.

Isaac Laquedem aurait voulu que tout s'arrêtât et que la femme dans la porte restât à jamais immobile, dissimulée derrière la lanterne qu'elle tenait à bout de bras et qui les éblouissait. Elle abaissa la lanterne, elle s'effaça en silence pour les laisser passer et, de la tête, elle leur fit signe d'entrer.

Ils entrèrent.

Dès qu'ils eurent pénétré dans la maison, elle referma la porte derrière eux avec soin, et elle se retourna. Elle était très brune, très mince, plutôt petite, avec un visage sévère, aux yeux immenses et sombres. Elle portait une robe noire très simple et se tenait là, très droite, sans un mot, appuyée contre la porte, les bras ballants, peut-être un peu tremblante.

— Je vois Maria Casarès, dit Marie.

— Si vous voulez, dit Simon. Maria Casarès. La pièce où ils se trouvaient était une cuisine assez vaste, très bien rangée, éclairée par deux chandelles, avec une table de bois et un feu qui brûlait dans l'âtre. Un escalier de bois, dans un coin, montait vers l'étage supérieur. Personne ne parlait. Il faisait chaud. Isaac éprouva à nouveau un sentiment d'éternité.

Ce qui se passa dans la maison appuyée à la forêt quelque part en Pologne pendant le terrible hiver de la retraite de Russie me reste encore obscur. Simon Fussgänger, au pied de la Douane de mer, en parlait avec réticence, coupant son récit de perpétuelles digressions, revenant avec complaisance sur les aventures de Hiuan-tsang ou de Ragnar le Savant, mêlant, selon son habitude, des épisodes très éloignés dans l'espace et dans le temps. Il semble qu'ils se soient d'abord affalés sur deux chaises, étendant sous la table leurs jambes gelées et rompues par la route, et qu'ils se soient mis à boire en silence. La femme, toujours sans un mot, remplissait les verres vides.

Très vite, les deux hommes sortaient pour s'occuper de leurs chevaux. « Les chevaux d'abord... », disait l'élégant. Elle les accompagnait dans la nuit, un châle rouge autour du cou, qui faisait une tache vive sur sa robe noire, la lampe au bout de son bras. Il neigeait toujours. Ils demandaient s'il y avait de la paille, du foin, une écurie. Elle les menait dans une étable où il y avait déjà une vache et un cheval. Elle leur montrait le foin, une brosse, de l'eau, deux couvertures dans un coin. Elle leur laissait la lampe accrochée à une poutre et elle regagnait la maison. Ils retiraient les selles, ils bouchonnaient leurs chevaux, ils leur donnaient à boire et à manger, ils vérifiaient les fers, ils regardaient s'il n'y avait pas de blessure ni de crevasse. Quand ils rentraient à leur tour, ils trouvaient la table couverte de plats qui répandaient une odeur délicieuse : soupe aux choux, belle omelette, fromage qui sentait fort. La chaleur faisait son effet. L'alcool aussi. Les langues des deux hommes se déliaient. Chacun y allait de son couplet. L'élégant, qui mangeait et buvait de bon cœur, parlait de Murat, de Davout, de Berthier qu'il mettait bien au-dessus de tous les généraux de Napoléon, Isaac racontait, en plus bref, comme s'il s'agissait de lectures ou de vieilles traditions passées de génération en génération, l'une ou l'autre des histoires qu'il nous racontait à nous-mêmes, à Marie et à moi, depuis cinq ou six jours, devant la Douane de mer. Seule, debout dans un coin, la jeune femme se taisait. Elle n'avait pas desserré les dents depuis que les deux cavaliers étaient entrés chez elle.

De temps en temps, un des deux hommes se levait, allait à la fenêtre, regardait au-dehors. La neige tombait de plus belle.

— Y a-t-il des loups ? demandait l'élégant.

La jeune femme se tournait vers lui et ne répondait pas. Ils commençaient à se regarder, à se demander si elle était idiote ou muette. L'homme revenait s'asseoir à la table. La femme lui versait à boire. Le silence retombait. L'atmosphère, comme on dit, était à couper au couteau. Isaac Laquedem ouvrait la bouche pour dire quelque chose lorsque l'élégant s'écroula sous le coup de la fatigue et de l'alcool. La femme aida Isaac, qui vacillait lui-même, à traîner le corps inerte jusqu'au haut de l'escalier de bois et à le jeter sur un lit couvert d'une couette épaisse dans une chambre pauvre mais propre où le courrier de l'Empereur eut le temps d'apercevoir, sous des dentelles et des franges, un deuxième lit à côté du premier. C'était une chance. Il y tomba à son tour, comme une masse.

Le Maître de la loi, qui était très savant et avait lu beaucoup de livres, comprit aussitôt que la chute de Bactres était bien autre chose que les combats perpétuels contre les hordes turques et les querelles intérieures qui agitaient régulièrement les royaumes des contrées de l'Ouest. Des messagers hors d'haleine lui apportaient des nouvelles de la bataille d'al-Qâdisiyyah et de la victoire des Arabes sur les Perses, que les vainqueurs, dans une langue incompréhensible que Hiuan-tsang était le seul Chinois à parler, appelaient déjà *fath al-futuh* : la victoire des victoires. Les voyageurs racontaient que les Arabes étaient commandés par un général qui s'appelait Omar. Cousin et beau-père d'un Prophète du nom de Muhammad, ou Mahomet, envoyé par le Dieu unique pour conquérir le monde, Omar portait les titres de calife et de commandeur des croyants — *amir al-mûminîn*. Des témoins dignes de foi assuraient que, fidèle à l'esprit d'austérité et de magnificence de la nouvelle religion, le commandeur des croyants, vêtu de loques rapiécées, avait fait son entrée dans la ville sainte de Jérusalem sur un chameau blanc comme neige : la pauvreté des loques manifestait son mépris pour lui-même et la magnificence du chameau la grandeur de son Dieu. À peine rentré chez lui, à Chang

467

an, le Maître de la loi n'eut qu'une idée en tête : repartir sur les chemins, regagner Bactres coûte que coûte, se mêler aux Arabes, retourner, par Bagdad et Damas, vers les terres bénies de son enfance où il était encore comme tout le monde et où chaque jour un peu plus le rapprochait de cette mort qui, plus tard, n'allait cesser de le fuir.

— Je m'étais jeté dans le bouddhisme parce que toute vie, à ses yeux, est interminable et pénible. Parce qu'il faut aspirer à en sortir pour toujours. Et parce que le bouddhiste, en attendant la délivrance, ne meurt jamais que pour renaître. Il n'y avait rien de plus bouddhiste que de mourir au bouddhisme et de renaître ailleurs. C'est ce que j'ai fait. J'ai disparu en Chine. J'ai marché, j'ai marché. J'ai resurgi en Islam. J'ai été aussi arabe dans ma nouvelle incarnation que j'avais été chinois dans l'ancienne. Je n'ai eu aucune peine à me retrouver musulman : Juifs et Arabes sont ennemis, mais ils sont d'abord frères. J'ai aimé les chevaux, les faucons, les fontaines, les châteaux forts perchés à la sortie des déserts, les bazars, la guerre sainte, les longues soirées sous la tente où, caravane après caravane, le conteur ambulant racontait aux marchands descendus de leurs chameaux les aventures merveilleuses de Sindbâd le Marin ou de la lampe d'Aladin ou des quarante voleurs autour d'Ali Baba. Historiens et philologues se sont beaucoup interrogés sur l'origine des *Mille et Une Nuits* où se retrouvent, mêlées, des influences persanes et arabes, des traces de voyages un peu partout, en Inde, à Samarkand, à Ispahan, en Chine, la connaissance de l'Occident et des tournures de phrases et d'esprit qui ne peuvent être que juives. Vous devinez, j'imagine, qui racontait ces histoires, pendant des heures et des heures, pendant des siècles et des siècles, à des jeunes gens étonnés, et à des vieillards aussi, dans des Venises de sable, au pied de bien d'autres Douanes de mer.

468

J'ai surtout aimé, chez les Arabes, leurs éternelles migrations. Ils marchent plus qu'aucun autre peuple parce que la religion leur fait un devoir de marcher. Je les ai suivis jusqu'à La Mecque où j'ai accompli avec ardeur tous les rites du hadjdj et d'abord le tawâf et le sa'y. J'étais à mon affaire : il s'agit de tourner sept fois autour de la Kaaba et de marcher aussi vite que possible à l'intérieur de l'enceinte de la Grande Mosquée — la seule au monde à compter sept minarets — en souvenir de la course désespérée d'Agar à la recherche d'un peu d'eau pour son fils Ismaël. J'ai tourné sept mille fois et sept fois sept mille fois autour de la Kaaba où est scellée la Pierre noire donnée à Abraham par l'archange Gabriel et je n'ai jamais cessé de courir, comme Agar, derrière quelques gouttes d'eau pour apaiser cette soif brûlante que vous appelez la vie.

J'ai suivi les Arabes dans leur marche triomphale qui, après les avoir menés aux frontières de l'Éthiopie, de la Chine et de l'Inde, les a entraînés, au nom d'Allah, le Miséricordieux, le Tout-Puissant, et sous l'étendard vert du Prophète, en Égypte, au Maghreb, en Andalousie, en Espagne. Un torrent de foi. Une avalanche. Vous vous doutez bien qu'un certain mois d'octobre, un peu moins de cent ans après la bataille d'al-Qâdisiyyah, j'étais du côté de Poitiers pour une autre bataille, bien moins considérable mais tout aussi fameuse, où l'émir Abd el-Rahmân — béni soit son saint nom ! —, qui avait poussé plus loin vers le nord qu'aucun guerrier arabe, a fini par se faire tuer par le grand-père du grand empereur.

J'ai marché dans un sens et j'ai marché dans l'autre. Les gens tombaient autour de moi et je continuais à marcher. Depuis les déserts d'Arabie jusqu'aux plaines du Poitou et de Damas à l'Espagne, j'ai marché. Plus tard, quand j'ai cessé d'être arabe pour partir dans l'autre sens, de Clermont à Jérusalem et de Vézelay à

Constantinople, j'ai marché. À Vézelay, dans la basilique bourguignonne au sommet de la colline, j'ai retrouvé le souvenir de Marie-Madeleine. Beaucoup de temps avait passé. Vous savez ce que c'est : la fureur s'était évanouie, la tendresse était restée. Je me suis croisé pour elle. D'un côté comme de l'autre, chez les musulmans comme chez les chrétiens, j'étais un parmi des millions et je vous prie de croire que je ne figurais pas parmi les califes, les sultans, les émirs ni les chevaliers, les rois, les avoués du Saint-Sépulcre. Je marchais à pied, je souffrais, je ramais sur les galères, j'achetais et je revendais, je racontais des histoires, je pillais, je violais, je tuais, je faisais nombre. Je faisais ce qu'ils faisaient tous. À une seule exception près : jamais personne ne m'a tué.

Il y avait autre chose encore qui me distinguait de la masse de mes compagnons : un sage indien m'avait confié un secret. Quand, venant de l'Inde et de Chine, je marchais avec mes Arabes qui sortaient du désert pour conquérir le monde, je portais avec moi et en moi des trésors innombrables. Des mots de toutes les langues, des images de tous les pays, des souvenirs de tous les temps. Je traînais des livres dans ma besace, des plantes pour guérir le mal, des cartes de régions inconnues, des formules sacrées de toutes les religions. J'étais un voyageur, un savant, un type peu sûr aussi, un traître aux yeux de beaucoup. Un homme qui était passé d'un pays à un autre, d'une croyance à une autre et qui avait survécu à tout, aux famines, aux incendies, aux inondations, à toutes les formes de catastrophes et à toutes les figures de la gloire, aux révolutions et aux guerres. Rien de plus louche que de survivre. Je savais beaucoup de choses qui auraient étonné les autres s'ils les avaient connues et qui leur auraient fait peur s'ils les avaient comprises. Je détenais la réponse à beaucoup de questions et la clé de beaucoup de mystères. Je détenais surtout un secret. C'était le secret le plus simple et le plus formidable. C'était un secret qui donnait la puissance sur l'univers et qui commandait tout l'avenir. C'était un secret aux apparences d'énigme, à l'allure de paradoxe. Le fardeau le plus lourd que j'aie jamais trimbalé avec moi entre l'Inde et l'Islam était en même temps le plus léger. Car, peut-être plus décisif que l'invention du feu, ce secret était quelque chose qui existait et qui n'existait pas. Quelque chose qui ressemblait au nom de Dieu et que les mots des hommes étaient à peine capables d'exprimer. C'était d'abord un rien, un vide, une absence, un néant. Il allait changer le monde.

Isaac Laquedem se réveilla brutalement : il avait affreusement mal au crâne et quelqu'un le secouait. Il referma les yeux. Il lui semblait qu'il faisait grand jour et que la lumière l'éblouissait.

— Réveillez-vous ! Réveillez-vous !

Il ouvrit les yeux à nouveau. Ce qu'il vit lui ôta toute envie de replonger dans le sommeil. Sur le lit à côté de lui, l'élégant gisait nu, la gorge tranchée. Du sang avait coulé partout. Il y en avait par terre, sur les murs, sur les rideaux, le long du bras qui pendait vers le plancher. Dégrisé d'un seul coup, Laquedem se jeta hors de son lit. Il comprit aussitôt qu'il était nu, lui aussi, et que, debout à deux pas de lui, la jeune femme en noir le regardait. Il ne sut pas quoi faire et se troubla un peu.

— Ne soyez pas idiot. Aidez-moi.

Ainsi, non seulement elle parlait, mais elle parlait français ! Elle parlait français avec un accent qui n'était pas polonais. Italien plutôt, ou espagnol. Oui, bien sûr : espagnol. Elle était devant la fenêtre maintenant et elle observait quelque chose, ou elle faisait semblant d'observer quelque chose, sur la plaine ou dans la forêt en tapant des ongles contre le bois de la croisée. La neige avait cessé de tomber. Tout était blanc à perte de vue.

— C'est vous qui l'avez tué ? demanda Laquedem.

— Habillez-vous d'abord et aidez-moi.

Tournant le dos à la jeune femme, il chercha ses vêtements. Il tomba sur ceux de l'élégant, qui était à peu près de sa taille. Ils lui avaient fait envie la veille. Il hésita un instant. « Bah ! se dit-il, ils ne lui serviront plus ! » Et il enfila en vitesse la chemise en fine batiste et le large pantalon rouge vif.

— Ils vous vont mieux qu'à lui, remarqua-t-elle.

Ils prirent le corps tous les deux et ils lui firent redescendre mort l'escalier en bois qu'ils lui avaient fait monter vivant. Un drap était étendu sur le sol. Ils l'enveloppèrent dans le drap et ils rangèrent tant bien que mal le désordre de la chambre et de la cuisine.

— Dès que la nuit sera venue, je le jetterai dans la rivière.

Elle disait cela sur le ton le plus calme. Il la regarda.

— On ne peut pas tout comprendre, lui dit-elle.

— Est-ce vous qui l'avez tué ? demanda-t-il à nouveau.

Elle haussa les épaules.

— Vous pouvez imaginer tout ce que vous voulez. Qu'il y a des bandits qui sont venus pour l'égorger dans son lit et que j'ai crié si fort qu'ils se sont enfuis. Que je fais partie d'un groupe qui exècre les Français et qui extermine ceux qui lui tombent entre les mains. Que je suis entrée dans votre chambre ce matin, qu'il m'a jetée sur son lit et que je l'ai tué pour me défendre. Qu'il s'est tranché la gorge lui-même dans un accès de démence. Que vous êtes somnambule et que c'est vous qui l'avez tué. Que j'ai reconnu en lui dès hier soir un homme que je haïssais depuis longtemps et que j'ai vengé cette nuit ce qu'il y a de plus cher pour une Espagnole : l'honneur de la famille. Qu'il y a un autre homme dans la maison et que c'est lui qui l'a tué. Que je suis une folle dangereuse, échappée il y a quinze jours d'une maison d'aliénés. Que vous m'avez plu si fort et si vite que je me suis débarrassée de lui pour rester seule avec vous.

Isaac Laquedem se demandait s'il s'était vraiment réveillé ou s'il rêvait la scène qu'il était en train de vivre. Il essayait de se souvenir de la soirée de la veille, des soins donnés aux chevaux, du souper dans la cuisine, des eaux-de-vie absorbées... Il se passa la main sur la figure.

— Est-ce que nous deux, cette nuit ?...

— Ça aussi, dit-elle, c'est un mystère et un secret.

Il y eut un silence.

— Qu'est-ce que vous comptez faire ? lui demanda-t-elle.

— Je ne sais pas, dit-il. Je crois qu'il faudrait prévenir quelqu'un et entreprendre une enquête. Je n'ai pas le temps.

— Je pensais bien, dit-elle.

— J'ai une mission à...

À peine avait-il prononcé ces mots, que l'idée du portefeuille le traversa en un éclair. Le portefeuille de l'Empereur ! Il se précipita dans la chambre. Le portefeuille était là, au milieu de ses vêtements qui traînaient sur le sol. Il avait donc pris la précaution, la veille au soir, de le garder avec lui. Il l'ouvrit. Rien ne manquait. Les émeraudes et les rubis de la croix de l'église Ouspenski brillaient de tous leurs feux au milieu des dépêches et des lettres à l'impératrice et à l'archichancelier.

— Alors ?... dit-elle, avec un vague sourire.

— J'ai une mission à remplir. Il faut que je parte très vite. Pour beaucoup de raisons, la mort des autres n'est pas mon affaire. Je ne connaissais pas cet homme. Je ne ferai rien contre vous. Mais, avant de partir, il faut que je sache..., que je comprenne..., il faut que vous me disiez...

— Que je vous dise quoi ? Que vous sachiez quoi ?

— Mais ce qui s'est passé, qui vous êtes, ce que…

Il l'avait prise par les épaules, il se mettait à la secouer, il la serrait entre ses mains pour lui arracher son secret. Elle leva la tête, avec un gémissement étouffé.

Tout avait commencé du côté du couvent de Nâlandâ, sur le cours inférieur du Gange, en aval de Vârânasî et de Pâtaliputra pura, que nous appelons aujourd'hui Bénarès et Patna, en amont du delta, au sud-est de l'État actuel du Bihar. Dans cette région humide et fertile, les prodiges n'ont jamais manqué. Ils ne manquent d'ailleurs jamais nulle part : ni dans les déserts, ni dans les hautes vallées, ni dans les plaines, ni dans les villes. C'est sur les bords du Gange, aux environs de Pâtaliputra pura que le grand roi Asoka avait établi un camp de concentration pour faire souffrir ses ennemis. On y trouvait de vastes chaudières sur des brasiers ardents, des pinces rougies au feu, des roues dentées pour broyer les chairs, des épées acérées et toutes sortes d'instruments de torture qui faisaient ressembler le camp à un séjour infernal. Le roi avait recruté une troupe de scélérats et les avait préposés à la garde de cette prison. Au début, seuls les criminels qui avaient violé les lois étaient jetés dans le camp. Ceux qui avaient déplu au roi les rejoignirent bientôt. Plus tard, tous ceux qui avaient le malheur de passer à proximité de la prison et qui entendaient les cris des suppliciés furent saisis et massacrés. Le roi fermait ainsi la bouche aux victimes et aux témoins.

Un jour, un sramana arriva par hasard jusqu'à la porte de la prison. Il aperçut de loin un homme chargé de chaînes à qui on avait coupé les mains et les pieds et dont tout le corps était déchiré. Les scélérats qui gardaient le camp s'emparèrent aussitôt du bhiksu et voulurent le faire périr. Ils le jetèrent dans une chaudière d'huile bouillante. Mais, à force de pitié et de méditation, le sramana s'était élevé à la dignité d'un homme parfait, d'un saint, d'un arhat : il se trouva dans la chaudière d'huile bouillante comme dans un bassin d'eau fraîche et un immense lotus se déploya sous lui pour lui servir de siège.

Le directeur de la prison fut saisi de stupeur et envoya aussitôt un messager prévenir le roi. Le roi vint en personne et admira le prodige. Le directeur et les gardiens se tournèrent alors vers Asoka et lui dirent :

— Ô grand roi, il faut mourir.

— Pourquoi cela ? dit Asoka.

— Parce que le roi en personne nous a adressé un décret ainsi conçu : « Quiconque arrivera jusqu'aux murs de la prison sera aussitôt mis à mort. » Le décret ne mentionne pas d'exception pour le roi.

— Eh bien, dit le roi, il ne mentionne pas non plus d'exception pour les gardiens. Avoir laissé vivre aussi longtemps des hommes qui se sont rendus indignes de vivre est une faute que je me reproche.

Aussitôt, le roi Asoka ordonna à ses officiers de jeter directeur et gardiens dans une chaudière ardente. Puis il sortit du camp, abattit les murs, combla les fossés, détruisit la prison, adoucit la rigueur des peines et se convertit au bouddhisme. Et aux frontières de son empire qui s'étendait très loin, il éleva des colonnes où il fit graver la vraie loi.

C'est dans cette même région qu'on pouvait voir aussi le trône de diamant, qui avait été construit au commencement du kalpa des sages et qui contribuait à l'équilibre de la Terre, et l'arbre de l'Intelligence, un figuier de l'Inde, ou pippala, sous lequel devaient s'asseoir pour obtenir l'intelligence suprême les mille Bouddhas du kalpa des sages : les quatre Bouddhas déjà passés et les neuf cent quatre-vingt-seize qui sont encore à venir. Beaucoup d'autres monuments s'élevaient encore le long du Gange inférieur. Le plus considérable était le couvent de Nâlandâ.

Au nombre de plusieurs milliers, les moines de ce couvent avaient tous de la vertu, des talents distingués et une grande instruction. Leur règle était très sévère et leur conduite très pure. S'il y avait des hommes incapables de traiter les matières abstraites des Trois Recueils, ils étaient comptés pour rien et se voyaient couverts de honte. Beaucoup d'étudiants étrangers qui désiraient acquérir de la réputation et répandre au loin le bruit de leurs talents prenaient le chemin du couvent. Pour en éliminer le plus possible, le gardien de la porte, qui était lui-même un savant, leur posait des questions difficiles. Le grand nombre était réduit au silence et s'en retournait. Le petit nombre de ceux qui paraissaient instruits était interrogé tour à tour au milieu de l'assemblée des religieux qui s'efforçaient de briser la pointe des esprits et de faire tomber les réputations. Ceux qui avaient une forte mémoire, une vaste érudition, une vertu brillante et un talent élevé associaient leur gloire à celle de leurs devanciers et suivaient leur exemple. Ce fut le cas de Hiuan-tsang qui força le respect de tous ces hommes d'âge mûr, versés dans l'intelligence des sâstra et des sûtra. Les moines le logèrent dans une maison magnifique et lui fournirent toutes sortes de provisions. Chaque jour Hiuan-tsang recevait vingt fruits de pûga et de jâti, qui sont des sortes de noix, une once de camphre, un peu d'huile, de beurre, de lait et un cheng de l'espèce de riz appelé gong da ren mi ou « riz à l'usage des grands », dont le grain est très gros et le goût délicieux. De temps en temps, il était promené sur un éléphant, en palanquin ou dans un char.

Le jour de la naissance du Bouddha, il y avait fête à Nâlandâ. Sur des chars à quatre roues, les moines avaient dressé cinq étages en bambous soutenus par des lances. Le tout formait une colonne haute de plus de deux chang, qui avait l'aspect d'une tour. La colonne était couverte d'un tapis de feutre blanc, orné d'images de toutes les divinités célestes, décoré d'or, d'argent et de verre de couleur. En haut était attaché un toit d'étoffe brodée. Aux quatre coins des chars, dans de petites chapelles, étaient assis des Bouddhas, avec des Bodhisattvas debout à leurs côtés. Une vingtaine de ces chars, qui différaient tous l'un de l'autre par les couleurs et la décoration, étaient promenés au milieu d'une grande affluence de visiteurs et de badauds. Tout autour du couvent, on donnait des représentations théâtrales, on faisait des tours de force, on jouait de la musique. Le Maître de la loi, qui était sorti regarder le spectacle, se trouva soudain projeté par un mouvement de foule contre un homme entre deux âges qu'il avait déjà croisé et qui avait été, lui aussi, accueilli dans le couvent où il jouissait d'une réputation à la fois de sagesse et d'étrangeté. Il s'appelait Aryabhata. Malgré l'opposition de leurs caractères et de leurs opinions, ils devinrent amis.

Aryabhata vénérait le Bouddha, mais s'intéressait médiocrement aux Trois Recueils et aux Six Vertus. Pour lui, le mont Sumeru n'avait jamais existé et il y avait, dispersées et adorées d'un bout à l'autre de Jambudvîpa, plus de dents du Bouddha qu'il n'y en avait jamais eu dans la bouche de Sâkyamuni. Ce qui, jour après jour, et nuit après nuit, occupait Aryabhata, c'était les caractères qui servaient à représenter le nombre des personnes et des objets, sans la moindre considération pour la nature de ces objets ni la situation de ces personnes. À ces caractères, il donnait le nom de chiffres. L'étude de ces chiffres était par nature très abstraite et lui avait valu l'estime et le respect des moines de Nâlandâ, souvent effrayés par son manque de piété.

Autant que la contemplation des étoiles pendant les nuits sans lune ou le décompte des troupeaux dans les champs ou des troupes en présence les veilles de batailles, c'était pourtant l'observation de manifestations pieuses et de rites religieux qui avait poussé Aryabhata à s'intéresser aux chiffres. Il avait remarqué que les moines se livraient devant les reliques du Bouddha à des salutations et à des prosternations très nombreuses dont il leur arrivait, pour des motifs de piété ou de vanité, de vouloir tenir le compte. Ils se servaient de nœuds sur une cordelette, d'encoches dans un morceau de bois, de cailloux ou de fèves qui passaient d'un tas à un autre. Le système fonctionnait à merveille pour les petites quantités. Tant qu'il s'agissait de quarante vaches ou de vingt-cinq prosternations, les nœuds, les encoches, les cailloux ou les fèves accomplissaient leur office. Les choses se gâtaient avec les très grandes quantités. Non seulement l'esprit se brouillait assez vite, mais les mots se mettaient à manquer pour désigner le nombre des étoiles dans le ciel ou la foule des guerriers sur un champ de bataille. Les problèmes de nomenclature venaient s'ajouter et presque se substituer aux problèmes d'arithmétique et de mathématique. Hiuan-tsang était habitué aux milliers de caractères chinois dont chacun avait sa signification propre et désignait un être, une idée ou une chose. Le nombre des nombres était plus infini encore que le nombre des êtres et des choses et il était impossible de ne pas se perdre dans le vertige de leur maniement.

Aryabhata avait découvert que la solution du problème passait par la constitution de séries abstraites, homogènes et répétitives : au lieu de se contenter de compter les nœuds, par exemple, on comptait des cordelettes qui comportaient chacune un nombre fixe de nœuds. On passait des nœuds aux cordelettes, et des cordelettes aux amas de cordelettes qui comportaient chacun un nombre fixe de cordelettes. Pour compter les prosternations devant les images du Bouddha, les amas de cordelettes ou les morceaux de bois successifs avec un nombre fixe d'encoches apportaient à la mémoire un soulagement considérable. Mais les moines de Nâlandâ se servaient surtout, parce que c'était plus simple, des doigts de leurs deux mains.

Les doigts des deux mains constituaient pour chacun la série la plus simple, celle qui s'imposait à l'esprit avec le plus d'évidence. Rien n'était plus facile que de compter ainsi jusqu'à dix. Après une première série de dix, on passait, sans s'encombrer de cordelettes, ni d'amas de cordelettes, ni d'encoches sur des morceaux de bois, à une deuxième, à une troisième, à une dixième série de dix. La seule difficulté était qu'il fallait se mettre alors à compter aussi les séries. Les doigts servaient d'abord à compter le nombre de prosternations à l'intérieur de chaque série ; ils servaient ensuite à compter le nombre des séries. Les choses devenaient déjà un peu plus compliquées. Familier des jeux abstraits proposés, dans un autre domaine, par les Trois Recueils, les Trois Mondes et les Trois Connaissances, le Maître de la loi suivait avec une attention passionnée l'exploration par Aryabhata de l'univers mystérieux de la quantité et des nombres.

Un jour, Aryabhata entraîna Hiuan-tsang dans une longue promenade autour de Nâlandâ. Ils virent des moines et des guerriers, des artisans, des agriculteurs, des hommes de la plus basse condition et le cortège d'un prince, des palais, des échoppes, des bateaux sur le Gange, tous les témoignages de l'activité et des passions d'ici-bas.

— Je crois, dit Aryabhata, qu'il y a un monde secret sous le monde apparent.

— Je le crois aussi, dit Hiuan-tsang.

— Peut-être mon monde secret, dit Aryabhata en souriant, n'est-il pas le même que le tien ?

— Peut-être, répondit Hiuan-tsang, y a-t-il un grand secret qui contient tous les autres ? C'est celui que contemple le sourire du Bouddha.

Aryabhata se mit à raconter à Hiuan-tsang qu'à peu près à la même époque que Confucius et Bouddha vivaient, loin à l'ouest des contrées de l'Ouest, des savants et des sages qui voyaient des barbares dans tous les autres peuples. Ils portaient le nom de Grecs. Hiuan-tsang sourit : dans une vie antérieure, il avait connu des Grecs.

Les Grecs, disait Aryabhata, avaient compris que le monde pouvait se ramener à des nombres. Ils avaient inventé, ou merveilleusement perfectionné, la science de leur mesure et de leurs rapports. Mais ils n'avaient pas découvert ce que lui, Aryabhata, avait su découvrir. Il avait trouvé le grand secret qui faisait sourire le Bouddha.

— Le grand secret ?... disait Hiuan-tsang.

— Enfin..., disait Aryabhata. Une partie du grand secret. Un pas vers le grand secret.

À l'émerveillement du Maître de la loi, Aryabhata lui expliqua qu'il avait trouvé le moyen d'exprimer la totalité de tous les nombres qui constituaient l'univers en se servant seulement de neuf signes ou caractères auxquels il donnait le nom de chiffres. Il assurait que son système était plus simple et plus souple que tous les systèmes précédents, et notamment que ceux dont se servaient les savants de Babylone, d'Alexandrie ou de Grèce. Hiuan-tsang écoutait avec avidité et ne comprenait pas comment neuf caractères pouvaient suffire à compter les bienfaits du Bouddha, les grains de riz d'une récolte, les étoiles dans le ciel, alors qu'il lui fallait des milliers et des milliers de caractères pour transcrire en chinois les Trois Recueils du canon bouddhique. Aryabhata se mit à rire.

— Il y a un secret, dit-il.

La stupeur de Hiuan-tsang fut portée à son comble lorsque, quelques jours plus tard, dans la pièce la plus reculée de la maison près du couvent, Aryabhata, après avoir pris toutes sortes de précautions pour que personne ne pût les voir ni les entendre, demanda un parchemin, un pinceau et de l'encre.

— Voici le secret, dit-il au Maître de la loi qui l'observait avec toute la force d'attention dont il était capable.

Et, sur le parchemin, d'un coup de pinceau décidé, il traça ceci :

●

— Qu'est-ce donc ? demanda Hiuan-tsang en se penchant, l'air méfiant, sur le plus bref de tous les travaux de l'esprit.

— C'est un point, dit Aryabhata.

— Je vois bien, dit Hiuan-tsang. Mais encore ?

— C'est le grand secret, dit l'Indien.

La traversée de l'Allemagne fut au moins aussi rude que celle de la Russie. La Russie était déserte, l'Allemagne était pleine d'ennemis plus ou moins déclarés. En sortant d'une auberge au sud-ouest de la Prusse, Isaac Laquedem, pour se frayer un chemin parmi une foule hostile qui s'était amassée sur son passage et pour rejoindre son cheval, dut accepter le bras que lui offrait son hôtesse, une très belle femme, ma foi, plutôt forte en gueule, et qui n'était pas insensible aux prestiges de l'uniforme.

Le cheval n'était plus le même. L'homme était toujours le même, mais le cheval avait changé. Avec un peu de tristesse, le messager de Daru avait laissé Capitole en Pologne, dans l'écurie près de la forêt, et il s'était emparé du cheval arabe de l'élégant. Sur sa nouvelle monture, dans son uniforme flamboyant, il avait fière allure. Jamais peut-être Isaac Laquedem n'avait été aussi beau. Ce n'était plus le vagabond en lambeaux qui avait couru les âges de la rigueur classique et des charmes baroques parmi les mousquetaires, les chambrières, les musiciens et les philosophes, ce n'était même plus l'obscur courrier de l'Empereur, au passé incertain malgré ce mépris de la mort qui épatait Henri Beyle : il était entré dans la peau de l'élégant dont il avait, *post mortem*, confisqué les habits. Il le revoyait sur le lit, la gorge ouverte, couvert de sang.

« Pauvre garçon ! pensait-il. Il ne fera plus de conquêtes. »

L'oraison funèbre expédiée sans façon, il repensait à l'ombre sur le pas de la porte, à la muette dans sa robe noire, à son menton volontaire, à son air fermé et tendu, à ses élans imprévus. Il passait l'élégant au compte pertes et profits et il se mettait à sourire au ciel bleu très pâle qui s'étendait au-dessus de lui. Toutes ces dernières journées avaient défilé si vite qu'Isaac Laquedem devait faire un effort pour se convaincre de leur réalité. La traversée du pont, la bataille contre les cosaques, la rencontre avec l'élégant, la maison dans la nuit, la mort de son compagnon, l'attitude à son égard de la jeune Espagnole : ce monde qu'il bâillait depuis si longtemps et dont il croyait tout savoir lui réservait encore des surprises. L'image de la jeune femme en train de les accueillir tous les deux, dans la maison près de la forêt se mêlait aux questions qui l'assaillaient en foule. Mais quoi ! il était habitué plus que personne aux mystères de la vie et de la mort et il n'avait pas besoin de comprendre tout ce qui lui arrivait. Le plus clair de l'affaire, c'était qu'il était devenu capitaine et qu'il portait des papiers au nom de Canouville.

« Joli nom ! se disait-il en galopant vers Paris. Avec un nom pareil, on finirait par rêver d'une existence nouvelle et d'aventures sans fin. Je ne pourrai pas le garder longtemps, c'est sûr. Un Canouville, à Paris, doit avoir des amis, de la famille, des maîtresses, des ennemis. Peut-être un château en province. Peut-être des terres et des rentes. Tiens ! me voilà rentier et propriétaire de ces landes et de ces forêts où je vais me mettre à marcher. Profitons de ces délices tombées du ciel de Pologne avant de nous réveiller. »

Ce qui avait surtout, dans l'héritage Canouville,

retenu l'attention et excité la curiosité de l'ancien courrier de l'Empereur, c'était deux courts billets, de la même écriture, d'un style malhabile et assez plat, mais exquisément parfumés et signés l'un « ta Paulette » et l'autre « ta Pauline qui t'aime mieux que jamais ». Plus encore qu'à l'Espagnole, qui devait s'imaginer, bien à tort, qu'il lui devait la vie et qu'il ne cessait de penser à elle, c'était à cette Paulette qu'il songeait sur les routes d'Allemagne et de France. Il en rêvait d'autant plus que dans les affaires de l'élégant, en plus d'une montre, d'une pipe et de quelques autres babioles sans intérêt, il avait trouvé un médaillon représentant une des plus ravissantes personnes qu'il eût jamais aperçues.

« Et si c'était Paulette ? » se disait-il.

Et, enfonçant ses éperons dans les flancs de l'arabe, il galopait de plus belle vers la solution de tous ces mystères.

— Tout ce que je vous raconte, dit Simon, sur moi et sur les autres, vous le croyez, n'est-ce pas ?

Je ne sais pas si vous connaissez Venise et la vue de la Douane de mer. De jour, de nuit, c'est un des spectacles les plus extraordinaires que vous puissiez contempler. Tout est beau, tout est étrange : cette ville bâtie sur l'eau, ces palais, ces églises qui surgissent du passé, ce mélange de légendes et de dentelles de pierre, de féerie et d'histoire plus stupéfiante que les légendes... S'il y a un endroit au monde où la frontière s'efface entre l'invraisemblable et la réalité, c'est bien à Venise, à la pointe de la Douane de mer. La question de Simon nous laissa sans voix.

— Eh bien..., commença Marie.

— Ne vous troublez pas, dit Simon. Vous savez bien que tout est vrai de ce que je vous raconte. Ce qui est invraisemblable, ce n'est pas moi : c'est le monde. Invraisemblable et vaguement comique. Je ne suis pas tout à fait sûr qu'il n'y ait pas un clown quelque part. Mais le clown n'est pas moi. Ce n'est pas moi qui ai inventé tout ce que je vous raconte soir après soir, ces histoires d'amour et de mort, de pouvoir, de savoir, de destin et de foi dont on se demande d'où elles sortent et ce qu'elles signifient. Je ne sais pas qui les a inventées.

Peut-être personne, peut-être tout le monde. Et si vous voulez me faire dire qu'elles n'ont ni queue ni tête et que l'histoire des hommes est une formidable imposture, un carnaval permanent, un mélange de génie et de mystification, de souffrance et de pitrerie, ce n'est pas moi qui soutiendrai le contraire. Ce qu'il y a de plus incroyable, c'est qu'il y ait de la grandeur pour surgir de tout cela.

Le monde est une marqueterie, un patchwork, une bouillie pour les chats, une auberge espagnole, un tissu de contradictions. Vous pouvez passer votre temps à en rire. Vous pouvez aussi l'admirer. Le plus sage est de faire les deux. C'est à quoi se sont résolus, après mûre réflexion, j'imagine, un Shakespeare et un Cervantès — vous a-t-on jamais dit qu'ils sont morts tous les deux le 23 avril 1616 ? Je les soupçonne d'être une seule et même personne —, un Rabelais, un Claudel, un Ionesco, un Goya...

— Et vous, sans doute... ? dit Marie. Eh bien, vous ne vous mouchez pas du pied.

— J'essaie surtout, dit Simon, de ne pas trop vous ennuyer. Savez-vous ce que c'est que de parler de ma vie ? Pensez à tous les raseurs, à tous les romanciers, aux auteurs de Mémoires et de journaux intimes qui vous racontent leurs vacances, ce qu'ils ont fait avant-hier, les guerres de leur jeunesse. Moi, ce sont des guerres par milliers et des vacances éternelles que j'ai à raconter. La drôlerie de la vie et son immense détresse baignent dans un liquide primitif dont il faut, à chaque instant, essayer de se dégager : c'est l'ennui. Si je vous ennuie, vous partez. Et j'ai besoin qu'on m'écoute. La seule consolation à mes courses sans fin, c'est de les raconter à quelqu'un. Je n'ai pas d'autre ambition que de vous contraindre à rester avec moi au pied de la Douane de mer. C'est pourquoi je galope à perdre haleine sur la route de Paris, je m'attarde le moins possible dans les escaliers de bois, je n'ouvre jamais de portes, je me garde comme de la peste de sortir à cinq heures, je liquide bals et baisers, je saute les adjectifs, les descriptions de jardins, les supputations sur des sentiments dont personne ne sait rien et que vous connaissez mieux que personne, je file à un train d'enfer pour écœurer l'ennui et qu'il ne nous rattrape pas. Parce que j'ai eu mille et une vies, je passe de l'une à l'autre et je les jette en vrac devant vous qui n'en avez qu'une seule. Et tout ce que je raconte serait la rigueur même si je n'étais pas obligé, pour essayer de vous convaincre, pour essayer de vous retenir, de rester toujours un peu au-dessous d'une vérité invraisemblable et de courir la poste.

Oui, l'émir Abd al-Rahmân a été tué à Poitiers par les soldats de Charles Martel qui l'appelaient Abderramane parce qu'ils ne parvenaient pas à prononcer son nom. Oui, l'empereur Napoléon a ordonné à Daru d'envoyer de toute urgence un courrier à Paris pour donner aux Français, secoués par les rumeurs qui provenaient de Russie et par la conspiration de Malet, des nouvelles de leur dieu. Oui, les Vikings sont partis d'un côté vers Kiev et vers l'Ukraine, de l'autre vers l'Amérique, de l'autre encore vers Gibraltar. Oui, bien sûr, un cavalier français qui venait d'échapper dans la neige et le sang à des aventures à peine croyables et qui roulait dans sa tête des images de bonheur se dirigeait vers Paris au grand galop d'un cheval arabe. Et oui, des savants indiens, pleins d'un génie obscur injustement oublié ont transmis aux Arabes un secret formidable qui allait bouleverser les esprits et permettre aux hommes de dominer l'univers. Le monde inépuisable est aussi fait de tout cela.

Pendant des mois et des mois et pendant des années, l'image du point tracé par Aryabhata dans la maison de Nâlandâ poursuivit Isaac Laquedem, alias Hiuan-tsang ou Xuan zang, alias le Maître de la loi, devenu, par la force des choses, Omar Ibn Battûta al Khârezmi al Tartûschi. Vêtu de haillons à côté desquels la robe rapiécée du commandeur des croyants lors de son entrée à Jérusalem aurait paru somptueuse, il traversait les déserts en traînant derrière lui sa besace remplie de grimoires et de vieux manuscrits. Il était devenu assez vite une figure de légende auprès des guerriers surgis des sables pour conquérir le monde au nom d'Allah et de son Prophète. Souvent, quand il avait fini de raconter l'une ou l'autre des histoires qui l'avaient rendu célèbre de la Perse à l'Andalousie et dont les échos se retrouvent dans les contes de Schéhérazade ou dans les récits de la Douane de mer, il saisissait son bâton et il l'enfonçait dans le sable du désert. Il regardait longtemps le trou laissé par le bâton et, indifférent à tous ceux qui se pressaient autour de lui pour l'écouter sans toujours le comprendre, il murmurait à mi-voix :

— De toutes les histoires que j'ai jamais racontées, voilà la plus fabuleuse.

— Laquelle, hadjdj ? laquelle ? criaient les enfants qui l'entouraient.

— Celle du trou dans le sable, qui est un trou dans le monde. Celle du point d'Aryabhata. Mais le moment de la raconter n'est pas encore venu.

Depuis la révélation de Nâlandâ, il n'avait cessé de tourner et de retourner dans sa tête le secret d'Aryabhata. Le point n'était pas un signe comme les autres. Les neuf signes appelés chiffres par le savant indien, le Maître de la loi les avait compris sans peine. Et, dans sa nouvelle existence, Omar, comme tout le monde, les comprenait aussi. Ils correspondaient aux cinq doigts de la main droite — ou de la main gauche — et aux quatre premiers doigts de l'autre main. Ils comptaient un cheval, ou deux. Ou deux vaches et un cheval. Ou deux fois deux vaches. Et ainsi de suite jusqu'à trois fois trois chevaux que chacun parvenait à compter sur cinq doigts plus quatre doigts — ou encore trois doigts, plus trois doigts, plus trois doigts, et Omar, en même temps qu'il pensait aux chevaux et aux vaches, refaisait indéfiniment les gestes avec les doigts des deux mains, à telle enseigne que beaucoup le prenaient pour un fou. Chacun aussi, dans sa langue, parvenait, sans la moindre peine, à nommer ces neuf chiffres : un, deux, trois... ou : one, two, three..., ou : eins, zwei, drei..., ou : uno, duo, tre... Toutes les difficultés surgissaient en même temps avec le dernier petit doigt. Le nombre auquel il correspondait n'était pas désigné par un chiffre nouveau : il était désigné par le premier chiffre de la série, répété à nouveau et suivi d'un point.

Le secret, à la fois si simple et si difficile à concevoir, sur lequel allaient reposer l'arithmétique, et toutes les mathématiques, et toutes les sciences et techniques à venir, était que ce point figurait une valeur nulle et un ensemble vide et qu'il suffisait de le placer à un certain rang dans un nombre pour indiquer l'absence d'unités de ce rang — ou si vous préférez, pour reprendre le vocabulaire des cordelettes et des deux mains, de cette série.

— Je ne comprends rien du tout, dit Marie.

— Et pourtant, dit Simon, les enfants de six ans sont bien obligés de comprendre, ou de faire semblant de comprendre, le secret d'Aryabhata et d'Omar Ibn Battûta al Khârezmi al Tartûschi. Les enfants de six ans doivent fournir l'effort inouï — le plus violent qui leur sera jamais demandé de leur vie, qu'ils deviennent chef d'État, ou physicien de génie, ou savant en toutes choses — d'apprendre un alphabet où chacun des signes, à l'inverse du chinois, n'a aucun rapport avec les réalités que leurs combinaisons seront chargées de désigner. Ils doivent aussi faire l'effort de comprendre le sens du point d'Aryabhata.

— Personne, gémit Marie, ne m'a jamais dit le moindre mot du point d'Aryabhata.

— C'est que nous l'avons changé un peu, dit Simon.

Les années passaient. Omar Ibn Battûta al Khârezmi al Tartûschi ne pouvait plus garder pour lui le secret qui l'étouffait et le rendait presque fou. Il courait à travers le monde avec dans la tête ce vide qui pesait si lourd et la nuit, dans ses cauchemars, il voyait le point de l'Indien comme une boule très serrée, inexistante et multiplicatrice, d'où jaillissait l'univers. Plus d'une fois, il fut tenté de se décharger de son fardeau. Un soir, à la tombée du soleil, il avait même tracé le point dans le sable et s'apprêtait à parler lorsque le vent du soir se leva et effaça la trace laissée par le bâton. Il y vit comme le signe qu'il était encore trop tôt pour divulguer le secret qui permettrait de soulever le monde comme avec un levier. Enfin, une nuit, dans les déserts d'Arabie ou dans la Perse devenue musulmane depuis la victoire d'al-Qâdisiyyah, il rencontra al Birûni.

C'était un de ces campements qui naissaient de la

guerre et du commerce et c'était une de ces nuits que devaient célébrer plus tard un Saadi, un Hâfiz ou un Omar Khayyâm. Les deux hommes s'assirent l'un à côté de l'autre, échangèrent quelques dattes contre un peu de lait de chamelle, et puis ils s'interrogèrent sur leurs voyages et sur ce qu'ils faisaient de leur vie.

— Je marche, disait Omar.

— Quand je n'ai pas de papier, disait al Birûni, je dessine des figures dans la poussière ou dans le sable et je mesure leurs rapports.

— Comme les Grecs ? dit Omar.

Al Birûni faillit tomber à la renverse. Ce vagabond était ahurissant. Il savait des choses que les plus sages ne savaient pas. Oui, oui, comme les Grecs. Al Birûni s'occupait tellement des Grecs que c'est par lui que nous connaissons les travaux perdus d'Archimède sur le rapport entre le périmètre et le diamètre d'un cercle et la valeur du fameux nombre π utilisé déjà par les Hébreux et les Babyloniens : 3,14159. Il s'était aussi promené un peu partout et il avait écrit une *Histoire de l'Inde* et une *Chronologie des peuples anciens*. Al Birûni et Omar Ibn Battûta parlèrent du bouddhisme et de l'islam, de l'Indus et du Gange, de Bâmiyân et de Bactres. Ils parlèrent surtout de la mesure des nombres, et des Grecs.

— Il y a les Juifs, dit Simon, et il y a les Grecs. Oh ! bien sûr, il y a des Français et des Anglais, des Slaves, des Italiens, des Espagnols, des Suisses. Il y a même des Américains. Et ils sont allés dans la Lune.

— Vous y êtes allé ! s'écria Marie.

— Bien sûr que non, dit Simon. Moi, je marche sur la Terre. Rien que la Terre. Et sur la Terre, il y a des Africains, et des Japonais, et des Indiens, et des Chinois. Et il y a des hommes et des femmes parmi eux qui ont fait des choses stupéfiantes. Mais il y a d'abord les Grecs et les Juifs. Avec les Grecs et les Juifs, vous referiez tout un monde sans avoir besoin de personne. Les uns penchent du côté des Grecs, de l'Apollon de Delphes et de l'Érechtéion ; les autres, du côté des Juifs, du Talmud et de la Kabbale, des spéculations en tout genre. À eux deux, les Grecs et les Juifs, ils sont plus forts que tous les autres.

Sous le nom d'Omar Ibn Battûta al Khârezmi al Tartûschi, Isaac Laquedem parlait des Grecs avec al Birûni. Ils parlèrent de Pythagore, d'Archimède et d'Euclide, qui avaient beaucoup de génie. Ils parlèrent des propriétés du triangle et du cercle, ils parlèrent de Parménide et d'Héraclite et du divin Platon, ils parlèrent d'Aristote, qui fut le maître des savants, et ils s'élevèrent jusqu'aux sphères célestes qui, comme toutes choses en ce monde, sont commandées elles aussi par les nombres et leurs rapports. À mesure qu'ils évoquaient un monde dont les secrets et les mystères se révélaient aux hommes sous les espèces du nombre, l'enthousiasme et la fièvre s'emparaient d'al Birûni. Il expliquait à Omar des choses que ni le Maître de la loi, ni Démétrios, ni même, plus tard, Ragnar le Savant, n'avaient jamais comprises et auxquelles, en vérité, ils n'avaient jamais pensé : que la Terre était ronde, que le Soleil et les astres permettaient de calculer les distances et les angles, que la suite des nombres était illimitée, que des lois aussi strictes et aussi irréversibles que toutes les lois divines régnaient sur les rapports qui constituent l'univers. Omar écoutait avec émerveillement. L'allégresse l'envahissait. Il avait enfin trouvé l'homme qui méritait le secret du point d'Aryabhata.

Alors, Omar, à son tour, se mit à raconter à son nouvel ami tout ce que le savant indien lui avait confié à Nâlandâ et surtout les neuf chiffres et le point qui exprimait l'absence, le néant, le vide et qui faisait passer en même temps du rang des unités à celui des dizaines, du rang des dizaines au rang des centaines et du rang des centaines au rang des milliers, des dizaines de milliers et des centaines de milliers. Al Birûni écoutait avec une attention si soutenue qu'aucun muscle ne bougeait dans son visage ni dans son corps. Il semblait frappé par la foudre. À plusieurs reprises, dans l'obscurité de la nuit que commençaient déjà à dissiper les premières lueurs de l'aube, Omar Ibn Battûta crut que son interlocuteur venait de s'endormir.

— Eh ! l'ami ! disait-il, se penchant en avant et en le prenant par l'épaule.

— Continue, continue, disait al Birûni.

Le soleil se levait lorsque Omar, debout, traça dans le sable ou la poussière, du bout de son bâton, le point d'Aryabhata. Al Birûni contempla longtemps, comme en rêve, cette blessure légère à la surface de la terre. Une demi-heure passa. Peut-être une heure. Peut-être encore davantage. Immobile, silencieux, Omar Ibn Battûta n'osait plus faire le moindre geste de peur de contrarier la méditation de son compagnon, plongé dans un ravissement qui n'était plus de ce monde. Une brise légère se mit à souffler. Elle commença à effacer le point d'Aryabhata. Al Birûni se leva à son tour. Il prit le bâton des mains d'Omar Ibn Battûta et, d'un seul geste, il traça un rond sur le sol :

○

— Voilà, dit-il, la seule image convenable de la perfection et du rien. Le point est au début et à la fin des choses. Ce n'est pas ce qu'il nous faut. Le cercle, qui sépare et qui pourtant rassemble, est le symbole, en même temps, de la puissance et de l'absence. Associé aux neuf chiffres, il désignera à la fois la multiplication et le vide. Et cette figure du néant d'où sortiront tous les nombres, nous l'appellerons le zéro.

Si pleins d'esprit et de talents aux siècles précédents, les salons de Paris n'étaient pas gais sous l'Empire. Tout ce qu'il y avait de plus brillant était parti pour Coppet, en Suisse, chez Mme de Staël, ou s'était réfugié, avec Chateaubriand ou les Montmorency, dans une opposition silencieuse et boudeuse. Sur ceux de l'Ancien Régime qui s'étaient ralliés à lui et mêlés aux généraux de la Révolution devenus soudain ducs et princes, l'Empereur faisait peser ses manières rudes et sa poigne de fer. Il lui arrivait de tomber sur un bec. À une dame de sa cour qui, à la façon de la plupart des femmes du XVIIIe siècle, n'avait pas froid aux yeux, il demandait :

— Est-il vrai, madame, que vous aimez beaucoup les hommes ?

— Oui, sire, répondait-elle. Surtout quand ils sont bien élevés.

Et à une femme auteur de plusieurs ouvrages, dont le mari était préfet dans un de ces nouveaux départements du côté de la Rhénanie, il lançait :

— Il paraît que vous écrivez, madame ! Vous a-t-on dit que je n'aimais pas les femmes de lettres ?

— Oui, sire, mais je ne l'ai pas cru.

— Et qu'avez-vous fait depuis que vous êtes ici ?

— Trois enfants, sire.

Ce qui amusait et intéressait le plus ces salons un peu guindés où le charme du XVIIIe s'était déjà évanoui et où les passions du XIXe n'avaient pas encore pénétré, c'étaient les frasques de la famille. Quelle famille ? La seule, l'unique : la famille de l'Empereur. Après avoir longtemps fait leurs choux gras du mot de Napoléon à son frère, le matin même du sacre :

— Ah ! Joseph ! Si notre père nous voyait…,

les salons racontaient avec délices que la plus jolie personne de la famille, une beauté assez rare qui était une des seules, et peut-être la seule, à pouvoir rivaliser avec Mme Récamier — dont Lucien avait été fou et qui s'était, disait-on, refusée à Napoléon, malgré l'insistance de Fouché —, la sœur favorite de l'Empereur, l'ancienne femme du général Leclerc, mort de la fièvre jaune à Saint-Domingue, la merveilleuse princesse Borghèse, la duchesse de Guastalla, qui s'ennuyait à périr dans les palais d'Italie, avait encouru les foudres du tyran pour avoir fait des grimaces, et peut-être même les cornes avec l'index et le médius, derrière les têtes tournées de Leurs Majestés Impériales son frère et Marie-Louise. La princesse, du coup, n'était plus en odeur de sainteté — si ce mot avait jamais pu s'appliquer à la plus belle des pécheresses de l'Empire — auprès de son empereur de frère qui lui avait interdit l'accès des Tuileries. Elle traînait dans le Midi ses langueurs et son ennui.

Elle traînait surtout son chagrin. Elle avait toujours aimé à la folie le plaisir et les hommes. Elle avait commencé de bonne heure à Marseille, avec un conventionnel couvert de sang, du nom de Fréron, qui était le fils de l'ennemi de Voltaire :

> *L'autre jour, au fond d'un vallon,*
> *Un serpent piqua Jean Fréron.*
> *Que pensez-vous qu'il arriva ?*
> *Ce fut le serpent qui creva.*

Elle continua avec Duphot, qui devait se faire tuer, un peu plus tard, dans une émeute à Rome, et avec quelques autres. Il fallut la marier à seize ans. Elle fut veuve à vingt. Elle coupa ses cheveux et les déposa dans le cercueil de Leclerc, son mari, fils d'un marchand de farines, volontaire à dix-huit ans, capitaine à vingt et un, général à vingt-cinq, à la tête des grenadiers qui sauvèrent Bonaparte, le 18 brumaire, à Saint-Cloud, adversaire, à Saint-Domingue, du Noir Toussaint Louverture, mort à trente ans. « Un hussard qui n'est pas mort à trente ans, disait le général de Lasalle, est un jean-foutre. » Officier avant la Révolution, engagé comme simple soldat dans les armées de la République afin de gagner tous ses grades sans rien devoir à son nom, Lasalle était hussard. Il faillit être un jean-foutre. Il réussit, grâce à Dieu, à se faire tuer à Wagram. Il était temps : il avait trente-quatre ans. Les choses allaient vite à cette époque-là. La veuve de Leclerc se remaria à vingt-quatre ans avec le prince Borghèse. Le prince n'était pas si mal. Il n'y avait qu'un problème : elle ne l'aimait pas. Les amants défilèrent. Elle posa nue pour Canova. Il la représenta dans l'attitude de la Vénus de Praxitèle, qui avait pris lui-même pour modèle la belle Phryné, sa maîtresse. Quelqu'un demanda à la princesse si poser nue pour Canova ne l'avait pas gênée.

— Pas du tout, répondit-elle. L'atelier est chauffé.

Elle s'attacha surtout à un officier élégant et médiocre que l'Empereur, malgré ses larmes, avait fait partir pour la Russie avec la Grande Armée et dont, depuis de longs mois, elle n'avait plus la moindre nouvelle. Il s'appelait Canouville.

— Je parle, je parle, je me souviens de grands hommes, je rapporte de hauts faits, je raconte des choses qui ont changé le monde. J'ai surtout été pauvre. J'ai souvent couru très vite, à la façon des vainqueurs, des conquérants, des champions et des riches, adulés par la foule. Je me suis aussi traîné avec l'affreuse lenteur des pauvres. Les files d'attente, c'est moi. Les queues devant les papiers et devant les légumes, c'est moi. Les cortèges de la faim, c'est moi. Les défilés de grévistes et de chômeurs derrière les drapeaux rouges ou noirs, de la Bastille à la République, dans les rues de Chang-hai ou de Chicago, sur la perspective Nevski balayée par la neige et par les mitrailleuses, c'est moi. La longue marche vers Yen-an des troupes défaites de Mao, c'est moi. Les pauvres avec qui j'ai si longtemps piétiné et qui n'avançaient pas ne sont pas les héros des révolutions triomphantes. La révolution change les bourreaux en victimes et les victimes en bourreaux. Les pauvres dont j'étais ne profitaient de rien et n'attendaient jamais rien. Ils sont morts avant la victoire et avant d'être pour les autres ce que les autres avaient été pour eux. Ils sont toujours restés des pauvres, des victimes, des chiens abandonnés dans les poubelles de l'histoire. Ils ne marchaient pas pour vaincre, pour conquérir, pour s'emparer du pouvoir, ils ne marchaient pas pour découvrir ni par curiosité. Ils marchaient par désespoir. Ils marchaient parce qu'ils fuyaient. Dans les larmes et dans le sang, j'ai fui plus que personne.

C'est de cette fuite perpétuelle qu'est venue mon image. Vous savez : la barbe, les longs cheveux gris, la houppelande dans la tempête, la besace au côté, le bâton à la main, les yeux illuminés par la peur et la honte de l'éternel fuyard et du persécuté. Je n'ai pas traîné cette dégaine-là pendant deux millénaires. Je ne portais pas la barbe quand j'étais centurion, quand je serrais contre moi le portefeuille de l'Empereur, quand je servais le Bouddha ou le vicomte de Chateaubriand. Aujourd'hui, chez vous, dans vos fameuses démocraties dont vous avez plein la bouche comme si c'était la fin de l'histoire et l'état définitif de cette pauvre vieille humanité, ce sont les classes moyennes qui occupent le terrain. Il n'y a plus de ducs et pairs, plus d'altesses sérénissimes, plus de sénateurs à vie, plus de grands propriétaires, à l'élégance farouche, qui faisaient ce qu'ils voulaient de leurs animaux et de leurs gens. Il y a des pauvres, bien entendu. On les dorlote, on les éloigne, on les parque dans des réserves matérielles et morales, on en a honte, on les oublie. Bon. Que vouliez-vous que je fisse ? À Londres, à New York, à Paris, à Venise, je suis devenu un bourgeois. Regardez : je suis rasé, je me sers à bon escient de l'imparfait du subjonctif, je porte un imperméable dans le genre d'Humphrey Bogart et personne, j'imagine, ne me prendrait pour ce que je suis : un type qui court d'un siècle à l'autre.

J'ai été tour à tour ce qu'il fallait qu'on soit. J'ai été à peu près tout : ces derniers temps, petit rentier, guide pour touristes, voyageur de commerce, broker à Wall Street, escroc, pilote de long-courriers, coureur professionnel, détective privé chargé de filatures. Je ne suis rien d'autre que l'air du temps. J'ai toujours la tête de tout le monde. Les gens me prennent pour ce qu'ils sont. Et tout ce qu'ils sont, je le suis. J'ai surtout été pauvre. Parce qu'il y a plus de pauvres que de riches et qu'il faut plus de cette vie dont je ne cesse d'être brûlé pour un pauvre qui rêve d'être riche que pour un riche qui tremble d'être pauvre. Les pauvres n'en finissent pas d'accoucher d'un avenir qui ne sera jamais à eux. Ils sont la masse de manœuvre d'un monde en train de se faire et qui les rejettera dès qu'ils l'auront construit. J'ai servi dans cette armée qui est toujours vaincue et n'est jamais détruite.

C'était commode d'être juif. Aussi commode que d'être tzigane. Pour quiconque doit marcher dans les drôleries du désespoir, rien de mieux que d'être juif. J'ai beaucoup fui l'Autriche, l'Espagne, la Pologne, la Russie, l'Allemagne, les Pays baltes. Et même la France, figurez-vous. Vous connaissez l'histoire, ses tours de con, ses paradoxes. Je me suis payé le luxe de devenir l'ennemi des Juifs ; j'ai crié : « Mort aux Juifs ! » pour crier comme les autres et beaucoup ont vu en moi — mais pas un mot là-dessus — un Juif bourreau de Juifs poursuivi par les Juifs et fuyant devant eux au lieu de fuir avec eux. La boucle était bouclée.

Ne vous imaginez surtout pas que je cherche à vous attendrir ou à vous indigner. Je me moque autant de la morale que de la politique, de la logique, de la psychologie. Je ne m'accroche à aucun de vos échafaudages, je ne marche dans aucune de vos combinaisons. Je marche, un point, c'est tout. Je ne poursuis aucune fin, vos valeurs me font rire, je n'explique rien du tout, je me contente de marcher. Je ne suis qu'un pauvre diable toujours tenté par les passions. Dès que le moindre argent se profile à l'horizon, je fais main basse dessus. Je suis Shylock autant que Job et le mal autant que le bien. C'est ce flou permanent, c'est ce passez muscade entre le coupable et la victime qui a fait du Juif errant une figure si remarquable et si intéressante qu'elle n'a jamais cessé de séduire écrivains et artistes. Je suis tout le monde et moins que rien. Je suis l'horreur de vivre et tous vos éblouissements.

Je suis aussi la fatigue. La contradiction, et la fatigue. La passion et la fatigue. J'en ai assez de marcher. J'en ai assez d'un monde qui s'imagine toujours avoir tout découvert et qui ne comprend jamais rien. Voilà deux millénaires que je marche sur cette planète où tout se transforme toujours et où rien ne change jamais. C'est ce qui me rapproche des pauvres : les pauvres sont fatigués. Moi aussi.

Le point d'Aryabhata, le zéro d'al Birûni ne quittè-
rent jamais tout à fait l'esprit de Laquedem. Plus tard,
beaucoup plus tard, en se frottant aux philosophes et à
ceux qui découvraient, à la suite des Copernic, des
Galilée, des Kepler, des Newton, l'ordre caché des
choses, il se demandait encore si cette force presque magique n'aurait pas pu être mieux employée. À cause des
doigts des deux mains, le point, puis le zéro avaient été
associés à des séries de dix, de cent, de mille. Dix n'était
pourtant pas un nombre privilégié. C'était le nombre
des doigts de l'homme, bien sûr, mais aussi un nombre
un peu raide et sans grands avantages : il n'était
divisible que par 1, par 2, par 5 et par lui-même. À peu
de distance de dix, un nombre comme douze, par
exemple, était autrement riche et souple. Divisible par
1, par 2, par 3, par 4, par 6 et par lui-même, il offrait à
l'esprit et aux choses un champ beaucoup plus vaste. Si,
au lieu d'adopter un système décimal, les disciples
d'Aryabhata et du zéro arabe avaient choisi un système
duodécimal, l'arithmétique et la mathématique auraient
sans doute eu à leur disposition un outil plus maniable et
encore plus efficace. Il y aurait eu, naturellement, onze
chiffres au lieu de neuf — 1, 2, 3…, 9, α et β ou x et y —
et le zéro aurait marqué la multiplication par douze. 10,

dans le système duodécimal, aurait signifié 12 dans notre système décimal et 100, dans le système duodécimal, aurait eu la valeur de notre 144 — 12 fois 12 —, aux diviseurs innombrables.

— J'ai un peu joué avec tout cela, disait Simon Fussgänger. Nous sommes si habitués à ce qui existe, si formés et déformés par tout ce qu'on nous apprend que nous avons un peu l'impression de transgresser des lois éternelles en donnant un autre sens au zéro, au point d'Aryabhata. Il y a pourtant encore bien d'autres systèmes que le système décimal ou duodécimal. L'ordinateur, par exemple, vous impose une base binaire. Et, dans tous les domaines, on peut toujours penser autrement que nous ne pensons. Nous croyons que le monde s'écroule alors qu'il ne fait que changer. C'est la même chose partout. En politique, en religion, en musique, en peinture, en histoire, en physique. Il y a plus de façons de voir le monde qu'il n'y a de dents du Bouddha, qu'il n'y a de couleurs dans la nature et de sentiments dans les cœurs.

Autant que par la nécessité, le monde est mené par le hasard, l'accidentel, l'arbitraire. À peu près tout ce que nous faisons, pensons, disons, écrivons relève de l'arbitraire. La numération est arbitraire, la langue est arbitraire, les dénominations sont arbitraires, nos propres noms, qui sont la chair de notre chair et auxquels nous tenons tant, sont arbitraires, la société est arbitraire, la religion est arbitraire. L'amour est arbitraire, puisqu'il dépend d'une rencontre qui aurait pu ne pas se produire. Dans une certaine mesure, la science est arbitraire puisqu'elle repose sur des postulats et se contente de proposer l'interprétation la plus vraisemblable de phénomènes qui nous échappent. Tout arbitraire est injuste, et toute culture est arbitraire.

— J'ai déjà remarqué, dit Marie, que vous ne croyez à rien.

— Il n'y a pas pire que de ne croire à rien. Rien de grand n'a jamais été fait par ceux qui ne croient à rien. Si le monde, pour nous, se réduit à des perspectives, il faut croire aux perspectives. À celles que nous jugeons les meilleures, les moins fausses, les moins injustes. L'idée que nous nous faisons de la vérité est la seule vérité dont nous puissions approcher. Il m'arrive de penser qu'Antigone, notre modèle à tous, avait fini par se demander s'il n'était pas absurde de mourir sous prétexte que son frère, une espèce de crapule, j'imagine, et une graine de tyran, n'avait pas été enterré selon les règles de son époque, de son pays, de sa caste. Des règles passagères, arbitraires, en fin de compte un peu douteuses. N'importe. Il fallait y croire. Et il fallait mourir. Elle est morte. J'aime à croire qu'elle a cru à ce qu'elle ne croyait plus tout à fait. Elle n'est pas morte pour une vérité qui n'existait pas vraiment et qui pouvait toujours être contestée par ceux qui savent et qui décident. Elle est morte pour l'idée, naturellement arbitraire, qu'elle se faisait du monde, de l'amour et de ses dieux. Elle est morte pour sa justice et pour sa vérité, c'est-à-dire pour presque rien. C'est ce presque rien qui est toujours l'essentiel.

Je crois qu'il faut savoir vivre, et quelquefois mourir, pour des choses — comment dire?... choisies presque au hasard. Non pas tant parce qu'elles sont vraies — qu'est-ce que la vérité? — mais parce qu'elles vous paraissent, à vous qui ne savez rien, plus belles, plus justes, plus grandes. Non pas tant parce qu'elles sont vraies, mais parce que vous les avez choisies. Un peu comme Aryabhata avait choisi le point et al Birûni le zéro pour multiplier par dix les neuf chiffres originels. Les convictions de toute sorte sont arbitraires comme le zéro. Vous vous y tenez, comme à lui. On tient debout, c'est tout. Ce qui est éternel, ce n'est pas une vérité qui passe son temps à changer, c'est la décision de s'y tenir et de mourir pour elle. Quand on a la chance, comme vous, de pouvoir mourir pour quelque chose, ou peut-être pour quelqu'un.

Ìsaac Laquedem franchit avec une sorte d'ivresse qui l'étonnait lui-même la barrière de Paris. Il se précipita aux Tuileries où son uniforme lui valut des marques de respect de la part des factionnaires et il remit à un colonel, qui paraissait débordé par des problèmes moins urgents que ceux de la Berezina, le portefeuille garni des lettres et des dépêches dont il était chargé. Après quelques hésitations, il garda la croix d'argent de la cathédrale Ouspenski qu'il avait glissée dans sa fonte et que personne ne lui réclamait parce que Daru et Beyle, dans l'agitation de la retraite, avaient négligé de la faire figurer en annexe sur la liste des papiers confiés au courrier de l'Empereur. Et il se mit en quête de la Pauline ou Paulette de Canouville.

En ce temps-là, un officier qui arrivait de Russie était entouré aussitôt d'une foule de militaires et de curieux en quête de nouvelles de l'Empereur et de la Grande Armée. Isaac Laquedem répondit de son mieux aux questions qu'on lui adressait. Et puis il repéra un officier d'allure plus suffisante et plus pimpante que les autres.

« Celui-là, se dit-il, doit être un ami de l'élégant. »

Il l'emmena prendre quelque chose de fort et puis encore quelque chose d'un peu plus fort dans un débit de boissons et se mit à le questionner. Est-ce que le nom de Canouville lui disait quelque chose ? Canouville ?.... Canouville ?... Rien du tout.

— C'est fâcheux, dit Laquedem.

— Qu'est-ce qui se passe ? dit l'autre. Vous avez besoin de ce Canouville ?

— Pas vraiment, dit Laquedem. Je m'en fiche complètement. D'ailleurs, il est mort.

— Alors quoi ? bredouilla l'officier qui en était à son cinquième ou peut-être sixième verre.

— Ce n'est pas Canouville qui m'intéresse, mais une fille qu'il connaissait et dont je ne sais que le prénom.

— Quel prénom ? dit l'ivrogne.

— Pauline, dit Laquedem. Pauline, ou Paulette.

— Très belle, naturellement ?

— Très belle, dit Laquedem.

— Je vois ce que c'est, dit l'ivrogne en étouffant de rire. C'est la sœur de l'Empereur.

— La sœur de l'Empereur ?

— Pauline, dit l'autre en envoyant une claque formidable sur les épaules de Laquedem. Pauline, la princesse... hip... la princesse... Borghèse.

Et il riait si fort, hoquetant et bavant, s'écroulant de son siège, qu'il fallut s'emparer de lui et l'entraîner de force hors de la taverne.

— Et vous ? dit Simon Fussgänger.

— Nous ?... demanda Marie.

— Oui, vous, qui m'écoutez depuis si longtemps vous raconter mes histoires, vous avez aussi, comme Hiuan-tsang ou Ragnar le Savant, des préoccupations, des espoirs, des sentiments : une vie. Vous avez eu la bonté de l'interrompre un instant pour me suivre à Jérusalem, à Assise et à Rome, en Pologne, en Allemagne, en Chine et dans les Indes, à Bagdad et à Samarkand. Voilà pas mal de temps déjà que nous marchons du même pas sur toutes les routes de cette planète où, par un miracle plus stupéfiant que tout ce que je vous raconte, nous avons, vous et moi, été jetés tour à tour. Mais vous le savez comme moi : nous ne sommes pas ensemble pour toujours. Il faudra bien nous quitter. Je repartirai sur mes chemins pour un temps qui, à vous, semble une éternité. Vous reprendrez sans moi, la durée d'un éclair — quelques saisons à peine, le temps de voir des enfants et des petits-enfants —, le cours de votre métier, de vos amours, de vos rêves.

Peut-être, déjà, en m'écoutant, avez-vous marqué de l'impatience ou de l'irritation ? Vous n'auriez pas agi comme moi, vous ne pensez pas comme moi. C'est vrai : je ne suis pas vous, vous n'êtes pas moi — et je vous en félicite. Je suis tout prêt à croire qu'il y a en vous plus d'intelligence, plus de talent, plus d'imagination que je n'en ai jamais eu. Je suis un pauvre diable qui fait rarement ce qu'il faut et qui a gâché son existence. J'ai été longtemps méprisé et rejeté et je vous prie de croire que tout le monde ne m'a pas accueilli avec la même bonté, la même patience que vous.

— Au début, dit Marie, je me méfiais un peu de vous.

— Tout le monde vous dira que vous aviez raison. Quand nous nous séparerons — et le moment approche où nous repartirons chacun de notre côté —, j'espère que, de temps en temps, dans vos instants perdus, pendant vos insomnies, au cœur des embouteillages, en marchant dans les rues ou à travers les bois, vous penserez au Juif errant, rencontré par hasard dans un coin de Venise. Il a beaucoup parlé, et peut-être un peu trop. Tout ce qu'il a raconté n'était que votre propre histoire. Quand il ne sera plus là, l'histoire se poursuivra. Isaac Laquedem se sera évanoui, mais la fête continue.

Il vous faudra sans moi découvrir dans ce monde tout ce qui en fait le charme, la drôlerie, l'imprévu, la grandeur. Parce que vous, au moins, avez la chance de mourir et que le temps vous est mesuré, la griserie d'exister n'en sera que plus vive. La répétition perpétuelle de combinaisons qui ne changent guère teinte mes expériences d'un peu de lassitude et d'ennui. Vous, au contraire, la seule chose que vous ayez à craindre, c'est la mélancolie du temps qui passe. Quelle aubaine ! Quel enchantement ! La vie pour vous sera si belle que, malgré les échecs et les souffrances que nous connaissons tous, vous aurez, je vous le dis, un peu de mal à la quitter. Moi qui n'aspire qu'à une mort à jamais refusée, je vous envie de pouvoir partir avant l'horreur de l'écœurement.

J'aurai pourtant réussi à vous parler de cette vie qui pèse et qui ravit. Si vous savez la voir comme j'ai essayé de vous la montrer à travers mes récits, elle pourra être pour vous une source ininterrompue, sinon de bonheur, ce qu'il n'appartient à personne de promettre ici-bas, du moins de curiosité, d'intérêt, de passion. Vous êtes lancés dans l'aventure la plus fantastique de l'histoire : c'est l'histoire. Vous vivez l'expérience la plus invraisemblable dont aucun être, quel qu'il soit, ait jamais pu rêver : c'est la vie. Tout ce que je vous ai raconté au cours de notre rencontre n'est qu'un échantillon de votre propre substance. Tout au long de ces jours, vous m'avez écouté parce que, sous le prétexte de vous parler de moi, c'était, plus ou moins bien, de vous que je vous parlais. Quand je serai parti, pensez encore au Juif errant.

Là-bas, loin vers le nord, au-delà du Caucase aux sommets couverts de neige, dans un monde inconnu, régnaient Gog et Magog. Ézéchiel dans la Bible, saint Jean dans l'*Apocalypse,* les géographes de l'Antiquité avec Pline et Strabon, Isidore de Séville, qui passait pour l'homme le plus savant de son temps, plusieurs chroniqueurs arabes à la suite du Coran évoquent avec effroi leurs figures terrifiantes. On racontait qu'Alexandre le Grand les avait repoussés, « ainsi que vingt-deux nations de méchants », jusque sur les bords de l'océan du Nord. Certains, qui plaçaient dans le Nord la source de tout mal, les assimilaient aux Vikings. D'autres, grâce à un jeu de mots inspiré par la terreur, aux « Goths et Magoths ». D'autres encore voyaient en eux la tribu perdue d'Israël. Des lettres du prêtre Jean mettaient les nations civilisées en garde contre leurs menaces. Tous, dans le monde chrétien, dans l'Islam, et jusque chez les Juifs, redoutaient Gog et Magog et leurs peuples de cannibales dont le déchaînement, un jour de malheur, dévasterait l'univers.

« Mû — selon ses propres mots — par un élan irrésistible et par le désir très ancien de connaître le monde, ses mœurs, ses sanctuaires », Omar Ibn Battûta, sans jamais prendre deux fois la même route, avait déjà parcouru quelque cent vingt mille kilomètres et visité non seulement tous les pays musulmans et une bonne partie de l'Afrique jusqu'à Tombouctou, mais la Chine, Delhi, tous les royaumes des Indes, les Maldives et Ceylan, lorsqu'il tomba sur une chronique populaire qui parlait de Gog et Magog. Elle rapportait que leurs peuples monstrueux étaient contenus sur une péninsule au-delà des portes Caspiennes par une muraille de fer qu'Alexandre avait construite avec l'aide de Dieu lui-même. La chronique précisait, pour faire bonne mesure, que le ciment utilisé pour ce mur provenait d'un lac de bitume qui formait les bouches de l'Enfer. Affronter Gog et Magog, retranchés dans leurs nids d'aigle loin du monde civilisé, c'était accepter de mourir à coup sûr. Dévoré de curiosité, et peut-être d'espoir, Omar Ibn Battûta décida aussitôt de partir pour les pays affreux qui, loin au nord de la Judée, de la Syrie, du Tigre et de l'Euphrate, étaient bordés d'un côté par le Pont-Euxin, la Chersonèse, la Colchide, le Phase où vivaient encore un oiseau de légende qu'on appelait phasianos ou faisan et le souvenir de Jason à la conquête de la Toison d'or, de l'autre par la Caspienne, la plus vaste et une des plus basses de toutes les mers fermées du globe — et où, selon toute vraisemblance, étaient tapis Gog et Magog.

Omar Ibn Battûta marcha pendant des jours et des jours et pendant des mois et des mois. Il vit croître et décroître beaucoup de lunes avant de tomber sur un étroit sentier qui serpentait à travers des forêts, des alpages et des rochers. Il le suivit longtemps. Il finit par apercevoir au loin la double cime d'une haute montagne qui, d'après les gens du pays, portait le nom de Kazbek ou de Mkinvari — le Pic glacé. Ibn Battûta était entré dans la région montagneuse et sauvage que les Russes allaient baptiser *Bolchoï Kavkaz* et que nous appelons le Grand Caucase.

Cette région, pleine de spectres et encore inconnue, se situait deux fois à l'articulation de deux mondes : celui du nord et celui du sud ; celui de l'est et celui de l'ouest. Au nord, au-delà du Kouban, s'étendaient les immenses steppes dont personne ne savait rien et d'où surgissaient, d'âge en âge, les vagues d'envahisseurs venus de la Chine et de l'Altaï ; au sud fleurissaient les civilisations plus stables du plateau iranien et de l'Anatolie, de l'Égypte, des Indes, de la Mésopotamie où s'étaient succédé tant de grands empires rivaux. De l'est, de l'Orient fabuleux, débouchait un des axes principaux de tout commerce et de toute culture : c'était la fameuse route de la soie, dont une des branches, inlassablement parcourue par les caravanes, les marchands, les pèlerins, passait, après avoir contourné le désert de Takla-Makan et traversé le Turkestan, le long de la mer Caspienne pour aboutir à la mer Noire ; à l'ouest, là-bas vers l'ouest, s'étendait cette mer Noire qui était déjà un peu de la grande mer intérieure où Cartaphilus avait passé sa jeunesse, où il ne cessait de revenir et à laquelle s'attachait, très loin des forêts obscures et des sommets inaccessibles du *Bolchoï Kavkaz*, toute la séduction du soleil, des ports pleins de navires aux mille rumeurs et des fables dorées.

Beaucoup de siècles plus tard, dans la région même que parcourait Ibn Battûta, la Russie des tsars allait construire une des voies stratégiques et commerciales les plus célèbres de l'histoire : la fameuse route militaire de Géorgie. Atteint par la mélancolie qui ne le quittera plus et qui se mêlera à une gaieté exubérante, due peut-être à son sang africain, Pouchkine, qui a déjà écrit *Le Prisonnier du Caucase* et qui travaille à son *Voyage à Erzeroum*, va emprunter cette route et croiser en pleine montagne, dans une scène d'un romantisme échevelé, le convoi funèbre qui ramène à Tiflis le corps de son ami, l'écrivain Griboïedov, le mari de la belle Nina Chavchavadzé, l'auteur de *Gore ot uma* — ou *Le Malheur d'avoir trop d'esprit* —, nommé par le tsar ambassadeur en Perse, massacré à trente-quatre ans avec dix-sept cosaques au cours d'une émeute déclenchée à Téhéran par des mollahs fanatiques et traîné par quatre bœufs à travers le Caucase. Lermontov, le poète d'*Un héros de notre temps,* muté dans l'armée du Caucase à la suite de son poème sur la mort de Pouchkine tué à trente-six ans dans un duel qui implique toute la cour, trouve, lui aussi, la mort à vingt-six ans dans un duel au Caucase et un cortège d'hommes accablés et de femmes tout en larmes accompagne sa dépouille, cahotée dans une charrette à la lueur des torches et de cette même lune qui, tant de siècles plus tôt, éclairait Ibn Battûta. La lune en train de briller sur les sapins, les grottes, les amoncellements de rochers du *Bolchoï Kavkaz* constituait le seul lien entre Pouchkine, Griboïedov, Lermontov et Ibn Battûta : le sentier obscur suivi par le voyageur solitaire à la recherche de Gog et Magog n'annonçait que de très loin les tableaux romantiques, colorés et bruyants, auxquels allait servir de décor la route militaire d'une Géorgie encore à venir.

Toujours au pied du Kazbek, le sentier d'Ibn Battûta se mit à longer un fleuve bouillonnant dont le lit était parsemé d'énormes blocs de rochers détachés de la montagne d'où ils tombaient en roulant dans un vacarme affreux. C'était le Terek, chanté par Lermontov :

Nourri par les nuages, il est né du Kazbek...

Un épais brouillard venu du nord assombrissait le ciel et envahissait la vallée. Le chemin franchissait le Terek sur une étroite passerelle de bois dont les rares individus rencontrés sur le chemin avaient parlé à voix basse au pèlerin arabe et qu'ils appelaient le Pont du Diable. À partir du Pont du Diable, à 1 200 ou 1 500 mètres d'altitude, le fleuve se resserrait entre deux murailles de granit. C'était le célèbre défilé de Darial — ou, en persan, Dar-i-Alan : la porte des Alains. Ici commençait, pour qui venait du sud, le territoire des Alains, des Sarmates, des Ossètes et de tous les Scythes qui surgissaient des steppes. Du haut du Pont du Diable et du chemin de plus en plus rétréci qui le continuait, Ibn Battûta voyait le torrent se ruer avec fureur sur tous les obstacles qui l'empêchaient de se répandre et il l'entendait gronder, comme Lermontov, à son tour, allait l'entendre et le voir :

> *Bordé par des rochers énormes,*
> *Le Terek hurle, il est sauvage.*
> *Sa plainte ressemble à l'orage :*
> *En mille embruns ses pleurs se forment.*

Dans la demi-obscurité qui régnait en plein jour, penché sur le vide qui s'ouvrait devant lui, trempé jusqu'aux os par le brouillard et par l'humidité qui montait du torrent, Ibn Battûta écoutait son propre cœur dans les rugissements du Terek. Il se remit à marcher. Il marchait, il marchait toujours. Les contreforts de pierre semblaient jaillir sans cesse avec plus de force et de hauteur. Le fleuve et le sentier se resserraient encore. Les eaux comprimées par l'étroitesse du passage et la violence du courant retombaient en écume sur le chemin. Le coup de sabre du Terek entaillait profondément la chaîne de hautes montagnes dont, tout autour de lui, le voyageur devinait avec effroi l'ombre écrasante et pleine de menaces. C'est alors qu'Ibn Battûta se trouva soudain arrêté dans sa marche en avant par de lourds battants de bois, renforcés de métal, qui barraient le défilé : c'étaient les Portes caucasiennes. Elles étaient percées dans un mur bâti par des géants qui se confondait avec les montagnes sur lesquelles il s'appuyait et qui rejetait vers un Nord dont personne ne savait plus rien la descendance monstrueuse et maudite de Gog et de Magog. Et elles étaient closes.

Toujours en grand uniforme, Isaac Laquedem n'eut pas beaucoup de peine à se faire montrer, dans une boutique à deux pas des Tuileries, un portrait de la princesse Borghèse aux côtés de l'Empereur. Sur le tableau médiocre mais heureusement ressemblant, il reconnut aussitôt le ravissant modèle du médaillon de Canouville. Le marchand qui avait procuré le portrait mit la jubilation de son client sur le compte de la dévotion à la famille impériale. À la surprise du commerçant, Laquedem murmura : « *In vino veritas* » et il eut un élan de gratitude pour l'ivrogne dont la plaisanterie avait touché juste et qui, de tous les biens, lui procurait le plus précieux : quelque chose à quoi penser et un but dans la vie.

Laquedem avait le temps et il devait marcher. Il se mit en quête de la princesse. Toujours éloignée de Paris sur l'ordre de l'Empereur, peu encline à s'enfermer en compagnie de son mari dans l'un ou l'autre des somptueux et sinistres palais Borghèse, elle soignait dans le Midi une santé de fer pour les plaisirs, mais que l'ennui rendait chancelante. Sur son cheval arabe, reposé et bouchonné aux frais du service des courriers auquel il avait raconté des salades pour expliquer ses changements d'apparence et sa somptuosité, Laquedem partit pour Aix, pour la Provence, pour la mer. Surtout vers la fin, le voyage fut un délice.

L'hiver s'achevait. Les plaines glacées de Russie et les neiges de Pologne sombraient dans l'irréel sous le ciel de Provence. Les platanes du Midi, les cyprès, les oliviers opposaient leur barrage aux horreurs de la guerre. Le soleil brillait avec force. Les cigales chantaient. L'ancien courrier de l'Empereur se demandait si tant de souffrance et tant de paix appartenaient au même monde.

— Regarde et souviens-toi, disait-il à son cheval qui avait connu sa part d'épreuves. Là-bas la mort, ici la vie. Là-bas le sang, ici la vigne. Le monde est injuste.

L'injustice avait du bon. La tête tournée par le soleil qui tombait sur une terre rouge d'où jaillissaient des pins, Isaac Laquedem se surprit à chanter.

— Voilà le comble, se dit-il. Qui le croirait ? Je chante.

Il chantait parce que la Provence était belle et qu'il rêvait à un bonheur dont il ne savait encore rien. À plusieurs reprises, il s'arrêta : dans un couvent, dans une auberge, dans un bois de pins près de la route. Il fut tenté de rester là, de brûler ses habits de guerre, de coiffer un chapeau de paille et de soigner la vigne. Mais il fallait marcher. Il marcha. Il descendit de son cheval et, le tenant par la bride, les rênes passées par-dessus l'encolure, il marcha dans le soleil.

— Sous le soleil, sous la pluie, dans la paix, dans la guerre, dans le souvenir et dans l'oubli, sous une apparence de gaieté ou dans le désespoir, j'ai marché. J'ai été soldat, marin, commerçant, guide de chasse, explorateur, compagnon de Rimbaud aux frontières du Harrar, lansquenet de Barberousse noyé dans le Selef, colporteur, chiffonnier, collecteur des impôts, arpenteur, forestier, garde champêtre et braconnier, médecin de campagne, facteur. J'ai même été missionnaire. J'ai porté la bonne parole, j'ai soigné, j'ai tué, j'ai mesuré, j'ai vendu. Quelle importance ? J'ai marché.

Je suis venu en France avec les Italiens, je suis allé aux Pays-Bas avec les Espagnols, je suis parti pour les Indes avec les Portugais, j'ai émigré en Amérique avec presque tout le monde, je suis retourné à Florence en compagnie des Bostoniennes affolées de culture. Par la guerre, par l'argent, par la religion, par le savoir, par l'art, par la passion, j'ai essayé de fournir, avant la fin de l'histoire, un semblant d'aliments à mon éternité. Je me suis beaucoup faufilé parmi les foules anonymes, portant des bagages par-ci, servant de guide par-là, changeant un peu de monnaie, baragouinant toutes les langues. À toutes les époques et dans tous les pays, quelques-uns m'ont reconnu. Des enfants m'ont tiré la barbe et jeté des cailloux, des bourgeois ont lâché leurs chiens, les nazis m'ont arrêté — et même eux, même eux n'ont pas pu me tuer —, des dessinateurs m'ont inventé la gueule que vous savez. Mais des philosophes et surtout des poètes sont devenus mes amis. Le plus grand de tous peut-être, que nous avons déjà rencontré, je l'ai connu sur un voilier cinglant vers l'île Bourbon. Je l'ai retrouvé en Belgique où il était allé mourir et d'où je pars souvent pour traverser la longue plaine qui, à travers l'Allemagne, la Pologne, la Russie, me mène jusqu'à l'Oural. Il a laissé un témoignage transparent de notre intimité. Écoutez ce qu'il a écrit : « J'ai de très sérieuses raisons de plaindre celui qui n'aime pas la mort. » C'était Charles Baudelaire et vous n'aurez pas de peine à mettre un nom...

— Le vôtre ? demanda Marie.

— Le mien, bien sûr, dit Simon, sur « les très sérieuses raisons » dont il parle après m'avoir rencontré.

Tout ce que je vous raconte, vous l'avez déjà deviné, est radicalement différent de ces imaginations vagues que vous trouvez dans les livres, au théâtre, au cinéma et surtout de ces torrents d'inepties dont vous avez la nausée et que vous appelez des romans. Je suis toujours hasardeux et toujours nécessaire parce que je suis l'histoire et la marche du temps. Je m'appelle Laquedem, Fussgänger, Ahasvérus, Cartaphilus, Luis de Torres, Omar Ibn Battûta, Hiuan-tsang, Démétrios ou Ragnar le Savant : les hommes sont des poèmes récités par le destin. Je suis surtout anonyme et toujours collectif. Parce que, avant d'être un homme, un voyageur, un maudit, un héros de roman — quelle horreur ! —, je suis d'abord un mythe. Vous comprenez ? Je traîne dans tous vos souvenirs, vos fantasmes, vos peurs, vos espérances. Je suis tout ce que vous avez fait, et aussi et surtout que vous ne ferez jamais. Malheureux comme Œdipe, aussi célèbre que le docteur Faust, plus séduisant — allons! avouez-le ! — que ce bellâtre de don Juan, j'incarne un peu d'histoire dans tout ce qu'elle a d'unique, d'accidentel et pourtant d'inévitable. Je ressemble au monde et à la vie. J'aurais pu ne pas être. Mais maintenant que je suis, personne ne m'effacera plus. Vous avez devant vous l'image même de l'inutile qui, par la grâce de l'être, est devenu nécessaire.

Tout à coup, devant lui, au-delà des rochers rouges, couverts de pins et d'oliviers, à l'infini sous le soleil, il vit la mer. Elle étincelait. Il lui sembla qu'il en venait, qu'il en sortait, qu'il était de retour chez lui. Il galopa jusqu'au rivage, attacha le cheval à un pin, se déshabilla en un tour de main et se jeta à l'eau. Elle était froide et délicieuse. Il nagea près d'une heure à longues brasses, enfonçant la tête sous les vagues et la ressortant avec un bonheur alterné et sans cesse renouvelé. Il voyait la côte de loin, avec son bouquet de pins au fond d'une crique et le cheval qui rêvait à des choses mystérieuses. Isaac Laquedem éprouva un bonheur de longtemps inconnu. Il aurait voulu qu'il durât toujours et qu'il ne fût pas question de retour.

À peu de distance, vers la pleine mer, il aperçut, image de la gaieté et de la liberté, quatre ou cinq dauphins qui jouaient à se poursuivre, à plonger, à disparaître et à reparaître avec des bonds en arc de cercle qui leur donnaient, sur la mer, l'aspect d'accents circonflexes et de voûtes humides, passagères et aussitôt effondrées. Pas une voile, pas un bruit. Le souffle égal du vent et la rumeur de l'eau. Une absence toute pleine d'être. Le monde était simple et beau.

Il revint vers la côte. Il resta quelques instants étendu

près de la mer à regarder vers le ciel à travers ses paupières closes. Il voyait des cercles, des étoiles, des filaments de couleur. La mer. Il l'avait toujours aimée. Peut-être parce que la terre était le lieu de son crime et de sa malédiction, la mer lui apparaissait comme une libération. Sa souplesse s'opposait à la raideur de la terre où il devait marcher. Il quitta à regret la plage et les calanques. Quelques jours plus tard, il contemplait de loin la demeure, dans un jardin à l'italienne, où, d'après les gens du pays, résidait Pauline Borghèse.

— Eh bien, se disait-il, ce n'est pas le moment de flancher. Je n'ai pas couru si loin pour rester planté comme un benêt devant les grilles du paradis. Il ne faut pas non plus me jeter à l'aveuglette dans les bras d'un majordome ou peut-être d'un bélître ou bellâtre amoureux de Pauline qui me recevrait avec hauteur et trouverait mille prétextes pour m'écarter de la princesse. Il faut tomber sur elle à coup sûr. Il s'agit seulement de la voir : le reste, je m'en charge.

Isaac tourna longtemps autour de la grande maison ocre, flanquée de deux tours basses, qui hésitait avec grâce entre le palais et la villa. Il admira le jardin où des cyprès et des ifs, taillés à la perfection, jaillissaient de carrés de lavande et côtoyaient des mimosas. Il jaugea le mur d'enceinte et examina avec soin les fenêtres qui donnaient sur le parc. Il porta la main à ses joues : il était mal rasé. Il regarda ses bottes : elles étaient pleines de boue.

— Bon ! se dit-il. D'abord : toilette. Ensuite : un peu d'audace.

Le lendemain soir, la nuit déjà close, il était de retour. Nettoyé, rasé de frais, couvert d'une espèce de pommade qu'il avait trouvée dans les affaires de l'élégant et qui répandait autour de lui un parfum subtil et tenace, Isaac Laquedem avait bonne allure dans le fameux uniforme. Rompu depuis longtemps aux exercices du corps, il n'éprouva pas beaucoup de peine à franchir le mur pourtant assez haut et à se retrouver dans le parc où s'élevait la maison. Dissimulé derrière un if, il aperçut des lumières et des ombres qui passaient de pièce en pièce. Il s'amusa à imaginer les porteurs de lumières et les occupations des ombres. Il inventa des laquais, des visiteurs, des dames de compagnie, la princesse elle-même, en train de converser ou de lire — mais lui arrivait-il de lire ? —, de jouer aux cartes ou au tric-trac, de travailler à quelque ouvrage avant de gagner ses appartements. Elle devait être entourée de toute une foule de soupirants, d'admirateurs, de courtisans et de complices ; depuis toujours et pour toujours, il était seul. Elle était l'image même de la société, avec ses plaisirs et ses servitudes ; lui n'était rien. Il attendit plusieurs heures que le silence et l'obscurité envahissent la maison. Quand tout dormit dans le noir et dans le calme le plus complet, il quitta son abri et se glissa sans bruit, le cœur un peu battant, vers les fenêtres à petits carreaux qui s'ouvraient sur le jardin.

— Vous vous en doutez bien : vous n'êtes pas les premiers à m'avoir rencontré et à tirer de moi des récits sur la marche du monde et sur son obstination à créer de la vie et ces combinaisons improbables que vous appelez l'histoire. Je suis tombé sur vous, sur Pauline, sur Colomb, sur le vicomte. Je suis tombé surtout sur beaucoup d'inconnus aussi obscurs que vous. Les bruits les plus divers et les plus inexacts n'ont jamais cessé de courir sur mon compte. Je traîne partout avec moi mon argus personnel, très abrégé, bien entendu, une espèce de press-book où je conserve l'essentiel de tout ce qui me concerne : Borges prétendait que cette chronique interminable et toujours inachevée finissait par se confondre avec l'histoire universelle. On y trouve beaucoup de bêtises mêlées à des vérités. Tenez..., je cherche..., ah !... dans l'autre poche... voilà..., c'est un texte de 1618 : « Jamais on ne l'a vu rire... »

— Quelle idée ! s'écria Marie.

— N'est-ce pas ? dit Simon. « Dans quelque lieu qu'il allât, il parlait toujours la langue du pays. Il y a beaucoup de gens de qualité qui l'ont vu en Angleterre, en France, en Italie, en Hongrie, en Perse, en Suède, au Danemark, en Écosse et dans d'autres contrées ; comme aussi en Allemagne, à Rostock, à Weimar, à Dantzig, à

Königsberg. En l'année 1575, deux ambassadeurs du Holstein l'ont rencontré à Madrid... »

Je n'en ai pas le moindre souvenir, dit Simon, en levant les yeux de son grimoire et en s'interrompant. Peut-être se vantaient-ils ?...

— Peut-être dans quatre cents ans nous aurez-vous oubliés ? dit Marie.

— Je ne crois pas, dit Simon. « En 1599, il se trouvait à Vienne, et en 1601 à Lübeck. Il a été rencontré l'an 1616 en Livonie, à Cracovie et à Moscou par beaucoup de personnes qui se sont même entretenues avec lui... » Attendez !... voici l'essentiel : « On voit, ajoute le commentateur, animé d'un souci louable de l'exactitude historique, que les témoignages ne manquent pas. »

La dernière fois, je crois, que j'ai été reconnu sous les traits du Juif errant, c'était du côté des Flandres et du Brabant, une quinzaine d'années avant votre Révolution et tous ces trucs sur les droits de l'homme qui m'ont ramené dans le troupeau. À cette époque-là, je partais une fois de plus, j'imagine, pour la Pologne et la Russie, je passais par Bruxelles et des badauds bienveillants et curieux m'ont abordé et m'ont offert une chope de gueuze-lambic ou quelque chose de ce goût-là. On en a fait tout un foin et, tout le long du siècle passé, j'ai entendu chanter dans les rues, accompagnée d'abord à l'orgue de Barbarie, un peu plus tard à l'accordéon, la complainte que vous connaissez et qu'illustrait le plus souvent, fixé à un tronc d'arbre ou enroulé sur lui-même et vendu un sou aux passants, le fameux portrait qui me représentait, « dessiné d'après nature par les bourgeois de Bruxelles, lors de la dernière apparition du Juif, le 22 avril 1774 » :

> Est-il rien sur la Terre
> Qui soit plus surprenant
> Que la grande misère

Du pauvre Juif errant ?
Que son sort malheureux
Paraît triste et fâcheux !

À mille lieues de l'ombre toujours présente du *Bucentaure* et du décor de marbre et d'eau qui nous entourait de partout, voûté, tordu, écrasé sous les ans qui l'accablaient soudain, Simon s'était mis à chanter.

Un jour, près de la ville
De Bruxelles, en Brabant,
Des bourgeois fort civils
L'accostèrent en passant.
Jamais ils n'avaient vu
Un homme aussi barbu.

On lui dit : Bonjour, maître !
De grâce, accordez-nous
La satisfaction d'être
Un moment avec vous ;
Ne nous refusez pas.
Tardez un peu vos pas.

Messieurs, je vous proteste
Que j'ai bien du malheur :
Jamais je ne m'arrête
Ni ici ni ailleurs :
Par beau ou mauvais temps,
Je marche incessamment.

Entrez dans cette auberge,
Vénérable vieillard.
D'un pot de bière fraîche
Vous prendrez votre part ;
Nous vous régalerons
Le mieux que nous pourrons.

J'accepterai de boire
Deux coups avecque vous.
Mais je ne puis m'asseoir,
Je dois rester debout.
Je suis, en vérité,
Confus de vos bontés.

— Il ne me viendrait pas à l'esprit, dit Marie, de vous traiter de vieillard. Et je vous ai vu assis, et même couché, aussi souvent que debout.

— Bah ! dit Simon, redressé tout à coup, l'histoire, vous le savez bien, fourmille d'erreurs et de légendes. Il n'y a pas de fumée sans feu, mais il arrive au feu d'être obscurci par la fumée.

Omar Ibn Battûta marchait, marchait toujours. Il avait marché trois mois pour contourner vers l'ouest, du côté de la Colchide et du Phase aux paysages enchanteurs où poussaient eucalyptus, citronniers, lauriersroses et camphriers, l'obstacle infranchissable des Portes caucasiennes. Et puis, au terme d'une longue boucle, à travers cols et vallées, il avait regagné, de l'autre côté du mur en travers du Terek, l'ombre des hautes montagnes qui entouraient le Kazbek. Dans les profondeurs humides et sombres du défilé de Darial qui constituait un des paysages les plus impressionnants et les plus dangereux qu'il eût jamais contemplés, il devait lever la tête et se tordre le cou pour apercevoir, au-delà des pitons déchiquetés et des énormes glaciers suspendus au flanc du Kazbek, une mince bande de ciel tourmenté où planaient des oiseaux de proie. De temps en temps, à sa droite, à sa gauche, s'ouvraient des vallées encaissées qui menaient on ne sait où. Éboulements et cascades ne cessaient de fermer son chemin et de retarder son avance dans le vacarme assourdissant du Terek déchaîné. Il marcha longtemps, dormant quelques heures dans des grottes ou sous des blocs de pierre dévalés de la montagne, se nourrissant de baies sauvages et d'un peu de pain et de fromage qu'il tirait de sa besace. Un matin, sur le sentier escarpé qui avait une fois de plus traversé le Terek et qui s'élevait à flanc de montagne en une corniche sinueuse taillée dans le rocher, il tomba sur trois hommes à l'allure farouche. Sur une tunique et des pantalons de gros drap, ils portaient des jambières de cuir et une armure à cotte de mailles. Leur tête était couverte d'une calotte métallique d'où tombait un camail, sorte de filet en métal qui protégeait les oreilles, la nuque et jusqu'au visage dont on discernait à peine la moustache et les traits.

— Peut-être, leur demanda-t-il en ossète ou dans cette langue tcherkesse qui rappelait bizarrement les intonations basques ou étrusques, peut-être venez-vous du pays de Gog et Magog ?

Ils répondirent en riant qu'ils ne connaissaient ni Gog ni Magog, mais qu'ils appartenaient à la comtesse Thamar dont le château s'élevait à deux jours de marche, derrière le rocher de la Sentinelle et le rocher de Dieu-nous-garde. Ils venaient de lui apporter de la farine et des œufs et ils rentraient chez eux, dans la vallée de la Kistinka, ou du Torrent de lait, qui formait un angle droit avec le cours du Terek. Ils offrirent au voyageur de partager avec eux un morceau de mouton au thym, une sorte de pâté au fromage qu'ils appelaient khatchapouri et un gâteau de miel, le tout arrosé de tchatcha. Ils s'assirent tous les quatre et ils se mirent à manger avec bon appétit et à parler entre eux.

— Tout au long de votre vie, dit Marie, vous avez dû manger bien des choses différentes ?

— J'ai beaucoup marché, beaucoup dormi, beaucoup mangé aussi, et beaucoup bu. Les seuls noms des herbes, des soupes, des pâtisseries, des fromages que j'ai ingurgités rempliraient des volumes. Presque autant que les noms de poissons et les termes de marine, qui sont innombrables, comme vous savez. Presque autant que les noms de plantes et d'instruments de musique.

Vous écririez un joli livre, peut-être un peu lassant — mais quel prestige à Yale, à Harvard, à Princeton, à Oxford, à Heidelberg, à la VIe section de l'École pratique des hautes études ! —, sur les nourritures du Juif errant et sur les boissons dont il s'enivrait pour oublier son destin. Rien que dans le *Bolchoï Kavkaz,* vous partiriez de l'adjik, qui est une sauce au poivron rouge, et vous iriez jusqu'aux zakouski, en passant, pour la seule lettre *T,* par le poulet tabaka, simplement écrasé entre deux pierres brûlantes, le ragoût de volaille tchakhokhbili, la soupe tchikhitma, une variété de bouillon de poule épaissi avec de la farine à laquelle on ajoute de l'oignon et un œuf battu dans le vinaigre, la sauce tkemali, à base de prune sauvage, de coriandre et de noix. Sans oublier, bien entendu, la tchatcha, un marc de raisin fabriqué à la maison, ni le teliani, qui est un vin rouge, ni le tsinandali, un blanc sec.

Les trois hommes étaient des Khevsours. Accrochés pendant des siècles à de hautes vallées isolées tout l'hiver par la neige et la glace et à peine accessibles pendant les mois d'été, les Khevsours ne savaient rien des tumultes du monde. Les dernières rumeurs qui étaient parvenues jusqu'à eux étaient celles d'Alexandre le Grand et du Christ Jésus, fils de la Vierge Marie. À la stupeur d'Ibn Battûta, un des trois compagnons prononça même en latin, avec un accent guttural et rugueux, les mots : « *Ave Mater Dei.* »

Il semblait que la religion des Khevsours fût un mélange bizarre de paganisme, de dualisme mazdéiste, teinté d'une ombre de soufisme, et de christianisme. Avec l'élevage des moutons, la culture du vignoble, les soins apportés à quelques essaims d'abeilles qui leur donnaient du miel, la guerre était, de très loin, leur occupation principale. Ils s'étaient battus contre les Scythes, ils s'étaient battus contre les Sarmates, ils s'étaient battus contre les Assyriens, les Persans, les

Arabes. Cette humeur militaire, dont témoignaient leurs vêtements et plus encore leurs armes, toutes parsemées de croix, d'aigles, de couronnes, n'empêchait pas les Khevsours de se plier avant tout aux règles immémoriales et sacrées de l'hospitalité. Les trois bergers-guerriers invitèrent Ibn Battûta à venir prendre chez eux un repos bien gagné après une route si longue. Ils partirent tous les quatre pour la vallée du Torrent de lait qu'ils atteignirent le lendemain après avoir dormi en route sous un auvent de bois.

Le village fortifié de Chatili était un bout du monde. Ce qui frappa Ibn Battûta, c'était le contraste entre la rigueur du paysage et la grâce des habitants. À quelques exceptions près, tous les Khevsours de Chatili étaient d'une rare beauté. Les hommes, dans leurs armures et leurs jambières de cuir, étaient grands, souples, élancés, avec des épaules larges et des traits réguliers, avec des nez superbes qui devaient déchaîner plus tard l'enthousiasme d'un Alexandre Dumas : « Ah, vrai Dieu ! Les beaux nez que les nez de la Géorgie, les robustes nez, les magnifiques nez, ronds, gros, longs et larges, blancs, roses, rouges et violets ! » Tous les hommes étaient armés d'un poignard qui portait le nom de kindjal. Avec leur peau très blanche, leur teint vermeil, leurs seins fermes et ronds, serrés dans un étroit corset, les femmes avaient une vivacité, un charme, une élégance qui en faisaient, aux yeux du voyageur arabe et juif, les créatures les plus séduisantes qu'il eût jamais contemplées. Elles le regardaient en retour avec un mélange de dignité et d'ardeur qui excitait en lui des sentiments violents qu'il avait du mal à cacher. Ce fut bien pire lorsque le soir arriva.

Les trois Khevsours étaient frères et les trois frères avaient une sœur. La sœur, qui s'appelait Haydé, était plus belle encore que les autres Circassiennes. Elle répondait en tout point à la description que, bien après

Ibn Battûta, mais avant le bon Dumas, devait donner des habitantes du Caucase un autre voyageur célèbre, le chevalier Chardin : « L'on ne peut peindre de plus charmants visages ni de plus belles tailles que celles des Géorgiennes : elles sont grandes, dégagées, point gâtées d'embonpoint et extrêmement déliées à la ceinture. Elles ont un grand faible pour les hommes. Je tiens pour impossible de les regarder sans les aimer. » Ibn Battûta était plutôt silencieux de nature, il parlait peu volontiers de lui, de ses aventures, de ses voyages...

— Vraiment... ? dit Marie.

— Vraiment, dit Simon. Ne croyez pas que je me jette sur tout le monde comme je me suis jeté sur vous. J'ai toujours été réservé et presque sauvage. Je me suis tu très longtemps avant de vous connaître ; je me tairai très longtemps après vous avoir quittés. Vous ignoriez presque tout, avouez-le, du Juif errant, dont le nom vous disait quelque chose d'un peu vague et lointain et dont vous saviez seulement qu'il existait. Je ne parle que dans l'émotion, lorsque quelqu'un me plaît autant que vous me plaisez...

— Vous pensez à moi, j'imagine ? demandai-je d'un ton sec.

— Bien sûr, dit Simon. À Marie et à vous.

Et regardant la jeune fille qui portait le nom d'Haydé, il eut envie de l'avoir auprès de lui et de s'entretenir avec elle.

Un feu brûlait dans l'âtre où un chaudron de soupe était en train de bouillir. À côté de la cheminée s'élevait un tas de bois. De temps en temps, un homme se levait et allait jeter une bûche dans le feu. Les murs étaient tapissés d'armes et d'ustensiles de cuisine. L'obscurité était tombée dans la pièce qui n'était plus éclairée que par la lueur des flammes. Pendant que les hommes parlaient de chasse et se répétaient une fois de plus l'un à l'autre les récits de ces guerres des Khevsours où les femmes se battaient contre Scythes ou Persans aux côtés de leurs pères et de leurs maris, les remplaçaient quand ils tombaient et, au moment de périr à leur tour, se servaient de leurs enfants comme de projectiles ou de massues, Haydé, très droite, un peu raide, racontait à Ibn Battûta comment, chez les Khevsours, le soir des noces, l'époux tranchait d'un coup de kindjar les liens de l'étroit corset qui enserrait les seins de sa bien-aimée. Elle s'exprimait avec une dignité, presque avec une hauteur qui se combinaient, en un étrange contraste, avec un charme et une fièvre qui bouleversaient le voyageur. Quand un des frères, après lui avoir demandé s'il n'avait besoin de rien, lui déclara qu'Haydé était chargée de la satisfaction de ses moindres désirs, il souhaita que la soirée, comme sa vie, ne se terminât jamais.

Elle prit pourtant bientôt fin. Le feu dans la cheminée fut réduit à l'état de braises qui rougeoyaient doucement. Tout le monde alla se coucher sur les tapis répandus dans les grandes pièces voûtées. Ibn Battûta, à regret, s'inclina devant Haydé.

— Je viens avec toi, lui dit-elle.

— Avec moi ? dit Omar.

— Bien sûr, dit Haydé avec un calme souverain. Avec toi.

Omar Ibn Battûta regarda en silence le cercle autour de lui de la famille khevsour. La mère souriait. Les petites sœurs battaient des mains. Les trois frères se mirent à rire.

— Aussi longtemps que tu seras avec nous, dit l'aîné, Haydé sera ton épouse. Elle sera ta servante et ta femme. C'est la loi des Khevsours. Elle veillera sur toi. Elle dormira avec toi. Elle sera ton épouse parce que tu es notre hôte. Et, parce que tu es notre hôte, tu respecteras l'épouse qui, pour le moment au moins, t'est donnée pour une nuit.

Toute la nuit, Haydé dormit dans les bras d'Omar Ibn Battûta. Cette femme si belle contre lui, les imaginations sans pareil de l'histoire et des hommes, les délices de la vie qui lui étaient interdites... Immobile, glacé, les yeux ouverts dans le noir, le souffle de Haydé sur ses lèvres, il comprenait enfin à quoi l'absence d'amour dont il avait fait preuve l'avait fait condamner : c'était à l'absence d'amour. Marcher, ne pas mourir, avoir toujours cinq sous en poche et parler toutes les langues, ce n'était rien, du vent, l'anecdote, la légende. Il était maudit dans son cœur. Il n'avait pas plus le droit d'aimer que le droit de mourir. Là où il n'y avait pas de mort, il n'y avait pas non plus d'amour. Car la mort et l'amour sont les deux enfants jumeaux de l'histoire et du temps. Et il y a quelque chose en eux qui parle d'un autre monde. C'est pour cette raison peut-être que le Galiléen à qui il avait refusé un verre d'eau était mort sur sa croix. Tout au long de ces heures sans sommeil, pendant que Haydé se serrait contre lui et murmurait quelques mots où il crut comprendre :

— Ne pars pas...,

il rêva de rester à jamais auprès de sa femme d'une nuit dans le village des Khevsours et de devenir enfin un de ces hommes comme les autres qui bâtissent de l'éternel avec du passager et de l'absolu avec de l'accidentel.

Le lendemain, dès l'aube, il regarda une dernière fois Haydé encore en train de dormir, se leva sans bruit, repartit sur les chemins, quitta sans se retourner la vallée de la Kistinka et regagna le défilé de Darial où s'élevaient, menaçants, le rocher de la Sentinelle et le rocher de Dieu-nous-garde. Au bout de quelques jours de marche, après avoir rencontré des mendiants, un saint homme, des voleurs qui tentèrent de le dépouiller de ce qu'il ne possédait pas et une troupe de soldats qui l'interrogèrent longuement avant de le laisser repartir, il arriva au pied du château de la comtesse Thamar qui était perché au sommet d'un piton.

Dans les longs couloirs sombres éclairés par la lune qui avait le bon esprit de briller avec force, Isaac s'avançait en silence parmi les trésors devinés, les tapisseries sur les murs, les commodes ventrues, les vases anciens. De lourds tapis étouffaient le bruit de ses pas sur le sol. Il avait d'abord fermé les yeux pour s'habituer à l'obscurité, plus épaisse encore que dans le jardin. Maintenant, peu à peu, à la lueur de la lune, il distinguait les masses qui l'entouraient, les divans, les bergères, les portes avec leurs mystères. Il avait beaucoup parlé avec les gens du pays, avec des jardiniers, des commerçants, des artisans. Il avait fini par établir en esprit une espèce de plan de la maison. Il savait que la chambre de Pauline en occupait le coin sud-est. Quand il était venu, de jour, observer le palais, il avait remarqué que les fenêtres, de ce côté-là, étaient ornées de rideaux plus somptueux qu'ailleurs. Il s'efforçait de s'orienter et de se diriger vers la chambre qu'il prêtait à Pauline.

L'audace de l'entreprise, que pendant des semaines et des semaines d'excitation et de rêve, il avait jugée si naturelle, le frappait tout à coup. Et s'il trouvait un homme dans le lit de Pauline ? Bah ! la vie n'est qu'un long risque et lui ne risquait pas grand-chose. Il ouvrit plusieurs portes. Derrière l'une d'entre elles, il entendit un ronflement. Il la referma aussitôt. L'autre donnait sur un boudoir où étaient dressées des tables de jeu. La troisième introduisait à un cabinet de toilette dont les parfums délicieux enivrèrent Laquedem. Effaré et ravi, il entra. Et, avec une violence extrême, il eut soudain envie de Pauline, qu'il ne connaissait pas.

Entrez dans cette auberge,
Vénérable vieillard.
D'un pot de bière fraîche
Vous prendrez votre part ;
Nous vous régalerons
Le mieux que nous pourrons.

J'accepterai de boire
Deux coups avecque vous.
Mais je ne puis m'asseoir,
Je dois rester debout.
Je suis, en vérité,
Confus de vos bontés.

La comtesse Thamar était grande et majestueuse. Elle avait vingt ans de plus que Haydé. Peut-être vingt-cinq. Elle accueillit Omar avec beaucoup de grâce.

— Madame, lui dit Ibn Battûta après l'avoir saluée comme il convenait, je marche depuis longtemps. Peut-être votre grandeur et votre bonté accepteraient-elles de m'aider ? Je suis à la recherche du pays de Gog et Magog.

Comme les trois Khevsours dans le défilé de Darial, la comtesse Thamar se mit à rire.

— Je crains d'être à moi seule tous les peuples de Gog et Magog. Peut-être l'effroi que suscite mon château depuis le pont du Diable jusqu'au rocher de Dieu-nous-garde contribue-t-il à répandre au loin la légende de Gog et Magog ? Je crois aux hommes plus qu'aux monstres. Vous m'avez l'air solide. N'ayez pas peur des fables.

Assise sur un siège rouge qui tenait du trône et du fauteuil, la comtesse Thamar regardait bien en face Omar Ibn Battûta qui était debout devant elle. Elle lui fit signe de s'asseoir et commanda aux serviteurs qui l'entouraient de verser du vin au voyageur. Elle était aussi brune que Haydé était blonde et ses yeux verts étincelaient.

— Je ne crois pas aux fables, Madame, mais je sais que les hommes — et j'en suis — sont capables de tout et qu'il n'y a presque rien qu'on ne puisse attendre d'eux. J'ai connu des hommes — et des femmes — plus inquiétants que Gog et Magog.

La comtesse Thamar resta un instant silencieuse. Puis elle se pencha vers Omar.

— Vous êtes un homme curieux, lui dit-elle. Voulez-vous, pour une nuit, être l'hôte de ce château ?

Omar Ibn Battûta remercia avec humilité. Il commença à expliquer qu'il voyageait sans bagage, qu'il n'avait pas d'autre vêtement que celui qu'il portait et que...

La comtesse l'interrompit d'un geste :

— Nous vous fournirons ce qu'il vous faudra. Je vous verrai pour le souper.

Et elle quitta la grande salle aux murs couverts de tapisseries et où brûlaient des flambeaux.

Des serviteurs entourèrent Ibn Battûta et le conduisirent dans une pièce dont le lit et les meubles étaient d'une élégance et d'un raffinement qui auraient été merveilleux partout ailleurs, mais qui, au fin fond du *Bolchoï Kavkaz*, de l'autre côté des Portes caucasiennes, aux confins du pays où il imaginait Gog et Magog, était invraisemblable. Des parfums brûlaient dans un coin. Une musique sourde et un peu énervante parvenait de la cour ou des longs couloirs sombres qu'il avait entr'aperçus au passage. Sur le lit à baldaquin rouge étaient étalés des manteaux de fourrure, des robes brodées, des pantalons bouffants, des ceintures d'or et d'argent. Le long du mur, recouvert d'une mosaïque qui représentait une chasse au tigre, étaient alignées des espèces de poulaines, des pantoufles de fourrure, de hautes bottes de cuir fauve, des sandales et des chaussures basses aux formes et aux dessins les plus divers.

— Seigneur, lui dit une jeune fille au teint foncé qui l'avait accompagné à travers le château, voudrez-vous choisir les vêtements que vous porterez ce soir au souper offert en votre honneur par la comtesse Thamar ?

Omar Ibn Battûta désigna presque au hasard un pantalon de soie brique et une robe bleu foncé qui tirait sur le turquoise.

— Je voudrais dormir, dit-il.

La jeune femme au teint sombre frappa dans ses mains. Une nuée de jeunes filles apportèrent de l'eau pour la toilette, s'emparèrent des vêtements dont était jonché le lit et disparurent aussi vivement qu'elles étaient apparues, laissant derrière elles la jeune femme qui donnait les ordres et un petit nombre de serviteurs qui aidèrent le voyageur à retirer les hardes, couvertes de poussière et de boue, dont il était revêtu. Au moment de se jeter dans le grand lit couvert de peaux de bêtes et au baldaquin rouge, Omar Ibn Battûta s'aperçut tout à coup qu'au terme de ce ballet de serviteurs et de jeunes filles il était seul dans la chambre avec la Circassienne ou la Persane aux yeux fendus et à la peau olivâtre. Malgré son épuisement, il fit un geste vers elle.

Elle ne le repoussa pas. Le serrant contre elle, elle le fit tomber sur le lit et acheva de le déshabiller. Il voulut l'embrasser et la baiser sur les lèvres. Elle détourna la tête et, avec une vigueur que rien ne laissait prévoir, elle lui immobilisa les deux mains. Puis, baissant la tête vers le corps étendu sur le lit, elle lui balaya de ses cheveux le visage et la poitrine. Il la regarda avec quelque chose dans les yeux qui ressemblait à de la surprise et à une interrogation. Elle lui lâcha les poignets et se mit à sourire.

Omar Ibn Battûta vit dans ce sourire comme un encouragement et il essaya à nouveau de passer ses bras autour d'elle et de l'attirer vers lui. Elle ne se débattit pas, mais, posant son visage sur la poitrine de l'éternel voyageur et caressant lentement le corps dénudé, rompu par tant d'épreuves et pourtant impatient, elle murmura à voix basse qu'il devait attendre, attendre encore et que d'autres plaisirs le guettaient dont elle n'avait le droit de rien dire.

En face de la fenêtre du cabinet de toilette était installée une coiffeuse. Isaac Laquedem s'assit un instant devant le miroir. La lueur de la lune éclairait la petite pièce, remplie de brosses d'ivoire et de bibelots de prix, épars sur des guéridons. Dans le miroir, vaguement, il aperçut une ombre qui surgissait de l'ombre : c'était lui. L'odeur qui l'avait saisi en entrouvrant la porte l'assaillait de partout. Dans l'attente, dans le mystère, il crut défaillir de bonheur.

À peu près au milieu du mur qui s'élevait entre la coiffeuse où il était assis et la porte par laquelle il était entré tout à l'heure s'ouvrait une deuxième porte. Il se leva lentement et se dirigea vers cette porte. La main sur la clenche de porcelaine, ou peut-être sur le bouton, il hésita un instant. Moins par crainte que par plaisir. Depuis les forêts de Pologne, il avait tant pensé à ce moment qu'il voulait encore le faire durer un peu. Il revint vers la fenêtre et sortit de sa poche le médaillon qui ne le quittait plus. La lune éclaira une fois de plus les traits qui le ravissaient. Il les contempla longuement. Et il revint vers la porte.

Il l'ouvrit en silence. Le parfum de Pauline lui sauta au visage. Il ferma la porte derrière lui.

— Je suis dans la chambre de Pauline, dit-il à voix presque haute.

Il avait le sentiment que des siècles d'histoire, les chocs des empires, les découvertes des savants, les angoisses des mystiques ne s'étaient succédé que pour aboutir à cet instant dans la chambre de Pauline, à l'extrême sud de la France, au tout début du printemps de la dernière année du Grand Empire. Il fit un pas. Puis deux. La chambre était plus obscure que le cabinet de toilette. Il devinait le lit, et, dans le lit, la forme d'un corps étendu.

Il resta longtemps immobile. Tout reposait dans la maison. Aucun bruit. Il s'avança lentement, prenant garde de ne heurter aucun des meubles qu'il imaginait dans la pièce plutôt qu'il ne les distinguait. Il sut qu'il approchait du but en entendant le souffle égal de la femme qui dormait.

Il fit encore un mouvement, jusqu'à toucher le lit. Alors, il s'agenouilla et, s'appuyant en silence sur ses coudes, il enfonça le visage dans les draps parfumés. Il demeura là longtemps, sans un bruit, sans un geste, écoutant, dans la nuit, le cœur de Pauline battre lentement à ses côtés.

Peut-être parce qu'il caressait d'un mouvement insensible les cheveux d'une couleur indistincte d'où sortait un parfum qui lui faisait souhaiter de mourir, ce fut elle qui, la première, étendit le bras jusqu'à toucher son corps. Elle découvrit tour à tour, sans sortir de son sommeil, l'épaulette en épinard, les torsades sur la poitrine, la fourrure du dolman. Lorsque la main endormie parvint, en tâtonnant, jusqu'à l'aigrette en plumes de héron qui surmontait le shako posé sur le bord du lit par Isaac Laquedem, la dormeuse eut un sursaut. Elle se retourna avec vivacité et poussa un soupir. C'est en reprenant son souffle qu'elle fut frappée par le parfum qu'Isaac avait hérité de l'élégant. Elle poussa un cri aussitôt étouffé par la main d'Isaac, se dressa dans son lit, entoura de ses bras l'homme en uniforme à la hongroise qui était agenouillé auprès d'elle et murmura :

— Canouville !

Ce que fut cette nuit... Il n'y a pas de plus grand plaisir pour un homme que de prendre une femme endormie qui sort à peine de son rêve pour se donner à lui. Pauline avait tremblé pour la vie de Canouville auquel elle s'était attachée avec la même violence qu'à Fréron et à Leclerc. De mauvaises nouvelles étaient arrivées. Des rumeurs avaient couru. On racontait qu'il avait disparu en Russie, qu'il avait été tué au combat. Elle avait beaucoup pleuré. Et voilà que le cauchemar se dissipait et qu'en songe au moins — elle ne voulait pas savoir si elle dormait ou si elle était éveillée — elle le serrait contre elle.

Il la serrait contre lui. Toutes les caresses, tendres d'abord, puis de plus en plus précises, qu'elle lui prodiguait avec passion, il les lui rendait sans se lasser. Pauline avait trente-trois ans. Elle était dans tout l'éclat d'une beauté épanouie qu'Isaac ne connaissait que par la miniature de Canouville et par le portrait aperçu à Paris. Il la découvrait par les doigts, par la peau, par le toucher, par les caresses. Jamais Canouville, léger, facile, toujours pressé, ne l'avait caressée avec cette lenteur, avec cette ardeur d'écolier, d'artisan et d'amant. Il apprenait le nez, les oreilles, la bouche. Il apprenait les lèvres avec les lèvres, la langue avec la langue. Il apprenait les mains avec les mains. Il apprenait les bras, les pieds, le ventre. Les seins de la princesse Borghèse étaient célèbres en Europe et dans le monde entier depuis que Canova l'avait représentée en Vénus. Isaac Laquedem, qui en avait tant rêvé, les apprit, dans la nuit, avec ses mains et sa bouche.

Pauline dormait, jouissait, rêvait, laissait échapper des gémissements de bonheur, caressait l'ombre de

Canouville. Il s'inclinait vers elle, elle s'inclinait vers lui et, inconnus l'un à l'autre, dans l'obscurité et le silence à peine rompu par les cris qu'ils retenaient aussitôt, ils échangeaient leur souffle et leurs dons alternés. Pauline, les draps arrachés, la chemise de nuit déchirée, murmurait des mots sans suite en se penchant sur celui qu'elle croyait son amant et qui allait le devenir. Quand elle avait fini de le prendre dans sa bouche, elle se rejetait en arrière, un sourire pour personne sur ses lèvres absentes dont s'emparait la nuit. Il n'y avait pas un pouce de son corps qui n'eût été exploré par les mains et les lèvres d'Isaac Laquedem.

Depuis des semaines et des mois, à travers la Pologne et l'Allemagne, dans les rues de Paris, sur les routes de Bourgogne et de Provence, Isaac Laquedem avait pensé à cette nuit. Elle le payait de tout. De ses souffrances, de ses angoisses, de son existence absurde et sans fin. Pour la première fois, mourir et ne pas mourir lui étaient indifférents. Pauline entre ses bras, il était au-delà de la vie et de la mort. Il avait le sentiment d'être enfin arrivé au bout du chemin interminable qu'il parcourait depuis si longtemps. Quoi d'autre ? Quoi d'autre ? Il n'y avait rien d'autre que cette bouche et ces seins et ces jambes et ce ventre. Il n'y avait plus ni questions, ni vide, ni désespoir. L'éternel « À quoi bon ? » était enfin réduit au silence par quelque chose de plus fort qui ne se discutait pas. Des images éparses lui passaient en rafales par l'esprit : des courses, des meurtres, des fêtes, des batailles. Au moment même où il revoyait l'élégant, la gorge tranchée, couvert de sang, Pauline murmura :

— Viens dans moi.

De connaître votre âge
Nous serions curieux.
À voir votre visage,
Vous paraissez fort vieux.
Vous avez bien cent ans,
Vous montrez bien autant !

— Mais…, dit Marie.
— Je sais, coupa Simon. Merci.

La vieillesse me gêne…

— Vous gênait-elle ? dit Marie. Là, dans les bras
de…
— Mon Dieu !… dit Simon. Je déteste me vanter…
Quel culot ! Il me semblait, au contraire, que Simon
Fussgänger passait son temps à parader et à se donner le
beau rôle dans les histoires qu'il nous racontait. Marie,
naturellement, était la dernière à pouvoir s'en rendre
compte.

La vieillesse me gêne.
J'ai bien dix-huit cents ans.
Chose sûre et certaine,

Je passe encore douze ans ;
J'avais douze ans passés
Quand Jésus-Christ est né.

N'êtes-vous point cet homme
De qui l'on parle tant,
Que l'Écriture nomme
Isaac, Juif errant ?
De grâce, dites-nous
Si c'est sûrement vous ?

Isaac Laquedem
Pour nom me fut donné ;
Né à Jérusalem,
Ville bien renommée !

— À Jérusalem ? dit Marie.

— Pure invention, dit Simon. Vous le savez bien : je suis galiléen.

Oui, c'est moi, mes enfants,
Qui suis le Juif errant !

Dans les tout derniers jours de juin 1976, une agitation mêlée d'angoisse et de découragement régnait dans les bureaux du Mossad, le service secret israélien. Le vol AF 139 — un Airbus d'Air France qui desservait Tel-Aviv et qui avait décollé de l'aéroport de Lod le 27 juin à 8 h 50 à destination de Roissy — avait été détourné au-dessus de Corfou, après une escale à Athènes, par un mystérieux commando de quatre membres — deux Allemands, semblait-il, dont une femme, et deux Palestiniens — qui se réclamait de Che Guevara et du Front populaire pour la libération de la Palestine. Après un arrêt de cinq heures à Benghazi et au terme d'un voyage qui avait pris l'allure d'un cauchemar pour les deux cent cinquante ou soixante passagers, parmi lesquels des femmes et des enfants, et bouleversé le monde entier, accroché à ses postes de radio et de télévision, agglutiné devant les kiosques à journaux dont les tirages montaient en flèche, le commando avait contraint l'équipage à poser l'appareil sur le terrain d'Entebbe, petite ville de l'Ouganda, au nord du lac Victoria.

À l'autre bout du monde, traversé par l'équateur, grand comme une fois et demie la Suisse, ou encore la Belgique, les Pays-Bas, le Luxembourg réunis, l'Ouganda avait longtemps été gouverné par un roi assimilé à un lion et toujours flanqué d'un feu sacré. Il était tombé sous la coupe d'un ancien champion de boxe musulman, ami de Cassius Clay, alias Mohammed Ali, transfiguré en maréchal dans un uniforme étincelant et en président à vie. Le président à vie, qui jetait volontiers aux crocodiles ses adversaires politiques, avait suspendu la constitution, dissous le parlement, interdit les partis, humilié les Anglais, expulsé les Asiatiques, rompu avec Israël : il s'appelait Idi Amin Dada. À près de quatre mille kilomètres d'Israël, le maréchal Amin Dada avait accepté, avec une satisfaction qu'il ne dissimulait pas, d'accueillir l'appareil, l'équipage, les otages et le commando dont il jugeait « très généreuses » l'action et les exigences.

En ce début d'été, il faisait une chaleur accablante dans les locaux des services secrets. Autour de paquets de cigarettes nerveusement éventrés et de deux ou trois cadavres de bouteilles de whisky, les agents du Mossad auxquels s'étaient joints des hommes des commandos de choc et des brigades spéciales ainsi que des représentants de l'Aman, le service des renseignements de Tsahal, et du Shabak, le service d'action antiterroriste, passaient en revue avec fièvre les hypothèses les plus folles et s'arrachaient les cheveux devant les nouvelles qui venaient de tomber. Trois nouveaux terroristes au moins s'étaient joints à Entebbe au commando de quatre membres qui avait détourné l'avion à la verticale de Corfou. Il semblait qu'ils parlaient entre eux en espagnol ou dans un anglais incertain, et non pas en arabe. Le commando avait libéré un certain nombre de passagers, mais il retenait encore une centaine d'otages dont quatre-vingt-trois Israéliens. Il réclamait la libération d'une cinquantaine de « combattants de la liberté », emprisonnés en France, en Allemagne, en Suisse, au Kenya, et surtout en Israël, et il avait fixé au dimanche 4 juillet à 13 heures l'expiration de son ultimatum. Au-delà de ce délai et faute d'une réponse positive, il ferait sauter l'avion et sa centaine d'otages. Déjà des tranchées de protection avaient été creusées contre le souffle de l'explosion et le cordon de troupes ougandaises avait reculé de cent cinquante ou deux cents mètres. Des bâtons de dynamite avaient été disposés un peu partout. L'avion était prêt à exploser avec ses passagers.

L'Amérique où Jimmy Carter se préparait à remplacer Gerald Ford, la France de Giscard d'Estaing, de Chirac, de Sauvagnargues, l'Allemagne de Helmut Schmidt, l'Angleterre où Callaghan venait de succéder à Harold Wilson avaient plaint les victimes et les innocents, condamné la violence, exalté les droits de l'homme, clamé leur indignation et leur volonté de fermeté. Pour un grand nombre de raisons qui allaient de la psychanalyse collective à la philosophie de l'histoire, tout le monde savait qu'elles ne bougeraient pas. Pour toute une série d'autres motifs qui n'étaient pas très obscurs, les Russes s'amusaient de l'affaire et soutenaient plutôt Amin Dada. La Chine se remettait de la mort de Chou En-lai et se préparait à celle de Mao. Le Japon luttait contre les scandales financiers et ses propres terroristes et occupait à s'enrichir le temps qui lui restait.

— Une fois de plus, dit une voix au milieu d'un nuage de fumée, nous ne pouvons compter que sur nous-mêmes.

— Il n'y a rien à faire, conclut le colonel Yonatan Netanyahu, les traits tirés, les yeux gonflés par la fatigue. Nous nous vengerons une autre fois. Pour le moment et à cause des otages, je crois qu'il faut négocier. C'est la seule solution. Je vais la recommander à Yitzhak Rabin.

Un grand silence tomba. Le colonel, qui avait trente

ans et qui dirigeait les débats, griffonna quelques mots et tendit une enveloppe à un lieutenant qui sortit aussitôt. Tous les hommes — et les deux femmes — présents dans la pièce enfumée comprirent qu'ils étaient en train de vivre une minute décisive : pour la première fois, Israël acceptait de négocier avec des terroristes.

Assis, dans un coin de la pièce, sur un rebord de fenêtre, le lieutenant Katz, qui n'avait pas dit un mot jusqu'alors et qui, malgré son jeune âge, jouissait d'une assez forte réputation pour avoir déjà participé à l'affaire des vedettes de Cherbourg et à diverses opérations de représailles lancées par Golda Meir en Tunisie ou en Syrie, se mit à tousser et à s'agiter. Il finit par lever la main.

— Qu'est-ce qui se passe, Katz ? demanda le colonel.

— Je crois que nous avons par hasard quelqu'un du côté du lac Victoria. Peut-être même à Kampala. Difficile de savoir où il est exactement. Il bouge tout le temps. Et il se cache. Dans le coin, en tout cas.

— Et alors ? dit Yonatan.

— Il est assez fort, dit Katz. Je le connais.

— Il est seul ? demanda Netanyahu avec un sourire de commisération.

— Il est seul, dit Katz. Mais il est fort.

— Un des nôtres ? Tsahal ? Aman ? Shabak ? Mossad ?

— Pas du tout, dit Katz.

— Qu'est-ce qu'il fait là-bas ?

— Il se promène.

— C'est une plaisanterie, dit le Dr Friedmann, qui représentait le Premier ministre. Nous ne sommes pas ici pour perdre notre temps.

Tout le monde se taisait. Le colonel réfléchissait

en pliant et dépliant une feuille de papier blanche dont le crissement portait sur les nerfs.

— Qu'est-ce que nous avons à perdre ? dit-il enfin en levant les bras. Pouvez-vous entrer en contact avec lui ?

— Ce n'est pas facile, dit Katz. Mais je crois que oui.

— Une poule ? ricana quelqu'un.

Le lieutenant Katz se tut, un peu de rouge aux joues. Il venait d'une famille orthodoxe et très stricte. Son frère, en guise d'étendard et de passeport pour l'au-delà, arborait encore des papillotes sous un chapeau de feutre noir.

— Comment s'appelle votre sauveur ? demanda Netanyahu.

— Laquedem, dit Katz. Isaac Laquedem. Mais il porte beaucoup d'autres noms.

Juste ciel ! Que ma ronde
Est pénible pour moi !
Je fais le tour du monde
Pour la cinquième fois.
Chacun meurt à son tour,
Et moi, je vis toujours !

Je traverse les mers,
Les fleuves et ruisseaux,
Les forêts, les déserts,
Les monts et les coteaux,
Les plaines, les vallons ;
Tous chemins me sont bons.

J'ai vu dedans l'Europe,
Ainsi que dans l'Asie,
Des batailles, des chocs
Qui coûtaient bien des vies.
Je les ai traversés
Sans y être blessé.

J'ai vu dans l'Amérique,
C'est une vérité,

Ainsi que dans l'Afrique,
Grande mortalité.
La mort ne me peut rien,
Je m'en aperçois bien.

Dans les bras de Pauline endormie, il se mit à rêver. Il rêvait le monde, et sa vie. Il se revoyait à Rome, à Moscou, à Jérusalem, à Samarkand, dans les prisons d'Odoacre, au milieu de la mer des Sargasses, sur les chemins de l'Hindou Kouch, dans l'Hippodrome de Byzance. Il n'était que son rêve et son rêve était le monde. Dans les bras de Pauline se déployait quelque chose d'immense qui se réduisait au souvenir : c'était l'histoire. Le temps et l'espace se défaisaient jusqu'à s'abolir. Il rêvait ce qu'il avait connu, il rêvait aussi ce qu'il n'avait pas connu. Il rêvait ses rêves comme il rêvait sa vie. Le souvenir et le songe ne se distinguaient plus l'un de l'autre.

La réalité se dissolvait et partait en lambeaux, en fumées, en traces éparses, en éclairs dans la nuit. Le temps qu'il avait traversé depuis des siècles et des siècles s'installait en rond autour de lui. Il descendait dans l'avenir, il remontait dans le passé. Il lui semblait que tous les secrets évanouis ou à venir se dissipaient pour lui. Il devinait ce qui allait surgir du néant pour s'installer avec splendeur dans la nécessité de l'être, il se souvenait de ces choses disparues qui l'avaient précédé. Le monde dansait autour de lui. Pauline endormie dans ses bras murmurait des mots d'amour. Dans les bras de

Pauline, il se retrouvait tout à coup dans les bras de Poppée, de Haydé, de Natalie de Noailles et de Marie de Magdala.

— Dans les miens aussi, peut-être ? dit Marie d'une voix blanche.

Simon Fussgänger n'avait pas entendu. Il regardait au loin, vers le fond de la lagune. Ou il faisait semblant de n'avoir pas entendu.

— Marie, dis-je très bas, Marie, tu vas trop loin.

Il se revoyait dans son échoppe où le Galiléen implorait un verre d'eau. Il se revoyait dans le palais du procurateur de Judée. Il se revoyait dans cette auberge où, bien des années après l'affaire du Golgotha — aurait-il été possible qu'elle n'eût jamais eu lieu et qu'il y eût une autre histoire à la place de la nôtre ? —, il avait reconnu Ponce Pilate sous les traits d'un voyageur épuisé et vieilli, qu'aucun garde ne suivait plus. Le procurateur, naturellement, n'avait pas conservé le moindre souvenir de son obscur portier. Il ne se souvenait même plus de ce crucifié parmi d'autres qui avait, en son temps, fait moins de bruit que beaucoup. Ils avaient parlé, tous les deux, en buvant un peu de vin, de leurs guerres et de l'empereur. La nuit tombait. L'ancien procurateur avait récité quelques vers de Sophocle et d'Homère. L'autre, c'est-à-dire lui, c'est-à-dire un songe parmi les songes, et qui se rêvait lui-même, regardait les étoiles et se demandait à haute voix ce qu'ils faisaient sur cette terre, inutiles et perdus, écrasés par les ans.

— Crois-tu, avait-il dit au Romain, que nous en saurons jamais un peu plus sur ce monde où nous aurons vécu, sur la beauté et le bien, sur la justice, sur la vérité ?

Le Romain s'était tu si longtemps que le Juif s'était demandé s'il avait entendu. Et puis, l'ancien procurateur de Tibère s'était versé un peu de vin, il avait frotté lentement ses mains l'une contre l'autre et, d'une voix étouffée, comme si un souvenir évanoui lui passait soudain par l'esprit, il avait murmuré cette formule si peu romaine, qui venait d'ailleurs et de plus loin :

— Qu'est-ce que la vérité ?

Dans les bras de Pauline endormie en train de rêver des mots d'amour, Isaac Laquedem déguisé en Canouville se souvenait de lui-même en pèlerin chinois, en sophiste byzantin, en soldat d'Alaric, en navigateur espagnol, en compagnon de saint François, en voyageur arabe, en estafette de l'Empereur : il courait à travers le monde et les âges sous une banderole déployée qui était son rêve même et où brillaient en lettres de feu les mots du procurateur en réponse à une autre voix, plus puissante et plus haute, et dont l'écho retentissait si fort dans son rêve et dans ce monde que l'amant endormi dans les bras de Pauline devait porter ses deux mains à ses oreilles assourdies :

QU'EST-CE QUE LA VÉRITÉ ?

— Mon cœur..., murmurait Pauline.
— Oui ? disait Laquedem.
— Mon cœur, murmurait Pauline. Tu parles, je n'entends pas. Que dis-tu, mon amour ?
— Rien, disait Laquedem, rien. Dors, mon amour. Dors.

Et il se bouchait les oreilles pour ne pas entendre le grand cri sans réponse qui n'en finissait pas de retentir dans les rêves des hommes et des femmes serrés dans les bras l'un de l'autre et qui courait à travers le monde et traversait les siècles :

QU'EST-CE QUE LA VÉRITÉ ?

Je n'ai point de ressource
En maison ni en bien ;
J'ai cinq sous dans ma bourse,
Voilà tout mon moyen !
En tous lieux, en tout temps,
J'en ai toujours autant.

Nous pensions comme un songe
Le récit de vos maux.
Nous traitions de mensonge
Tous vos plus grands travaux.
Aujourd'hui nous voyons
Que nous nous méprenions.

Vous étiez donc coupable
De quelque grand péché
Pour que Dieu tout aimable
Vous ait tant affligé ?
Dites-nous l'occasion
De cette punition.

Il revoyait le cortège, et l'échoppe, et le visage du supplicié. Il entendait les paroles qui avaient fait basculer sa vie et scellé son destin :

— Marche ! Mais marche donc !

— Je marche parce que je dois mourir. Toi, jusqu'à mon retour, tu marcheras sans mourir.

Dans la longue chaîne qui menait jusqu'aux bras de Pauline, il n'y avait pas un maillon inutile. Pas un mot, pas un geste, pas un silence, pas un éclair qui ne fût nouveau et différent et pourtant lié à tous les autres et qui ne servît de pont entre le passé et l'avenir. Tout se commandait sans fin dans l'espace et dans le temps et le secret du monde s'étendait peu à peu à la façon d'un puzzle aux pièces imprévisibles et pourtant nécessaires. Dans les bras de Pauline, Isaac Laquedem voyait la Grande Armée dans les plaines de Russie et les passions de Fabrice del Dongo et de Julien Sorel qui n'étaient encore qu'une lueur dans l'œil railleur de Stendhal. Il voyait Spinoza en train de polir ses verres, les éléphants d'Hannibal, les machines de Vinci, les hésitations de Racine au moment de tracer des mots dont l'arrangement arbitraire allait devenir plus immuable que les étoiles dans la nuit :

Je t'aimais inconstant, qu'aurais-je fait fidèle ?...

ou :

Dans l'Orient désert quel devint mon ennui !...

ou :

Tous les jours se levaient clairs et sereins pour eux...

ou :

La fille de Minos et de Pasiphaé...

Il y a toujours un moment où tout ce qui sera nécessaire est encore superflu. Il voyait un général en train de franchir un fleuve côtier qui marquait la frontière entre l'Italie propre et la Gaule cisalpine, un procurateur de Judée qui se lavait les mains en présence de la foule, un caporal autrichien à l'instant de déclencher, dans la nuit du solstice d'été, l'opération *Barbarossa*. Il montait jusqu'aux royaumes, jusqu'aux empires, jusqu'aux desseins sublimes qui commandent l'univers. Il descendait jusqu'au désespoir de l'enfant qui vient de laisser tomber dans le caniveau sa brioche ou sa sucette. Entre les larmes de l'enfant et les systèmes formidables dont dépendent nos destins il y avait un fil qui courait : c'était celui de l'histoire, c'était celui de la vie. Il voyait l'artisan dans sa boutique, le paysan aux champs, Alexandre à Persépolis, saint Augustin dans son cabinet, un chien frisé à ses pieds, en train d'écrire ses *Confessions* ou sa *Cité de Dieu* et de penser à Alaric, à saint Jérôme, au mystère de la vérité. Il voyait l'histoire commencer, sortir lentement de la vie, qui sortait de la matière, qui sortait on ne sait d'où. Il la voyait s'achever on ne sait comment. Entre ce début et cette fin, c'était, dans les bras de Pauline, une débauche de plaisirs et de larmes, un feu d'artifice de bonheurs et de supplices, une collection d'aventures à faire rêver Satan et tous les anges du ciel.

Il voyait le monastère de Saint-Albans, au nord-ouest de Londres, dans le comté de Hertfordshire où, à côté de la vieille ville romaine de Verulamium, était enterré lord Verulam, vicomte de Saint-Albans, avocat intrigant et sans scrupules, philosophe de génie qui, aux yeux de quelques-uns, aurait été le vrai père des chefs-d'œuvre de Shakespeare, procureur général, garde des Sceaux, grand chancelier, plus connu sous le nom de Francis Bacon, et où deux grandes batailles, au cours de la guerre des Deux-Roses, avaient tourné successivement à l'avantage de la rose blanche des York et de la rose rouge des Lancastre. C'est là, à Saint-Albans, vers le début du XIIIe siècle, qu'Isaac Laquedem, qui n'était pas encore Isaac Laquedem, était venu au monde pour la deuxième fois. Il voyait la visite à Saint-Albans d'un évêque arménien en train de raconter à un moine bénédictin du nom de Matthieu Pâris des aventures oubliées et jusqu'alors inédites : c'étaient les siennes. Il voyait le moine relater dans une chronique bientôt célèbre le récit de l'évêque : comment le portier de Ponce Pilate, qui s'appelait Cartaphilus, avait traité avec mépris le Sauveur condamné en train de marcher au supplice et comment le Juif, en retour, avait été condamné à marcher sans repos. Il voyait croître et se développer la légende de ce Malc ou Malchus qui aurait souffleté le Christ et qui, après que l'apôtre Pierre lui eut tranché l'oreille au jardin des Oliviers, avait été condamné à tourner sans fin autour de la colonne où Jésus avait été attaché. À peu près à l'époque de Matthieu Pâris, il voyait en Italie la figure déjà populaire d'un pénitent touché par le repentir, incapable de rester en place, devenu le compagnon de saint François

d'Assise et doué de divination. On l'appelait Buttadeo.
C'était lui, toujours lui. À travers des chroniques sur
des rabbins voyageurs, les écrits d'un évêque de Schles-
wig, des complaintes populaires, les rumeurs de la
crainte et de la superstition et les jeux du souvenir et de
l'imagination, c'est au confluent de Cartaphilus qui
attend le retour du Seigneur et le Jugement dernier, de
Malchus qui expie son geste et de Buttadeo, le pécheur
repentant et secourable qui ne peut rester en repos,
qu'apparaissent Ahasvérus, cordonnier à Jérusalem,
puis Isaac Laquedem, le Flamand, et toutes ces figures
du Juif errant qui, parmi tant d'hypostases et derrière
tant de masques, va porter en Espagne le beau nom de
Juan Esperendios ou de Espera en Dios. C'était encore
lui. Dans les bras de Pauline, Isaac Laquedem, sous les
traits de Canouville, à défaut de vivre sa mort, revivait
ses naissances.

Dans les bras de Pauline, il voyait la fiction et la
réalité entretisser leurs fils d'or, échanger leurs
richesses, se muer l'une en l'autre. Il voyait sa légende,
qui touchait en même temps à Judas, à Pierre qui renie
son maître, à Jean l'évangéliste, le disciple bien-aimé,
qui avait reçu de Jésus l'ordre d'attendre son retour, à
Joseph d'Arimathie, le premier maître du Saint-Graal,
nourrir à la fois d'immenses visions de l'univers, toutes
pénétrées du Zohar, de la Kabbale, de Moïse de Léon,
de la tradition juive, et toute la propagande de l'antisé-
mitisme ordinaire. Dans les bras de Pauline, il se voyait
tour à tour en esclave poursuivi par la malédiction
divine et en homme libre qui a brisé ses chaînes et qui
marche vers le progrès. Il se voyait au centre d'anec-
dotes innombrables, de voyages sans fin, de tragédies
bourgeoises, de comédies historiques, et au cœur même
de la mémoire, de l'histoire, de l'énigme du temps. Il
était la science et la religion, la société et l'individu, une
fable à faire peur aux enfants et la vérité universelle. Il

se voyait sous les espèces de la tempête et du vent en train de souffler sur les champs du paysan picard ou frison qui levait les yeux vers le ciel et murmurait en se signant : « C'est le Juif errant qui passe. » Il se voyait l'égal de ces mythes qui, portés à la fois par la crédulité des masses et le génie d'un petit nombre d'écrivains, de poètes, de peintres, de musiciens, couraient à travers les sociétés et les littératures : un Faust, un don Juan, un don Quichotte, un Gargantua, un Gavroche. Il se voyait mêlé à toutes les obsessions des hommes, à leurs hantises, à leurs craintes et à leurs espoirs, et il prêtait son image et ses noms aux épopées cosmiques et aux systèmes de l'univers. Dans les bras de Pauline, il était un hasard, une aventure, une rencontre sans lendemain et toute la suite des hommes soudain passée en lui, une ombre fragile et floue jusqu'à l'inexistence et la vérité même, une légende et l'histoire, un songe qui s'appelait la vie.

Vers le début de la nuit du samedi 3 au dimanche 4 juillet 1976, étendus à même le sol, incapables de dormir, étreints par l'angoisse et par l'incertitude, Ida Borovitch et Jean-Pierre Maimoni échangent quelques mots à voix basse. Elle est israélienne, lui est le fils d'un ancien agent de police français, immigré en Israël il y a quelques années avec toute sa famille. Jean-Pierre regagnait Paris par le vol AF 139 pour y poursuivre ses études. Ida se rendait en France pour y passer quelques semaines de vacances et de repos. Ils se retrouvent tous les deux au milieu d'une centaine d'otages répartis, sous la garde du commando germano-palestinien et des soldats d'Idi Amin Dada, entre deux hangars de l'aéroport d'Entebbe. Ida Borovitch montre en riant à Jean-Pierre Maimoni une chanson qu'elle a écrite au crayon sur sa carte d'embarquement. Elle tourne autour de deux vers qui se répondent l'un à l'autre :

Idi dit à Ida

et :

Ida dit à Idi

Toujours en grand uniforme, jovial et tonitruant, espèce de Goering africain un peu frotté de castrisme et de marxisme-léninisme, le maréchal est venu trois fois en quatre jours s'adresser aux otages. Il est reparti assez content : plusieurs l'avaient applaudi. Ces applaudissements ont troublé Ida et Jean-Pierre. Jean-Pierre a raconté à Ida sa conversation avec le directeur de l'aéroport qui avait apporté aux otages, contre remboursement en dollars, des marchandises tirées de sa boutique hors douane et du ravitaillement.

— Ce ne doit pas être facile, avait dit Jean-Pierre, de recevoir à l'improviste sur l'aéroport d'Entebbe deux cent soixante-dix personnes qui n'étaient pas attendues ?

Le directeur l'avait regardé avec un air d'étonnement et lui avait répondu :

— Mais... nous vous attendions.

Ida Borovitch et Jean-Pierre Maimoni parlent du maréchal Amin Dada, des soldats ougandais qui ont braqué leurs fusils mitrailleurs sur les hangars où sont entassés les otages, des trois nouveaux personnages qui sont venus s'ajouter aux quatre membres du commando primitif, de l'infecte nourriture porteuse de dysenterie, de l'eau qui se met à manquer dans les toilettes de l'aéroport, ils parlent surtout avec une angoisse mêlée d'un peu d'humour du sort qui les attend, toujours aussi douteux, de plus en plus inquiétant, lorsque Jean-Pierre Maimoni regarde sa montre à son poignet : il est un peu plus de onze heures du soir. Alors, avant d'essayer de dormir un peu, il se lève pour se dégourdir les jambes et pour jeter un coup d'œil sur la nuit et la lune par une des fenêtres du hangar. Ce qu'il aperçoit le stupéfie : là-bas, au bout de la piste, trois gros avions se posent. De la porte arrière du premier débarque la Mercedes du maréchal Amin Dada. Derrière la Mercedes foncent deux ou trois Land Rover bourrées de soldats en tenue de combat et armés jusqu'aux dents. Il se retourne vers Ida :

— Venez donc voir ! lui crie-t-il.

Au même instant, tout près, éclate une fusillade. Ida, qui s'avançait vers Jean-Pierre, se précipite dans ses bras. Les explosions se succèdent.

— L'avion saute ! crie Ida.

— Mais non ! crie Jean-Pierre. Ce sont...

La même grenade les abat tous les deux.

C'est ma cruelle audace
Qui causa mon malheur ;
Si mon crime s'efface,
J'aurai bien du bonheur.
J'ai traité mon Sauveur
Avec trop de rigueur.

Sur le mont du Calvaire,
Jésus portait sa croix.
Il me dit, débonnaire,
Passant devant chez moi :
Veux-tu bien, mon ami,
Que je repose ici ?

Moi, brutal et rebelle,
Je lui dis, sans raison :
Ôte-toi, criminel,
De devant ma maison !
Avance et marche donc,
Car tu me fais affront !

Dans les bras de Pauline, Isaac Laquedem se revoyait à Rome dans les bras de Poppée, à la prison du Plessis sous la Terreur dans les bras de Natalie, sur les bords du lac de Tibériade dans les bras de Marie-Madeleine qui allait tout quitter pour le Galiléen, dans les bras des prostituées de tous les ports du monde, dans les bras de la folle des forêts polonaises, au cœur du *Bolchoï Kavkaz* dans les bras de la servante de la comtesse Thamar. Toutes ces femmes, qui avaient passé comme l'éclat d'un beau jour et comme l'herbe des champs, qui avaient ri et pleuré, qui avaient parlé et crié et qui avaient fini par se taire, qu'il avait caressées et qui l'avaient caressé, ne faisaient qu'une seule femme dans les bras de Pauline. Il était tous les hommes et elles étaient toutes les femmes. Il y en avait de blondes et de brunes, de plus grandes et de plus petites, de plus grasses et de plus maigres, de plus gaies et de plus sombres, il y en avait qui aimaient et d'autres qui n'aimaient pas être prises par-derrière ou le prendre dans leur bouche — il était toujours le même homme et elles étaient la même femme. Elles changeaient, il changeait. C'était toujours la même femme et c'était toujours le même homme.

Il voyait les positions, les situations, les passions, les

571

sentiments, les motifs et les fins. Dans les bras de Pauline, il se voyait à Prague, à la cour de l'empereur Rodolphe, en compagnie de Tycho Brahé dont la vessie venait d'éclater à l'issue d'un banquet trop arrosé et trop long d'où il était impossible de songer à se retirer avant le départ du souverain ; avec les troupes de Pancho Villa dans le Mexique révolté contre Porfirio Diaz ; dans les mines de Pologne et dans celles de Silésie, dans les rizières du Bengale et dans celles du Piémont, dans les cuves des tanneurs de peaux à Marrakech et à Fès ; dans un bureau de Wall Street, où il avait gagné et perdu une fortune en spéculant sur le cacao et où un petit gros qui riait tout le temps s'était levé soudain de son fauteuil pour se jeter par la fenêtre ; à la bataille de Waterloo, où il avait remarqué un jeune hussard à l'allure godiche et empruntée qui ne comprenait rien du tout à ce qui était en train de se passer autour de lui, dont la charmante figure, à peine gâtée par une syntaxe incertaine et un accent prononcé, emballait les cantinières et qui se prétendait le beau-frère d'un certain capitaine Meunier, ou Teulier, du 4e léger ; aux côtés de Benvenuto Cellini, à la veille du sac de Rome, sur les remparts de la ville assiégée par les troupes de Charles Quint, à l'instant même où un coup d'arquebuse tiré par l'orfèvre fanfaron et génial venait d'abattre le connétable de Bourbon, l'ennemi de Bayard et de François Ier, qui commandait les Impériaux. Rien n'avait disparu puisque tout était inscrit dans un souvenir et présent dans le passé. Dans les bras de Pauline. Dans les bras de Pauline.

— J'apprends, dit la comtesse Thamar en se penchant vers son hôte assis à côté d'elle, que vous avez
dormi à Chatili, chez les Khevsours, et que vous avez
passé la nuit dans les bras de la jeune Haydé... ?

— Elle est très belle, dit Omar.

Omar Ibn Battûta était un homme qui avait traversé
beaucoup d'épreuves et affronté bien des dangers. Le
regard que lui lança Thamar lui fit peur. Il haïssait cette
femme.

La grande salle du château était remplie d'une foule
bariolée et joyeuse. Une dizaine de musiciens jouaient
de la cithare et du tambour. Des nains, des acrobates,
des avaleurs de sabre et des cracheurs de feu se
démenaient parmi eux à la lueur des flambeaux fixés
aux murs et sur des piliers. Au sommet de la table en
forme d'U trônait la comtesse Thamar dans une tunique
noir et blanc, un diadème sur ses cheveux sombres. Elle
avait placé à sa droite Omar Ibn Battûta vêtu de sa robe
turquoise. En entrant dans la salle, il avait pu deviner,
par une des meurtrières du château, le terrifiant glacier
Devdarak, suspendu au flanc du Kazbek, qui barrait la
vallée et brillait sous la lune.

Les plats étaient apportés, sous les applaudissements,
par des serviteurs noirs ou mongols, revêtus d'une

longue chemise ocre, la tête parfois couverte d'un turban, un grand sabre au côté. Les convives autour de la table virent apparaître successivement des faisans dont on aurait juré qu'ils étaient sur le point de s'envoler, un mouton entier sur une broche posée sur les épaules de deux jeunes Noirs, un ours dont la tête était disposée avec art, sur un lit de coriandre et d'aneth, entre les pattes de devant. Sous l'autorité d'un maître des cérémonies qu'on appelait le tamada et qui, vêtu d'un pantalon bouffant et d'une sorte de caraco, jouait le rôle de sommelier et donnait, sur un geste de la comtesse, le signal des libations et des toasts, aussitôt annoncé par de longues trompettes à tous les invités, les vins de Géorgie coulaient avec abondance de grands hanaps de vermeil ornés de pierres précieuses.

— Plus belle que moi ? demanda Thamar.

Omar Ibn Battûta hésita un instant. Sa vie maintenant était longue, trop longue. Il avait tué beaucoup d'hommes, il avait vu passer beaucoup d'empires, il avait assisté à la naissance et à la disparition de beaucoup de doctrines qui se proposaient, d'une façon ou d'une autre, et souvent par d'étranges détours, de sauver les âmes et d'élever les cœurs. Puisqu'il voulait mourir et qu'il ne le pouvait pas, il essayait au moins de jouir du spectacle d'un monde si divers et si prodigieux et d'exprimer ce qu'il ressentait. Pourquoi aurait-il menti ?

— Ma seule force, dit Simon, c'est de dire la vérité. Je me trompe, parce que je ne suis qu'un homme — à peine un savant, à peine un sage. Un homme, simplement, qui a beaucoup vécu et qui voudrait racheter ses fautes. Regardez comme la nuit est belle après un jour si beau ! Venise est belle, Marie est belle. Le monde est beau. Il n'y a que nous pour le gâcher, avec nos erreurs et nos fautes. Je fais ce que je peux après tant de folies. Je marche à travers le monde et je raconte ce qui est.

— Vous êtes très belle, dit Omar.

— Plus belle que les Khevsours et plus belle que Haydé ?

Il y eut un nouveau silence, que le vacarme des convives, des musiciens, des jongleurs ne parvenait pas à couvrir.

— Non, dit Omar Ibn Battûta, pas plus belle que Haydé. Les êtres sont incomparables parce que chacun d'entre eux est une image de l'univers et un reflet de ce monde inconnu dont nous ne savons rien. Vous n'êtes pas plus belle que Haydé. Personne n'est plus belle que Haydé. Vous êtes belle autrement. Et personne n'est plus belle que vous. Mais personne n'est plus belle que Haydé.

— Je te ferai rentrer ces mots dans la gorge, dit Thamar d'une voix douce, avec un sourire éclatant. Même si c'est pour me dire que je ne peux pas être comparée, je ne veux pas que tu me compares à qui que ce soit d'autre. Il n'y a que moi d'incomparable. Et puisque tu parles si bien de ce monde inconnu, je m'efforcerai de t'en ouvrir les portes.

Et, se penchant vers Omar, elle fit glisser lentement sa main en remontant le long de la jambe qui se dessinait sous les plis de la robe turquoise.

Le souper s'achevait. Les hommes avaient trop bu, les femmes riaient un peu trop. Quand la comtesse Thamar se leva, tous les convives se levèrent avec elle. Il se fit un grand mouvement, les trompettes ornées d'oriflammes se mirent à sonner de nouveau. Chacun venait saluer la comtesse qui finit par passer de groupe en groupe avec grâce et majesté, disant un mot aux uns et aux autres. Omar Ibn Battûta se trouva soudain en face de la servante brune qui s'était occupée de lui et l'avait jeté sur le lit pour le déshabiller. Elle lui demanda s'il voulait bien la suivre. Il la suivit.

Elle le mena dans une pièce plus somptueuse encore

que celle où il avait dormi sous le grand baldaquin rouge. Dans une quasi-obscurité, les armes, les parfums, les objets rares, les pierres précieuses faisaient tourner la tête. Omar Ibn Battûta eut à peine le temps de reprendre ses esprits et de regarder autour de lui toutes ces merveilles éparses qu'il se retrouva seul : la suivante avait disparu. Au bout de quelques instants, par une porte dissimulée derrière une tapisserie qui représentait des oiseaux, entra la comtesse Thamar.

Après vingt ans de victoires et de conquêtes, l'empereur des Français avait fini par être vaincu. Écartée pour légèreté de la cour impériale depuis quelque quatre années, sa sœur préférée, Pauline, décida aussitôt de se défaire de ses bijoux pour offrir trois cent mille francs-or à Napoléon en difficulté. Parmi les bijoux mis en vente figurait une croix d'argent sertie de saphirs, de rubis et d'émeraudes. Beaucoup d'années plus tard, à la veille de la Révolution de 1917, des experts établirent que la croix, plusieurs fois vendue et revendue, disparue, reparue, provenait de l'église de la Dormition, au cœur du Kremlin de Moscou — la cathédrale Ouspenski — où elle était l'objet de la vénération des fidèles. Ils n'expliquaient pas comment la croix d'argent de la cathédrale Ouspenski, inlassablement réclamée par les dirigeants soviétiques, était parvenue entre les mains de la princesse Borghèse.

Le soir du jeudi 8 juillet, le général Mordekhaï Gur, chef d'état-major général de l'armée israélienne, convoqua une conférence de presse qui attira une foule de journalistes impatients de voir se lever le voile de mystère qui entourait le raid sur Entebbe. Depuis près de deux semaines, le détournement de l'avion d'Air France et la libération des otages par un commando israélien figuraient à la une de tous les journaux du monde. Une animation fiévreuse régnait dans la salle où étaient réunis les correspondants de la presse internationale lorsque le silence se fit tout à coup : le général apparaissait. Il salua les journalistes et entra aussitôt dans le vif du sujet. Il indiqua que dès le dimanche 27 juin, quelques heures après l'annonce du détournement de l'Airbus, l'état-major général avait commencé à étudier la possibilité d'une intervention armée. À mesure que les jours passaient, cependant, que le destin des otages devenait plus incertain et que l'angoisse montait, le gouvernement israélien inclinait de plus en plus à une négociation à laquelle poussaient, de leur côté, les chancelleries étrangères. Ce n'est que dans la nuit du jeudi 1er au vendredi 2 juillet que le Premier ministre accepta le principe d'une opération militaire et donna le feu vert à Tsahal.

ANDRÉ SCEMAMA, *Le Monde,* Paris : Il est donc permis de parler d'un retournement soudain de la position officielle ?

LE GÉNÉRAL GUR : On peut présenter les choses de cette façon.

Dès le vendredi matin, un plan détaillé fut mis sur pied et une répétition générale fut organisée. Quelques heures à peine plus tard, le samedi 3 juillet, l'action se déroula, strictement et à la seconde près, selon les plans établis. Les avions de transport militaire utilisés furent des Hercules C-130 à quadri-turbo propulseur, fabriqués par Loockeed. Vitesse : 600 kilomètres à l'heure. Altitude de croisière : 10 000 mètres, pour une charge de 20 000 kilos. Rayon d'action en pleine charge : 8 264 kilomètres. Distance de Tel-Aviv à Entebbe : environ 4 000 kilomètres.

Le vol vers Entebbe dura sept heures et les trois Hercules — dont les deux premiers étaient chargés de troupes et le troisième vide pour ramener les otages — se posèrent exactement à l'heure fixée. Il ne fallut que quelques secondes pour permettre aux premiers véhicules de se déployer sur le terrain.

BEN PORAT, *Europe 1,* Paris : Quel type de véhicules, mon général ?

LE GÉNÉRAL GUR : Essentiellement des Land Rover et des véhicules blindés.

Quarante-cinq secondes après l'irruption du commando dans le bâtiment où étaient rassemblés les otages, quatre des terroristes furent tués. Trois autres furent abattus après une brève poursuite. En dehors de Dora Bloch, soixante-quatorze ans, disparue à l'hôpital Mulango de Kampala où elle avait été transférée, avant l'arrivée du commando, à la suite d'une crise d'asthme, la mort de deux otages — Ida Borovitch et Jean-Pierre Maimoni — était à déplorer.

Le reste de la conférence de presse fut consacré à des considérations techniques et à un éloge des qualités militaires des hommes qui, à un stade ou à un autre, avaient contribué au succès de l'intervention, préparée avec soin grâce à des renseignements d'une qualité exceptionnelle. Le général termina par un hommage au colonel Yonatan Netanyahu qui avait pris une part décisive à l'organisation du raid et qui fut mortellement atteint par un tir venu de la tour de contrôle.

EDWARD BEHR, *The Times*, Londres : Mon général, plusieurs témoins ont mentionné une grosse voiture noire du type de la Mercedes utilisée d'habitude par le maréchal Amin Dada. Elle semble avoir joué un certain rôle dans le déroulement des événements. On a parlé aussi d'un chef d'orchestre invisible qui aurait préparé l'opération sur place et qui serait apparu à la dernière minute avant de disparaître aussitôt. Pourriez-vous confirmer ou démentir ces rumeurs ?

LE GÉNÉRAL GUR : La conférence de presse est terminée. Je n'ai l'intention de répondre à aucune question supplémentaire.

Les invités du général se retirèrent déçus. La manie des journalistes est d'en savoir toujours plus. La presse de la plupart des pays exprima son admiration pour l'audace de l'opération. L'admiration était mêlée d'un peu d'agacement devant tant de détails et de ressorts qui demeuraient obscurs — jusqu'à rendre inexplicable le succès de la folle entreprise.

Moi, brutal et rebelle,
Je lui dis, sans raison :
Ôte-toi, criminel,
De devant ma maison !
Avance et marche donc,
Car tu me fais affront !

Jésus, la bonté même
Me dit en soupirant :
Tu marcheras toi-même
Pendant plus de mille ans ;
Le dernier Jugement
Finira ton tourment !

La nuit d'Ibn Battûta et de la comtesse Thamar... On racontait que, plus tard, le khân tatar de Crimée, établi à Bakhtchisaraï, réclamait chaque année de ses sujets caucasiens un tribut constitué d'un cheval, d'une cuirasse et d'une jeune fille. C'était faire preuve d'un jugement assez sain et du goût le plus sûr. Omar Ibn Battûta ne tarissait pas d'éloges sur les chevaux des Tcherkesses, des Tchetchènes, des Abkhaz, des Ingouches ni sur les armes des Khevsours. Mais les femmes du Caucase... Pendant des siècles et des siècles, il n'y a pas eu de pensionnaires plus appréciées dans tous les harems de l'Orient que les femmes du Caucase, les Circassiennes, les Géorgiennes. Elles faisaient tout oublier à l'empereur du Milieu, aux khâns mongols de la Perse, au grand Shâh Abbas dans les délices de Tchéhel Sotoun, le joyau d'Ispahan, le pavillon aux quarante colonnes, aux Akbar ou aux Jahangir qui ordonnaient de construire, dans les splendeurs de Chittorgârh ou de Fatehpur Sikrî, des pièces aux miroirs innombrables pour multiplier sans fin les images enchanteresses des esclaves circassiennes, au commandeur des croyants, maître du harem de Topkapi Sarayi. L'espace de toute une nuit, la comtesse Thamar fit oublier au Juif errant qu'il était maudit parmi les hommes.

— J'ai excercé le pouvoir, j'ai fait la guerre, j'ai bu du vin, j'ai ramassé de l'argent, j'ai essayé les herbes les plus diverses, les drogues, les champignons, je me suis perdu dans l'ambition, dans la folie, dans la haine, j'ai marché sans répit. Seul le bonheur des corps m'a permis d'oublier. Dans mon exil sans fin, l'amour m'était un havre, un répit, une petite mort. Je le vivais avec tant de force qu'il me semblait m'évanouir. Je me suis jeté dans le plaisir comme dans un salut inversé. Dans son château du Caucase, la comtesse Thamar a réussi l'exploit le plus banal, celui que traduisent les mots les plus usés : je la détestais et elle m'a fait mourir d'un amour qui était un autre nom de la haine.

La comtesse Thamar ne surprit pas beaucoup le voyageur lorsqu'elle se tourna vers lui pour lui dire, avec toujours ce même sourire qui semblait hésiter et balbutier sur ses lèvres, que, maintenant, il fallait mourir pour de bon. Parallèles, silencieux, ils reposaient tous deux après l'amour. Le désespoir de vivre reprenait possession d'Omar Ibn Battûta. Elle se pencha vers lui, s'appuya sur son coude, lui caressa lentement le visage de sa main libre et lui dit :

— Gog et Magog, c'est moi. Maintenant, il faut mourir.

Omar Ibn Battûta la regarda avec quelque chose dans les yeux qu'elle ne parvenait pas à définir. Ce n'était ni la crainte, ni l'ironie, ni la résignation, ni le défi. C'était plutôt une sorte de calme, de fatigue, de certitude. Ce fut à son tour à elle de ressentir quelque chose qui ressemblait à la peur.

— Tous ceux qui ont fait l'amour avec moi doivent mourir, lui dit-elle comme pour s'excuser, à voix très basse, en continuant à lui caresser le visage de la main. C'est la règle.

— Vraiment ? dit Omar.

Et, les yeux soudain fixes, attrapant la main de la

jeune femme dans sa poigne de fer, il posa ses lèvres sur la saignée du bras. Elle ne résista pas. Il la prit une nouvelle fois.

— J'aime faire l'amour avec toi, lui dit-elle, les yeux clos. J'aurais voulu que tu ne meures pas et que tu restes avec moi.

— Je ne resterai pas avec toi, dit Omar. Mais je ne mourrai pas. Je ne meurs que dans tes bras.

— Tu mourras, dit Thamar. C'est dommage. Mais c'est la loi.

Elle baisa Omar sur la bouche, longuement, avec une sorte de tendresse. Puis elle se leva du lit très vite, s'enveloppa dans un châle de cachemire et disparut par la porte qu'elle avait empruntée pour entrer. Aussitôt, une douzaine d'hommes en armes firent irruption dans la pièce.

EXTRAIT
DU JOURNAL INTIME
DU LIEUTENANT
NATHAN KATZ

Mercredi 30 juin.

Contact enfin établi avec L. Par une fille, naturellement. L'imbécile de l'autre jour avait raison. Les imbéciles ont toujours raison. C'est à vous décourager d'être
intelligent. L. sur les bords du lac V. et à K. Soulagement. Presque trop. L. disposé à se rendre à E. et à agir
seul. Prétend réussir à coup sûr. Impossible. Expliqué à
L. que, pour beaucoup de raisons, une forme de soutien
officiel est indispensable. Réaction de L. : il rit.

Jeudi 1ᵉʳ juillet.

Quatre heures avec Y.N. Nerveux au début, intéressé
ensuite, en fin de compte rassuré et presque radieux.
Semble convaincu. Doit évidemment en référer au plus
haut niveau, consulter le général G., monter jusqu'à
Y.R. et obtenir son accord. L. d'une activité incroyable.
Semble partout à la fois. A couru jusqu'à E. A relevé
l'emplacement des pistes, des installations, des hangars,
des mitrailleuses. Indique dans quel sens s'ouvrent les
portes et combien il y a de marches dans le couloir qui
conduit aux toilettes. Communiqué les renseignements
à Y.N. qui n'en croit pas ses oreilles. Mi-ironique, mi-
épaté :

— Votre L., c'est tous les Maccabées en un seul homme !

Il ajoute :

— J'imagine qu'il va nous coûter cher ?

Je réponds :

— Pas un sou !

Il siffle.

— Engageons-le !

— Aucune chance, mon colonel !

Vendredi 2 juillet, 2 heures du matin.

Feu vert du P.m., Y.R. Téléphoné à L.

— Je le savais, me dit-il.

Il ne doute de rien. A fait passer en code un plan assez malin. Je retourne voir Y.N. qui retourne voir Y.R. Plan adopté. Je me tiens les pouces.

Vendredi 2 juillet, 11 heures du soir.

Toute la journée, répétition générale. Trois cents hommes y participent : pilotes, médecins, techniciens, troupes de choc, parachutistes. Cent cinquante d'entre eux seulement partiront pour E. : chaque poste a deux titulaires. Les hommes sont divisés en trois groupes : le premier groupe attaquera, puis occupera les bâtiments où sont gardés les otages et neutralisera les terroristes et les soldats ougandais ; le deuxième groupe protégera le premier et détruira la tour de contrôle et les installations militaires ; le troisième groupe fera sauter les Mig de l'aéroport d'E. pour les empêcher de donner la chasse aux trois Hercules. Tous les hommes sont des volontaires, venus du contingent, mais passés par une sélection rigoureuse et entraînés selon les méthodes des commandos de parachutistes. Tous sont jeunes, y compris les officiers : maximum trente ou trente-cinq ans. Tous y croient. Personne ne parle. Il n'y a d'ailleurs rien à dire : tout repose sur L., là-bas, à E.

Samedi 3 juillet.

En vol vers E. Cinquante pieds à peine au-dessus de la mer Rouge. Nous en avons pour sept heures. Je dors à moitié dans le premier avion, installé à merveille sur un des sièges de la Mercedes noire, identique en tout point à celle d'A.D. et dans laquelle L. va monter dès les premières secondes de notre débarquement. C'est lui qui doit nous guider et diriger en fait l'opération tout entière. Que faire s'il n'est pas là ? Mais il sera là. Pourvu qu'il tienne ! Il tiendra.

Samedi 3 juillet, 11 heures 30 du soir.

Nous arrivons, moteurs coupés, au bout de la vieille piste non éclairée et non gardée. Grâce à L., chaque homme connaît le terrain par cœur, comme s'il avait vécu toute sa vie sur les bords du lac V. J'écris ces mots à la hâte, dans le noir, le cœur battant, tapi à l'arrière de la Mercedes qui va débarquer dans quelques instants de la soute arrière de l'Hercules pour cueillir L. qui nous attend. Atterrissage. L'avion s'arrête. Entends le grincement de la passerelle qui s'abaisse. La Mercedes démarre. Le chauffeur, un peu trop vite, la fait descendre sur la piste. La porte arrière s'ouvre brutalement. Mon Dieu ! Visage jovial et luisant, grand uniforme, masse imposante, le maréchal A.D. en personne saute en marche à côté de moi.

— Ça va ? me dit L. en hébreu.

Suivie des Land Rover bourrées de parachutistes, la Mercedes fonce dans la nuit.

. . . .

Dimanche 4 juillet.

« Lève-toi et marche ! » C'est ce que j'ai crié en hébreu à Monique qui était étendue par terre, terrifiée par la fusillade, et qui dort maintenant auprès de moi. Nous ramenons dans nos trois Hercules un peu plus de cent otages. Ils parlent, ils rient, ils mangent, ils dorment, ils pleurent silencieusement : ils n'oublieront jamais. Nous ramenons aussi les corps de deux victimes. Il semble qu'une troisième, une femme âgée, ait disparu. Un des nôtres a été tué. Celui que j'aimais le plus. C'est le colonel Y.N. Il avait trente ans. Il a été, d'un bout à l'autre, au cœur de l'opération et il a trouvé la mort à la tête de ses hommes.

L. a été stupéfiant. Il était partout en même temps. Quand il est sorti de l'ombre, il a dit quelques mots en kiswahili ou en runyankole. Les soldats ougandais l'ont pris pour A.D., ont rectifié la position, ont salué leur maréchal. Nous avons eu le temps de foncer en avant et de liquider la bande qui avait monté toute l'affaire. Au moment où Y.N. est tombé, L. s'est tourné vers moi :

— Quelle chance il a !...

Quand la ruse a été éventée, il a continué à avancer, très droit, sans se presser, sous les balles qui sifflaient et les tirs de mitrailleuse. À la fin de l'opération, j'ai pris Y.N. sur mon dos et je l'ai ramené à l'avion. Et puis j'ai cherché L. Il avait déjà disparu.

Jésus, la bonté même,
Me dit en soupirant :
Tu marcheras toi-même
Pendant plus de mille ans.
Le dernier Jugement
Finira ton tourment !

De chez moi, à l'heure même,
Je sortis bien chagrin.
Avec douleur extrême,
Je me mis en chemin.
De ce jour-là, je suis
En marche jour et nuit !

— Bah ! ce qui s'est passé, vous commencez à le deviner. Les soldats de la comtesse Thamar m'ont entraîné au haut d'une tour, en face du glacier Devda-rak qui s'accroche au Kazbek. Entre le glacier et le château, un abîme où s'entassaient les corps des amants d'une nuit de la châtelaine du Caucase. Parmi les soldats apeurés, interrogés plus tard par la comtesse Thamar, les uns ont bredouillé des explications embrouillées, les autres m'ont vu terrasser, un à un, toute la troupe des hommes armés. Mais la plupart ont déclaré sous la foi du serment, et peut-être sous la torture, que je m'étais jeté dans le vide du haut de la tour du château et que j'étais monté vers le ciel. Au moins officiellement, la comtesse Thamar a adopté cette version qui l'arrangeait plutôt et qui n'a pas peu contribué aux contes et aux légendes du pays de Gog et Magog : dans le Caucase comme ailleurs — et nul besoin de préciser qu'on était sur le point de jeter leur corps dans un précipice après avoir couché avec eux —, il n'est jamais mauvais d'héberger des archanges.

Après la comtesse Thamar comme après Natalie, après Poppée, après Pauline, vous savez bien ce que j'ai fait : j'ai vécu, j'ai marché. Rien n'épuise jamais le torrent de l'histoire et du temps. Quand quelque chose est fini, quelque chose continue. Quand quelque chose est fini, il y a quelque chose qui commence. Quand vous aurez refermé le livre de ma vie, le monde vous reprendra et vous emportera. Après moi, vous attendrez, vous aimerez, vous espérerez. Après vous, je marcherai.

J'ai beaucoup marché. Je marcherai beaucoup. Il me reste autant à vivre que j'ai déjà vécu. Et peut-être beaucoup plus. Il y aura de l'inouï, du jamais vu, des révolutions sans retour. Et ce sera toujours la même chose. Pour moi à travers les siècles, pour vous et vos enfants et les enfants de vos enfants, rien de nouveau sous le soleil, et pourtant, à chaque pas, sans cesse un monde nouveau.

Si vous saviez ce qui vous attend, vous sécheriez de frayeur. Car, pour parler comme ce cardinal du grand siècle traité par mon vicomte de *vieil acrobate mîtré,* de *Lovelace batailleur et tortu,* « nous allons voir des choses auprès desquelles les passées n'étaient que verdures et pastourelles ». La divine Providence, dans sa miséricorde, a mis le souvenir derrière vous et caché à vos yeux ce qu'il y avait devant vous. Vous avez de la chance : il n'y a pas de mémoire de l'avenir. Vous connaissez votre passé, vous vous contentez d'imaginer et de rêver votre avenir — et, grâce à Dieu, vous vous trompez. L'avenir sera bien pire que tout ce que vous croyez. Et il sera plein, comme toujours, de bonheurs ineffables qui feront de la vie ce qu'elle a toujours été : une surprise perpétuelle, une routine d'étonnement, un torrent d'horreurs délicieuses, un cauchemar qui n'en finit pas d'enchanter le dormeur, une plaisanterie qui tourne mal, le crime de Dieu et son rêve, une énigme radieuse et sombre, une contradiction infinie, un délire, une fête en larmes. Vous mourrez tous, nous souffrons tous, et de ces souffrances et de cette mort s'élève vers on ne sait quoi et peut-être vers on ne sait qui un hosanna sans fin.

Cet hosanna est fait de soupirs, de sanglots, de cris de colère et de révolte, des gémissements de ceux qui souffrent dans leur corps et dans leur âme. La vie est un rêve affreusement cohérent. Ce rêve, je l'ai rêvé plus qu'aucun être au monde. Quand vous rirez, pensez à moi. Quand vous pleurerez, pensez à moi.

Dans mille ans, dans vingt mille ans, dans deux cent cinquante mille ans, au cœur d'autres Venises, j'aurai bien des choses à raconter à bien d'autres jeunes gens devant bien d'autres Douanes de mer. La fête continue. Elle sera aussi belle et aussi rude qu'elle l'a jamais été au temps de Poppée, de Thamar, de Marie de Magdala, de Natalie, de Pauline, et de l'autre Marie.

— L'autre Marie ?... dit Marie.

— L'autre Marie, dit Simon.

— Qui c'est encore, celle-là ? dit Marie d'un ton boudeur.

— Mais c'est vous, dit Simon.

Elle m'échappait. Pendant que nous partions pour le Caucase et pour le Turkestan, pour le lac Victoria, pour la retraite de Russie, pour l'Italie d'Alaric et de Frédéric II, il ne se passait plus rien entre Marie et moi. Le temps passait. C'était tout. Nous ne nous promenions plus ensemble en riant et la main dans la main devant la Madonna dell' Orto ou sur la petite place de l'Angelo Raffaele que j'aimais à la folie parce qu'elle était ruinée par le temps et qu'il n'y avait pas grand-chose à y voir. Nous n'allions plus nous agenouiller à San Nicolò dei Mendicoli, solitaire et modeste entre ses trois canaux entourés d'entrepôts. Nous ne nous embarquions plus jamais pour Burano aux maisons bleues et ocre ni pour l'auberge de Torcello où, à deux pas de Santa Fosca et de la mosaïque triomphale de Santa Maria Assunta, nous nous étions tant embrassés entre le valpolicella et les calamaretti. Quand nous ne nous précipitions pas à la pointe de la Douane de mer pour y retrouver saint François ou le khân des Tartares ou le maréchal Amin Dada, nous passions notre temps dans la chambre minuscule de la pensione Bucintoro à recopier nos notes et à les mettre en forme. Nous ne vivions plus du tout. Nous vivions par les autres. Sous la conduite de Simon, aventurier de l'Éternel ou imposteur de génie, le monde entier s'était engouffré entre Marie et moi.

Il y avait déjà longtemps que je m'étais aperçu de l'inclination de Marie pour le conteur de la Douane de mer. Je crois qu'il la fascinait. Il l'entraînait avec lui dans les steppes de l'Asie centrale, sur les sommets du Caucase, parmi les collines de la Toscane ou des bords de l'Adige, et il la rejetait pantelante dans une vie quotidienne où elle ne trouvait que lassitude, banalité et ennui. Elle voulait partir avec lui à la poursuite de nouvelles aventures qui n'en finiraient pas de s'enchaîner comme dans les récits que nous écoutions le soir entre le palais des Doges et San Giorgio Maggiore. Je lui posais la question qu'il ne faut jamais poser :

— M'aimes-tu encore ?

Elle me répondait :

— Oui, oui.

Et elle se jetait à nouveau dans les cahiers où nous consignions les histoires que nous avions recueillies au pied de la Douane de mer. Ou, après avoir repoussé les papiers qui jonchaient notre table, les deux poings sous le menton, elle m'interrogeait sans fin sur le concile de Nicée, sur Fabrice del Dongo à la bataille de Waterloo ou sur le prêtre Jean. Sous ces coups de tonnerre, sous ces tourmentes du destin, je voyais bien que la seule chose qui l'intéressait désormais, c'était le Juif errant.

Souvent, quand elle dormait ou qu'elle relisait sans se lasser les contes de Simon Fussgänger, je me rendais, non loin de San Moisé, dans une librairie dont le patron m'avait pris en amitié. Je me jetais sur les dictionnaires, les cartes, les chroniques des temps évanouis, je cherchais fébrilement le nom de la comtesse Thamar ou de la bataille d'al-Qâdisiyyah et je m'enfonçais dans des lectures qui me menaient souvent jusqu'à l'excitation la plus vive et parfois aussi jusqu'à une semi-somnolence. Alors, je sentais une main sur mon épaule et j'entendais la voix du libraire :

— On ferme !

À ma stupeur, à mon angoisse, j'avais découvert entre-temps que tout ce que racontait Simon Fussgänger coïncidait avec la réalité telle que les livres la rapportaient. Il inventait l'histoire. Tous ses rêves étaient vrais.

Je rentrais à la pension en passant par Saint-Marc, la Piazzetta, les deux colonnes de granit volées à Constantinople qui servent de rideau de scène devant le Grand Canal, la riva degli Schiavoni. Venise me sautait aux yeux et au cœur. La célèbre lumière baignait le décor blanc et rouge de ce qui avait été notre amour. Marie dormait encore. Elle ressemblait plus que jamais à la Marie-Madeleine du tableau de Masaccio. Je m'asseyais près du lit et je caressais ses cheveux blonds. Elle se réveillait dans mes bras. Je la regardais. Je murmurais :

— Mon amour…, mon cœur…

Elle me disait :

— Allons-y.

Avec impatience, avec angoisse, dans le soir qui tombait, au cœur du paysage le plus célèbre du monde, nous partions pour la Douane de mer.

Dans les bras de Pauline, dans les bras de Pauline...
ah ! dans les bras de Pauline, Isaac Laquedem rêvait le
monde et l'histoire. Il rêvait les débuts et il rêvait la fin,
il rêvait le temps qui passe et qui dure pourtant, la vie
interminable et brève, le commerce et la guerre, le
désir, l'amour, les bonheurs, la folie, il se rêvait lui-
même, il rêvait tous les livres — et celui que vous lisez et
qu'il rêvait aussi — qu'on écrirait sur lui. Il rêvait
Jérusalem, et Athènes, et Venise, et Rome, et Ponce
Pilate, et Néron, et Matthieu Pâris, et Marie qui
l'écoutait dans le soir à la pointe de la Douane de mer. Il
se souvenait de tout, du passé et de l'avenir, il me rêvait
moi-même et le temps et l'histoire se déroulaient en lui.

Il se revoyait à Séville, un matin, vers le début de la
carrière de Calderon qui venait d'écrire *La vie est un
songe* — « *La vida es un sueño y los sueños sueños son* »
—, tout à fait vers la fin de celle de Lope de Vega, le
chantre de Christophe Colomb, l'homme aux mille huit
cents comédies et aux aventures innombrables. Il était
passé par hasard devant l'atelier d'un peintre dont il
était l'ami et qui s'appelait Zurbaran. Il était entré.
Zurbaran, qui était en train de peindre une de ses scènes
de l'enfance du Christ, l'avait accueilli avec cordialité et
l'avait mené devant la toile sur laquelle il travaillait :

l'Enfant Jésus y jouait sous les yeux de sa mère dans l'atelier de Joseph de Nazareth. Une expression indéfinissable passait sur le visage de la Vierge. L'enfant s'amusait d'un objet qu'il venait de ramasser ou peut-être de fabriquer : c'était une couronne d'épines. Juan de Espera en Dios était resté longtemps immobile devant le peintre et son tableau. Bien après Zurbaran, et même après Pauline Borghèse, Isaac Laquedem devait tomber sur les mots d'un philosophe de génie et se rappeler aussitôt l'Enfant Jésus à Séville sous le pinceau de Zurbaran : « La première catégorie de la conscience historique, ce n'est pas le souvenir : c'est l'annonce, l'attente, la promesse. »

Il se revoyait à Éphèse au temps de Julius Aquila, millionnaire et consul. Ce Julius Aquila était le fils de Julius Celsus Polemaenus, gouverneur romain de la province d'Asie. En souvenir de son père, Julius Aquila avait fait édifier à Éphèse une bibliothèque de plus de douze mille rouleaux. Cartaphilus avait été l'un des milliers d'ouvriers qui avaient travaillé à la construction de la bibliothèque de Celsus et au transport des ouvrages qu'elle allait abriter. On racontait que l'achèvement du grand temple d'Éphèse, reconstruit par Crésus, desservi par des vierges et des prêtres castrés, avait exigé deux siècles et demi. La bibliothèque de Celsus ne prit pas si longtemps. Cartaphilus pliait sous le poids des rouleaux qui allaient faire l'orgueil de la bibliothèque lorsqu'il eut la vision non seulement de ce que ces livres racontaient d'amusant, d'émouvant, de sublime, d'infini, d'inutile aussi et de contradictoire, mais de leur destin dans les siècles à venir.

Dans les bras de Pauline, entre le port sur la mer Égée, près de l'embouchure du Caystre, où arrivaient les rouleaux et le bâtiment en construction où il les déposait, il devenait tour à tour — rêves au sein de son rêve — les livres qu'il transportait sur son dos, les personnages et les fables qui surgissaient de leurs pages, la bibliothèque qui les abritait et jusqu'à la ville même dont ils étaient la gloire. Les Cimmériens, les Perses, les Athéniens, les Spartiates, les Perses encore se disputaient Éphèse jusqu'à la conquête d'Alexandre. Un disciple de Socrate, adversaire de la démocratie, grand chasseur, grand cavalier, grand bourgeois athénien passé plus tard aux Spartiates, débarquait dans le port et venait faire ses dévotions au sanctuaire d'Artémis avant de rejoindre à Sardes, sur la rive droite du Pactole, les dix mille Grecs un peu fous qui voulaient aider Cyrus le Jeune à arracher le trône à son frère Artaxerxès. L'ennemi des démocrates, le chasseur riche et pieux, était un grand écrivain : c'était Xénophon. Et parmi les Dix Mille, il y avait un Grec encore plus fou que les autres : c'était déjà Démétrios en train de se rêver lui-même dans les bras de Pauline. À travers des paysages exotiques et charmants pour l'imagination des Grecs, le début de la campagne fut une partie de plaisir. Mais, à la fin de l'été, à la bataille de Cunaxa, un peu au nord de Babylone, entre le Tigre et l'Euphrate, Cyrus était tué, son armée de barbares dispersée et les dix mille Grecs, invaincus mais isolés, à la merci d'Artaxerxès et du satrape Tissapherne. Alors Xénophon et Démétrios prirent la tête des dix mille mercenaires et, au terme de la retraite la plus périlleuse et la plus célèbre de l'histoire, après avoir remonté le cours du Tigre et parcouru une route sans fin à travers les déserts brûlants et les neiges de la Mésopotamie, de l'Anatolie et du Caucase — trois mille kilomètres en sept mois —, ils les ramenèrent jusqu'au Pont-Euxin où les Grecs se jetèrent en criant : « La mer ! La mer ! — *Thalassa ! Thalassa !* »

La ville passait à Lysimaque, général d'Alexandre, un peu de sa petite monnaie, un *diadoque*, comme ils disent. Il la rebaptisait Arsinoéia, du nom d'Arisnoé qui fut la femme de Lysimaque avant d'égorger ses enfants et d'épouser son propre frère, un Ptolémée d'Égypte. Elle était conquise par Pergame avant d'être conquise par les Romains. Héraclite y naissait, qui croyait que tout passe. Et aussi, à Colophon, à quelques kilomètres au nord-ouest de la ville, Xénophane, le maître de Parménide qui pensait que quelque chose de permanent et d'immuable, et à quoi, faute de mieux, nous donnons le nom d'être, s'obstine à subsister derrière les choses en train de changer. Tout cela, ces crimes, ces batailles, ces intérêts, ces idées, cette beauté aussi, ces espérances toujours déçues et toujours renaissantes, ce perpétuel progrès vers un abîme camouflé, c'est ce qu'on appelle l'histoire.

Saint Paul débarquait dans les bras de Pauline et y fondait l'Église d'Éphèse. Saint Jean l'évangéliste subissait à Rome, sous Domitien, le martyre de l'huile bouillante devant la vieille église de Santa Maria a Porta latina — où son souvenir revit dans un oratoire octogonal qui porte, au-dessus du linteau, gravée par un cardinal bourguignon, l'inscription en français : *Au plaisir de Dieu* — et, après être passé par Patmos pour y écrire l'*Apocalypse,* il mourait pourtant à Éphèse. C'est encore à Éphèse que la Vierge Marie achevait son séjour sur cette terre de souffrance, dans une maison décrite jusqu'au dernier détail, au début du siècle dernier, par une mystique allemande du nom de Catherine Emmerich qui n'avait jamais quitté l'Allemagne et qui parlait le grec, l'hébreu, l'araméen qu'elle n'avait jamais appris. Éphèse était toute pleine, comme bientôt l'univers, de la rumeur du Christ. L'ombre de celui à qui, dans un soir de printemps en train de tomber sur la Judée, le portier de Ponce Pilate, le cordonnier de Jérusalem avait refusé un verre d'eau s'étendait sur le monde et poursuivait le Juif errant.

Dans les bras de Pauline, Isaac Laquedem se tourne

et se retourne. Son sort est lié à celui du Galiléen dont il est l'image inversée et dont il a méprisé la souffrance sur le chemin du supplice. Il n'y aurait pas eu de Juif errant s'il n'y avait pas eu de crucifié. Sur la route aux pierres bien alignées qui va du port d'Éphèse à la bibliothèque, Cartaphilus gémit sous le poids des rouleaux. Le Christ était un homme. Et il était pourtant Dieu. Tout un pan de notre histoire surgit de cette double nature — ou de cette contradiction. Sous le nom d'arianisme, la doctrine du prêtre Arius nie la divinité du Christ et affirme que le Fils, ni éternel ni incréé, mais tiré du néant par la divine volonté, est inférieur au Père. De formidables disputes se poursuivent autour des mots *anomoios* et *omoios*, *homoousios* et *homoiousios*. Les uns soutiennent que le Fils est consubstantiel au Père, les autres qu'il lui est seulement semblable, ou semblable en substance, ou carrément dissemblable — et des flots de sang sont répandus pour un *iota* de plus ou de moins. Le concile de Nicée définit la foi catholique en déclarant le Fils consubstantiel au Père et rédige le Symbole de Nicée qui reprend et complète le Symbole des apôtres.

Dans les bras de Pauline, Isaac Laquedem se répète, en grec et en latin, en hongrois, en coréen, en ouolof, en swahili, les paroles qui font un Dieu de l'homme qu'il a repoussé et qui scellent son destin et sa condamnation :

> « *Credo in unum Deum, Patrem omnipotentem, factorem caeli et terrae, visibilium omnium et invisibilium ; et in unum Dominum Jesum Christum, Filium Dei unigenitum ; et ex Patre natum ante omnia saecula ; Deum de Deo, lumen de lumine, Deum verum de Deo vero ; genitum, non factum, consubstantialem Patri ; per quem omnia facta sunt ; qui propter nos homines et propter*

notram salutem descendit de caelis ; et incarnatus est
de Spiritu Sancto ex Maria Virgine ET HOMO
FACTUS EST. »

« Je crois en un seul Dieu, le Père tout-puissant,
créateur du ciel et de la terre, des choses visibles et
invisibles ; et en un seul Seigneur Jésus-Christ, Fils
unique de Dieu, né du Père avant tous les siècles ;
Dieu de Dieu, lumière de lumière, vrai Dieu de
vrai Dieu ; qui n'a pas été fait, mais est engendré,
consubstantiel au Père, par qui tout a été fait ; qui
est descendu des cieux pour nous autres hommes,
et pour notre salut ; qui s'est incarné en prenant un
corps dans le sein de la Vierge Marie par l'opération du Saint-Esprit ET S'EST FAIT HOMME. »

Nicée ne suffit pas à mettre fin au débat. Un
arianisme atténué et plus ou moins amendé se diffuse
largement et l'idée d'un Dieu unique qui ne s'embar-
rasse plus du mystère de la Sainte-Trinité prépare peut-
être en Orient le surgissement subit, moins de trois
siècles plus tard, de l'islam conquérant. Quelque trente-
cinq ans après le concile de Nicée et la rédaction de son
Symbole, saint Jérôme se lamente : « Le monde entier
gémit et s'étonne de se retrouver arien. » Par l'entre-
mise notamment de l'évêque Wulfila, l'arianisme se
répand parmi les tribus germaniques : les Ostrogoths,
les Wisigoths, les Vandales, les Burgondes, tous les
vainqueurs de Rome d'Alaric à Odoacre et à Genséric,
sont des chrétiens ariens. Dans les bras de Pauline,
Isaac se revoit à Rome, à Byzance, à Ravenne. Il se voit
à Venise avec Marie et moi devant l'annonce à Augustin
de la mort de Jérôme.

Mais le monde tourne encore. Et le rêve se poursuit.
Dans la ligne de l'arianisme et en réaction contre lui, le
patriarche de Constantinople, Nestorius, distingue dans

le Christ deux personnes, l'une humaine, l'autre divine : Jésus-Christ n'est qu'un homme en qui le Verbe de Dieu réside comme dans un temple. La Vierge Marie, naturellement, n'est que la mère de l'homme. Elle peut être appelée « mère du Christ », en aucun cas « mère de Dieu ». Un peu plus d'un siècle après le concile de Nicée, c'est à Éphèse qu'un autre concile condamne le nestorianisme et dépose Nestorius. Pas plus que la condamnation de la doctrine d'Arius n'avait arrêté la diffusion de l'arianisme, la condamnation de la doctrine de Nestorius ne suffit à empêcher les progrès du nestorianisme. Grâce à l'école d'Édesse, il se développe en Syrie, puis en Perse sous les Sassanides. Il pousse vers l'Arabie, vers l'Inde, vers le Turkestan, vers la Chine où une église nestorienne est construite à Tchang an — ou Xian — dont le musée présente encore, dans sa célèbre forêt des stèles, une colonne nestorienne aux caractères syriaques. Le nestorianisme atteint les Mongols, bénéficie de la protection de Gengis-Khân et contribue à la naissance de la légende du prêtre Jean qui allait bouleverser le monde chrétien au temps de Frédéric II. Les Arabes, qui ont conquis la Perse par la bataille d'al-Qâdisiyyah, tolèrent le nestorianisme et installent son chef, qui porte le nom de *catholicos*, au sein du califat de Bagdad. Dans les bras de Pauline, Isaac Laquedem se voit en Cartaphilus sur les chemins d'Éphèse en train de rêver à Hiuan-tsang sur la route d'al-Qâdisiyyah, à Giovanni Buttadeo aux côtés du Saint Empereur excommunié par le pape, à Omar Ibn Battûta al Khârezmi al Tartûschi au cœur des sables du désert.

On peut croire un instant que les successeurs de Gengis-Khân, Hûlagû et Kûbilaï, établis à Pékin, vont se convertir au nestorianisme. Mais les khâns mongols choisissent plutôt le bouddhisme répandu dans toute l'Asie par des sages et des pèlerins, avant de se rallier à l'islam, conquérant et vainqueur. Musulman fanatique, Tamerlan porte au nestorianisme des coups terribles et décisifs. Les nestoriens se réfugient au Kurdistan et finissent, beaucoup de siècles plus tard, par émigrer vers l'Amérique. Bien après Pauline et le vicomte de Chateaubriand et Natalie de Noailles, Héraclite et Parménide réduits à l'état de fragments, Éphèse changée en ruines que visitent les touristes, Isaac Laquedem, dans ses courses interminables le long de la Méditerranée, à travers les plaines d'Europe ou dans les wagons bringuebalants de l'Union Pacific, du Great Northern Pacific, du Santa Fe Pacific ou au volant de sa vieille Ford noire, en découvre encore quelques milliers, ou peut-être quelques centaines, dans le Proche-Orient, en U.R.S.S. et aux États-Unis.

Épuisé, hagard, titubant sous la charge des rouleaux qu'il trimbale sur son dos, Cartaphilus, par le souvenir et l'imagination, est dans toutes les époques et partout à la fois. Car, immortel et maudit, incapable de mourir et de sortir de ce monde, il appartient à tout par la mémoire et le rêve, il est en même temps ici et là et ailleurs et partout et dans tous les âges à la fois et, dans les bras de Pauline, du côté de la Provence, au printemps de 1813, il se voit à Éphèse, province romaine d'Asie, en train de voir tout cela et le reste et l'océan sans fond d'un temps qui passe et ne s'arrête pas.

— Mon Dieu !... dit Marie.

— Qu'est-ce qui se passe ? dit Simon.

— Est-ce que ça ne s'arrête jamais ? demanda Marie.

— Non, justement, dit Simon. Ça ne s'arrête jamais. C'est même la clé de l'affaire.

— Quelle fatigue ! dit Marie.

— C'est ce que j'essaie de vous faire comprendre depuis que nous nous sommes rencontrés, dit Simon. Ça ne s'arrête jamais. Ça continue. Ça se poursuit. Ça change et ne change pas. Quelle fatigue ! Je voudrais dormir et me reposer.

— Arrêtez-vous un instant. Reprenez votre souffle. Posez votre tête quelque part.

— Je ne peux pas, dit Simon. Je suis...

— Je sais, dit Marie.

— J'ai le vertige du monde, dit Simon. Vous savez ce que je voudrais ? Je voudrais disparaître. Je voudrais tout effacer. Moi d'abord. Et le reste aussi. Mais rien ne s'efface jamais. Tout s'accumule et se poursuit. La malédiction n'est pas de marcher. Elle n'est même pas de ne pas mourir. La malédiction, c'est que l'histoire ne s'arrête pas. La roue n'en finit pas de tourner et aucune force au monde, aucune révolution, aucune passion, aucun dieu ne pourrait la freiner. Vous souvenez-vous de Sisyphe qui avait, lui aussi, apprivoisé la mort, qui l'avait enchaînée et qui avait été condamné jusqu'à la fin des temps à pousser un rocher vers le sommet d'une montagne d'où il ne cessait de retomber ? Jusqu'à la fin des temps... Je suis un autre Sisyphe. Et savez-vous de qui Sisyphe était le père ? Il était l'amant de la femme de Laërte, roi d'Ithaque, et le vrai père d'Ulysse qui passa tant d'années à errer sur la mer. Il y a un lien secret entre le voyage et la mort, le temps, l'éternité. Je marche, l'histoire se fait. Je marche, et le monde tourne.

— Quelle horreur ! dit Marie.

— Oui, dit Simon, quelle horreur. Il n'y a qu'une chose sous le soleil qui mette un terme, pour un temps, à l'écoulement perpétuel : c'est l'amour. L'amour nous fait échapper à l'éternel enchaînement. À l'éternel progrès qui n'est qu'un éternel écroulement. Il nous pousse hors de nous-mêmes. Il brise le cercle infernal. Aimer, c'est oublier le monde, le temps qui passe, le malheur d'exister. C'est s'oublier soi-même au profit d'autre chose. C'est découvrir la vérité au-delà des apparences et choisir ce qui dure contre ce qui s'évanouit. En un sens, un Socrate, un Bouddha, le Christ n'ont rien enseigné d'autre. C'est pour m'être refusé à l'amour que je suis tombé dans l'histoire.

TEXTE
DE LA PRIÈRE DU SEIGNEUR
RÉCITÉE À VENISE
PAR ISAAC LAQUEDEM
DANS LA LANGUE BASHGALI
DES KAFIRS SIAH-POSH
ET DES KAFIRS AMAZULLA

Babo vetu osezulvini. Malipatve egobunkvele egamalako. Ubukumkani bako mabuphike. Itando yako mayenzibe. Emkhlya beni, nyengokuba isenziva egulvini. Sipe namglya nye ukutiya kvety kvemikhala igemikhla. Usikcolele izono zetu, nyengokuba nati siksolela abo basonaio tina. Unga singekisi ekulingveki zusisindise enkokhlakalveni, ngokuba bubobako ubukumkhaninamdkhla nobungkvalisa, kude kube igunapakade. Amene.

— Croyez-vous… ? dit Marie.

— Quoi donc ? demanda Simon.

— Non, je veux dire… Croyez-vous tout court ? Croyez-vous que le misérable que vous avez repoussé était fils de Dieu et Dieu lui-même ? Croyez-vous en lui ?

— Croyez-vous en moi ? dit Simon.

— Ce n'est pas la même chose, dit Marie.

— Vous avez raison, dit Simon : ce n'est pas la même chose. Je ne suis après tout qu'un personnage improbable, une sorte de héros de roman, toujours en train de courir parmi la Terre et les siècles. Et l'événement le plus décisif de toute l'histoire de cette planète, c'est la mort d'un homme qui se disait venu d'ailleurs, un vendredi de printemps, sur les bords orientaux de la mer intérieure, sous Tibère, empereur romain, successeur d'Auguste et de César, et sa résurrection le surlendemain au témoignage de quelques-uns.

— Était-ce plus important, dit Marie, que l'invention du feu, de l'agriculture, de l'écriture, de la ville ? Était-ce plus important que le big bang ? Plus important que le premier rire, que la première chanson, que le premier regard d'amour entre un homme et une femme ?

— Si vous m'avez écouté, dit Simon, pendant tous

ces soirs que nous avons passés ensemble, ce qu'il y a de plus important, c'est l'histoire des hommes. Et qu'il y ait quelque chose qui la dépasse et qui en fasse partie : c'est ce qu'on appelle l'incarnation. Je suis payé pour y croire et je m'imagine, de surcroît, vous l'avez peut-être deviné, que tout ce qui se passe au monde est d'une certaine façon contemporain et que, cachée sous le temps qui est notre royaume et notre loi, l'incarnation ne cesse jamais de se poursuivre à chaque instant. Elle était déjà dans le big bang, dans le premier amour, dans le premier sacrifice, dans le premier souvenir, dans la première attente et la première espérance. Elle était dans les premières paroles prononcées par les hommes et dans les premiers mots tracés sur des coquilles, sur des tablettes d'argile et sur des papyrus. Elle est avant que tout soit et que rien n'apparaisse. Elle est quand rien n'est plus et que tout est fini. C'est par l'incarnation que nous sommes tous trop grands pour nous — et souvent trop petits. C'est par l'incarnation que je cours à travers le monde, que je suis avec vous au pied de la Douane de mer et qu'aux yeux d'un souvenir qui est encore dans l'avenir tout ce qui se passe dans l'histoire se déroule en même temps.

— Si vous étiez moi, dit Marie, vous croiriez à tout cela et à toutes ces fariboles que vous nous racontez ?

— Parce que je suis moi, dit Simon, et que je suis le Juif errant, je n'aspire à rien d'autre qu'à ma mort impossible. Mais si j'étais vous et que je ne faisais que passer dans cette vallée de roses et de larmes que vous appelez la vie, je ne croirais pas que le temps puisse s'expliquer de lui-même ni que l'histoire soit un conte inventé par les enfants qui en lisent quelques pages.

— Vous croyez à autre chose ? dit Marie.

— Voilà. Je ne crois pas à grand-chose, mais je crois à autre chose. Je crois à autre chose qu'à cette somme d'aventures auxquelles je n'en finis pas d'être mêlé dans ce monde et que je vous raconte nuit après nuit dans la splendeur de Venise, image paradoxale et fragile de toute l'histoire des hommes. Oui, je crois à autre chose. J'ai rêvé d'écrire, sur le temps et au-delà du temps, une histoire d'éternité. Et ce qui en est le plus proche, c'est un visage de supplicié entr'aperçu un soir, sous le règne de Tibère, dans un faubourg de Jérusalem, au début du printemps.

Ce soir-là, dans notre chambre de la pensione Bucin-toro, Marie se tourna vers moi.

— Je crois, me dit-elle, que j'ai fini de t'aimer.

Je le savais déjà, naturellement. Et vous aussi. Je suis tout de même tombé des nues. Ce que nous exprimons est toujours en retard sur ce que nous ressentons. Mais ce que nous ressentons ne se met à exister que quand nous l'avons exprimé. Je me suis assis sur le bord du lit.

— C'est la faute de Simon, murmurai-je. Que vas-tu faire ?

Elle haussa les épaules.

— Je ne sais pas. La tête me tourne.

Toute la nuit, nous avons parlé de nous comme font les gens qui s'aiment et aussi ceux qui ne s'aiment plus. Les mots inévitables ont été prononcés. Je lui ai dit :

— Je t'aime.

Elle m'a dit :

— Je t'aime beaucoup.

J'ai compris ce que les adverbes avaient de détesta-ble. Pour bien me faire sentir que tout était fini à jamais entre nous, elle m'a serré contre elle.

Nous avons parlé de Simon. Elle voulait partir avec lui. J'ai essayé de lui expliquer que Simon Fussgänger était un immortel, un escroc ou un fou. Dans chacun de ces trois cas, l'existence en commun risquait d'être difficile. Elle ne voulait rien savoir, elle m'accusait d'être jaloux, elle se jetait dans mes bras et elle se mettait à pleurer.

Le meilleur des narcotiques, c'est l'absence de passions. Ni Marie ni moi, nous n'avons beaucoup dormi. Le soleil se levait quand nous sommes tombés dans un sommeil au moins aussi agité, mais pour d'autres raisons, que les nuits de ces imbéciles d'Isaac Laquedem ou d'Omar Ibn Battûta. Je les détestais de tout cœur. Je me moquais bien de leurs aventures, de la marche du temps, de l'histoire en train de se faire. Des idées banales et sinistres me trottaient dans la tête. Le moindre chagrin d'amour suffit à nous rendre sourds à la musique des sphères. Quand nous nous sommes réveillés, la force de l'habitude avait jeté Marie contre moi.

Pour fuir ces corps qui s'obstinaient, nous sommes sortis nous promener. Venise était toujours belle. Elle nous distrayait de nous-mêmes. Les doges, les courtisanes, les ombres du prêtre roux, de *La Tempête,* du *Songe de sainte Ursule,* du Colleoni, là-bas, sur son cheval de bronze au milieu de la place, faisaient ce qu'ils pouvaient, et ce n'était pas lourd, pour nous venir en aide. Nous étions presque soulagés d'avoir changé en mots des choses secrètes et tues. J'ai dit à Marie :

— Voici Venise sans notre amour.

Elle m'a dit :

— J'aimais mieux l'autre.

Je lui ai dit :

— Merci. Comme c'est triste.

Elle m'a souri en silence, l'air navré de dire ce qu'elle disait, de faire ce qu'elle faisait. Quelques instants plus tard, sur le pont des Soupirs, je me suis arrêté, je l'ai prise dans mes bras, je lui ai dit encore :

— Madeleine, Madeleine, toi et moi, qu'allons-nous devenir ?

Elle s'est dégagée un peu trop vite et elle m'a répondu :

— Eh bien, nous allons vivre. Pour nous au moins, ça ne prendra pas si longtemps.

Ce que j'ai toujours aimé chez Marie, c'est sa simplicité. Elle n'avait pas beaucoup changé. Elle ne m'aimait plus. C'était tout simple. Il n'y avait pas de quoi faire un fromage.

Messieurs, le temps me presse !
Adieu la compagnie.
Grâce à vos politesses.
Je vous en remercie.
Je suis trop tourmenté
Quand je suis arrêté !

— Quand je serai parti…, dit Simon.

— Ne partez pas ! dit Marie.

Simon nous regarda.

— Vous savez bien que je dois partir. Tout ce que je vous ai raconté me fait signe de partir. Tout ce que je vous ai raconté n'a de sens que si je pars. Je perçois déjà ces rumeurs, j'éprouve ces sensations qui précèdent mes départs. J'ai parlé un peu trop, le temps me paraît long, j'ai des fourmis dans les jambes, j'entends une voix intérieure m'enjoindre de disparaître. Quand je serai parti, pensez parfois à moi.

— Je ne vous oublierai jamais, dit Marie.

— Il y avait déjà quelques années que je ne m'étais pas arrêté. Je crois qu'après vous je ne m'arrêterai plus. On a beaucoup parlé de moi depuis trois ou quatre cents ans. Je voudrais disparaître et effacer les traces que je vous ai montrées. Peut-être, dans un siècle ou deux, dans un ou deux millénaires, parce que je me serai tu, des voix s'élèveront-elles pour assurer que le Juif errant n'a jamais existé. Je serai rentré dans le silence et dans l'obscurité d'où je n'aurais jamais dû m'échapper. À quoi bon s'agiter, faire du bruit, exercer le pouvoir, susciter livres et chansons, essayer de deviner l'impossible et d'exprimer l'ineffable ? À quoi bon ?… Une grande fatigue s'empare de moi. Je crois que vous êtes les derniers auxquels le Juif errant se sera adressé. Rendez-moi un service : mettons que je n'ai rien dit.

Un motoscafo passa avec un bruit d'enfer entre la Douane de mer et San Giorgio Maggiore.

— Quand je serai parti, dit Simon, rien ne manquera au monde.

— Ce n'est pas vrai, dit Marie. Vous nous manquerez.

— Personne ne manque jamais au monde. Il arrive que quelqu'un puisse manquer à quelqu'un. Mais le monde continue. Quand vous fermez un livre que vous avez aimé, la vie reprend ses droits et Fabrice del Dongo, ou Nane, ou Ulysse, ou Odette de Crécy s'évanouissent dans le passé. Je voudrais que la vie prenne le relais du Juif errant et que vous me retrouviez, absent, dans tout ce qui se passera. Rien de ce que je vous ai raconté durant ces soirs écoulés que nous avons passés ensemble devant la Douane de mer n'est plus extraordinaire que ce qui vous arrive tous les jours dans votre vie quotidienne. Le soleil qui se lève pour briller sur la mer, sur les champs, sur les passions des hommes est bien plus prodigieux que l'incendie de Rome ou l'enterrement d'Alaric. Le moindre de vos bonheurs est autrement éclatant que la gloire de l'Empire. Et la découverte de l'Amérique ne vaut pas un battement de cœur ni le reflet de l'amour qui vous unit l'un à l'autre.

— Nous ne nous aimons plus, dit Marie. C'est vous que...

— Je ne suis personne, dit Simon, en posant sa main sur la bouche de Marie. Je suis tout le monde. Je suis celui qui marche et qui ne s'arrête jamais. Je suis celui à qui l'amour est interdit comme la mort. Je suis le désastre d'une vie amputée de sa mort et privée de l'amour. La seule bonne chose à faire de mon ombre, quand nous nous serons quittés, ce sera d'oublier ma personne qui est sans importance et de vous souvenir de ce monde qui est aussi le vôtre et que j'ai tant traversé. Puisque je dois partir et que je vais disparaître, je vous remets à lui. Il n'y a pas de fable ni de légende plus attachante que la vie. Le plus beau des récits, c'est celui que raconte le monde en se déroulant dans l'histoire. Il vous vaudra plus de surprises, plus d'effroi, plus de bonheurs aussi que je ne vous en ai jamais donnés.

— Mais vous ?… dit Marie.

— Moi ? dit Simon. Je suis à peine un regard, une main, une silhouette. Je suis à peine une voix. Je ne suis rien qu'un nom, caché sous d'autres noms. Je suis surtout tous ceux dont je n'ai pas parlé et que vous ne connaissez pas. Je suis les pauvres sans histoire qui font l'histoire du monde. Je suis le premier venu et le dernier arrivé. Je suis vous, naturellement. Et je suis tous les autres. N'importe qui me remplace. Je surgis du temps qui passe, j'ai du mal à mourir, je ne cesse jamais de renaître. J'arrive, je disparais et je suis toujours là. Bien plus qu'à la parole, j'appartiens au silence. Je serai plus présent dans un avenir qui ignorera mon nom que je ne l'ai été dans un passé qui ne parlait que de moi. Il n'y aura pas de recoin, il n'y aura pas d'instant où je ne serai présent en creux, tapi dans les souvenirs et dans les espérances. Mon absence sera avec vous jusqu'à la fin des temps.

Dans la nuit de Venise où traînaient tant de bateaux qui s'en allaient on ne sait où, de dentelles, de verre filé, d'amants, de christs en croix, Marie pleurait sur mon épaule.

Le monde entier s'engouffrait entre Marie et moi. La rumeur des siècles et des espaces s'enflait à travers Venise. Le souvenir, l'imagination, le rêve s'emparaient de la petite chambre où, quelques semaines plus tôt, nous étions arrivés tous les deux, amoureux l'un de l'autre, indifférents à l'univers, pleins d'insouciance et de gaieté.

Longtemps, nous avions imaginé que nous serions seuls au monde. Nous n'étions que deux maillons, minuscules et souffrants, d'une chaîne qui n'avait pas de fin et qui nous unissait aux guerriers, aux peintres, aux voleurs, aux prostituées qui nous avaient précédés et qui allaient nous suivre. Et, au-delà de ces hommes et de ces femmes qui avaient été jetés comme nous dans la nécessité et dans les hasards de la vie — et les hasards étaient le cœur de la nécessité et la nécessité elle-même était un abîme d'arbitraire —, nous étions liés à l'air, au soleil, à la mer d'où nous sortions, aux arbres qui nous entouraient, aux plantes et aux animaux dont nous étions les héritiers, aux pierres et aux planètes dont nous partagions l'univers et qui nous accompagnaient.

Tout s'achevait. Tout débutait. Tout recommençait toujours. Tout ne cessait jamais de finir. Il y avait eu des chutes qui avaient fait beaucoup de bruit. Il y avait eu des débuts dont l'histoire se souvenait. Il y avait eu un début décisif pour les hommes qui, au-delà des mois, des saisons, des années, en avaient fait l'origine de leur façon de compter les siècles et les siècles de siècles : c'était un jour comme les autres, il faisait beau, le printemps était de retour sur la mer intérieure qui était, en ce temps-là, le centre du monde connu. Et un cordonnier de Jérusalem prenait le frais devant le palais de Ponce Pilate, procurateur de Judée. Au sein de cette aventure, la plus grande de toutes, et qui était l'histoire même, il y avait une foule inépuisable d'aventures et d'histoires qui donnait à la création ses couleurs et sa force. Dieu est dans les détails. Il n'agit qu'à travers les êtres, leurs ambitions, leurs manies, leurs délires et leurs crimes. Ce qui était oublié et ce qui était caché, le passé et l'avenir, les carnages et les soirs d'été, tout convergeait vers la chambre de la pension Bucintoro, au bout de la riva degli Schiavoni.

— Toute la nuit, me dit Marie, j'ai rêvé de Simon.

Le monde tournait autour de cet homme qui était la suite des hommes. Dans la chambre, encombrée de paperolles et de notes, de la pension Bucintoro, nous courions avec lui sur les chemins de la guerre, du savoir, du plaisir, du commerce, de l'amour, de la foi. Nous visitions des sanctuaires, nous soutenions des sièges, nous gagnions et perdions des fortunes, nous skiions parmi les fleurs dans les printemps de montagne, nous marchions le long des fleuves et nagions entre les îles de la mer intérieure, nous ébranlions des trônes et pleurions en secret sur des amours infidèles. Comme pour chacun d'entre nous, par un mystère très banal et pourtant insondable, nous étions le centre de cet univers dont nous n'étions qu'une partie. Mais nous, dans la chambre de la pension Bucintoro, nous avions avec nous les rêves du Juif errant.

— Toute la nuit, me dit Marie, j'ai rêvé de Simon.

Toute la nuit, Marie, dans la chambre de la pensione Bucintoro, rêva les rêves de Simon. Elle était Simon et ses rêves, les conciles de Nicée et d'Éphèse, les batailles de Poitiers et d'al-Qâdisiyyah, les mosaïques de San Vitale, les peuples de Gog et Magog, la main coupée d'Erik à la Hache sanglante, le cheval blanc de Théodoric sur les rives de l'Adige, l'amour de René et de Natalie dans la cour des Lions de l'Alhambra de Grenade. Elle descendait dans les grottes où reposait, invisible, visible seulement à la foi, l'ombre de Sâkyamuni. Elle traversait les Alpes, le Caucase, les déserts de Gobi et de Takla-Makan, les grands fleuves qui sortaient du centre de l'Afrique et de l'Himalaya. Elle était une lettre oubliée, un chagrin, un instant de repos ou de découragement, la plus passagère et la plus futile des pensées. Elle était Haydn et Spinoza au moment d'écrire les premiers mots et de tracer les premières notes de *L'Éthique* et de *La Création*. Elle était le caniche qui regarde saint Augustin en train d'apprendre, par une inspiration divine, la mort de saint Jérôme dans le tableau de Carpaccio.

Elle était la durée, la permanence, la conservation de l'univers dans son équilibre miraculeux. Elle était le passage et le changement. Elle était aussi l'instant. Il y avait autant de richesse dans un seul instant d'un seul être que dans toute la suite des hommes au cours des millénaires. Un seul éclair de son rêve lui livrait tous les rêves jamais rêvés par le Juif errant et la totalité d'une création qui était déjà tout entière dans chacune de ses parties et de ses plus infimes divisions. Elle s'étendait à l'universel et elle descendait aux détails les plus insignifiants et les plus méprisés : ils étaient l'image de l'infini, son symbole, son effet et peut-être sa racine.

— Toute la nuit, me dit Marie, j'ai rêvé de Simon.

Flanqué de l'immense et du minuscule, entre l'instant et la durée, le Juif errant, d'un bout à l'autre, traversait l'histoire du monde et le rêve de Marie. Il était l'histoire du monde et il n'était rien d'autre que le rêve de Marie. Elle riait, elle pleurait, elle souffrait, elle espérait. Lui ne pouvait pas mourir. Il était le temps qui n'est que le songe du temps.

L'idée que nous allions mourir me coupa soudain le souffle. J'aimais tout de cette vie, et jusqu'à ses tristesses et jusqu'à ses douleurs. Le soleil, la mer, la neige sur les montagnes, le souvenir et l'espérance, les vignobles de Toscane, les films de Cary Grant et de Lauren Bacall. J'aimais Marie. Elle ne m'aimait plus. Simon Fussgänger n'avait pas réussi à me faire aimer la mort. Mais il m'avait fait aimer la vie avec tant de violence que j'acceptais une mort qui n'est rien d'autre que l'envers et le sceau de la vie.

— Toute la nuit, me disait Marie, debout en face de moi dans la chambre surpeuplée de la pension Bucintoro, j'ai rêvé de Simon.

J'ai passé ma journée à écrire encore quelques pages. Elles se terminaient sur Marie en train de se tourner vers moi pour me dire que, toute la nuit, elle avait rêvé de Simon. À la tombée de la nuit, nous sommes partis, comme chaque soir, retrouver Fussgänger à la pointe de la Douane de mer. Mais il n'y avait plus personne.

Un petit garçon de six ou sept ans a surgi de quelque part et s'est approché de Marie. Il lui a demandé si elle était la dame blonde. Elle lui a répondu que, selon toutes les apparences, ce n'était pas impossible. Alors le petit garçon a récité très vite :

— Le monsieur m'a donné mille lires et il m'a dit de vous dire qu'il ne fallait pas l'attendre. Il a dû quitter Venise et il ne reviendra plus.

J'ai pris la main de Marie et, par le pont de l'Académie, par la place Saint-Marc et par la riva degli Schiavoni, à travers Venise soudain déserte, nous sommes rentrés tous les deux à la pension Bucintoro.

Marie a épousé Charles, son fiancé de jadis. Il a fait une belle carrière dans des cabinets de ministres. Grâce à ce que ceux qui savent appellent, je crois, le « tour extérieur », il vient d'être nommé au Conseil d'État ou à la Cour des comptes. Il est devenu sûr de lui, il connaît le monde et ses problèmes, il ne doute plus de grand-chose. On parle de lui pour une ambassade. Je les vois de temps en temps. Chacun de notre côté, en silence, nous rêvons au passé. Marie est toujours aussi belle, aussi blonde, aussi naïve qu'autrefois. Elle me semble souvent un peu absente. Tout ce que nous avons vécu ensemble se réduit, dans mon souvenir, à une poignée de sable. Lui m'irrite beaucoup quand il assure, dans de grands rires, que Marie n'a jamais aimé qu'un seul homme : un vagabond un peu fou, mythomane et hâbleur, rencontré à Venise. Tout à fait entre nous, je ne le crois pas très malin. Moi, j'ai peu de besoins, peu d'ambition, assez de rêves pour toute une vie. Je sais que je vais mourir. J'attends. Je me promène à travers le monde sur les traces de celui à qui je pense sans cesse, dont j'ai recueilli les récits, au pied de la Douane de mer, la tête de Marie sur mes genoux, et qui se disait le Juif errant.

en souvenir
de lord Jagannath,
du palais de Tibère,
de Castel del Monte
et du roi Théodoric
dans la boucle de l'Adige,

non solum in memoriam
sed in intentionem

I

LA DOUANE DE MER

II

LA NUIT DES TEMPS

III

UN HOSANNA SANS FIN

ŒUVRES DE JEAN D'ORMESSON

COLLECTION FOLIO